柳鸣九文集

卷 2

理史集
人性的观照

海天出版社（中国·深圳）

图书在版编目（CIP）数据

柳鸣九文集 . 2，理史集·人性的观照 / 柳鸣九著 .
—深圳：海天出版社，2015.6
　　ISBN 978-7-5507-1340-6

　　Ⅰ . ①柳… Ⅱ . ①柳… Ⅲ . ①柳鸣九—文集②外国文学—文学研究—文集③随笔—作品集—中国—当代 Ⅳ . ① I217.2 ② I106-53 ③ I267.1

中国版本图书馆 CIP 数据核字（2015）第 063675 号

柳鸣九文集 . 卷 2
LIUMINGJIU WENJI JUAN 2

出 品 人　陈新亮
项目负责人　于志斌
选题策划　林星海
责任编辑　孙　艳
责任校对　万妮霞
责任技编　蔡梅琴
装帧设计　李松璋

出版发行　海天出版社
地　　址　深圳市彩田南路海天综合大厦（518033）
网　　址　www.htph.com.cn
订购电话　0755-83460202（批发）　0755-83460239（邮购）
设计制作　深圳市斯迈德设计企划有限公司（0755-83144228）
印　　刷　深圳市新联美术印刷有限公司
开　　本　787mm×1092mm　1/16
印　　张　39.5
字　　数　512 千
版　　次　2015 年 6 月第 1 版
印　　次　2015 年 6 月第 1 次
定　　价　135.00 元

20世纪70年代的柳鸣九

20世纪80年代的柳鸣九

柳鸣九在美国国立艺术博物馆

理史集

河北教育出版社

原版《理史集》

人性的观照

●柳鸣九　著

世界小说名篇中的情态与性态

Renxing de Guanzhao

复旦大学出版社

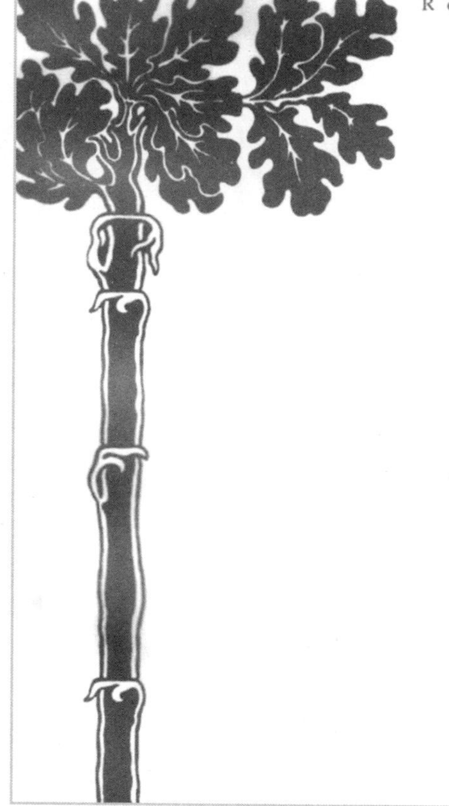

原版《人性的观照》

目　录

理史集

人性的观照

情 态 篇

性 态 篇

理史集

柳鸣九　著

前　言

这是我近十多年来出版的第四个论文集，如果把另外的鉴赏文集也一起算上的话，则要算是第六个了。

这个文集由两部分组成，第一部分可谓梳理篇，第二部分可谓辨析篇。

梳理篇是我的文学史研究工作与整理工作的一种产物，几乎都是为大型丛书与主编项目所写的研究性的序言。虽然文学史研究是我多年来工作的一部分，但这些大型丛书与主编项目，无不都是受各出版社之力聘而为的。在我看来，这些项目都是一些文化系列化的工程，是有意义的文化积累项目，值得去做，应该去做，即使我不做，也应该有别人来做。但如果要做得像个样子，如果要真正梳理出一个系统、一个系列，作为文化积累的保存形式，那就必须有研究的基础，就必须拿出自己的视角、自己的选择、自己的分类、自己系统的见解与论述。我不敢说自己就做好了，但我至少是这样认真去做了。至于写序，我总算译过或读过雨果的《〈克伦威尔〉序》、莫泊桑的《〈皮埃尔与让〉序》、泰纳的《〈英国文学史〉序言》之类的名篇，对这一些有理论、有文采、洋洋洒洒万言的大序心仪已久，认为写序是一件严肃的"重活儿"，非人人皆可为，轮到自己来写序了，那是不敢造次，轻易涂抹几笔了事的。

第二部分辨析篇，也与文学史研究工作与整理工作有关，只不过几乎都是针对一些文学史问题，特别是 20 世纪文学史问题的带有论辩性质的文章。而这些问题又无一不是近十几年来外国文学研究评介工作中的热点，在不止一个问题上，我本人都曾被卷进了论争的旋涡。这一篇中一部分文章是《西方文艺思潮论丛》每一辑的前言。这个论丛是我为了澄清 20 世纪西方文学中的一些重大问题而创办的，多年来惨淡经营，总算能存活下来，并有些影响，居然还获过奖。另一部分文章，则是我主持学术讨论会的主旨报告或开幕词。因此，不论是哪一部分文章，既是我个人思想观点的明白表述，也是当时一个个社会性、集体性学术行动的标志。如果说这些带论辩性的文章有什么重点的话，那就是自然主义与萨特。

1996 年 5 月 6 日

世界小说流派发展的一个轮廓

——《世界小说流派经典文库》总序

在我们的文学术语中，世界文学经常并非是指整个世界，包括我们国家的及所有一切国家的文学，而是指对我们来说是属于所有外国的那部分文学。由于世界各地区文化发展不平衡所造成的文学实绩的不均衡，人们在谈到外国文学时，倒不是出于"西方文化中心论"的偏颇，而只是出于对文学客观状况的清醒认识，往往是指西方文学，特别是欧美文学而言。因此，我们创建《世界小说流派经典文库》时所面对的、所要处理的，实际上主要是欧美小说这个整体与它的历史发展过程。毫无疑问，这一部分文学，在人类的全部文学财富中，占有着一个特别引人注目的巨大份额。

既然事关西方小说，特别是欧美小说的整体与历史发展，我们首先就不能无视欧洲文学中小说的概念。在意大利文中，与小说有关的三个级别的词汇是：racconto, novella, romanzo；在英文中是：tale, novel, romance；在法文中则是：conte, nouvelle, roman。这三种语言中第一个级别的词汇，现今一般都译为汉语中的"故事"，第二个级别是"短篇小说"，第三个级别则是"长篇小说"。但客观的文学历史实际却比较复杂，如英语中 novel 这个名词，一直到 19 世纪初尚不具有现今的意义，而 19 世纪下半叶的法国作家都德却把自己成熟而优美的短篇小说，称之为"故事"。至于我们今天理解为"长篇小说"的 roman 一词，最初则是指中世纪用罗曼语写的散文体或韵文体的故事或传奇故事，法国中世纪那一系列叙事结构简单、篇幅短小的列那狐的小故事，就堂而皇之地自称为 roman。

词汇语义学上的这些情况值得注意，是因为它们反映了欧洲小说历史概念的发展，但如果拘泥于这些历史的概念与划分，势必又会给今天的研究与整理产生副作用。在研究与整理历史的学术工作中，从来都有"名"与"实"两个层面的差异与错位。《世界小说流派经典文库》的任务在于展示出西方，特别是欧美小说的发展过程、演进阶段、源流风貌，对我们来说，最切实最好的办法，就是从世界小说历史的客观的"实"出发，对这一大片水面进行源流、水道、渠干的勘察与界定，以期提供世界小说的一幅全面的源流风貌图景。

小说这种文学形式具有两个基本特点：一是它的叙事性；二是它在语言形式上采用散文而非采用韵文。这两个特点，是人们在探讨小说发展源流时，应该视为原则性标准的，特别是第二个特点。因为，早在古希腊罗马时代，就已经有了韵文的叙事性作品——史诗，而在中世纪，则又有了韵文的叙事性作品——英雄史诗、骑士传奇与城市故事。重视小说的这个特点，就能从《伊利亚特》《奥德赛》《伊尼德》《罗兰之歌》《尼伯龙根之歌》《伊戈尔远征记》《特里斯当和伊瑟》《列那狐传奇》《玫瑰传奇》等等这一大批赫赫有名的作品所组成的丛林中走出来，找到小说这种文学形式的真正源头。而有的学者、文学史家却正是迷失在这个古代叙事名著的丛林里，以致对小说的源头缺少一种清晰明朗的认识。

毫无疑问，小说是城市文明、市民生活的产物。它最初引人注目甚至可以说是辉煌的代表，是出现在中世纪黑暗将要消失、资本主义新世纪的曙光开始显露的文艺复兴时代，这是完全可以理解的。首先，在这种曙光出现的 14 世纪意大利，产生了薄伽丘与他的划时代的《十日谈》。然后 16 世纪的法国，又出现了拉伯雷和他的《巨人传》。而在 16 世纪到 17 世纪的西班牙，则先后出现了著名的流浪汉小说《小癞子》《阿尔法拉契人的古斯曼》与塞万提斯不朽的杰作《堂·吉诃德》。这就是近代小说的开篇，它渗透着反封建、反教会的人文主义思潮与世俗的市民精神。它对后世的不论是写小说的人、读小说的人，还是研究小说的人，都不是无关紧要的。

在这个开篇里，就小说形式与题材风格而言，至少出现了小说历史发展的两个源头。《巨人传》《小癞子》和《堂·吉诃德》，它们在故事情节上以主人公的长途跋涉或闯荡流浪，在生活内容上以对广泛社会现实的关注与批判，在风格上以嬉笑夸张的形象表现，在精神倾向上以不同程度的玩世不恭，而开创了小说中的"流浪汉体"。后来的文学史家、批评家把为数很多具有这些基因的作品都归入这个"流浪汉体小说"的传统。如果说把马克·吐温的两部历险记也划入这个传统，也许会使人有不贴切之感的话，那么，把法国作家著名的长篇《茫茫黑夜漫游》称之为 20 世纪流浪汉体小说的杰作，则完全是无可置疑的。

薄伽丘的故事集《十日谈》（1348 ~ 1353），则开创了近代短篇小说的形式与小说中的市民趣味和反禁欲主义传统。它在西欧小说中的重要地位与巨大影响是显而易见的，英国 14 世纪作家乔叟的《坎特伯雷故事集》（1387 ~ 1400）就是受它的影响而成的，也是主要以这部作品，乔叟获得了英国近代文学之父的重要地位。而在 16 世纪的法国，则出现了玛格丽特·德·纳瓦拉完全模仿《十日谈》的故事集《七日谈》（1559），甚至法国 18 世纪某些性文学作品和艳情小说中以不同的人物分述自己的故事、故事中套故事的结构方式，也明显是从《十日谈》那里学来的。

这里存在着一个问题，为什么在我们这个文库里，没有把流浪汉体小说与早期短篇故事作为小说流派予以收容？

在我们看来，小说风格、小说体裁与小说流派是既相关又有所不同的。前两个范畴，更带有超时间性与超空间性，在不同时代、不同民族国家，都可能具有同一种风格与体裁。而小说流派则带有更明显的、更具体的同一限定性，作为小说流派必须具有时代的同一性、思潮的同一性，以及思想精神上较明显的纽带联系与作家之间某种程度、某种形式上的交往，等等。这些条件虽然不必全都具备方可构成其一个流派，但总需具备其中的一两个。流浪汉体小说与短篇市民故事，虽然超越了西欧不同国家、不同民族的界线而具有一定程度的同一性，但作家作品时代相距甚远，往往有 100 年，甚至在 200 年之久，而且所反映的生活内容，毕竟因不同国家、不同民族历史发展阶段的不同而存在相当大的差异。不像 19 世纪欧美各国都经过了资产阶级革命以后，有殊途同归之倾向，更不像 19 世纪后期到 20 世纪欧美各国，由于交往的频繁、关系的密切，在经济与文化上愈来愈有了一体化的趋势，因而在文学艺术上也愈来愈互通有无，交相融汇。这就是为什么欧美小说有了一个辉煌的开篇，而在我们这个文库里没有归结为流派的原因。

在说明了划分小说流派的原则与标准之后，我们把从 18 世纪起的世界小说划分归结为十二种风格流派，即哲理启蒙小说、浪漫主义小说、古典现实主义小说、自然主义小说、意识流小说、荒诞小说、现代现实主义小说、"存在"小说、"新小说"、黑色幽默小说、魔幻现实主义小说、"新寓言"小说。还应该说明的是，对小说流派的历史总结，并不等于对小说史全面而无所不包的论述，这不可能涵括小说史的全部内容。特别是对小说流派的编选，更要受编选规模、编选篇幅以及若干技术性条件的限制，而几乎是不可避免地会顾此失彼。由于对这十二种风格流派小说的具体介绍将由各卷导论来完成，这里就只做一些源流关系的概说。

一些文学史家认为，小说是在 18 世纪才真正兴起的，这主要是指英法两国而言，而在那个时代，英、法两国在各方面的意义上，都可以说是领导了世界新潮流。英国在 17 世纪发生了资产阶级革命，并产生了反映时代精神的大诗人弥尔顿和其气势宏伟的《失乐园》《复乐园》《力士参孙》，还有班扬和他著名的哲理小说《天路历程》，到 18 世纪又产生了笛福的《鲁滨逊漂流记》（1719）、斯威夫特的《格列佛游记》（1726）和菲尔丁的《汤姆·琼斯》（1749）这些至今都家喻户晓的世界小说名著。然而，18 世纪更主要的还是法国人的世纪，1789 年法国资产阶级革命，远比英国革命更震撼世界，并在真正意义上开辟了人类历史的一个新纪元。为这场伟大革命在意识形态上、理论上和精神上做了充分准备并充当了开路先锋的，是一批灿若星辰的大思想家、大作家：孟德斯鸠、伏尔泰、狄德罗、卢梭等。他们同属一个时代，服务、献身于同一个历史进程，构成了一个真正名副其实的启蒙思想家的强大流派，在全欧乃至全世界发生了巨大而深远的影响。至今，他们的思想与论著仍具有强盛的生命力。而他们的思想除了凝结为举世公认的一批划时代的理论名著外，便是形象化为一批哲理小说杰作，从孟德斯鸠的《波斯人信札》（1721），伏尔泰的《如此世界》（1746）、《查第格》（1747）、《老实人》（1759）、《天真汉》（1767），到狄德罗的《拉摩的侄儿》（1761）、《定命论者雅克和他的主人》（1773）以及《修女》等。这些思想家把自己深邃的哲理、对现实关系的批判性见解、对社会腐朽势力的战斗精神与绝妙的讽刺才情，精巧地包装在趣味盎然的故事与生动、贴切而又具有概括性与典型意义的形象里，以隽永的意味而获得了不朽的艺术魅力，打破了文学艺术中的形象性与论理性水火难容的戒律，提供了哲理文学至今仍可望而不可即的典范。至于英国的班扬，虽然他与法国思想家们不属于同一个行列，但他也是欧洲资产阶级革命时期的一个哲理寓意作家，他的《天路历程》（1678）的影响实在太大，19 世纪英国作家的作品中有某些寓意与隐喻，多来自此作。

浪漫主义从来都有两重含义：一是创作方法上与风格上的含义，一是文学流派上的含义。作为创作方法与风格意义上的浪漫主义，在人类的文学中，显然由来已久，可以上溯到早期的神话，并且浪漫主义的作品也可能出现在任何民族的任何时代。作为文学流派意义上的浪漫主义，则具体是指欧洲 18、19 世纪浪漫主义思潮与浪漫主义运动中所产生的文学。

欧洲的浪漫主义是英法资产阶级革命所开辟的时代环境的产物，也是接受了英国的理查生与法国的卢梭的影响的结果。特别是卢梭这一个具有多方面才能的伟大的启蒙思想家，他划时代的理论著作与脍炙人口的自传《忏悔录》（1778），以及书信体小说《新爱洛绮丝》（1761）中所体现出来的个性解放精神、对大自然的回归向往、对原始状态的崇尚以及强烈的抒情方式，给欧洲浪漫主义文学提供了几乎全部的精神养料。于是，从 18 世纪末，浪漫主义差不多是同步地在欧洲各国的文学中应运而生。

先是以歌德、席勒为代表人物的"狂飙突进运动"，英国的湖畔诗派，继之有意大利的浪漫派，而从 19 世纪初到 30 年代，更有声势浩大、演出了文学史上威武雄壮一幕的法国浪漫派。它们的同时代性，它们的互相呼应与紧密联系，使我们看到了欧洲各国文学第一次明显地显露出同步性与一体化的趋势，以致我们可以把 18、19 世纪欧洲各国的这些代表人物统称为浪漫派，而把不具有流派意义上的同一性与内聚性，但又具有同样创作倾向的，则统称为浪漫主义作家。

浪漫派或浪漫主义作家的主要成就，往往是在诗歌方面，但也有不少人写过小说，甚至写过不少小说，这就形成了浪漫主义的小说流派风格。这种流派风格除了有卢梭所遗传下的上述几个基因外，到 19 世纪，又添进了一些新的成分：奇特的不平凡的故事情节〔如雨果的《巴黎圣母院》（1831）〕、新奇的异国情调〔如夏多布里昂的《阿达拉》（1801）〕等等。当然，卢梭式的个性解放与强烈的抒情，到了这里更变成了自我的膨胀与内心感情的奔放倾泻〔如夏布多里昂的《勒内》（1805）与歌德的《少年维特之烦恼》（1774）〕。19 世纪中期后，时代与文学的发展，使浪漫主义小说也有明显的发展。一方面，头脑发热所构思出来的奇特情节，愈来愈使读者不感兴趣，而不得不让位给比较真实的生活描写，作家的浪漫气质往往就转在作品的理想光泽与磅礴的气势上找用武之地，雨果的《悲惨世界》（1862）就是一个范例，乔治·桑那种充满了理想光辉的爱的田园小说，也属于这种情况，而且还带有空想社会主义的色彩。另一方面，有浪漫主义倾向的作家，则又在唯美、象征、朦胧、神秘与超自然上另行寻找小说灵感。美国的霍桑、麦尔维尔、爱伦坡，法国的奈瓦尔，英国的王尔德就属于这种情况。而霍桑的《红字》（1851）与《玉石雕像》（1860），麦尔维尔的《白鲸》（1851），王尔德的《道林格雷的肖像》（1891）都是这一类的名著。

从浪漫主义，我们已经看到了欧洲文学同步性和一体化的开端，随之而来的现实主义文学更明显地成为 19 世纪以后一种泛欧以至泛欧美的文学现象。对浪漫主义，过去我们尊奉高尔基，把浪漫主义文学划为积极的与消极的两种，现在看来，这是一种偏颇。对 19 世纪的现实主义，我们也曾从苏联的文艺学体系中接受了一种称谓，即批判现实主义，其所谓"批判"，乃是指对新建立的资本主义社会而言。同样，今天我们对这个称谓，也有必要指出其局限性。这两种划分、称谓都带有相当程度的政治思想色彩，都主要是着眼于作家作品的思想立场与政治态度，它们在文学形象的多义性与思想倾向含于文学形象中的隐蔽性面前，往往就有失于简单化的可能，何况绝大部分作品都与现实政治问题根本无关，对于 19 世纪现实主义来说，就不是"对资本主义的批判"这个限定的概念所能形容涵括的。因此，我们在舍弃了浪漫主义消极与积极之说后，也要对"批判现实主义"一词的使用作必要的扬弃。

现实主义就是现实主义，它具有一种统一的、成型的风格特点，其基本的特点就是以真实的笔法描绘现实。这种方法无疑是由来已久的，但其水平与程度都随着时代历史的发展而变化发展，由低级到高级，由简单到复杂。19 世纪的现实主义小说，显然发展到了一个空前的高度，它继承了过去现实主义小说的经验，特别是 18 世纪英、法两国现实主义小说真正成熟的经验，而有了一个跨越性的进步。如果说，英国 18 世纪小说在叙事艺术、故事布局方面对这一进步提供了基础的话，那么法国 18 世纪小说，特别是狄德罗的小说则为人物的塑造与描绘以及细节真实提供了可贵的经验，他的《拉摩的侄儿》（1761），既是一部杰出的哲理小说，也是一尊有深度的人物塑像。

显而易见，19 世纪是小说大繁荣的世纪，19 世纪现实主义小说的创作规模是空前巨大的，在欧美各国涌现的一些杰出代表人物，很多专以写小说为业，他们都是巨制鸿篇的创作者，其创作量与创作规模之大，足以使人惊叹不止，他们使 19 世纪现实主义文学主要成为一个前所未有的长篇小说宝库。巴尔扎克包括 90 多部作品的《人间喜剧》，司汤达的《红与黑》（1830），福楼拜的《包法利夫人》（1856），狄更斯的《大卫·科波菲尔》（1850）、《董贝父子》（1848）、《荒凉山庄》（1852～1853），萨克雷的《名利场》（1848），勃朗特的《简·爱》（1847），哈代的《苔丝》（1891）、《无名的裘德》（1895），果戈理的《死魂灵》（1842），屠格涅夫的《父与子》（1862）、《罗亭》（1856），陀思妥耶夫斯基的《穷人》（1846）、《罪与罚》（1866），列夫·托尔斯泰的《安娜·卡列尼娜》（1873～1877）、《战争与和平》（1863～1869），就是这个宝库里最光辉灿烂的一批瑰宝，它们已经构成了人类文学的一笔无价的财富。这些现实主义的小说家以"历史的书记"、时代社会的描绘者为己任，有了他们的努力，19 世纪这个历史时代，得到了生动而深刻的反映。而且，这些现实主义小说家几乎无一不是艺术巨匠，他们把小说艺术推向世界的高峰，形成了从观察生活、选取题材、构思情节，到塑造人物、安排结构、描绘细节、修词炼句的一整套成熟的现实主义小说艺术方法，他们复杂而完美的叙事结构，栩栩如生的生活画面与精确的细节描绘，形象鲜明而富有心理深度的人物塑造，至今都仍保持着不朽的艺术魅力。

19 世纪的现实主义小说家，都是人道主义者与启蒙思想家所勾画的理想王国蓝图的向往者。的确，当他们以人道主义与理想王国作为标准与尺度来观察和衡量社会现实时，其文学描绘必然会带有对某些不合理社会现象的批判色彩与嘲讽语调，但这种批判性，往往并不一定构成他们对现实关系与现实社会的态度的唯一本质，他们从根本上对社会有维护、协调的一面。这就是在这个文库里，我们不称他们为批判现实主义的原因，为了把 19 世纪的这些现实主义小说家与 20 世纪遵循现实主义传统的小说家区分开来，我们且名之为古典现实主义。

应该看到，古典现实主义，事实上带有相当明显的浪漫主义的成分与色彩，不论是狄更斯的《荒凉山庄》中伦敦的雾、堆积如山的文件，或巴尔扎克的《高老头》（1834～1835）、《高利贷者》（1830）等中、长篇小说中那些惊心动魄的家庭惨剧，还是司汤达、梅里美笔下那些不平凡的闪光的个性，哈代长篇中某些神秘色彩，都充分地表明了这个事实。难怪发展到 19 世纪后期，福楼拜提出了"不要妖怪，也不要英雄"的主张，他以自己的小说转向平庸的现实，于是，他成为法国古典现实主义最后一位大师，自然主义最早的一个先行者。而到一直接受他的师训的莫泊桑身上，我们就可以看到古典现实主义与自然主义的两重性了。

在我国的文学批评界，由于苏俄文学观念的影响，自然主义是一个颇具贬义的词语，人们往往把它视为"烦琐的描写""黄色描写"

的同义词。如果是论一个写真实的作家，对他作品里一些值得肯定的成就与长处，人们总把它们归功于现实主义，而他作品里一些缺点与毛病，如"歪曲现实""歪曲人的社会性与阶级性"等等，则都归罪于自然主义的影响，而如果要谈人类文学思潮发展演变的过程，那么人们则把自然主义称为现实主义的"蜕化"或"堕落"，总而言之，把自然主义与现实主义对立起来。

这种批评是出于一种静止的狭隘的理念，即现实主义至上论的理念、现实主义中心论的理念，并把现实主义仅仅归结为巴尔扎克、狄更斯型的模式。其实，自然主义正是现实主义合乎情理的一种发展，它就是 19 世纪后半期这个阶段的现实主义。

谁也不能否认，自然主义是以真实的描写为目的，即以对客观外在的现实（包括社会现实生活）的真实描写与对人性、对人的机体的真实描写为目的，真实是自然主义的基本点与前提，在这一点上，自然主义与传统的现实主义是一脉相承的。如果要说它与以前的现实主义有什么不同的话，那就是自然主义在文学创作中要求有更大范围、更大程度、更为彻底的真实，它追求无所不包的真实、绝对的真实、严酷的真实、不带任何粉饰的真实，具体说来，现实生活中任何范畴里的事物都应真实地加以描写，即使是卑污的事物、肮脏的事物、尴尬的事物、刺激人们美趣的事物，都有如实进入文学表现领域的权利。这无疑是在绝对真实问题上对古典现实主义的一种强化，它打破了文学表现的禁区，使生活中的一切都能进入文学作品。由于自然主义，小说中才完全超出古典现实主义作品中常见的沙龙、舞会、林荫道、乡间别墅的天地，才有了矿井、坑道〔如左拉的《萌芽》（1885）〕，巴黎贫民区的小酒店、洗衣坊〔如左拉的《小酒店》（1877）〕，农村的市集〔如左拉的《土地》（1887）〕，大城市中的菜市场与大百货公司〔如左拉的《巴黎之腹》（1873）、《妇女乐园》（1883）〕，才有了乡间烦琐的酿酒程序，交易所里令人头晕的操作规程，矿工填饱肚子与洗澡的日常生活画面，农民儿子为抢夺财产而杀父的可怕情节，以及贵族资产者通奸败露的尴尬场面等等。所有这些不能不说是自然主义小说对以往文学的一种突破，对促进文学的写实来说，具有不可磨灭的功绩，并开文献小说、实录小说、暴露小说之先河。

自然主义小说，另一个突破是把遗传学、生理学的观点用于对人的认识与描写，把人的血肉之躯的机制引进了文学。不应否认，人除了有人生、社会以外，还有动物性、生理本能的一面，而人的人性、社会性，往往也要受到自然规律、生理机制的影响。在自然主义以前，作家在描写人的时候，往往总是回避人的"肉"而表现人的"灵"，善的"灵"、美的"灵"、丑的"灵"、怪的"灵"、正常的"灵"、反常的"灵"等等。即使是巴尔扎克、司汤达，也只把人的各种"情"、各种"欲"与气质联系起来，自然主义则真正把人的"血"与"肉"都带进了文学，它开拓了一个新的方面，即人的"灵"、人的"情"、人的"欲"与人的生理条件、生理要求的关系。左拉作品中的戴蕾斯·拉甘〔《戴蕾斯·拉甘》（1867）〕、绮尔维斯（《小酒店》），莫泊桑作品中的杜洛华〔《漂亮朋友》（1885）〕都是这种描写的结果。应该说，自然主义小说补充了对人的描写的另一个方面，开拓与充实了对人的全面、深入、实在的写真。

自然主义小说是 19 世纪后半期文化与科学发展的综合产物，实证主义哲学与文学理论，达尔文学说与法国生理学、实验医学，都对自然主义的产生发生了直接的影响。自然主义小说兴旺繁盛的时期是七八十年代，最杰出的代表人物就是左拉，最巨大的文学实绩就是左拉的包括了 20 部长篇小说的《卢贡－马卡尔家族》。它以家族血缘遗传关系为脉络，结成一体，这既是家族的自然史，又是一个家族在现实生活中发展变化的社会史，就其所反映的社会现实的广泛丰富而言，则是一部深刻的 19 世纪 30 年代到 90 年代法国的编年史，其巨大的文学价值，不下于巴尔扎克的《人间喜剧》。

自然主义构成了名副其实的流派，龚古尔兄弟是它的先行者，左拉是它的当然的领袖，其成员包括莫泊桑、于斯曼等一批"梅塘集团"的作家，其中最重要的是莫泊桑，他的一些作品保持了古典现实主义固有的风格，而其《一生》（1883）、《漂亮朋友》与一些中短篇则又带有明显的自然主义性质。法国自然主义文学在1890年以后走向衰落，但它在世界范围里，却产生了巨大而深远的影响。英国的班奈特，德国的自然主义运动与霍普特曼，意大利的真实主义流派，美国的德莱塞、辛克莱、诺里斯、考德威尔等一批有才能、成就高的人物，日本的岛崎藤村、田山花袋、德田秋声等著名作家，都属于自然主义小说的潮流。在法国，自然主义小说传统至今不衰，龚古尔学院就是这个传统的继承者，它"每年只给一部自然主义的作品颁奖"[①]，龚古尔文学奖已成为法国影响最大的文学奖，而其主持者则是巴赞、罗布莱斯等这样一批卓有成就的自然主义小说家。

意识流小说是小说发展的又一重要里程碑，它不仅是揭示人的内心活动的一种全新的艺术方法，而且也使得小说对客观现实生活的描写有了根本的改观。它的根本特点，就是如实地把人脑海中无数的杂乱、无序、跳跃的意识与潜意识所组成的自然流程客观地呈现在小说中。这种新的方法，在叙事艺术上自然就带来了两个后果：一是它改变、取消了传统小说作品中作者的那种无所不入、无所不知的全能的"叙述上帝"的地位与作用，而且这种意识流程还只是某一个特定人物的范围与角度都已限定的流程，这就在小说里造成了这个人物内心世界的封闭性；另一个后果，则是它使得现实生活的整体内容与客观过程，失去了完整的面貌，而只是零星地呈现在特定人物纷杂无序的

[①] 《掌握着龚古尔学院标准的人》，见拙著《巴黎对话录》第74页，湖南人民出版社，1983年。

意识里，实际上也就是只作为碎片存在于小说中。这两个后果，同时都标志着传统的小说艺术体系的解体。因此，意识流小说的出现是 20 世纪文学中对小说传统的最大一次挑战与背离，它是真正现代派小说艺术的第一次体现。

意识流小说所运用的意识流方法，只不过是对人心理活动中固有的意识流活动形式的自觉的认识、总结与借鉴。然而，人类的文学却经过了好几百年才找到了这种方法，法国作家杜雅尔丹 1887 年的《月桂树已被砍尽》，是文学史上意识流小说的"第一只燕子"。文学上这种新的小说方法的运用，与哲学和心理学上对意识流这种深层内心活动的科学认识与总结几乎是同步进行的。美国哲学家詹姆斯于 1884 年，第一次在他的论著《心理学原理》中提出了"意识流"这个前所未有的概念，20 世纪初期，弗洛伊德研讨了内心活动中的"自由联想"，柏格森提出了实际时间与内心时间之说，都标志着人类对自身的心理精神活动规律与表现形式的探讨兴趣与自觉认识，都达到了一个新水平。在文学艺术与理论研究不同领域同步发展的这种思潮背景下，意识流小说成为文学中的一种明显的倾向。继杜雅尔丹之后，又有奥地利作家施尼茨勒的一系列小说《古斯特少尉》（1900）与《埃尔瑟小姐》（1926）、法国作家普鲁斯特的巨著《寻找失去的时间》[①]（1913～1922～1927）相继问世。到 20 年代，爱尔兰作家乔伊斯在其长篇杰作《尤利西斯》（1922）中，更把意识流小说艺术推进到了极致的高峰，与他同时呼应的还有英国女作家伍尔夫与美国作家福克纳，后者的长篇小说《喧哗与骚动》（1929）也是意识流小说的名著。于是，在现代欧洲文学中，二三十年代也就集中地出现了一个名副其实的意识流小说的高潮。

意识流小说虽然是 19 世纪末 20 世纪初的产物，但类似意识流方法的文学概念与文学表现，并非在以往的文学中完全没有。法国文学

---

① 现通译《追忆似水年华》。

中的"内心独白"，其实就是意识流的一种近似形式，而这个概念初见于 19 世纪大仲马的小说《二十年后》与戈蒂耶的小说《丧门神》。而在托尔斯泰那里，"心灵辩论法"也可说是意识流一种雏形，这位俄国作家的长篇小说里，偶尔也可见意识流手法在一定程度上的运用。而在充分的意识流小说中，运用意识流方法的方式与程度上也存在着差异，因而，所描述出来的意识流的形态也都有所不同，有线形的意识流结构，即意识由一个个源头连续地、一个关联一个地、单线地向前活动，像一环接一环的链条；有放射形的意识流结构，即由一个固定的中心持续地向四周放射，像一个辐射的星状；有彩点式的意识结构，即意识杂乱地互不相关的闪烁涌现，像散布的彩点；还有块状的意识流结构，即意识集结为大块的构件，整个意识之流由大块构件排列而成。乔伊斯与福克纳的作品中，前两种形态结构较多，普鲁斯特的作品则主要是第四种形态结构。

我们已经看到，意识流小说高潮是作为泛欧美的文学现象出现的，而当这种小说一旦蔚为壮观后，它的方法与风格，在 20 世纪欧美文学一体化的趋向下，自然而然就成了"公共的文学财产"，不同民族的作家，不同政治态度的作家，不同文学主张、不同创作倾向的作家都或多或少运用与借鉴了意识流的方法。于是，我们在 20 世纪 20 年代以后的现当代文学中，看到了意识流方法的普及化，而到 50 年代以后，风行一时的"新小说"中，意识流方法又有了进一步的富有独创性的发展。

荒诞文学，简而言之，就是作家带有一定程度的荒诞意识，并绘制出某种荒诞的形象图景的文学作品。在 20 世纪文学中，这种性质的作品不仅产生于一种文学形式中，在戏剧领域里也有轰动一时的荒诞派戏剧，它的集中出现，使人们更容易把它视为一个流派。在小说领域里，这类作品在单位时期里出现得不那么密集，但是，不时有在世界文学中举足轻重的大作家来从事，特别是有卡夫卡这样赫赫有名的伟大作家几乎是专注地以它为自己唯一的文学表现形式，因而，也就构成了现当代文学中一种十分令人瞩目的重大的文学现象，足以被视为 20 世纪文学史上一个强大的文学流派。

作家的荒诞意识，是把他所面对的现实理解为一种不合理状态、不合逻辑状态的意识，作品中的荒诞图景，是一种有违事理的悖谬的图景。"不合逻辑""不合情理"与"不合理"，基本上有两个方面。一是有违客观现实的规律与事理，这一类情形带有超现实的性质，如打开自来水龙头，流出来的不仅有水而且还有鱼〔鲍里斯·维昂的《岁月的泡沫》（1947）〕，小孩发出的叫声可以震破玻璃，造成种种混乱（格拉斯：《铁皮鼓》），人变成了甲虫〔卡夫卡：《变形记》（1912）〕等等，都是超自然的图景，这种图景有时带有诙谐的意味，有时则是用来揭示客观现实矛盾的手段。

另一类，则是因有违人的理想、理性而被作家呈现为不合理的图景的。比较起来，这一类情况要显得复杂一些，作品中这种撕裂了逻辑性与必然性的图景，看起来极为反理性，极为荒诞不经（如卡夫卡作品中，莫名其妙的审判、永远也进不去的城堡等），但正是以人的理性为依据，为出发点，为衡量尺度而制作出来的，正是以对理性的向往为其潜在的前提的。当作家把现存的事物、关系、规范、秩序理解和表现为逻辑性、必然性荡然无存的不合理状态时，他就是在持一定的理性尺度进行批判。因此，在不合理的社会现实荒诞图景的后面，正是作家对合理的社会现实的向往。荒诞的图景愈是荒诞绝伦，愈是蕴含着一种理想主义的痛心疾首，一种天真而锐利的失望。随着小说面对不同的现实范畴，也就有了不同的荒诞，政治法律荒诞、精神文化荒诞以至生存荒诞等等。

荒诞这个基因，在文学中存在是由来已久的事。古希腊神话西西弗推石上山的故事中，俄狄浦斯王事与愿违杀父娶母的悲剧中，蕴含着的就是人的生存与命运带有荒诞性的哲理。在拉伯雷的《巨人传》中，斯威夫特的《格列佛游记》中，我们都可以见到种种社会性的荒诞图景，从政治、司法、党争、战事的荒诞到文化教育的荒诞等等。这说明，任何时代、任何国度的作家都有可能把自己的作为批判意识的荒诞感引入创作中，任何事物都有可能被召到荒诞感的审判台前来，被剥去其合理的堂皇的外表，而袒露出其中的混乱与荒唐。但文学中这些荒诞感的审判能涉及多大的范围，能实现到什么程度，则往往取决于作家所生活的社会现实环境所能容许的程度。在 20 世纪西方文学中，荒诞显然发展到昂首阔步的程度，上帝已经死了，人的思维不再受任何顾忌的束缚、任何精神负担的重压，社会政治生活的进化也日渐解除了对作家艺术思维、艺术表现的强行制约与严格规范。于是，客观世界与社会生活中任何神圣的事物、神圣的观念，在荒诞意识的面前都未能得到豁免，而且更为重要、更具有表征意义的是，20 世纪的荒诞小说家与传统文学有所不同，往往把现实表现得更荒谬绝伦，更惊世骇俗，更阴沉可怕，像恐怖的梦魇，卡夫卡就是这样的一个典型的代表作家。20 世纪现实生活中，人与人的关系、官僚机构、法律制度等等，在他的《变形记》、《城堡》（1922）、《审判》（1914～1918）等一系列杰作中，都被揭示出极其可怕的本质。而在恰佩克的《鲵鱼之乱》（1936）与格拉斯的《铁皮鼓》（1959）等名著里，帝国主义政治、法西斯主义也被以夸张、荒诞的形式，加以猛烈的抨击与辛辣的讽刺。这些作家的作品都带有对现实世界范围里一切重大问题的密切关注与具有爆炸性的揭露力量，显示出荒诞小说是 20 世纪具有批判性的一种文学。此外，荒诞小说中的"荒诞"，还有存在小说中的"恶心"，现代现实主义小说中的"异化"，黑色幽默小说中的黑色幽默与自己并存呼应，声势显得格外壮大。

在欧美各国中，法国经常是文学思潮的发源地，它 18、19 世纪的启蒙主义、浪漫主义、现实主义、自然主义，20 世纪的超现实主义、"意识流"，都曾在世界范围里激起波澜，引发潮流。第二次世界大战后，法国的"存在"文学又一次提供了法国人在精神文化领域里善于推波逐浪的例证。它在五六十年代风靡了欧美，对文学创作界，以至广大的知识阶层产生了巨大影响。

"存在"文学，过去一直被人称为"存在主义文学"，我们在这个文库里作此正名改称，主要是出于以下的考虑：这种文学的三个主要代表人物——萨特、加缪、波伏瓦都曾明确拒绝过"存在主义"这个称号，萨特曾声称："不知存在主义为何物"，加缪从来不承认自己是"存在主义作家"，波伏瓦在自己著名的回忆录中，直到最后仍对"存在主义"的标签贴在她与萨特头上成为既成事实，表示遗憾与不快。而在事实上，存在主义哲学有其专门的概念与原理，以及复杂的理论体系。这三个代表人物，虽然对存在主义哲学或有所钻研，或感过兴趣，但并不致力于表现这种哲学的观念原理与思辨体系，他们感兴趣的、倾注其全力所从事的，不过是在文学中思考有关人的"存在"的哲理，并以文学的形式表现自己思考的结果与见解。这种文学中的内涵与存在主义哲学的内涵，既非同一，也非等量，它的内涵限于对人的境况、人的存在的感受，以及面对着人的状况、人的存在状态而提出来的主张。具体说来，就是对荒诞、焦虑、孤独、恶心、自我选择、超越、反抗等等问题的思考与表现。这些内涵与其说是属于哲学认知与理论解析的范围，不如说是属于伦理学人生观的范围，总而言之，就是有关人的存在的一种人生观，因此，对这种文学与其称为存在主义文学，不如称为"存在"文学。

"存在"的哲理，在"存在"文学三个不同代表人物的作品里，有着不同的内涵、侧重面与表现形式。在萨特的作品里，人主体的"自为的存在"，只体现在对客观现实"自在的存在"的真正感知与思维上，即"我思想所以我存在，我存在因为我思想"（《恶心》），而自为存在对自在存在的感受内容、认知内容、思维内容，正如他在其名著小说《恶心》（1938）中所表现的那样，全部可以归结为：恶心。显然，萨特的"恶心"，是一种对现实世界的否定性的认识、感受与体验，是对现实世界的一种批判性、毁灭性的结论，在这个意义上，它孕育着萨特日后与资本主义秩序对抗的激进政治思想的哲理胚胎。在对现实世界"恶心"的认知观的基础上，萨特提出了自我选择的哲理主张，并以一系列作品把它表现得酣畅淋漓，他以小说《艾罗斯特拉特》（1939）、剧本《间隔》（1944）否定了恶的、非善的自我选择，他以名剧《苍蝇》（1943）与巨型长篇小说《自由之路》（1945～1949）肯定了善的英雄主义的自我选择，这些作品构成了萨特留给后世的"存在"文学的主体，并以其明显的倾向性而具有积极的意义。萨特本人身体力行，由"自我选择"而自觉地对现实政治、思想斗争进行"介入"，而在后期成为了西方思想界赫赫有名的大左派。

加缪的存在哲理，带有鲜明的形而上的色彩，其核心的精粹集中于其名著《西西弗神话》（1942），他直面人根本的生存的荒诞，即西西弗推石上山、永无止境式的徒劳，他主张以清醒的意识、彻悟的意识，对待这一根本的荒诞。他在《局外人》（1942）里创造了一个具有西西弗式悟性的活生生的现代人，让他以自己对客观现实世界冷淡、漠然显示出彻悟意识的力度，从而使这部篇幅不长的作品具有了隽永深刻的哲理，而成为现代西方文学中闻名遐迩的名作。加缪的思想又由《西西弗神话》进展到《反抗者》（1951），由对荒诞的彻悟、对现实的冷漠而上升为对现实的反抗，这种积极的抗争精神，直指现实世界中的恶势力，形象化为《鼠疫》（1947）中人群对灾难的斗争，在一定程度上，可与萨特的英雄主义的自我选择媲美，在西方现当代文学中共同形成一种昂扬的格调。

波伏瓦在生活上与精神哲理上，都被视为萨特的影子，她不止一部长篇小说都打下了这个事实的烙印。但她具有十分独立、十分强

有力的方面，她对性别的研究与开一代风气之先的论著《第二性》
（1949），已开拓了当代女权主义的道路。而她的传世之作《名士风
流》（1954），除了丰满地反映了战后法国知识分子群在现实环境中的
自我选择，还真实动人地描写了女主人公在私生活与情感上的一次自
我选择，而小说人物这自我选择的外遇，正是波伏瓦本人与一个美国
作家的情缘的真实投影。

　　"存在"文学的代表作家常用的文学形式是小说与戏剧，加缪的
小说成就高于其剧作的成就，而萨特的戏剧成就则高于其小说。不论
是采取哪种形式，"存在"文学的作家都具有传统色彩与古典风格，
如果"存在"小说不是现代哲理精神的载体的话，仅仅在艺术的形式
问题上，我们实在难以把"存在"小说划入现代派文学之列。这种现
代哲理精神的磁力实在太大，何况，人的"存在"状况问题又是人类
共同面临的问题，并非法国人所特有，而对人存在问题的思考与感
受，也是人类共同的一种"通感"。因此，在这一批法国智者之后，
其他国家的作家，在自己作品里涉及"存在"问题的大有人在，即使
像贝娄这样的美国文坛巨擘也被认为深受法国"存在"文学的影响，
就更不用说日本的野间宏、英国的默多克这些当代世界文学中的"二
等公民"了。

　　在 20 世纪的文学发展中，法国的"新小说"派无疑又是一个特
别轰动一时的重大现象，它形成在 50 年代初期，直到 80 年代仍保持
了创作的活力，其名声与影响遍及全世界，明显地代表了现代派文学
发展中的整整一个时代，对这个时代，目前有不少批评家概括为一个
时髦而响亮的称号：后现代主义。

　　对于文学来说，20 世纪是一个传统观念、传统方法不断受到挑
战、冲击与革新的时代，如果说二三十年代的超现实主义是对传统文
学一次最大的、几乎是带有颠覆性的冲击的话，那么，新小说派则是

对传统文学的第二次最大的"地震"，其震动的力度，甚于意识流与荒诞小说，而它之所以构成一次对传统文学的大震撼，首先在于它具有十分鲜明、十分体系化、十分强有力的反传统文学的理论与纲领。这个流派的重要成员，几乎都有关于创作理论的著作，它的前行者夏洛特，早在 1956 年就出版著名的文集《怀疑的时代》，其标题中所蕴含的对传统文学的质疑精神，就已经宣告了一个新文学时期的开始。它的主将罗伯－葛利叶在同一年发表的两篇重要论文《未来小说的道路》与《自然、人道主义、悲剧》，更是正面地、强烈地向传统文学提出了挑战，其声讨之激烈与影响之巨大，似乎可与雨果 100 多年前清算古典主义文学的檄文《〈克伦威尔〉序》媲美。新小说派另一个重要作家布托，也发表过大量的理论文章，结集为洋洋大观的四大卷《文汇》（1960～1974），从小说观念、小说艺术、叙述方法、时间、角度、人物、情节等各方面阐述了一整套与传统小说美学观截然不同的理论。在 20 世纪的文学中，除了超现实主义以外，没有任何文学运动与思潮流派有新小说派这样强大的理论攻势，这样完备的理论建树。

文学思潮与流派运动，最怕的是只有理论主张，而无创作实绩。赫赫有名的超现实主义文学运动尽管影响既巨大也深远，但却未留下传世的代表之作，这是一个不小的遗憾。法国新小说派却大不相同，它在三四十年代的运作与营造中，推出了一大批著名的作品，这些名作，已经成为人们经常谈论与讨论的话题，并进入了欧美各国的大学讲坛，成为解析阐释的对象，这些作品有：夏洛特的《陌生人肖像》（1948）、《天象馆》（1959）、《童年》（1983），罗伯－葛利叶的《橡皮》（1953）、《窥视者》（1955）、《嫉妒》（1957）、《去年在马里昂巴德》（1961），布托的《米兰巷》（1954）、《曾几何时》（1956）、《变》（1957），克洛德·西蒙的《弗兰德公路》（1960）、《农事诗》（1981）。1985 年，克洛德·西蒙获诺贝尔文学奖，此事虽然表现出瑞典皇家学院对克洛德·西蒙的偏爱，但在一定意义上，也意味着给

“新小说”这一反传统的创新潮流、这一充满现代意识大胆的文学实验戴上了桂冠。

法国“新小说”派在反传统小说的这一点上，具有共同的倾向，但在创作上，四个主要的作家，均各有特色。夏洛特发展了从杜雅尔丹到乔伊斯、伍尔夫、福克纳的心理现代主义，她把内心独白这种心理描写技巧推到了现代的水平，第一个提出并开辟了“潜对话”这个特定的心理描写领域，发现了“内心独白的前奏”这种精神反应，并艺术地把它表现在小说中。在她的作品里，人的心理意识活动，呈现得更本能，更原始，更敏锐，更深层。罗伯－葛利叶最初是以其“物主义”描写而著称的，他力图剥除客观事物外层被人涂抹其上的人为色彩，实现非人道主义化的对物的客观真实的描写，他还致力于表现现实对人而言的多方面性、多义性与不确定性、飘忽性，从而达到一种具有悠远意味的艺术魅力，以其如此独创的特色，他的小说《嫉妒》与电影小说《去年在马里昂巴德》，都成为了现代主义文学的经典。布托是新小说派中具有综合性技艺的一员，他既有罗伯－葛利叶那样的“物主义”式的描写（《曾几何时》），也有像夏洛特那样的心理现代主义的“内心独白”与乔伊斯式的意识流（《变》），还有对客观现实多义性、多声部、多色调的描写（《度》），甚至还把图像引入文学作品，把造型艺术方法运用于文学形式（《航空网》《运动体》）。克洛德·西蒙在艺术上，虽然并不拘泥于一法，但比较多的是运用内心独白与意识流的方法，但他对这种既有方法的运用，却是别具一格、带有创造性的，除了与传统的叙述方式、叙述成分在某种程度上的交替使用与螺旋式的意识流结构外，他最成功的、最富有艺术魅力的所在，就是其意识流中的单位形象的绘画化与影视化，这使他的小说达到了“把诗人与画家的丰富想象与对时间的作用的深刻认识融为一体”的境界。

“新小说”作为一种创新的小说，既是小说观念在现代条件下的发展，也是受电影艺术的启迪，并把影视艺术技巧引入小说创作的结果，其主将罗伯－葛利叶就与电影的制作紧密地结合在一起，他的代表作《去年在马里昂巴德》风靡了全球银幕。

新小说派的阵营甚为浩大，除四位主要作家外，贝克特、潘热、克洛德·莫里亚克等等，都被划入这个阵营，甚至杜拉斯也被视为与新小说派有关。而在 60 年代末以后，在法国又出现了新"新小说派"，把新小说的创新技巧发展到极端，以致走向了"曲高和寡"的死胡同。

如果不存在偏见的话，那么应该承认，法国要算是西方世界中小说生产的最大王国。继新小说派之后，法国小说又以"新寓言"小说，展示了它巨大的活力，这种流派风格的小说其隽永的意味与艺术水平，已得到世界的承认，成为具有现代经典意义的文学现象。

作为一个流派，"新寓言"小说与"新小说"派有所不同。"新小说"派不仅有明确的反传统创作纲领，而且作家之间，也有一定的交往与活动，"新寓言"小说的作家，却既无共同的创作纲领，又无任何程度的结社性的联系与交往，他们是完全分散、彼此无关、各自"天马行空"的个体，仅仅由于创作倾向上的不约而同，而被归结为一个小说流派。

在 20 世纪 60 年代和 70 年代初，在新小说的高潮过后，学哲学出身的图尔尼埃先后以两部哲理深蕴的长篇小说《礼拜五或太平洋上的虚无缥缈境》（1967）与《桤木王》（1970）而令人瞩目，并分别获得两个法国小说创作的大奖——法兰西学院奖与龚古尔奖。前者借用了《鲁滨逊漂流记》的题材，进行逆向处理，蕴含着回归大自然的热烈而天真的理想，给法国文学带来了一股卢梭主义的清新之风；后者以一个寓言故事，表现了第二次世界大战中纳粹法西斯统治时期可怕的现实与人的盲目性，是一个有明确历史内容的现代寓言，引人深思。在此之后，他又以《大松鸡》（1978）与《阿芒迪娜或两个花园》（1978）等一批篇篇意蕴深长的短篇，充分发挥了他那种令人回味不尽的创作风格。与他几乎同时出现在文坛的，是创作势头充沛而强劲的莫迪亚诺，他的一连串小说《星形广场》（1968）、《夜巡》（1969）、《魔圈》（1972）、《凄凉别墅》（1975）、《寻我记》（1978）不断取得成功，连连获奖。这些小说几乎都是以寻我、寻父、寻栖身处之类的现代奇情故事框架，类似侦探小说、推理小说的疑念构思，以及自我失落的惶恐感、压抑感、抑郁感来打动阅读者，引起其强烈的兴趣。同时，它们又深藏着关于现代人生存环境、生存空间、生存状况、生存意义的严肃哲理，发人深省。稍后一点崭露头角的是勒·克莱齐奥，他1963年才发表第一部作品《诉讼笔录》，便一举成名，不仅得到了法国文学界的佳评，也得到了欧洲文学界的承认。尔后，他一系列长篇小说《洪水》（1966）、《战争》（1970）、《沙漠》（1980）与短篇集《梦多》（1978），又进一步奠定他在当代法国文学中的重要地位，时至今日，他成为了最具有魅力与影响的法国作家。与上述两个作家一样，他没有一部作品不致力于表现哲理内涵，这些哲理内涵基本上可归结为两个方面：一是对现代西方物质文明的那种惊世骇俗的厌弃、逃遁与摈拒；一是对大自然、对原始生活的天真向往与回归。

以上这三个作家集中出现在20世纪六七十年代，已经足以构成了一种具有突出表征性的文学流派，何况，与他们创作倾向、精神特点、艺术风格相近或相似的作家，还有费尔南德斯与克拉克，因此，这一批作家被人统称为"新寓言"派，而且当代法国文学中一位资格更深而又有巨大文学成就的女作家尤瑟纳尔，也被归入了这个行列。尤瑟纳尔早在二三十年代，就以《阿莱克西斯》（1929）、《东方奇观》（1938）、《一弹解千愁》（1939）等名作名篇蜚声文坛，1980年又以其巨著《阿德里安回忆录》（1951）、《苦炼》（1968）与她在古代文化领域里的精深修养，而被选入法兰西学院，获得了法国文化领域里的最高荣誉。尤瑟纳尔往往是在古代题材与历史故事中，赋予丰富而深刻的现代精神与隽永的哲理，从历史兴衰、思想历程、战争、宗教、艺术到普通人的境况与命运，所有这些课题在她的作品里都有深刻的蕴藉，使她具有更博大恢宏的气魄，她理所当然地被尊奉为"新寓言"派之首。

"新寓言"派，经常采用寓言的形式，但并无统一的寓意，他们总是写什么，就有什么寓意，因而来得比哲理小说与"存在"小说有更丰富多彩、五光十色的思想火花。他们在艺术风格上，并不完全统一，但颇为相似，除了勒·克莱齐奥有时运用一些意识流与"新小说"的现代派小说技巧外，他们基本上都沿袭了传统的道路，并刻意追求古典的纯净风格，图尔尼埃最近期的作品往往就凝练单纯得像简朴的童话，正是这些作品已被译成很多种文字，在全世界流传，并作为范本而进入了大学讲堂。

"新寓言"派的作家，在 20 世纪 80 年代仍不断有新作问世，他们尚保持着一定的创作势头，而 20 世纪最后 10 年中，时至目前，法国尚无产生新的文学流派的可能与端倪，看来 20 世纪的法国小说，很可能是以"新寓言"作结了。如果可以说法国是一个小说王国，它的小说流派在相当程度上决定了欧美小说的面貌的话，那么，人们未尝不可以预言，法国"新寓言"小说，将成为 20 世纪欧美小说流派的最后一幕，新的具有世界意义的小说流派的产生，只能有待于下一个世纪了。

以上这九种文学流派，基本上都发源、产生于欧洲大陆，并主要是在这里创造出了其文学业绩的主体部分，虽然它们在全世界都有影响，在各国均有呼应与余波，但在一定意义上，主要仍是欧洲大陆的文学现象。在本文库中，有两个同样具有世界意义，也具有世界影响的文学流派则有所不同，它们主要是美洲的文学现象，它们的基地在美洲，它们在美洲建立起了自己的文学业绩，这就是美国的"黑色幽默"与拉丁美洲的魔幻现实主义。

"黑色幽默"小说出现于20世纪60年代，海勒的第一部长篇小说《第二十二条军规》，就是1961年问世的，至今它已成为"黑色幽默"小说的经典之作，其他代表人物与代表作还有：巴思的《迷失在开心馆中》（1968），巴塞尔姆的中篇小说《白雪公主》与《亡父》（1975）以及一些短篇小说，品钦的《万有引力之虹》（1973），冯尼格的长篇《顶呱呱的早餐》（1973）与短篇小说集，等等。20世纪70年代，仍然是美国黑色幽默小说繁荣时期，但这个流派的繁荣，并没有持续很久，到80年代，它已经明显地在走下坡路了。

不言而喻，"黑色幽默"小说是以"黑色幽默"为其标志与特征的，而"黑色幽默"，既是一种艺术手法，也是对现实、对人生的一种态度，这种艺术方法，又正是以这种对现实的特定态度为前提的。作为一种对现实、对人生的态度，它首先对现实、对人生要有一种清醒而透彻的认识，要对现实矛盾、对人存在境况的困顿、人存在状态的荒诞，有一种尖锐的发现，一种荒诞感；尔后，面临着荒诞悖谬的现实与人生，它又采取一种讽刺嘲笑的立场，这种讽刺嘲笑，既有憎恶、敌视的成分，又带有明显的无可奈何的绝望，还有几分玩世不恭、自我解嘲、一笑了之的超然。在这里，痛苦与强笑，悲愤与轻松，眼泪与笑声，鞭挞与调侃同时并存。而黑色幽默作为一种艺术手法，它在如实地表达出上述这种特定的对现实的态度与立场的时候，往往要采用夸张、奇特，甚至怪异、想入非非、超现实的形象，来展呈现实的矛盾与悖谬，来揭示人存在境况与状态的尴尬、困顿与荒诞。于是，黑色幽默与荒诞感，黑色幽默小说与荒诞小说，往往紧相为邻，只有一步之差，只不过前者多有一点苦涩的解嘲，后者多有一点严厉的阴沉。

黑色幽默小说，作为一种文学流派，虽然主要是美国的文学现象，但它的渊源仍与欧洲大陆有关。这一渊源关系，有两个脉络：一个是超现实主义之源，一个是"存在"文学之源。最早提出"黑色幽默"一词的，是法国超现实主义运动的领袖与理论家布勒东，其出处可见于他对英国 18 世纪讽刺小说家斯威夫特的一篇评论，他把"黑色幽默"这种以幽默解嘲、突梯滑稽来表现现实荒诞的方式，划归为超现实主义的一种表现手法，只不过超现实主义运动当时并没有创造出像样的黑色幽默小说，倒是后来美国的黑色幽默小说从超现实主义那里获取了若干超现实的灵感。至于"存在"文学这一条脉络，则有两个方面：一是"存在"文学直接影响了美国作家贝娄与梅勒，而他们则又对美国"黑色幽默"小说有一定的影响；二是被美国"黑色幽默"小说家奉为先驱的法国作家维昂，正是萨特的崇拜者、追随者，是"存在"文学集团中的一员，被称为"存在主义教室唱诗班的孩子"。

魔幻现实主义小说，完全是拉丁美洲本土的产物，早在 20 世纪 30 年代它已经初见端倪，从 50 年代开始进入繁荣时期，其昌盛持续到 80 年代，不断有震动世界文坛的巨著问世，构成了 20 世纪文学中气势磅礴的一大壮观，以致不少西方作家都认为拉丁美洲小说已取得了爆炸性的成就，成为了当代文学的中心。

魔幻现实主义小说的先驱是危地马拉作家阿斯图里亚斯，他早在 1930 年发表的《危地马拉传说》，就曾以神奇的色彩而令人瞩目，他 1936 年完成的长篇《总统先生》，被公认为第一部魔幻现实主义的代表作，而 1949 年问世的《玉米人》则更是魔幻现实主义小说的一部奠基作品。由于出色的文学成就，他 1966 年荣获诺贝尔文学奖，成为第一位取得世界性地位的拉美作家。墨西哥作家鲁尔福是魔幻现实主义小说的杰出代表人物之一，他于 1955 年出版的《佩德罗·巴拉莫》可算得上是一部天才之作。哥伦比亚作家马尔克斯是魔幻现实主义最杰出的代表，他的长篇小说《百年孤独》（1967）是这个文学流派无可争辩的经典杰作，轰动了世界文坛，他的其他几部巨著《族长的没落》（1975）、《霍乱时期的爱情》（1985）、《迷宫中的将军》也都被公认为世界性的优秀小说。阿根廷的博尔赫斯以《交叉小径的花园》（1941）等一系列优秀的短篇小说集，对这个文学流派作出了贡献。巴西作家罗萨的长篇《广阔的腹地：条条小路》（1956），被评定为巴西当代文学史上的杰作，并获得了国际声誉。委内瑞拉作家彼特里的短篇集《雨和其他故事》（1968）、《强者》（1980），古巴作家卡彭铁尔的中篇《人间王国》（1949）与长篇《迷失的足迹》也都是名篇名作，所有这些构成了魔幻现实主义小说辉煌的文学业绩。

"魔幻现实主义"一词，原为欧洲后期表现主义绘画中的理论术语，被委内瑞拉的彼特里于 1948 年引入西班牙语的拉丁美洲文学，而后 1949 年古巴的卡彭铁尔又在《人间王国》的序言中提出了"神奇现实"的创作原则，这样，起源于 20 世纪 30 年代的这种独特的拉美小说得到理论上的概括与"魔幻现实主义"这一称谓。顾名思义，这种文学包括两个不可分割的方面：一是它所反映的生活内容，一是它所采用的独特手法。就生活内容而言，魔幻现实主义小说，具有十分强烈的现实性、民族性，它往往都是以民族命运、人民苦难、社会矛盾等为题材，对专制统治、司法黑暗、寡头统治者、政治社会弊端，有大胆无情的揭露与鞭挞，充满对本民族人民的深厚人道主义同情与向往进步的民主主义精神，这构成了魔幻现实主义鲜明的民族特色与强烈的拉美意识。就艺术表现手法而言，魔幻现实主义将夸张、荒诞、奇特、幻想、神怪熔于一炉，在叙述方法上完全突破时空界限、生死界限、现实与非现实的界线、自然与超自然的界限，因而把虚妄、神奇渗透到了故事框架、细节描绘、人物刻画的各个方面，造成了魔幻般的效果，即使是对社会题材作比较贴切真实的处理，也往往带有某些奇特的色彩。

魔幻现实主义小说，是拉丁美洲大地上开放的一朵奇葩，它是对 20 世纪殖民主义统治的残余、垄断资本主义对拉丁美洲的控制、独裁统治、寡头政治、社会黑暗等等构成的拉丁美洲社会现实的一种民族抗议的精神反映，是几百年来进步作家为民族独立与民主进步而竭诚努力的文学传统顺理成章的继承与发扬，它的艺术表现方式显然深深扎根于拉丁美洲的民间传说、伊比利亚—印第安的民族文化，特别是印第安人的传统信仰与魔幻意识。但是，不可否认，魔幻现实主义文学也从欧洲 20 世纪文学新潮中吸取了养分。这个文学流派的绝大部分成员都曾游学欧洲，参加过欧洲大陆的各色各样的文学社团，特别是接受了超现实主义文学运动的洗礼与意识流小说的启迪，后来又承受了"存在"文学的影响，在自己的小说创作中，经常借鉴与运用外国文学中的超现实的手法、意识流的手法，达到了文学现代化的高峰，从而创造出将本民族古老的文化传统与 20 世纪先锋派潮流有机地结合起来的光辉典范。

至此，关于本文库的十二个内容，我们只需对现代现实主义作若干说明了。何谓现代现实主义，在我们提出这个概念、这一分类的时候，指的就是带有现代主义特征的现实主义。它与其说是一种文学流派，不如说是一种文学现象，但是，也许要算是 20 世纪最辉煌灿烂的一种重大文学现象了。

为了对现代现实主义作些评述，我们有必要对现代主义这一概念先加以说明。

现代主义是近年来被谈论得最多的一个题目，新潮派批评家以尊奉它并为其知音而以为荣，左派理论家以批判它、鄙视它而显示其革命性，关心文化艺术的广大人士则以求其知为目的。不论是哪种情况，人们往往把现代主义更多地归之为形式问题，更多地视为种种反传统的艺术方式与文学手法。其实，现代主义是 20 世纪新的社会现实、新的生活方式、新的思维方式所决定的精神文化上新的表征系列，其新潮性、先锋性、反传统性、非传统性都是不言而喻的，问题在于如何界定它的基本内容。在我们看来，它的基本内容不外是两个方面：一是新观念、新思维、新哲理，一是新方法、新形式、新技巧。具体到小说领域里，由于小说是一种人文性质的艺术，这个领域里的新观念、新思维、新哲理主要就是对人的新发现、新认识与对人生的新视角、新取向，如像弗洛伊德学说对人自身心理活动规律与性质的新发现、新阐释，上帝已经死去的定论，对荒诞、对人存在状况的哲理，等等。而这个领域里的新形式、新技巧，则如我们在论及一些新的小说流派时所曾指出的，主要是意识流手法，超现实的手法，表现主义的荒诞手法，"新小说"种种带有突破性、实验性的小说新观念、新技巧，等等。所有这些内容与形式的新成分之总和，就构成了小说中的现代主义，而对这些成分与因素的每一种，我们均可称之为小说现代主义的表征。

在对小说中的现代主义作了以上说明后，我们再来看一看现实主义在 20 世纪精神文化环境中的状况。关于现实主义，我们可以从人类文学发展的历史中得出两个结论：其一，现实主义是文学中最有生命力的一种创作方法，因为文学归根结底是要写现实、写社会、写人，是要反映出现实、社会与人的客观真实；其二，现实主义不是一种封闭的、绝对的理念，不是一种固定的、一成不变的模式，而是一种开放体系，一个能兼容并蓄的活体，我们已经从 19 世纪下半期古典的现实主义吸取了当时自然科学、实验医学的营养而发展为自然主义这一事实得到了一个有力的说明。有了这两个基本的认识，一方面，我们很容易就能理解，为什么在 20 世纪虽几经现代主义文学思潮的大冲击，文学中的现实主义传统并未遭没顶之灾，为什么奉行传统现实主义创作方法的才智之士仍大有人在，甚至在小说领域里占绝大多数的比例。另一方面，我们也很容易就能理解，为什么现实主义小说，不能按照 18 世纪、19 世纪的老格式、老面貌存活于 20 世纪，为什么现实主义小说开放地吸取了它的对立面现代主义的若干成分、若干特征，而呈现出了一种新的面貌，而显示了一种新的生命力，这就是我们所说的现代现实主义，它以其现代主义的若干表征，而有别于 19 世纪的古典现实主义。

从这个视点看 20 世纪小说，不难发现现代现实主义声势之大、阵营之强，它在世界各国都推出了强有力的人物和在世界文学中举足轻重地位的巨制鸿篇、杰作佳品，而且从 20 世纪初直到八九十年代，持续繁荣、昌盛不衰。在英国，有高尔斯华绥的三部曲《福尔赛世家》（1906～1921），毛姆的《人类的枷锁》（1915），劳伦斯的《儿子与情人》（1913）、《虹》（1915）、《恋爱中的女人》（1921）以及《查泰莱夫人的情人》（1928），福斯特的《印度之行》（1924），曼斯菲尔德的一系列短篇集，格·格林的《权力与荣耀》（1940），艾米斯的《幸运的吉姆》（1954），布雷恩的《向上爬》（1957），福尔斯的《法国中尉的女人》（1969），戈尔丁的《蝇王》（1954）。在法国，有莫里亚克的《母亲大人》（1923）、《爱的荒漠》（1925）与《黛莱丝·德斯克罗》（1927），纪德的《背德者》（1902）、《田园交响乐》（1919）与《伪币制造者》（1925），圣爱克·苏佩里的《夜间飞行》（1931），瑟利勒的《茫茫黑夜漫游》（1932），马尔罗的《人的状况》（1933）与《王家大道》（1930），拉迪盖的《魔鬼附身》（1923），阿拉贡的《圣周风雨录》（1958），杜拉斯的《抵挡太平洋的堤坝》（1950）与《琴声如诉》（1958），巴赞的《毒蛇在握》（1947）与《绿色教会》（1981）。在美国，有菲茨杰拉德的《了不起的盖茨比》（1925），海明威的《永别了，武器》（1929）、《丧钟为谁而鸣》（1940）与《老人与海》（1952），贝娄的《洪堡的礼物》（1975），辛格的《卢布林的魔术师》（1960），马拉默德的《伙计》（1957），塞林格的《麦田里的守望者》（1951），纳勃科夫的《洛丽塔》（1955）以及欧·亨利与欧茨的短篇小说等。其他各国的名家还有德国的托马斯·曼与伯尔，意大利的莫拉维亚，奥地利的茨威格，日本的川端康成，澳大利亚的怀特，等等。

以上这个名单，只是局部的列举而已，重要的还不仅在于人数之众、队伍之浩荡，更重要的是作家所达到的艺术成就。在现代现实主义小说的阵营之中，荣获诺贝尔文学奖的作家比比皆是，为数之多，是其他小说流派所望尘莫及的。仅以此而言，就足以说明现代现实主义小说作为时代历史、社会现实、人性人情的真实而深刻的描绘，作为一种整体文学现象，已赢得了 20 世纪文学发展的顶峰地位。

以上就是本文库所要展现出来的世界小说，特别是欧美小说发展的一个轮廓。这样丰富的小说史内容要容纳在一个小小的文库里，似乎是不可能的。而且，我们的编选工作还要服从各卷的限定篇幅，长、中、短篇搭配等等技术要求，因而难以尽如人意，何况编选工作从来都是各有所好，各有取舍的。

1994 年 8 月 1 日至 22 日

世界短篇小说的源与流

——《世界短篇小说精品文库》总序

当我们为短篇小说这一种几乎在任何国家都有的文学体裁形式建立起一个世界性的文库，并对它作若干历史回顾与概括说明的时候，并不认为有必要为这个文库找出一个共同的最初的源头。在文化研究领域里，一种企图找到始极之源的意向与冲动是屡见不鲜的，然而，任何比较文学的学者要为某种文学形式找出一个发源地，其不明智的程度并不下于一个人类学家企图证明世界上的人类都起源于某一个山洞。

当然，各个民族、各个国家的文学形式与文学题材之间的互相影响是不可否认的，以近代最早的一个短篇小说集——意大利文艺复兴时期的《十日谈》而言，它就曾对其他国家短篇小说的发展产生过很大影响，即使是在法兰西这一个短篇小说后来高度发展的国家里，《十日谈》也直接助产了它近代的第一个短篇小说集《七日谈》，直到 19 世纪，《十日谈》的格式、经验与魅力，还促使了小说巨匠巴尔扎克写作出不无效颦性的《都兰趣谈》，而《十日谈》本身，也是接受了外来影响的结果，它那故事套故事的框架式叙事结构以及有趣的故事题材，的确都直接来自阿拉伯 10 世纪到 14 世纪编写成的故事集《一千零一夜》。至于《一千零一夜》，则又与古代印度文学有关，印度的故事集《五卷书》早在 6 世纪至 8 世纪相继译成了中古波斯语、古叙利亚语与阿拉伯语，在这部故事集里，框架式叙事结构早已存在了，其对阿拉伯文学的影响可想而知。

尽管文学史上有这样一个明显的链式反应的例子，但如果说世界的短篇小说最初就是起源于印度，那就如同说古希腊宙斯的神话故事起源于中国天帝的神话、特洛伊战争的英雄史诗起源于黄帝与蚩尤大战的故事一样悖谬。19 世纪以来，文化艺术领域里已形成强大传统的社会历史研究，早就多次证明了决定任何文学艺术形式、内容与风格的最根本的因素，还在于本民族、本时代社会的现实生活土壤之中，外来的影响往往只起诱发剂或催化剂的作用，特别是与文学基本规律有关的文学形式、文学体裁以及创作经验，往往都是一定发展阶段中水到渠成的结果，即使没有外来的影响与旁系的借鉴，最终也会从本土中破土而出。

世界短篇小说虽无共源，但其产生与发展却有大体相同相似的共律。关于各民族的英雄史诗的产生规律，文学史家们都已经有了定论，对于长、短篇小说产生发展的规律却往往略而不顾或语焉不详。在人们的印象里，短篇小说作为叙述文学的一种形式，似乎不言而喻就是长篇小说的前身与雏形，但是，这里有一个值得人们注意的反证：在法国 16 世纪，当一部规模宏大、叙述艺术成熟的长篇小说《巨人传》于 1534 年问世的时候，法国第一部短篇小说集《七日谈》的作者纳瓦拉王后还没有动笔开始她的写作，何况她以后成书的这个集子在叙述艺术经验的丰实与成熟上，显然与《巨人传》不能相比。这个事例足以说明，长篇小说与短篇小说最初的产生与发展，是在两条不同的轨迹上进行。如果此说尚能成立的话，那么可以说长篇小说作为大规模散文体叙述文学的形式，是从古老的诗体叙述文学的形式英雄史诗演变而来，而短篇小说则直接从最初的小故事、小笑话而来，前者是民族生存斗争的产物，后者是群体日常现实生活的产物，两者都扎根于本民族的土壤之中。

这两种最古老的叙述文学的形式，不论是英雄史诗，还是小故事、小笑话，最初都经历过在民间口头流传的漫长年代，往往是在好几世纪之中才逐渐定型而后才成文成书的，即使成文成书之后，也有一个不断修订与编订的过程，而口头流传又要求便于吟唱与讲诵，因此，不论是古老的史诗与古老的小故事、小笑话都是诗体韵文。本来，篇幅短小的小故事、小笑话，比篇幅宏大的史诗应该更易于"制作"，也更易于流传，但文学史上定型的、成熟的史诗却比定型的、成熟的小故事、小笑话出现得更早。这种矛盾现象似乎难以理解，但其根源却正好是在这两者内容的重与轻、规模的大与小、篇幅的长与短的差异之中。史诗的内容是民族生活中的重大事件，在流传过程中，编订较少受传诵者随意性的干扰，而且因为它们与领主们的业绩有关，游吟传诵者从一个城堡到另一个城堡可以接受领主的款待与恩惠，而形成了一个相对"专业化"的媒介群体，并具备吟唱传诵的一定规范与程式，这当然很有助于某一史诗的流传与定型。小故事与小笑话则不同，它产生于市井的笑谈之中、乡村的劳作之余，它也许产生后顷刻间化为一笑，再也无影无踪，也许能不胫而走一段时日再消亡，也许就幸运地传诵下来了，没有像蚍蜉那样朝生暮死，但在流传过程中，传诵者谁都可以随意作若干修改，这些都显然不利小故事、小笑话的定型与成熟。两个古老的源头有此差异，这就形成了欧洲文学史上成熟的长篇小说先于成熟的短篇小说的现象。

不论史诗还是小故事，都有吟唱传诵发展到书写成文的过程、从听发展到读的过程，这一发展变化，是后来长篇小说与短篇小说产生的最远的第一个前提条件，由于有了这个最先的变化，自然就有后来的第二变化，即不论是长篇叙述文学还是短篇叙述文学，都摆脱韵文诗体而采用散文，这就更成了长篇小说与短篇小说产生的直接前提了。当这一历史性的突破完成以后，在此基础上产生的长篇小说与短篇小说，就汇合成为统一的散文体叙述文学，尽管它们古老的源头与发展过程有所不同。于是，叙述文学中的长篇小说与短篇小说愈来愈只有篇幅上、规模上的差异了，它们各自在叙述艺术上积累的经验与所运用的技巧，往往都成为双方共同的财富，而对于小说家来说，写长篇小说与短篇小说，也不过是从事性质相同，只是规模不一样的劳作而已。

对世界短篇小说的发展而言，欧洲的文艺复兴无疑是一块里程碑。如果文艺复兴时期以前是世界短篇小说的史前时代的话，那么从文艺复兴起，短篇小说开始了自己真正的历史，那么，在世界短篇小说真正的发展史中，究竟有哪些"共律"？哪些基本特点呢？

在短篇小说的史前时代，古代东方的影响显然是巨大的，说古代东方是当时的中心，处于领先地位，实不为过。但欧洲文艺复兴却是人类文化的一个真正伟大的转折，它对世界短篇小说的发展和影响，可以说是划时代的，在这个时期，先后不久，在意大利与英国，相继出现两部短篇小说的杰作，薄伽丘的《十日谈》（1348~1353）与乔叟的《坎特伯雷故事集》（1387~1400），它们生动活泼的人文主义内容与现实主义的叙述艺术，开一代新风，构成了近代世界短篇小说的开篇。尔后，这个开篇又被 16 世纪法国纳瓦拉王后的故事集《七日谈》（1559）与西班牙塞万提斯的短篇小说集《训诫小说》（1613）所补充、所加强，而谱写成了真正光辉的第一章。在接踵而来的 17、18 世纪，欧洲各国，特别是法国的作家，又继续为世界短篇小说提供成熟的艺术经验，拉法耶特夫人以文学史上少见的艺术早熟开心理小说的先河，伏尔泰等启蒙作家的短篇哲理小说则使寓言故事这种古老的文学形式具有了崭新的生命。19 世纪是欧美文学辉煌发展的世纪，也是世界短篇小说的主要实绩真正奠定的时期，欧洲大陆那些杰出的作家、划时代的巨匠、大师在制作长篇巨著的同时，也献出了大量短篇小说的精品，而且，美国这个新兴国家的文学生力军也进入了这个创造的行列。到了 20 世纪，欧美的短篇小说更是呈现出五光十色、丰富多彩的繁荣局面。不可否认，从文艺复兴以后，欧美的短篇小说在整个世界短篇小说领域中，占有巨大的比重，产生了巨大的影响，至今，当人们谈论世界短篇小说的时候，在一定程度上，往往较多的是指欧美的短篇小说。

与欧美短篇小说发展比较起来，东方已经丧失了史前时代的优势，印度、阿拉伯与日本的近代短篇小说到19世纪才初见端倪，而中国近代短篇小说，由于新文化运动姗姗来迟，直到20世纪才出现新局面。因此，如果要说世界近代短篇小说也有中心的话，那就应该说主要是在欧洲大陆，而在欧洲大陆中，法国与英国无疑又是两个更占优势的小说大国，这就是世界近代短篇小说的地缘概况。这样一个地缘图，是不以人的主观愿望为转移的，也是任何意识形态所难以更改的。我们这个世界短篇小说精品文库的篇幅分配，不能不反映这一客观的文学现实。

尽管世界短篇小说经历了光辉的历史，构成了一个丰富的文学宝库，但我们在这里没有必要把它的重要性强调到不适当的高度，应该承认，短篇小说并不是一个独立的部类，它只是叙述文学中的一个分支，而且在文学史上还不是叙述文学中最为重要的分支。在整个文学史的发展历史中，曾经有过很多次文学思潮的起伏与更迭，有过很多种文学流派的竞争与撞击，这些重大的历史事件与变化，往往都是以某种文学部类或文学形式为其搬演的舞台与场地，诗歌、戏剧、长篇小说，都曾是这种舞台与场地，而短篇小说则从来没有过这样的际遇。在一定程度上，短篇小说往往被视为叙述文学中长篇小说的"老弟"，从事短篇小说写作似乎往往只是长篇小说作家的一种"副业"。

不过，另一方面又应当看到，在所有的文学部类或文学形式中，短篇小说都居于更便于兼容并蓄的地位，不论是以哪个文学部类为搬演的新思潮与新流派、新观念、新技巧，均可使短篇小说的创作深受其惠，这是因为短篇小说作为一种方便灵活的叙述文学形式，比诗歌、戏剧、长篇小说更能全方位地、有效地适应各种不同的艺术营养，正如小块的试验田可以进行任何农作物的种植。因此，我们就能看到，世界短篇小说正是在世界文学整体的发展中不断精进的，文学史上各文学部类中发生的那些重要的思潮、主义、方法、流派，从现实主义、浪漫主义，到自然主义、象征主义，再到表现主义、意识流、荒诞文学、存在主义、"新小说"等等，无不在世界短篇小说中有所表现，有所运用。可以说，世界短篇小说的文库是容纳了人类文学各类观念方法、流派风格、各种技艺经验的最为丰富的艺术宝库。在这里，任何的法门都有，任何的技艺都齐备，小说家可以自由采取任何一种方法，使用任何一套笔墨；在这里，任何文学种类所能表现的一切，作家皆无所不能加以描述，大至广宇，小至显微，明至有形，暗至幽深；它既可以理所当然如叙述文学本分那样进行描述，或以显形的叙述上帝方式，或以隐形的叙述上帝方式，也可以如戏剧文学那样进行对白搬演，还可以像散文一样散淡而有韵味，或者像诗一样浓烈并富于抒情。总之，时至今日，短篇小说就其功能已经是无所不能，无所不可了，"十八般兵器"均已齐备，就看各家功力之深厚，技艺之精良了。这就是世界短篇小说领域所已经显示出来的艺术功能状况，在这个意义上，我们这个精品文库，是对小说艺术的一次总汇与展示。

对于短篇小说来说，还有一个重要的问题需要说明，即篇幅规模问题。顾名思义，短篇小说的特点在于其"短"，然而，这"短"既简单又不简单，它的边缘是模糊的，其界线至今仍难确定，它与其说是一个绝对的度量衡标准，不如说是一种历史的相对的尺寸，也就是说，短篇小说之"短"，在不同的历史阶段是有不同的。史前时代的小故事、小笑话，基本上都是很短的，《五卷书》中的故事，相当于今天的小短篇,《一千零一夜》则近乎今天的微型小说,至于《列那狐的故事》就甚至比微型小说都要短了。当故事由讲与传诵发展为写与出版,由韵文发展为散文这一历史性变化已经完成以后,近代短篇小说就逐渐摆脱"讲"的痕迹,而愈来愈按"写"的规律行事,而"写"首先就要服从出版成书的目的,这样篇幅也就愈来愈长了。文艺复兴时期产生的第一批短篇小说在形式上还采取"讲故事"的形式,篇幅一般都比较短,此后几个世纪产生的短篇小说,按今天的规格来衡量,都已经达到了大短篇、小中篇的篇幅规模,近代第一篇心理小说《克莱芙王妃》,在当时的小说中完全要算是一个短篇小说,但在今天来看,却是近乎小长篇小说的大中篇小说了,巴尔扎克《人间喜剧》中与长篇小说相对而言的短篇小说,在今天看来,也都是中篇小说的规模。

到了 19 世纪下半叶,事情有了某种变化,经常发表小说作品的文化消遣性纸刊杂志的出现,客观上对短篇小说的规模起了某种程度的律定作用。从那时以后,短篇小说的篇幅,基本上就建立在适于报纸杂志发表的要求与小说作品相当充分的叙事规模之间的平衡上,莫泊桑的短篇小说,就是这种文化条件发展的典型结果。我们今天对短篇小说规模篇幅的概念与标准,就是由此而来,我们对短篇小说与中篇小说的划分依据,也是由此而来。即使如此,在今天,短篇小说与中篇小说的边缘仍是不明确的,两者之间的界限也只是相对的。

上面这一历史发展不容小视,它不仅使较严格意义上的短篇小说的篇幅有了大体的限定,而且促使短篇小说更成为一种特别讲究精炼艺术的文学形式、一种必须以精品意识为至上的文学形式。任何文学形式都以精品艺术为追求的理念,短篇小说尤其如此。在长篇小说中,个别的败笔也许不至于妨碍一部作品在大体上成为杰作,但任何一小点平庸、芜杂、拖沓、画蛇添足,却足以毁了一个短篇小说。因此,从 19 世纪下半期以来,短篇小说艺术有了精益求精的发展,它已经成为一种相对独立的美学范畴，它要求构设精巧、描述精彩、用词选句精当、意趣精妙。总之，短篇小说的创作艺术已经成为真正意义上的精品学问，莫泊桑、都德、契诃夫等，就是这门学问的大师。时至今日，世界短篇小说艺术已发展到了很高的水平，世界短篇小说的创作成果已经构成了一个琳琅满目、美不胜收的巨大的宝库。

我们这个"世界短篇小说精品文库"的整体建构，正是基于以上的一些理解。我们从各国短篇小说的地缘实际出发，进行编选，不求各国篇幅的平均分配，力图使"文库"成为世界短篇小说精品的一张合理的分布图；我们从世界短篇小说的历史发展实际出发，从世界短篇小说篇幅规模的相对性出发，尽可能将各时代的代表作选入，并不求篇幅上的明确界定，力图使"文库"成为世界短篇小说历史发展的一个缩影；我们深感短篇小说创作的艺术真谛在于一个精字，在编选中不看作家名气的大小，不以题材是否重大、思想道德意义与意识形态属何性质为取舍标准，只以精品意识为上，唯艺术精品是选，力图使"文库"成为一个真正意义上的短篇小说艺术博览馆。

我们的编选是否达到了预定的意图、预期的目的，尚待读者的批评指正。

1995 年 4 月 16 日

世界心理小说类别的划分

——《世界心理小说名著丛书》总序

在根植于人性中的永恒的好奇心中，对人类自身的心灵隐秘的好奇也许居于首位，希腊神话中的夜女神之子莫摩斯就抱怨过前思之神普罗米修斯在用泥和水造人的时候，没有把人心挂在外面，使得人的内心世界无法一览无余。不言而喻，自从人类发明了认知与愉悦两种功能相结合于其中的文学艺术这一意识形态以后，对人自身内心隐秘的探索与揭示，就开始成为这个领域里追求的目的，神话故事中莫摩斯带有既定意向的抱怨就是一个明证。人的心态心理作为文学艺术赖以产生的母体之一，也就是自然而然的事了，事实上，早从古代起，心理描写就已经开始不同程度地存在于文学之中。

然而，正因为人心没有挂在外面，自古代以来，文学中对心理心态的描写显然远不如对人身外的客观现实世界来得经常来得充分，至于我们这套丛书所涉及的对象——通常所谓的"心理小说"，即以心态描写、心理分析为其主要内容或主要特征的小说类别，更是迟迟产生于人类有了成文的文学两千多年以后。

当然，这有其社会根源。如果说人对自己内心状态的体察与感知还是比较直接、比较自由的话，那么，人要在文学作品中充分揭示人自身的心态心理，却并不那么容易实现。在神权与王权统治的时代，人的主体意识消融在神本观念体系（不论是多神教还是基督教、天主教的）与王道意识体系之中，人的自我个性、人对内心生活的关注、人要求表现人的精神隐秘与人的精神世界之幽深的倾向，都被极大地压抑着、遏制着，而文学中的心态描写与心理分析正是以这些为其前提条件、为其产生的土壤的。由此，就可以理解，从古代直到中世纪结束，以心理描写为其主要内容的文学形式何以未能产生，甚至细致深刻的心理描写在文学作品中何以如此少见，同样也可以理解，为什么从文艺复兴之后，也就是从人类历史上人文主义、人本观念的一次大发扬之后，文学中的心理描写才逐渐趋于发达。

有了适宜的气候，还得有文学自身形式的定型与完善，从文学中的心理描写发展为心理描写的文学，仍需一个过程。到 17 世纪，西方文学中总算有了第一部真正称得上是近代"心理小说"的作品——法国女作家拉法耶特夫人所写的《克莱芙王妃》。不过，作为一种普遍的文学现象，心理小说成批地开始在欧洲出现却是 18 世纪、19 世纪的事。这不仅因为这个时期接近并进入人类历史上彻底摧毁封建主义关系的实战阶段，精神领域里正迎来个性的大解放，个性自由与主体意识正在确立并日益巩固的资本主义关系下，有了空前的发展；而且还因为文学领域里出现了强大的浪漫主义潮流，这一个自我感情大发扬、大泛滥、大表露的潮流，最先为心理小说成批的产生提供了大好的机遇，而便于这种自我大表露的书信体、日记体、自述体小说的出现与流行，则使心理小说有了多种多样的形式。这些形态的心理小说，我们可称之为心理倾诉小说，它们往往以自述的形式来倾吐人物内心深处的思想感情，大多以爱情为题材，表现人物在封建关系或封建关系残余的束缚下，爱情不得自由的内心苦闷、矛盾与愤慨，充满了浪漫的激情。歌德的《少年维特之烦恼》与卢梭的《新爱洛绮丝》就是这一类小说的代表作，它们标志着文学中的心理浪漫主义。

19 世纪欧洲现实主义的文学潮流给心理小说带来了新的发展。在这里，冷静的客观的分析，代替了心理浪漫主义的主观倾诉与尽情宣泄，即使有的作品采取了第一人称自述的方式，但也是一种时过境迁后冷静的分析性的反思，如龚斯当的《阿道尔夫》与托尔斯泰的《克莱采奏鸣曲》。正因为这股潮流中的作家都追求冷静的客观的分析，他们的心理小说也就更贴切地揭示了特定人物内心世界的变化规律与逻辑，在心理刻画上有了更大的深度，在心态描写上也格外复杂细致，这些都是心理浪漫主义所不能相比的，实际上是对心理浪漫主义的一种反拨与超越，我们可以称之为心理现实主义。心理现实主义虽然有其历史渊源，但基本上形成于 19 世纪前期，而更多地出现于 19 世纪后期。在 19 世纪后期，自然主义作为现实主义的一个发展，把人的生理机制、把人的"血"与"肉"带进了文学，同时也就使得心理写实中有了对生理根由的关照与考虑。心理小说发展到这一阶段，题材内容也比以前大为扩充丰富。由于题材内容的不同，我们不仅可以看到爱情心理小说，而且可以看到政治心理小说、伦理心理小说、犯罪心理小说以至更年期的心理小说、妇女心理小说等等。正如现实主义文学潮流在文学史上曾造成了一个辉煌的时期一样，现实主义潮流也带来了一大批心理小说的杰作，从司汤达的小说到左拉、莫泊桑、托尔斯泰的作品，它们的声势如此浩大，它们造就的传统至今仍如此强而有力，以至人们往往不自觉地习惯把心理现实主义视为心理小说，而往往忽略了心理浪漫主义曾为心理小说开拓了道路，也忽略了日后的心理现代主义给心理小说带来了一片新的风光。

从 19 世纪后期起，哲学家、心理学家纷纷来深入地研究人的心理机制与变化规律，形成了心理学空前的大发展、大繁荣，特别是威廉·詹姆斯的"意识流"说、柏格森的"绵延"说、弗洛伊德的"潜意识"理论，更把心理学研究推进到现代新水平，并给心理小说的新发展提供了新的扎实的理论基础。与心理学领域里的发展几乎同步进行的是，文学中一种特定的心理描写方法，即意识流方法的出现，而这种方法又几乎是不约而同地出现于德国文学与法国文学之中，奥地利的施尼茨勒、法国的杜雅尔丹都是这种方法最早的实验者，而后，这种方法在爱尔兰籍英国作家乔伊斯的名著里发展到登峰造极的水平。以意识流的方法创作出来的心理小说，显然是对一切传统心理小说的新突破。就表现内容来说，它不仅有表层意识，而且还有深层意识、潜意识；就表现形态来说，它呈现出内容混杂、打破了时序与空间界限的、意识像水流一般的原始状态；从表现方法来说，它不像心理现实主义那样采取作者介入人物心理过程的方法，而是实现作者的"隐退"，以客观地展现与放映来代替作者的概述与分析。它一系列新的特点都标志着心理小说发展的新阶段，正由于它是以客观地呈现为特征，有别于心理浪漫主义的倾诉与心理现实主义的解析，有人就把它称之为心理自然主义，但如果考虑到在 20 世纪下半期这一股新的潮流、新的方法中又出现了"潜对话"与"物"主义这类新的成分与新的实验手法，我们不如称之为心理现代主义。

以上是对心理小说迄今为止的发展过程的一个粗浅的理解，按这样一个理解，在法国文学的范围里选编一部包括心理浪漫主义、心理现实主义与心理现代主义的作品集，是我好几年前就有的计划，但由于忙于其他事务，一直未付诸实现。现在，经出版社再三邀约，又得到有关同志的合作与协助，扩大了原来编选的规模，这就是这一套《世界心理小说名著选》的由来。本丛书旨在展示出心理小说三个历史发展的阶段，汇集这一过程中的名著名篇，作为外国文学中的一个特定的系列，一种特定的归纳与整理。属于这个范围的作品为数不少，我们将把它们压缩为有限的篇幅，分为"法国心理小说名著选""德国心理小说名著丛书""俄苏心理小说名著选""英国心理小说名著选""美国心理小说名著选""日本心理小说名著选"与"拉美心理小说名著选"七种。如果这套选本对读者了解心理小说这一特定文学类别的历史发展过程，了解不同阶段、不同国别、不同作家的心理小说的特点有所帮助，我们也就达到了预期的目的。

1988 年 9 月

散文的疆界在哪里？

——《世界散文经典丛书》总序

散文的国土有多大？它的疆界在哪里？它的边缘如何划定？

凡谈论散文者，凡编选散文集者，谁都不能回避这样一个地域学问题。

文艺理论家、批评家对散文如何下定义，如何作界说，文艺学讲义、博士学位论文对散文如何进行辨析，这与一般广大阅读者对于散文的看法与概念相比，只不过是学术象牙塔里的事、云端里的事，一般的阅读者往往是不大理睬的。我们知道，在社会现实生活里，经常流通、为人常见的那些文化成分，对于人们文化观念、文化模式的形成，总是要起至关重要的作用的，至少要起约定俗成的作用。正因为如此，不难理解，一般的阅读者对散文的理念，他们心目中的散文模式，往往不是来自教科书与学位论文，而正是来自他们常见到的、常读到的那些散文作品。

在中国能识字读书的人群中，出身于书香之族、家学源远流长、自幼饱读经史的"上帝的选民"乃系极少数，多数人所受的教育都是"大众型"的。根据我自己的经历以及我周围人们的经历，在一般人所受到的那种"大众型"的启蒙教育与中小学教育中，《唐诗三百首》与《古文观止》是两位重要的老师，而《古文观止》对这大众型的智识层在形成民族传统散文的概念上，正起了某种准绳式的规范作用，特别是其中像《陈情表》《归去来辞》《滕王阁序》《陋室铭》《进学解》《岳阳楼记》《醉翁亭记》《赤壁赋》等这样一些为青年学子广为背诵的名篇，更成为了人们心目中的散文典范。

"五四"以后，散文大为发展，于是在人们的文化生活里，又多了一些传诵的名篇：《背影》《荷塘月色》《寄小读者》《我所知道的康桥》等等。中国散文中这个一脉相承的传统，实际上代表了整整一个族类，其特点是抒写的内容不超出自我的半径之内，或为自我的见闻与感受，或为自我的辨析与哲理，不外林园山水、花鸟鱼虫的景观，修身养性的道理，经历行止、身边琐事的感言。形式上则单独成篇，文章结构内敛凝聚，布局谋篇甚为讲究，遣词造句力求精练，通篇追求自我的性灵、雅美的意趣、闲适从容的情致。只要一讲起散文，人们首先就想到了这个族类，就把这个族类当作散文的本体、散文的"王室"。

这就是一般人的散文观的由来，是一般人心目里的散文范畴、散文领地。这种散文范畴观可以说是在历史过程中自然形成的，因为，人们是出于愉悦的需要而向这种散文倾斜的，要知道愉悦的需要毕竟是"芸芸众生"在文学阅读中最原始自然而又合情合理的需要，而一旦这种散文范畴观形成显现，又有致力于审美观营造的学者与才人用理论形态来加固与定型这种自发自然的倾向。如最近就有一个颇有影响的散文选本的序言，明确地认为，历史上的散文名篇所写的无不都是"身边琐事"或"个人的一点即兴的感触"，因为"身边琐事"构成了"一个对散文来说是非常重要的问题"。如果按照这个散文范畴观来选编一个散文集，定可得出闲适性美文之一大汇编，何尝不是一件美事？近几年来国内的散文出版热，大抵就是编这类散文、写这类散文蔚然成风而才不断升温的。

在散文的国土问题上，让我们把亚里士多德、文艺学讲义、辞源与博士学位论文放在一边，还是从简单的文学事实出发吧。

对于文学的发展来说，书面文学的产生无疑是至关重要的，文学史往往都把文学的起源上溯到书面文字的出现。文字产生之后，就不外用于人类各种实际活动中的记事、论说与歌咏的需要，自然而然逐渐就要讲究文字上的修辞与技巧。如果说文字的产生再加上修辞学，离诗歌、小说、戏剧还很远的话，离文学散文就只有一步之差了，不要以为直接用于人类的祭祀鬼神、宗教迷信、公文告示、记事备忘、奏启呈文等等各种实际活动的书面文字，是绝对与文学散文无缘的，如虫蛆怎么也变不成蝴蝶，恰巧相反，直接为这些实际活动服务的书面文字，只要是说得头头是道、明晓透辟、情词并茂，很容易就可以上升到文学散文的领域。辞职书写得恳切感人，就有了李密的《陈情表》；与朋友闹纠纷讲理头头是道，就有了嵇康的《与山巨源绝交书》；祭鬼神、慰亡灵之作写得悲怆苍凉，就有了《吊古战场文》；诸葛亮的《出师表》其实就是打上去的一份政策分析报告，骆宾王的《代徐敬业传檄天下文》是一张写得很讲究的公文告示，王安石的《答司马谏议书》不过是写得义正词严的党争中短兵相接的争辩。而这些文章，都已经成为了中国散文中公认的精品。

众所周知，人类的社会实践活动早于文学活动，人类社会实践活动的需要也远远大于文学活动的需要，而各种社会实践活动中的实际文字语言，正是文学散文可能滋生也比较容易滋生的温床。如果笔者不是在歪着嘴巴说理的话，那么就可以下结论说，散文艺术是文学中最古老的艺术，它的资格比小说艺术与戏剧艺术都要早，而散文又是文学中疆界最大的王国，它的幅员比小说与戏剧要大得多。

其实，在文学的版图上，除了诗的王国外，剩下的就是散文的莽原了。戏剧与小说这两个王国，也基本上是在散文的莽原上建立起来的，而且是后来的事。没有散文作基础，小说与戏剧两个王国的独立与发展是不可想象的，即使在小说与戏剧有了高度发展之后，我们仍经常在它们的殿堂里俯首即可看见由散文所构成的殿堂地面，雨果的《悲惨世界》中"滑铁卢"一章，实际上是法国人大制作的惨烈悲凉的"吊古战场文";博马舍的名剧《费加罗的婚礼》中主人公那段在剧本里举足轻重的著名独白，本身就是可独立成篇的绝妙的散文自述；契诃夫的独幕剧《论烟草有害》，其实就是一篇幽默讽刺散文；夏多布里昂的小说《阿达拉》的"序幕"，早已被公认为是一篇写景的上好佳品。

从人类社会实践活动的需要与可能来看，产生文学散文的层面与途径远比诗歌、小说、戏剧来得广泛；同样，从写作者的条件与可能来看，产生文学散文的层面与途径也比诗歌、小说、戏剧来得广泛，因为不论是诗歌、小说与戏剧的创作，都需要一定的专门艺术技巧，散文的写作却相对要简单一些。不论是出于政治、经济、宗教、社会的目的，人际关系与交往的需要，还是出于学术文化与哲学思辨的热情，不论是由于现实景观与见闻的引发，还是个人心绪与性灵的萌动，只要具有优良的语言修养以及谋篇布局的技艺，有意识地追求一定的艺术意境，或大则成书，或小则成篇，即使从简营造，短小精悍，也可成为文学散文佳品。因此，在文学发展的过程中，文学散文的创作量往往实际上要大于诗歌、小说与戏剧的创作量，由于性质与内容的不同，它又有着哲理散文、历史散文、记事散文、描述散文、抒情散文、政论散文、文化散文以及交往应酬散文等等各种门类，所有这些构成了一个幅员辽阔的散文帝国。如果只承认闲适性的散文才是散文，岂不就把其他种类、数量庞大的散文拒之于法门之外，让它们成为了野鬼孤魂？如果只把散文的领域局限于闲适性的散文，那岂不是把散文王国的大片领土生割出来，弃之不顾？如果不把它们称为散文，那么又能称为什么呢？照笔者的理解，那些为人广为传闻的闲适美文精品，可说是构成了散文的紫禁城，然而，在紫禁城之外，还有更大的京城、京畿，还有辽阔的外省边陲，如果只局限于紫禁城中，那岂不成了退了位的溥仪？鲁迅在《南腔北调集》的《小品文的危机》一文里，就把这种闲适性的散文称为"散文小品"，甚至称为

"小摆设"，显然就没有把它当作一个"泱泱大国"来看待。

本着以上的理解来规划这套散文选集，我们有意识地拓宽了选题的范围，将一些历史论著、哲理著作、政论演说、文艺评论、回忆录，以及日记书信中有文采、有一定的形象性、堪称文学散文的佳篇选入，也许，在这里，散文的边界有时会显得有点模糊，但总比割舍了一大片领土要强。这就是我们的第一个立意。

第二个立意说起来比较简单，那就是力求在篇目内容、译文采用上与过去已经出版的多种散文选本避免雷同与重复。经各卷编选者的努力，在我国第一次译介的篇目占各卷的三分之一至二分之一以上不等；有一部分文学史上公认的散文名篇国内已有译介的，则尽可能另组新译，少数即使需要从同一个有关译本中选取者，则务在选取角度与所选段落上与已有的散文选本避免雷同。

文化积累，是一项社会性的、需要大家添砖加瓦的工程，对世界散文的研究、梳理、编选、译介的工作也是这样，但愿各种选本相得益彰，各自作出自己的贡献。我们这套选集作为"后来者"，要与以往的选本避免重复，是很吃力不讨好的，如果读者认为我们这套选集也添加了一些自己的东西，我们将感到莫大的欣慰。

1996 年 2 月 18 日

法国短篇小说的文学背景与自身发展

——《法国短篇小说选》编选者序

　　正如有一位法国的伟大作家曾经说过的那样，"人们参观了一幢建筑物的厅堂，却决不会去察看它的地窖；人们吃水果的时候，也很少想到果树的树根"（雨果：《〈克伦威尔〉序》）。当 20 世纪的读者观赏着一个国家琳琅满目、色彩纷呈的短篇小说精品文库时，一般也许都不会对溯本求源、见识见识小说原初的形态有多大兴趣，除非是那些喜爱思考、关心文学历史资料的读者。然而，编定一个选本，却正是一项梳理、筛选与鉴评文学历史资料的工作，因而，对于编选者来说，作一些溯本求源的工作，对有关的历史背景与整体文学背景进行若干必要的说明，乃是应尽的责任。

　　法国古代最早的一部文学作品，是《圣女欧拉丽赞歌》，产生于公元 9 世纪的 90 年代，它被视为法国文学的开端。虽然，法国文学有如此久远的历史，但最初的舞台是短小的民歌、圣徒传、宗教剧所占有的，英雄史诗到 11 世纪才出现，至于小说，更是姗姗来迟。

　　小说作为散文形式的叙事体文学类别，在今天有长篇小说、中篇小说与短篇小说之分，这种仅仅在篇幅上的差异，造成了三者同源的印象。其实，虽则同种，然而并不一定同源，这三者之中，长篇小说与短篇小说是有明确界线的两极，中篇小说只是介乎两者之间，具有伸缩性、相对性的一种，因而，这三者基本上只有两个源头。长篇小说可以溯本求源到中世纪的作为叙事体的英雄史诗，其成熟与完整的形态早于短篇小说，能说明这一点的文学史实是，虽然短篇小说在16世纪的法国尚处于萌芽状态，但形态完备、艺术成熟的长篇小说的鸿篇巨制——拉伯雷的《巨人传》就已经问世了，而《巨人传》的那种漫游远征的叙事结构，早在古代希腊罗马史诗《奥德赛》与《伊利亚特》就已经有了典型的体现，其继承关系是不言而喻的，因为作为古代法国的高卢正是罗马帝国版图的一部分，而古法语——罗曼语的前身，就是高卢居民所使用的通俗拉丁语。

当今法国短篇小说最早的源头，则要算中世纪特定的"小故事"（Faubliaux），这种文学类别又称为"笑话"（Contes à rire），它是中世纪城镇兴起、市民阶级出现后这一历史条件下的产物，短小精悍，韵文体，通用八音节诗句，讲的是滑稽逗笑的故事与来自社会生活中的趣事轶闻，作者均为城镇街头的佚名演唱者。他们既反映下层世俗市民与宗教、教会的对立情绪，也反映了城镇周围农民阶层的不满。在他们的小故事里，宗教与教士总是被当作取笑讽刺的对象，而揶揄者、占上风者则往往是机智调皮的农民。如在《贪吃桑椹的教士》中，教士为满足口腹之欲的笨拙与丑态写得非常可笑；在《圣徒彼得和游方艺人》里，游方艺人与圣徒彼得赌博，输了反而赖圣徒作弊，居然拔掉了圣徒的胡子；在《农民舌战天堂》时，被拒绝进天堂的农民，竟敢在天堂门口找三个圣徒辩论，把圣徒驳得体无完肤，于是，上帝不得不让他进入了天堂。

这种"小故事"出现于11世纪末叶，盛行了两个多世纪，直到14世纪初，它作为一种叙述文学，虽然形态还比较原始、简单，但对后世的文学发展，却起了不小的作用，它以其题材与内容中的世俗精神，对宗教与教会的揶揄嘲讽，而投合了从14世纪在欧洲兴起的文艺复兴运动的需要，对意大利薄伽丘的《十日谈》与英国乔叟的《坎特伯雷故事集》都有所启迪与影响，而这两部作品则要算是欧洲近代短篇小说的真正开端。在后世的法国文学中，中世纪小故事也明显地得到了继承，不仅 17 世纪的寓言作家拉封丹与喜剧作家莫里哀采用了中世纪小故事的题材，而且 19 世纪的不止一个作家的短篇小说也继承并发扬了中世纪小故事的传统，巴尔扎克的《十日谈》式的短篇小说集《风月趣谈》甚至也是用古法语写成的，而在都德的《雅尔雅依来到天主的家里》、莫泊桑的《萨波的忏悔》《一个诺曼底人》等著名短篇小说中，那些目无宗教法纪，对圣物玩世不恭，善于揶揄教士、圣徒的农民与工匠，一看便是中世纪小故事中的那些捉弄圣徒的调皮鬼子孙。左拉的短篇小说《戒斋》中对贪吃的神父的讽刺与中世纪小故事《贪吃桑椹的教士》也是一脉相承的。

　　法国短篇小说真正的开端在 16 世纪，其标志是《七日谈》的问世。

　　真正意义上的短篇小说在 16 世纪的出现，是法兰西文化历史进程的必然结果。首先，在现实生活中，骑士阶层的衰落使盛行于整个中世纪的骑士抒情诗与骑士叙事诗开始日益变得陈旧过时，而市民阶级的兴起，又使比较贴近生活、投合市民趣味的故事日益流行，它们起初是口头传诵，后来经过文人的整理，写成文字，以手抄本的形式流传。而 15 世纪末，印刷术的发明与此后日益广泛的运用，更使故事小说成为书面文字广为传播。于是，这个过程对社会文化生活而言，是听故事愈来愈变成了读故事的过程；而对文学形式而言，则是在叙事文学中，韵文愈来愈让位给散文的过程。16 世纪发生的语言变革，又无疑给法国近代散文体的短篇小说的产生与发展，提供了语言上的方便条件，中世纪的古代法语，其实在一定程度上保留着高卢地区所使用的那种通俗拉丁语的成分，随着法兰西民族国家的形成，流行于"法兰西岛"周围的方言才逐渐成为全法国通用的语言，1539 年法王弗朗索瓦一世（1494～1547）下令废除拉丁语，全国统一使用这种语言，这就是中古法语，《七日谈》正是以这种语言写成的。

法国短篇小说在 16 世纪的出现，更具体地是受意大利文艺复兴直接影响的结果，也是法国文艺复兴的一种体现。法国的文艺复兴比意大利的文艺复兴迟了两个世纪，虽说略为迟暮，但毕竟是来了，这不能不归功于王权的支持。法国国王弗朗索瓦一世对人文主义者与加尔文教徒采取了保护的态度，又邀请一些著名的意大利人文主义学者与文学艺术家来到法国，还开设图书馆，收藏希腊罗马文化的典籍，扩建卢浮宫，收藏古代艺术品，被人文主义者称颂为"文艺之父"。特别是他的姐姐玛格丽特·德·纳瓦拉王后的周围，更是簇拥着一批新思潮的学者、思想家、文人与翻译家，她的宫廷常成为受教会与巴黎大学迫害的人文主义者与加尔文教徒的避难所。正是在王权的支持下，法国文艺复兴得到了迅速的发展，到 30 年代，人文主义成为法国文化领域里的主潮，造就了法国文学史上一个相当繁荣的局面，而纳瓦拉王后自己所写的短篇小说集《七日谈》就是其中的一个硕果。

1545 年，安东尼·玛松将意大利文艺复兴时期代表人物薄伽丘的《十日谈》译成法文，献给纳瓦拉王后。玛格丽特于 1546 年开始模仿《十日谈》写一些类似的短篇故事，她计划也写成"十日谈"，即每日十个故事、总共 100 个故事的规模，但她只写成了 72 个就去世了，她去世十年后，这些故事以《七日谈》为名出版，这就是法国历史上第一个短篇小说集。

《七日谈》像《十日谈》一样，作为泛欧性的人文主义思潮的产物，充满了反宗教、反教会禁欲主义的精神，赞扬主体选择、世俗成功与尘世享乐，欣赏人际关系中的机智应变与聪明狡黠，其中有相当一部分是男女偷香窃玉、通奸欺骗的故事，题材虽然粗俗不雅，但却以轻松调侃而又节制自爱的笔调写来，并不流于淫亵，倒不失幽默的情趣，泛有嘲讽的色彩。《七日谈》写了形形色色的人物故事，自然反映了广泛的社会生活面，可算是 16 世纪法国完整的众生相的写生；它的情节生动，富于变化，叙述轻快，是早期短篇小说佳品。尽管它往往仅限于叙述事件过程，甚少场景描绘，更少心理刻画，仍只是短篇小说的雏形，但它开朗乐观、洒脱自由的世俗精神，轻松幽默的格调与简洁流畅的叙述风格，是一个真正的良好开端，对后来的法国短篇小说创作有重要的借鉴意义，巴尔扎克就曾称道纳瓦拉王后的《七日谈》是"一些可爱的故事"。

印刷术于 15 世纪初发明以后，15 世纪末在法国已经是甚为发达了，这一传播条件首先在文学领域里使得长篇小说深受其惠，比较起来，16 世纪法国的长篇小说的发展要比短篇小说来得更令人瞩目，这个趋势在 17 世纪仍然没有改变。在 17 世纪，长篇小说的产生量要比短篇小说大，写长篇小说的作家也要比写短篇小说的作家来得多，读者热衷于读长篇小说的文化现象也更为明显。现在，人们还不至于完全忘记在 17 世纪风靡一时的那些为数不少的田园小说与历史小说、英雄小说，它们的篇幅长得惊人，往往动辄十余卷、数十册、四五千页，由于这些小说构成了当时重要的文化现象，以这种小说而在文学史上留下一个名字的作家亦大有人在。相形之下，短篇小说就显得"势单力薄"一些，如果按照我们今天对短篇小说篇幅大小的标准来衡量，可算得上是短篇小说的作品几乎少得可怜，因为这些即使数万字篇幅的小说，对当时的长达数千页田园小说与历史小说而言，也不过是"短篇小说"，而在今天，它们往往就要被划入中篇小说的行列里了，如《克莱芙王妃》。这样，我们能真正视之为短篇小说家的作者，在 17 世纪也就屈指可数了，仅一两人而已，这一两人就是斯卡龙与拉法耶特夫人。

斯卡龙既是一个著名的诗人，也是一个著名的喜剧家，在小说创作方面，成就也很突出，他的作品，不论是长篇叙事诗《大风歌》《化了装的维吉尔》，讽刺诗《马扎然之歌》《火烧首相》等，都与社会现实，甚至政治事件紧密结合在一起，因而他要算是 17 世纪少有的一个具有强烈的现实感、现实性的作家。他的小说更是充满了生动而丰富的社会现实内容，其长篇小说《滑稽故事》通过流浪剧团在外省巡回演出的故事，表现了城镇的生活，他写于 1655 年的短篇小说集《悲喜短篇小说》，是借用西班牙题材，影喻了法国的世态人情。斯卡龙的短篇小说虽然只有五篇之多，但已显示了它在法国短篇小说发展中的分量，他把已在法兰西短篇小说发轫阶段初见端倪的故事的生动性、叙述的简练性与流畅性显示得更为明朗，情节的发展变化在他的笔下更为细致复杂化，他还增添了以前小说中所没有的更为生动真实的世态描写，特别值得注意的是，他明确地具有性格描写的自觉意识，也的确成功地写出了性格特征非常突出的人物。他的短篇小说《对贪吝的惩戒》中的主人公，就是法国文学史上最早的一个悭吝人形象，先于同时代大喜剧家莫里哀的名剧《吝啬鬼》中的阿巴贡。

同样，拉法耶特夫人的短篇小说为数也很少，她总共只写了小说三种，即《蒙邦西埃小姐》《塞德》与《克莱芙王妃》。从篇幅来说，与当时流行的那些卷帙浩繁的小说相比，它们都只能算是短篇小说。但今天，她近 10 万字的杰作《克莱芙王妃》就要算中篇小说了。其实，在我们看来，中短篇小说在艺术规律与构成上，并没有绝对明确的界线，不论把这位出身贵族、在 17 世纪上流社会里声名显赫的才女的作品划在哪一个类别，她在小说史上的功绩都是毫无疑问的。她的意义在于，她不仅是法国，而且也是整个欧洲的心理小说的"第一只燕子"，她的小说基本上都是以高层贵族社会中的婚姻爱情故事为题材，尽管具有浓厚的宫廷气息，但它打破了当时文学中人物描写的程式化，而致力于表现人物复杂的内在心理活动。作者的心理描写是细致而深刻的，她不仅善于区分不同的感情形态，而且善于区分形态相同而内容不同的感情活动，并把所有这一切之间的微妙处，通过生活的进程与日常的细节去加以展示，使读者看到人物感情的细流就是从这些生活细节里渗透而出，并在礼仪、规范、道德观念以及环境间隔所构成的障碍之间蜿蜒流淌，这样出色的心理写实主义的艺术能在17世纪的法国产生，这不能不说是整个欧洲文学中一个令人惊奇的现象。

不难看出，虽然17世纪法国短篇小说的作家与创作量都很少，但却实实在在意味着质的变化与提高，它构成了法国小说发展史的重要的一章。

在18世纪，法国小说作为一个整体又有了全面而深刻的发展，17世纪末到18世纪初产生的一批海盗小说、航海冒险小说没有多少文学价值，可以撇开不论。在有文学价值的层次里，首先引人注目的是社会世态小说的发展，勒·萨日的《吉尔·布拉斯》与《瘸腿魔鬼》就是这种小说的代表作，它继承斯卡龙的传统，但其写社会世态的规模要彻底得多、大得多，不是让魔鬼把城市居民的屋顶尽都掀开，就是让主人公流浪人间，见识到几乎各阶层形形色色人物的行状，而其世态描写之生动程度也超过17世纪的先行者。在18世纪小说中，心理展示传统也在继续发展，马里伏的小说《玛丽安娜》（1731～1741）、《暴发户农民》（1735～1736）既是城市世态的写生，也有对人物心理深入专注的刻画。普莱服神父的小说名著《曼侬·莱斯戈》，同样具有这种双重的性质，它以其对人性典型表现形态的描写，而使男女主人公成为具有永久生命力的人物形象。萨德在深入挖掘人生，致力于暴露社会黑暗与人性病态更是达到了惊世骇俗、发聋振聩的程度，他的《于丝汀忒淑女蒙尘记》《于丽埃特忒恶行之走运》等一系列小说，尽管几个世纪以来不断遭到非议与责难，但其中所表现出来的对人性的深刻理解却具有巨大的超前性，至今仍不失其认知意义。真正意义上的心理小说，在18世纪法国又有了别开生面的发展，那就是以人物自述的书信体为形式的小说的兴盛，卢梭的《新爱洛绮丝》与拉克洛的《危险的关系》就是闻名遐迩的代表作。在这里，人物自我的感情倾诉与内心自白，成为展示其心理状态与发展的有力手段。更为重要的，则是哲理小说的兴盛，从事这种小说创作的，基本都是18世纪最著名的一批启蒙思想家，他们不仅在法国直接为18世纪末的大革命作了意识形态的准备，而且在两个世纪之内对整个欧洲以至全世界都有深远的影响。他们写小说明确地是为了宣传其哲理与思想，小说艺术对他们来说，就是如何把尽可能多的观念意识，以小说的叙述形式与明晓生动的形象表达出来，孟德斯鸠的《波斯人信札》，伏尔泰的《老实人》《天真汉》，狄德罗的《定命论者雅克和他的主人》《拉摩的侄儿》，卢梭的《爱弥儿》等，就是他们富有思想魅力的杰作。

我们之所以有必要把18世纪的小说作为一个整体加以概述，是因为一个时代的短篇小说在思想与艺术上与长篇小说、中篇小说是不可能截然分开的，而且，在18世纪小说领域里，我们可以看到原来长篇小说的规模开始缩小，长篇小说明显地向"短"靠拢，长篇小说基本上少见了。在以上列举的小说中，仅有少数几部具有今天的长篇的规模，而大多数作品都只具有今天的中篇小说的规模，其中不少只能说是小"中篇"或大"短篇"。可见，在18世纪，长篇小说、中篇小说、短篇小说之间的界限是相对的，特别是中、短篇小说，更是如此。如果尺度放宽，《瘸腿魔鬼》《曼侬·莱斯戈》《于丝汀》《老实人》等小说，几乎就有点接近短篇小说了。但是，根据今天短篇小说的篇幅标准，18世纪真正可算是写短篇小说的作家，却又为数不多，这里，主要就要算伏尔泰与狄德罗二人了，伏尔泰的《如此世界》与狄德罗的《这不是故事》至今仍是符合严格意义上短篇小说所应有的篇幅标准的杰作。

虽然，一个时代的短篇小说在思想上、艺术上与整个小说部类是密切不可分的，但整个小说部类的发展并不见得就是短篇小说的发展，整个小说部类经验的丰富成熟不见得就是短篇小说经验的丰富成熟。短篇小说艺术经验的积累与形式发展，有它相对的独立性，如果从短篇小说本身来考虑，18 世纪的伏尔泰与狄德罗至少分别在两个方面对法国短篇小说艺术经验的积累作出了自己的贡献。

伏尔泰在真正意义上可以说是法国哲理小说的开山祖师，他作为 18 世纪前期重要的启蒙思想家，对封建专制的司法黑暗与反动教会的宗教狂热、宗教迫害，进行过很有力的斗争，其思想影响整个欧洲，他晚年所居住的菲尔奈成为了欧洲舆论的中心，他则被尊称为"菲尔奈教长"。他的哲理小说虽然只有 26 篇，在他数十卷之多的全集中所占比例甚小，但却是他最突出的文学成就之一，也是他嬉笑怒骂的战斗精神的体现。他的哲理小说篇幅都不长，一般都是短篇或准中篇，他在这些小说里通过灵活自如的叙述、讽刺幽默的笔调，在半神话式的或传奇式的故事里，注入哲理寓意，达到影射现实、宣传启蒙思想的目的。他善于通过形象来表现哲理，也善于从生活形象中发掘哲理，从不在小说中直接或间接说教，总是让形象本身来向读者启示某种寓意，因而避免了哲理小说的天敌——概念化。伏尔泰哲理中短篇中的形象描绘既具有优秀文学作品都具有的典型化的共性，也具有伏尔泰本身的特点，夸张滑稽，意味隽永。他常把那些不合理的东西夸张到了荒诞的地步，以荒诞的叙述来表现封建专制社会的荒诞本质，这种荒诞图景的色彩不是阴森可怕、压抑低沉的，而是充满了作者的智慧、嬉笑、揶揄与嘲讽，形成一种滑稽的基调，并蕴含着深邃的意味。伏尔泰的哲理小说叙事流畅，简繁得当，传奇色彩颇浓，很能引人入胜，至今仍保持着不朽的艺术魅力。

狄德罗是 18 世纪后期的启蒙思想家，系统宣传启蒙新思潮的《百科全书》的组织者与主编，他还是一个杰出的美学理论家、艺术批评家，在法国文艺批评史上，他要算是最早建立了自己完整的现实主义理论体系的一人。他的小说作品，既富于启蒙思想哲理与批判战斗精神，又是他现实主义文艺思想的实践，要算法国最早的近代风格的现实主义小说。狄德罗对现实主义小说的贡献，首先在于他特别重视小说叙述描写的合情合理，力求使它符合生活真实面貌，他是法国小说史上真正强调细节描写真实的第一位作家，从他开始，法国小说中才有了严格可靠意义上的细节真实，也才有了更多的日常生活的生动图景。狄德罗对现实主义小说另一大贡献，则是塑造人物性格的艺术。狄德罗实际上开始了情节小说到性格小说转变的道路，他在自己的小说里所注重的不是对情节的构造，而是对人物性情性态的展现，他造塑人物性格的艺术是多方面的，从对容貌、形体、衣着、举止的细致描写到对思想观点、情感心态、性格气质的展示与刻画，都达到了成熟的水平。特别是他善于表现人物性格中矛盾复合的状态与辩论深入的层次，摆脱了过去文学史中小说人物常有的概念化、脸谱化、平面化，而给人立体感，他的中篇小说《拉摩的侄儿》中的主人公，就是这样一个栩栩如生的立体化的人物形象。

经过这一番回顾，我们可以把 16 世纪到 18 世纪末视为法国短篇小说发展的一个阶段，即派生发轫的初期阶段。其派生性是指它是伴随着整个叙事类文学形式的发展而来的，也正因为如此，这个时期的短篇小说在篇幅上就只具有相对的标准尺度，它作为本时代的短篇，其边缘还不清朗，特别是与在今天被视为中篇小说的那一部分作品的界线有时并非绝对明确，何况时至今日，严格意义上的短篇小说与一般意义上的中篇小说之间的界线也还没有最后确立，有时还是模棱两可，游移不定的。但是，当人们在 20 世纪进行短篇小说的编选时，所持的却是 19 世纪以后短篇小说的篇幅标准，这样，派生发轫阶段的法国短篇小说，在数量上也就相对显得不多了。不论持何种篇幅标准，法国短篇小说在派生发轫阶段的这两三个世纪里，毕竟有了一个扎实丰富、卓越不凡的开篇，这个开篇至少在这样几个方面提供了成熟的艺术经验，那就是生动活泼、诙谐幽默的社会世态描写，细致入微、解析辩证的心理刻画，明晓生动、深刻隽永的哲理表述与层次分明、状态复合的性格塑造。这些成熟的艺术经验，已初步显示出了法国短篇小说几个方面的优越性或几个鲜明的特征，它们就像特具生命力的源泉，将流淌扩张为宽阔的江河洋面，构成了法国短篇小说在19、20世纪大繁荣的肥沃土壤与坚实基础。

经过几个世纪艺术经验的积累，19世纪法国短篇小说，有了一个大发展大繁荣的局面。

当然，19世纪短篇小说作为这个时代叙述文学的一部分，与中、长篇小说的繁荣发展是分不开的。众所周知，19世纪是法国文学的一个黄金时代，特别是法国小说辉煌灿烂的时期。在这个世纪，法国小说作为一个整体，无可争辩地居于世界小说艺术的最高峰，并毫无疑义地将在全人类文学史上具有永恒不朽的重大意义，司汤达、雨果、巴尔扎克、福楼拜、左拉就是这个时期小说艺术奥林匹斯山上的神，他们鸿篇巨制的小说杰作，至今仍是在世界上拥有读者最多的文学经典。他们除了个别人以外，也都致力于中短篇小说的创作，这首先就保证了19世纪法国短篇小说的高级水平与上乘层次。

司汤达是法国19世纪贡献出了具有世界意义的杰作的小说家，他闻名遐迩的小说《红与黑》问世于1830年，在司汤达出色的现实主义小说艺术中，对时代社会政治关系的深刻揭示与对复杂的主人公的心理活动的入微剖析，尤为令人赞叹。他著名的短篇小说集《意大利遗事》除了个别作品外，基本上都是以意大利16世纪的野史轶闻为题材。不论写的是什么时代的故事，司汤达都在这些短篇小说里致力于表现充满了热情与力量的意大利性格，其色彩之鲜亮透出了浪漫主义的光泽，而对人物性格的复杂状态与发展断层的描写又达到了现代现实主义的水平，《卡斯特罗修道院女院长》与《法尼娜·法尼尼》就是这样的名篇。

巴尔扎克以法国历史的书记自命，他的小说创作，是法国 19 世纪上半叶社会历史的最丰富、最全面、最深刻的形象图景，堪称那个时代历史的百科全书。他将 90 多部作品联成一个庞大的整体《人间喜剧》，构成了人类文学史上前所未有的最宏伟的一座文学大厦。在《人间喜剧》中，中短篇小说占有了相当大的比重，有些深刻反映了法国社会现实关系，特别是经济关系、财产关系的杰作，就是短篇小说或介乎"短"与"中"之间的"大短篇""小中篇"，如《高利贷》《夏倍上校》《苏城舞会》《纽沁根银行》等，如果篇幅允许，它们本来都理应在世界中短篇小说精品文库中占有地位。巴尔扎克不仅以深刻的现实描绘著称于世，而且也是一个富于哲理思考并经常对哲理小说形式感兴趣的作家，"哲理研究"，就是他《人间喜剧》中的一大系列。巴尔扎克的中短篇哲理小说，有的是采取非常现实、非常逼真的形象描绘，有的则是通过夸张怪异、荒诞不经的故事情节，但却无不寓意深刻、兴味隽永，前者如《玄妙的杰作》，后者如《改邪归正的梅莫特》《长寿药水》，均为妙作。此外，巴尔扎克还写有一部主要以男女风情为题材的短篇小说集《都兰趣谈》，其叙述之流畅与笔调之调侃幽默显示出了潇洒的风格。

雨果是法国浪漫主义运动的领袖，他一系列著名的长篇小说《巴黎圣母院》《悲惨世界》《海上劳工》《九三年》，在全世界几乎家喻户晓，其中不止一部至今仍要算浪漫主义小说的最高典范。可惜他很少致力于短篇小说的创作，甚至中篇小说也写得很少，他唯一的一个短篇是《克洛德·格》，它以一件真实的案件为基础写成，完全是一篇纪实小说，意在揭露法律的不公正与司法的残酷，其意义倒不在于它在艺术上是"世界短篇小说的名作"，而在于作者的主持社会正义的人道主义精神，并且是他日后创作《悲惨世界》所依据的一个题材，也正因为它的纪实性，我们这个选本没有将它选入。

在 19 世纪上半期，与雨果先后出现于浪漫主义文学思潮中的一些作家倒是相当有兴趣涉足短篇小说的创作，虽然他们几乎没有一个人在文学领域里是以"用散文讲述故事"为其本行的。

夏多布里昂作为建封贵族阶级最后的一位思想家、活动家，本来与小说无关，但他却在自己的理论名著《基督教精华》中，有意地穿插了三个中短篇故事，《阿邦塞拉奇末代王孙的奇遇》《阿达拉》与《勒内》，以增加这一部宣传基督教诗意的理论著作的形象性与感染力，谁也没有想到夏多布里昂的中短篇，特别是《阿达拉》与《勒内》竟在 19 世纪初的法国产生了"洛阳纸贵"的效果。夏多布里昂的文词华丽，描写的色彩浓烈，追求诗情画意、异国情调与情感宣泄，其为数屈指可数的中短篇，可谓浪漫主义小说的标本，事实上，它在法国文学史上，也的确引发出了泛滥一时的浪漫主义文学之潮。

维尼主要从事诗歌创作，是法国 19 世纪浪漫主义文学中的一个很有特色的重要诗人，以其贵族式的孤高意境与坚忍精神而著称。他也涉足小说领域，写过一部长篇小说《散－马尔斯》与一部短篇小说集《军人的屈辱与伟大》，这两部小说当时流传颇广。《散－马尔斯》是具有浪漫主义风格的历史小说，先于大仲马那些传奇性的历史小说，但至今却完全被那位后来者的光辉所遮盖了。《军人的屈辱与伟大》只包括三个短篇，以不同时代、依附于不同政权的普通军人的故事为题材，作者在流露了贵族政治历史观的同时，赞赏了这些士兵驯服屈从状态中忠勇、仁慈、怜悯、诚实的人生，作者以表现"人性的真实"为己任，写得相当真挚动人。

缪塞也是一个富有才情并在浪漫主义文学运动占有一个特殊地位的诗人，不过，他也写有一部长篇小说《一个世纪儿的忏悔》与一部短篇小说集。他在小说创作中颇致力于表现人物性格与人物典型的情绪，《一个世纪儿的忏悔》以对整整一代青年的"世纪病"作出了解释而著称，在他的短篇小说中，《一只白乌鸫的故事》《咪咪潘松》都是写人物生存状态与人物性格的佳作，前者通过一个动物寓言倾诉了自己在社会中怀才不遇、落落寡合的处境，后者是写 19 世纪巴黎小女工这一特定阶层的生活与心态的名篇。缪塞的短篇小说风格轻快灵巧，文笔清新秀丽，其艺术水平明显高于与他同时代的作家。

与缪塞有密切的个人关系、在文学上也具有浪漫主义倾向的乔治·桑，是 19 世纪上半期出现的法国小说中的一大家，但她很少写短篇小说，她的成就在于中长篇小说。她的妇女小说都是妇女的爱情悲剧与她们对理想爱情的渴望；空想社会主义小说是对平等社会的理想；田园小说则是描写农村环境中牧歌式的纯朴生活。她以其民主主义的思想倾向、热烈天真的感情倾诉、诗情画意的图景、清新细腻的文笔，奠定了自己在文学史上的地位，这些风貌特点在她为数寥寥的短篇小说中多多少少也有所反映。

在 19 世纪上半期，出自浪漫主义文学运动而又自有新意的作家是奈瓦尔，他也基本上是一个诗人，但也从事散文、游记与小说的创作，留下了散文故事集《火的女儿》与未完成的小说《奥蕾丽娅或梦幻与生活》。奈瓦尔除像其他浪漫主义作家那样追求异国色彩外，还追求神秘主义情调与梦幻的意境，因而在 20 世纪被视为超现实主义的先驱。他的短篇小说数量寥寥，其名篇《茜尔维》要算是一个"大短篇""小中篇"，其中人物带有潜意识内容的半梦幻式状态的回忆，实际上已经是意识重建、心理时间的重新安排，20 世纪意识流小说大师普鲁斯特寻找失去时间的独特方法，在这里已露端倪。

在 19 世纪上半期，真正以中短篇小说的创作为其主业的作家只有梅里美，而他也是在这个领域取得最为出色成就的一人。梅里美的才能似乎是特别为中短篇规模的小说创作而生的，他的艺术气质适于精致，规模较小的作品更易于深受其惠，因而，他中短篇小说的艺术水平大大高于他唯一的长篇小说《查理九世时代轶事》，他在文学史上与巨匠们比肩而立的地位，基本上是靠他的中短篇小说奠定的，这在文学史上是不多见的。而且，他中短篇小说的数量也并不多，即使加上篇幅较长的《高龙巴》，也不过二十来篇，但其中脍炙人口的名篇却不止一二，如《卡门》《伊勒的维纳斯像》《马铁奥·法尔哥尼》《塔曼戈》等。像司汤达那样，梅里美观察生活与选取题材的视角，也有其独特性，他往往以淳朴、粗犷、强烈、勇敢的超功利型人物为主人公，来对照资本主义世界的苍白，他对自己所叙述的故事总持某种超脱的态度，使叙述具有一种平静、幽默、调侃的基调，他对现实生活的描绘力求精确，细节达到高度的真实，但他所描绘的不平凡的性格与震撼人心的事件，却又带给他的作品某种程度上浪漫主义的色泽，所有这一切形成了梅里美中短篇小说十分独特的艺术风格。

19 世纪下半期对法国短篇小说的发展来说，是一个重要的时期，这个时期的重要性，不仅在于出现了莫泊桑这样被称为世界"短篇小说之王"的巨匠，而且在于现代短篇小说典型的艺术形式与篇幅规范，在这个时期更趋明朗。

对这个时期短篇小说产生了不可忽视的影响的，是报纸的发展。报纸从 18 世纪起一直到 19 世纪下半期在法国日益盛行，但这段历史中那些著名的报纸，如果不是党派斗争的喉舌，就是带有明显的政治性，至少是以登载政治新闻为主要的职能。第二帝国时期对报刊严格的政治审查制度，促使报纸的职能另谋出路，这样，就出现了以社会文化性为其主要性质、专门报导社会新闻、经常刊载长篇小说片断与短篇小说的报纸。此类报纸的目的与功能就在于最大限度地满足公众文化消遣的需要，其中著名的有《费加罗报》《小报》。职能的多样化与投合读者需要的途径之扩大，又使得报刊业大为发展，到 19 世纪末期，法国全国大大小小的报刊竟多达 6000 家。报刊如此之多，不论是对原来已有的连续刊载的中长篇小说的需求，还是对形式与篇幅更为灵活、更适于报刊发表的严格意义上的短篇小说的需求，都大为增加，我们知道，莫泊桑数量巨大的短篇小说，就都是在报刊上发表后成集出版的。写短篇小说的作者更多了，短篇小说的创作量也明显上升了。根据粗略的统计，从1850年到19世纪末，在法国文学史上有名的短篇小说集，就有将近200种之多，出版有五六种短篇小说集的作家比比皆是，大有人在，当然其中最为突出的是莫泊桑，仅仅是他生前亲手编的短篇小说集就有15个。

报刊的需求不仅刺激了短篇小说的产量，而且也促使短篇形式的定型化与篇幅界线的明朗化。在报刊上发表，小说不可避免地就要采取较为灵活的形式与较为短小的篇幅，莫泊桑在报刊上发表过的短篇小说，绝大部分只有三五千字的规模。虽然，短篇小说的篇幅到这个时期仍没有一个明确的界限，但是，它已经开始从"大短篇""小中篇"的暧昧中间状态中基本上脱离了出来，形成了比较严格意义上的短篇小说的篇幅规范，这种规范并不是几个世纪的发展膨胀之后又向中世纪"小故事"与"笑话"的小篇幅的简单复归，而是一种更为高级、更为成熟的文学体裁形式的篇幅规范化。在这种较短篇幅的文学形式里，不仅能容纳大至历史社会的重大事件、小至现实生活中瞬息镜头的无所不有的题材，而且，粗略概述、细致描绘、人物塑造、心理刻画等也无所不能。在一定的篇幅形式中包含有如此丰富的艺术经验，这种篇幅规模也就自然成为一种尺度，何况还出现了第一流的艺术大师以这样的篇幅提供了不朽的样品与典范。因此，直到今天，当代关于短篇小说的篇幅规范的概念，主要就是从这个时期的短篇小说而来的，我们对于短篇小说篇幅大致的界定与理念，包括鲁迅所总结的这一艺术形式的特点，"借一斑略知全貌，以一目尽传精神"，也是从这个时期的短篇小说而来的，对此，我们可以称之为现代短篇小说的规范、尺度与型号。当我们以现代短篇小说的型号作为尺度来编选各国不同时代的短篇小说时，反倒会觉得那些时代的小说作品在篇幅规模上，似乎不能算是严格意义的"短篇小说"，虽然那些小说在各自的时代确系"短篇"，而非长篇。

在 19 世纪下半期，对法国现代短篇小说的成熟与发展明显作出了最突出贡献的作家，主要是莫泊桑。莫泊桑可谓法国现代短篇小说真正的奠基人，不论是对现代短篇小说的篇幅规范而言，还是对现代短篇小说艺术经验的积累而言，都堪当此称号。他适应了现代社会文化生活的需要与传播媒体的特点，在比较短小精悍篇幅的限定范围里，把小说的叙事艺术推进到一个高峰，创作出数量巨大的短篇小说，其中为数不少在艺术上至今仍是具有经典意义的精品。

短篇小说在篇幅上的限定性使它在表现现实生活方面，无疑带有一定的局限性，但是，这种容量有限的文学形式到了莫泊桑手里却似乎无所不能。他用来写巨大的历史事件普法战争，留下了《羊脂球》《两朋友》《菲菲小姐》《米隆老爹》这样闻名遐迩的名篇；他用来描写诺曼底广泛地区的风物习俗，绘制出了《泰利埃公馆》《一个女雇工的故事》《在乡下》《一次政变》《小酒桶》等一批极其生动、丰富多彩的风俗画；他用来反映小市民形形色色的现实生活，展示出了《一个巴黎市民的星期天》《一家人》《骑马》《项链》《我的叔叔于勒》《珠宝》《勋章到手了》《遗产》等一组组发人深思的人生世态图景；他用来表现各式各样的人物，提供了《一个诺曼底人》《图瓦》《萨波的忏悔》《皮埃罗》等这样一些具有人情深度而又栩栩如生的肖像画。莫泊桑既可以用自己的短篇容纳长达数 10 年的生活历程，也可以摄取短暂的生活片断；既可以展现喧哗嚣闹的场面，又可以揭示不着痕迹的隐秘的内心活动。他运用短篇小说这种文学形式，已经达到了得心应手、绝对自由的境界，短篇小说写事、写场景、写人的活动、写心理的技艺，在他这里都达到了炉火纯青的程度。毫无疑问，莫泊桑短篇小说中题材的多样化与由此而来的描述方法的多样化以及艺术技巧的丰富，都大大超过了以往所有的先行者，不论是法国的，还是其他国家、其他民族的，直到今天，他仍然在短篇小说艺术领域里保持着王者的地位。

这种炉火纯青的技艺，其精髓就在于反复提炼、高度典型、高度精练。莫泊桑在成名之前，曾经长期师从福楼拜研习这种技艺，其研习阶段将近10年之久。莫泊桑深知短篇小说创作最基本的要求，是在短小的篇幅中表现尽可能丰富、尽可能复杂、尽可能细致的生活内容，为此，他服从艺术规律而力求以小见大，以一当十，而要达到这个境界，他除了通过浓缩提炼使题材、图景与人物都典型化以外，就是在艺术上追求只用一句话就能突出一个事物的特征，用一个字就获得最富有效果的力量，由此，他的短篇小说也就成为了高度精练、言简意赅、纯净自然的典范。

谈到了莫泊桑对法国短篇小说的突出贡献，就不能不谈到福楼拜。福楼拜主要是以长篇小说《包法利夫人》《情感教育》闻名于世，他是一个具有开拓意义的作家，最早针对19世纪上半期浪漫主义在小说中的影响，提出了"不要妖怪，也不要英雄"的主张，他于1856年问世的《包法利夫人》以其严格的写实标志着带浪漫色彩的古典现实主义的终结与严格写实主义的开端。对法国现代短篇小说的发展，他同样也起了至关重要的推动作用，虽然他只有一个仅包括三篇作品的短篇小说集《三故事》。他是法国文学中最先察觉到了新的社会文化条件、新的文学趣味对现代短篇小说的需求以及短篇小说艺术应该如何回应这个问题的作家，他准确地提出了对现代短篇小说至关重要的精练艺术的原则，是他教导了莫泊桑要学会"只用一句话就让我知道马车站有一匹马和它前前后后50来匹是不一样的"，也是他教导了莫泊桑去追求"一个字适得其所的力量"。正是在他长期的培养与教导下，莫泊桑才脱颖而出，成为了短篇小说的大师。他自己的短篇小说《一颗纯朴的心》，则可说是体现了这种精练艺术原则的一个范例，它以不长的篇幅写出了一个妇女漫长的一生，其中还不乏重点的细致描绘，可见其简繁得当，整篇小说把女主人公的性格表征体现得栩栩如生，具有极大的人性深度。

对法国现代短篇小说的成熟与发展作出了重要贡献的另一位小说家是都德。他写过不少长篇小说，并获得了相当出色的成就，《小东西》《达拉斯贡的达达兰》与《萨福》是其中较为著名的。但比起长篇，他的短篇小说更使他家喻户晓，他的短篇集共有四个，特别以《磨坊文札》与《月曜日故事集》广为人知，其中一系列反映普法战争的名篇如《最后的一课》《柏林之围》早已成为世界短篇小说精品典范。都德短篇小说的另一重要内容，是他对故乡普罗旺斯地区风光景物、人情习俗的描绘，他的这一部分作品充满了诗情画意、纯朴人情与浓烈感情，构成了都德短篇小说创作的特殊魅力，《阿莱城的姑娘》《繁星》《高尼勒师傅的秘密》，都是颇有意趣的佳作。都德的短篇小说艺术别具一格，他往往较少着力于表现生活的纵的发展与起伏，而经常注意描写若干生活横断面的场景，他不以故事情节而以韵味取胜，他把敏锐的感受、诗人的气质、幽默的情趣、浓郁的感情、柔和亲切的眼光注入他的短篇，形成了他独创性的艺术风格。如果说莫泊桑把短篇小说的叙事艺术推进到了最完美的极致境界，成为了叙述性短篇小说的艺术大师的话，那么，都德则发展了短篇小说的韵味性，成为了散文化的短篇小说的杰出开拓者，后来俄国的契诃夫的短篇小说艺术风格就是与他相近的，因此，我们不妨说，莫泊桑与都德为短篇小说的两大类型提供了最早、最出色的样板。

以包括二十部长篇小说的巨著《卢贡－马卡尔家族》而在世界小说史上享有第一流地位的左拉，也曾相当致力于中短篇小说的创作，他从事文学创作后不久就有两个短篇小说集——《给妮侬的故事》与《给妮侬的新故事》，这两个文集中的题材是多种多样的，有表现社会理想的童话，有凝聚着哲理的幻想故事，有人生景象的随笔，有轻巧优美的爱情故事，有生活场景的速写，有意味隽永的寓言，也有人物的漫画写生，两个集子都充满了浪漫的色彩与情调，是缪塞式的短篇小说传统有声有色的继续。左拉中期的小说创作，完全是在他的自然主义文学思想原则下进行的，其赫赫硕果就是他的长篇家族小说。左拉的自然主义是现实主义在自然科学、实验医学进一步发展后的历史条件下的演化，它把严格的科学精神、资料式的方法与从生理角度对人的观察，运用于文学创作，除了使文学的叙述与描绘更严格地符合真实并具有某种资料式的繁详性外，就是把人的"血"与"肉"、人的生理机制也当作文学表现的对象，他这种方法无疑拓宽了现实主义的道路，对 20 世纪文学具有很大的影响。左拉在写作自然主义巨著的这个时期，也不断有中短篇小说问世，同样，这部分中短篇小说也带有自然主义的印记，可以说是自然主义短篇小说的代表作，《娜薏·米枯伦》与《夏布尔先生的贝壳》，就是其中出色的两篇。

毫无疑问，20 世纪是法国文学又一个五彩纷呈、繁荣丰富的时代。文学思潮、文学流派、文学创作方法、文学理论观念在不断翻新，意识流小说、后期象征主义、超现实主义、"存在"文学、荒诞派戏剧、"新小说"派、新寓言派、结构主义、叙述学等等新文学现象层出不穷，并在全世界范围内都产生了巨大的影响；传统的古典现实主义发展成为现代现实主义而保持活脱的生态，焕发出新的青春，仍构成世界文学的一个重要景观；在 20 世纪，大作家不断涌现，法朗士、罗曼·罗兰、巴比塞、杜·伽尔、普鲁斯特、莫里亚克、瓦雷里、克洛岱尔、布勒东、阿拉贡、艾吕雅、圣爱克·苏佩里、瑟利勒、纪德、马尔罗、萨特、加缪、尤瑟纳尔、贝克特、尤涅斯库、杜拉斯、罗朗·巴特尔、罗伯－葛利叶、克洛德·西蒙、图尔尼埃、勒·克莱齐奥、莫迪亚诺，等等，所有这些都是熠熠生辉并已获得世界声誉的名字；在 20 世纪，大手笔的大作不断问世，从举世公认的长篇杰作《约翰·克利斯朵夫》《火线》《蒂波一家》《寻找失去的时间》《人的状况》《伪币制造者》《茫茫黑夜漫游》《鼠疫》《变》《弗兰德公路》《苦炼》，到风靡世界的名剧《苍蝇》《间隔》《等待戈多》《秃头歌女》《长别离》《广岛之恋》《去年在马里昂巴德》，到影响深远的理论——超现实主义宣言、《怀疑的时代》、自我选择哲理、《西西弗神话》、结构主义文论，等等。然而，人们很容易就会注意到，在法国 20 世纪文学这一片繁花似锦的局面中，短篇小说所占的地位与份额都使人感到遗憾，与长篇小说、诗歌、戏剧、理论等领域里巨大的成就相比，短篇小说的收获黯然失色。

在一定的历史时期之内，社会对于某种文学体裁的关注是有一定的限度，对小说阅读的需求也有一定的恒量的，如果这个时期、这个社会的人都热衷于读诗，对小说的热情就会相对降低；而如果人们都热衷于读长篇小说，对短篇小说的兴趣同样也会相对减弱，短篇小说在整个文学中的份额也会必然缩小。在叙事文学领域中，20 世纪法国显然对长篇小说更感兴趣，更为重视，这种倾向明显地表现在文化生活中，它对短篇小说的发展肯定是颇为不利的。

最先对短篇小说发展不利的事情是，从 20 世纪初开始，法国的报纸杂志就不再登载短篇小说，这直接就使得短篇小说的园地大面积地锐减，对短篇小说创作不能不说是一个相当大的打击。而且，这种作法一旦开始，就延续了几十年之久。到 50 年代后期，才有朱利安出版社与拉封出版社编辑出版了专门的短篇小说杂志，但也只出版了几期而已。直到七八十年代，有几家报纸杂志如《欧罗巴》《新法兰西评论》等才又恢复了定期刊登短篇小说的"古老习惯"。长时期对短篇小说的忽视与冷落是如此偏颇过分，以致当第二次世界大战以后，美国短篇小说大量翻译介绍到法国、刺激起法国人对短篇小说的兴趣的时候，法国文学界的一些人士不能不感到有一种在法国进行短篇小说"启蒙运动"的必要，他们发表文章大力为短篇小说说话。文章有这样一些从基本方面论证的标题，如《大有前途的艺术形式短篇小说》《短篇小说是个热情的姑娘》《论短篇小说的艺术》等，恰反映了法国读书界长期以来对短篇小说忽视到了何种程度。半个多世纪的冷淡，对短篇小说来说，不啻是一个窒息生机的寒秋。

对法国 20 世纪短篇小说发展不利的第二个原因，是文学奖金的设立及其倾向。从 1903 年龚古尔文学奖创设以后，菲米纳奖、法兰西学院奖、瑞诺多奖先后于 1904 年、1915 年、1925 年相继设立，成为迄今为止最大的几种文学奖，对 20 世纪法国文学的发展起了不可低估的作用与影响。这几种奖虽然侧重面有所不同，但对叙事类作品，基本上都是重长篇小说而轻短篇小说。单把短篇小说奖独立出来，法兰西学院奖是在 1971 年，而龚古尔文学奖则是在 1975 年，都可谓是姗姗来迟。

当然，对于一个现代化的国家来说，短篇小说的发展虽然受到了一些影响，写短篇小说的人仍然不少，主要致力于鸿篇巨制的作家偶尔为之的经常可见，把短篇小说当作基本行当的亦大有人在，而且，出版问世的短篇小说集并不在少数，马塞尔·埃梅、达尼埃尔·布朗热、保尔·莫朗、马塞尔·阿尔朗、让·德·拉瓦朗德、雅克·佩雷、诺沃尔·德沃尔、安德烈·斯梯、斯特凡妮·科丽娜·比耶、亨利·托马等这些作家，少者有三四部短篇集问世，多者竟达十多部。但总的来说，法国 20 世纪的小说家在短篇小说方面，所取得的成就不如 19 世纪那样高，在这里，既没有像 19 世纪的梅里美、莫泊桑、都德那样主要以短篇小说的成就获得世界认可的作家，也没有出现那么多像 19 世纪的《嘉尔曼》《最后的一课》《柏林之围》《羊脂球》《项链》如此举世闻名、脍炙人口的传世名篇。

从发展阶段来看，20 世纪 30 年代以前，是短篇小说相当冷落的季节。在这个阶段进行创作活动的 20 世纪第一代叙事文学宗师，他们有的根本就不写短篇小说，如杜·伽尔；有的偶尔为之，数量甚少，如纪德；只有少数一两人对短篇小说创作颇有兴趣并有一定数量，如法朗士与巴比塞。30 年代开始奠定自己文学地位的一批小说家，其中有不少人不仅在鸿篇巨制上显示了才能，而且在短篇小说方面也先后于不同时期出版了自己在文学史上可占有一席地位的集子，如莫里亚克与他的四部短篇小说集，特洛亚的《天意》（1938），莫洛亚的《幻想世界》（1929）、《不可能的世界》（1947）、《栗树下的晚餐》（1951）、《钢琴独奏曲》（1960），尤瑟纳尔的《东方奇观》（1938），齐奥诺的《世态炎凉》（1932），萨特的《墙》（1939），等等，他们在 20 世纪法国短篇小说里占有相当的份额。特别值得注意的是，在这个时期开始，主要以短篇小说取得自己文学声誉的作家还有埃梅，他的短篇集《画图册》（1932）、《小矮人》（1934）、《穿墙记》（1943）、《巴黎的酒》（1947）、《向后》（1950）中，颇不乏佳篇妙作。

从 20 世纪 30 年代末到 40 年代中期的第二次世界大战期间，法国文学进入一个特殊的时期，即抵抗文学时期。战争状态、被德国占领的特定条件、民族斗争的需要，使得文学领域里短篇小说创作明显地超过了长篇小说，在这个时期，产生了像维尔高尔的《海的沉默》这样足以代表时代精神并将在文学史上不朽的短篇杰作，也造就了像艾尔莎·特丽奥莱这样主要以短篇小说的成就而令人瞩目的作家，她反映法国人抗敌斗争的短篇小说集《第一个窟窿赔偿二百法郎》（1944），于 1945 年获得了龚古尔文学奖，这对法国短篇小说来说，是少有的一次光荣。

20 世纪 50 年代到八九十年代，法国小说领域里最重大的现象，是新的现代派艺术潮流的又一次涨溢，新小说实验的风靡一时，新小说派连同以后的"新新小说派"曾颇有声势，但这个流派主要是致力于写中、长篇小说，除了罗伯-葛利叶有一个短篇小说集《快镜头》（1962）外，几乎无人问津短篇小说创作，而他在这方面也谈不上有明显的成就。在这个传统与新潮同时并存的漫长阶段里，涉足、活跃于小说领域并在短篇小说方面作出了实绩的其他艺术风格的作家，倒是相当多，如加斯卡尔和他的短篇集《动物》（1953年获批评家奖），加缪和他的《流放与王国》（1957），加玛拉的《人的双手》（1954），罗布莱斯的《四月的人》（1959），斯梯的《幸福问题小镜头》（1955）、《痛苦集》（1961），维达利的《小玫瑰》（1960），巴赞的《婚姻介绍所》、《脱帽》（1963），特鲁瓦的《埃芙的动作》（1964），德吕翁的《另一些人的不幸》（1967），布朗瑞的《鸫的婚礼》（1963）、《环行的道路》（1966）、《修饰》（1970）、《膀胱与灯笼》（1971）、《鞭打马车夫》（1974），格勒尼埃的《水平如镜》（1975）、《编辑室》（1977）、《弗拉戈纳的未婚妻》（1982）、《奥特依水塘》（1988），图尔居埃的《大松鸡》（1977）、《七故事》（1981），勒·克莱齐奥的《波蒙体验痛苦的日子》（1964）、《发烧》（1965）、《梦多及其他》（1978）、《巡逻及其他杂闻》（1982）等等。

20世纪法国短篇小说是风格倾向多元化的天地：

重视小说的社会内容、力求使自己的小说揭示出社会真理、使小说中的形象具有更高思想含量的作家大有人在，法朗士、巴比塞、维尔高尔、特丽奥莱、斯梯等都是，《克兰克比尔》与《海的沉默》就是此种类型的两篇经典名作。前者以冷峻的态度、儒雅的嘲讽、机智幽默的语言，叙述小人物的悲惨故事，揭示权力当局的蛮横、司法的不公正与社会的冷酷，后者则以最为含蓄温和的态度、最日常化的生活图景与细节，烘托出再平凡不过的两个人物所持的最普通常见的一种表态——沉默，让读者深切感受到这种表态中最难以动摇的抵制德国占领者的坚毅精神与好像蕴藏着风暴的大海一样的最为沉郁可怕的力量，从而赋予小说以象征性的意味。这两篇小说虽为短篇，但在法国却是家喻户晓，影响极大。

法国20世纪短篇小说中属于伏尔泰传统的作家为数不少。萨特、加缪几乎毫无例外地或多或少要在自己的短篇小说里，注入他们各成体系的"存在"哲学与"荒诞"哲学；被视为新寓言派的作家尤瑟纳尔、图尔尼埃与勒·克莱齐奥等人，则总是在自己的短篇小说里表现虽然不成体系但却广泛而独特的哲理寓意。在这两部分作家那里，短篇小说似乎都只是阐释观念意蕴的工具，但他们的哲理寓意无不有机地融化在简明洗练的描述、贴切而鲜明生动的形象以及完美的小说结构之中，因而，这些小说既具有发人深省的思想力量，又具有艺术的吸引力、感染力，要算是法国现代文库中一笔可贵的财富，其中，《墙》《马尔戈的微笑》《燕子圣母院》《阿芒迪娜或两个花园》等，都是广为人知的篇章。

法国 20 世纪短篇小说领域里，致力于揭露社会、展现世态人心、描写平凡人生活的作家为数更多。巴赞、罗布莱斯、布朗瑞、勃隆丹、格勒尼埃等作家均有佳作，特别是莫洛亚与埃梅格外令人瞩目。莫洛亚是一个具有古典美的小说家，其流畅与纯净，可与莫泊桑媲美，而其意蕴之儒雅、文笔之优美、结构之新颖、情趣之别致，又另具艺术魅力，《大师的由来》《星期三的紫罗兰》《天国大旅社》，均为他的名篇。埃梅笔下的题材很多样化，他对生活有广泛的观察与感触，但社会现实的多种题材，在他这里都表现为荒诞离奇的故事，他以富于想象力的构思，如天马行空、纵横自如的文笔，将社会现实中的不合理现象加以极度的夸张，以荒诞的形式突出其矛盾与性质，达到讽喻现实的目的，他的《穿墙记》《生存卡》《铜像》等，都是颇为深刻的佳篇。

此外，在本世纪短篇小说里，也有作家对宣传社会真理、表现哲理寓意、描写现实生活的事与人均不感兴趣，而仅仅只把小说当作一种文学实验，一种新艺术主张的力行。对于他们来说，写作本身就是小说的目的，短篇小说的内容既不是社会现象，也不是事件与人物，而往往只是一种速写、一个镜头、一幅图像。在这里，对形式的关注压倒了一切，语言运用的技艺成为全部的艺术，新小说派主将罗伯-

葛利叶的短篇小说正是如此。

20 世纪法国文学中多种新思潮起伏不断，而在小说领域里，更有向传统小说提出强有力挑战的新流派，虽然，由于篇幅的限制，也由于新潮流的作家重"长"轻"短"，小说的新观念新技巧也就较少地在短篇小说里得到运用，但是，在整个文学领域里"风起云涌"的氛围之中，20 世纪的短篇小说创作势必"耳濡目染"，在艺术倾向、艺术技巧上较上个世纪有自己的"新意"。其一，象征主义的影响，使得短篇小说中象征成分有所增加，即使是在实实在在的生活图景里，作家也往往乐于去追求某种象征性的意味，或者说，作家往往不是像过去的浪漫派那样求助于空灵幻渺的形象去表现自己的象征寓意，而是藉取平凡而真实的图景，《海的沉默》《加斯东鼠》《阿芒迪娜或两个花园》与《梦多》就是在真实描绘中表现象征意味的佳作。其二，由于 20 世纪心理科学的发展与长篇小说领域里意识流方法的影响，作家们在短篇小说中有了更多的内向倾势，或者更多地关注人物的内心活动，如莫里亚克的小说；或者更多地采取自叙体，以便更彻底袒露人物的内在精神世界，如纪德的《浪子回头》、萨特的《墙》、贝克特的《逐客自叙》等。在后一种情况下，叙述美学发生了不小的变化，作者对客观现实生活的描述，开始从属于人物对主观精神活动的自述，而客观现实的时序过程与空间界限都只是通过主观精神才反映了出来。就作品中的现实事件而言，它在这种方法下失去了固有的完整性，但对短篇小说本身来说，其功能也就不再仅仅限于讲述一个故事，因而，艺术的道路无疑又有所拓宽。其三，散文化倾向更为明显。由于小说观念的变化，小说家往往并不着意在自己的短篇里讲述某一事件过程、表现一个人物形象，而只是满足于描写现实的某一个图景、某一个镜头、某一个物象，人物的某一段心绪、某一种感觉、某一种精神状态，于是，小说也就接近散文了。

对于任何一种文学体裁来说，艺术经验总是多一些好，艺术手段总是富有弹性一些更为方便，艺术道路总是开阔宽广一些更为有利，从这个意义上来说，法国 20 世纪短篇小说中这些新的倾向、新的艺术成分，未尝不可能成为将来更大发展的一种土壤。

1995 年 2 月 26 日完稿

法国心理小说的发展历程

——《法国心理小说名著选》编选者序

一、心理小说的出现与心理浪漫主义的盛行

我们把 17 世纪视为法国文学史中真正意义上的心理小说的源头，在这个世纪，产生了女作家拉法耶特夫人以心理描写为其主要特色的《克莱芙王妃》，而在它以前，尽管心理描写已经不同程度地存在于文学之中，但却没有这样一部真正可称得上是心理小说的小说，如果我们只把以心态描写、心理分析为其主要内容或主要特色，始终以一个人物（至多两个人物）的内心世界为主要描述对象的小说称为心理小说的话。

在世界各国的小说中，心理描写都是逐渐发展起来的，而由文学的心理描写发展为心理描写的文学，更需要一个较长的历史过程，它必须具备这样一些条件与土壤：允许个性自由发展的社会环境，有利于人的主体意识、自我感知、自我表现的精神气候，对内心世界作充分感受认知的传统与经验之积累以及在文学中表现这些内容的成熟的形式与方法，等等。在法国中世纪，一则因为文学的形式与表现方法还处于初级的阶段，二则因为人的个性、人的主体意识、人对自身内心活动的审视与感受，在神权、教会、宗教思想体系的严密统治下被极大地扼制着，文学中当然不可能出现心理小说这种需要一定条件的更为高层次的小说形态，甚至在这个时期的文学中也未能出现相对说

来比较充分的心理描写，即使是触及纯粹属于个人的真情实感的文学作品亦不多见。只有一个具有叛逆精神与玩世不恭态度的诗人，在自己的诗歌里抒写了个人的真实感情，那就是法朗斯瓦·维庸。16 世纪在法国是人文主义思潮泛流的时代，这股思潮冲击了神权与宗教思想体系，带来了精神解放与个性自由的新气息，尽管如此，16 世纪的文学主潮还只来得及以粗犷的力量去扫清个性自由发展所必需的道路，对社会生活领域与精神生活领域里的障碍物进行第一次冲闯，还没有来得及去探究人的内心世界，去观照人的神经末梢，唯有一批名为"里昂派"的诗人总算是接近了个人情感的领域。由此可见，法国文学也像其他民族的文学一样，要深入个人内心世界的王国，也需要走过一个漫长的旅程。而一个民族的文学只有突入了这个内心世界的王国，愈来愈多地触及个人的真情实感后，再加上小说形式本身必要的发展，才有可能产生出真正的心理小说。

　　心理描写到了 17 世纪的文学中显著地有了增多。首先是莫里哀，我们从他 1660 年上演的喜剧《斯卡纳赖尔或疑心自己当王八的人》中，就看到人物的包含了比较充分的心理活动的自白。在那段著名的独白中，斯卡纳赖尔的嫉妒、愤怒、怨恨与怯懦的心理被表现得很是出色。尔后，莫里哀在《达尔杜弗》《愤世嫉俗》《乔治·唐丹》与《吝啬鬼》中，均不乏对人物心理有所揭示之笔。紧接着就是悲剧作家拉辛，伏尔泰曾称赞他"在体会感情方面，远远超过希腊人与高乃依"，他 1667 年、1677 年先后问世的《安德洛玛克》与《费德尔》《费德尔》就是他杰出的代表作，在这里，拉辛在古代历史的背景上细致地表现了贵族妇女在本阶级之内的特定困境中所感受到的痛苦、烦恼、矛盾，他的心理描写是如此集中，他笔下人物的心理发展是如此曲折，心理层次是如此分明，内心中的冲突是如此激烈并富有戏剧性，以至我们完全可以把这些作品视为法国文学史上最早的真正意义上的心理剧。而在拉辛之后，就是拉法耶特夫人了，她的堪称近代第一部心理小说的《克莱芙王妃》正是在《费德尔》上演后的第二年即1678 年问世的。

拉法耶特夫人（1634～1693）出身于贵族家庭，丈夫拉法耶特伯爵是路易十三的一位宠臣的兄弟，拉法耶特夫人与宫廷关系密切，又是巴黎贵族上层社会文艺沙龙里的一个成员，曾经参加过高乃依、拉辛亲自朗诵自己剧本的聚会，古典主义文学立法者布瓦洛第一次朗读他的《诗学》时，她也有幸在场。她从事文学创作甚早，1659 年，当她 25 岁时，就已经初见成绩，28 岁时，第一部小说《蒙特邦雪王妃》问世，不久又写作了小说《查依德》，并在路易十四的弟妇奥尔良公爵夫人的直接合作下撰写了这位王妃的传记。拉法耶特夫人很早就与丈夫分居两地，她在巴黎与当时著名的文学家拉罗什富科过从甚密，两人有深挚的感情关系，她还曾与自己的一位拉丁文教师有过一些感情纠葛，也许正是这些经历使她对妇女爱情心理体验甚深，为她写作《克莱芙王妃》这样一部爱情心理小说准备了条件。

《克莱芙王妃》以 16 世纪前期亨利二世时的法国宫廷为背景，叙述了克莱芙王妃与自己的丈夫以及情人的三角关系，这三个人物都是宫廷队伍中俊美风雅的佼佼者，不仅容貌风度出众，而且品德性情高尚，体现了贵族阶级所可能有的一切文明化的准则与理想。他们都是宫廷的道德规范与荣誉观念的忠实实践者，因而，他们的三角关系中就充满了内心深处的矛盾斗争与缠绵悱恻之情。《克莱芙王妃》以细腻的笔法表现了他们强烈的感情在宫廷环境里，在人际关系的规范、自身的责任感与荣誉观念的制约之下，在日常生活中各种细小的困难妨碍之下，或激荡冲突，或转化变形，或削弱，或强化等等不同的状态，这种复杂的状态就像一股强劲的水流在乱石堆中冲击、奔突、分流、平缓、渐息，时而激起小小的浪花，时而蜿蜒流淌，时而无声渗透。拉法耶特夫人很注意在日常生活的过程中去描写人物那些往往以生活细节为契机的心理变化，在她的心理描写中排斥了奇特的、不近情理的浪漫因素，她致力于描写人物心理符合逻辑的变化与变化中的微妙差异，表现人物同一种爱的感情之不同形态及其细微差别、相同情态中的不同内容以及相同情态、相同内容的不同程度与不同层次。《克莱芙王妃》的这些基本内容以及在心理描写艺术上所达到的空前的水平，奠定了它不仅作为法国文学史上，而且也是欧洲文学史上第一部真正意义上的心理小说的地位。尽管作者在小说里把她的贵族人物大为美化与理想化了，但她在心态描写与心理分析上对真实的自觉追求，她在这两个方面所达到的细致贴切的程度，又足以使人把这部作品视为心理现实主义的一个真正的开端。

既然是开端，我们在这里有必要再停留片刻。为什么在 17 世纪路易十四统治下绝对王权鼎盛的时期，文学中的心理描写倒有了长足的发展并产生了第一部心理小说？虽然绝对王权的统治在整个社会的范围里并不利于个性的发展与人的主体意识的发扬，但毕竟人文主义思想的暖流横贯法国已有一个世纪之久；虽然专制王权的统治在政治领域里给人以管束与制约，但是，对纯粹的个人感情，特别是男女私情来说，法国宫廷生活与贵族上流社会本来就是自由浪荡的天地，贵族人物个人感情的放任与袒露，在本阶级的范围里几乎达到无拘无束、毫无顾忌的地步。伏尔泰在他著名的历史论著《路易十四时代》中，曾经记载了路易十四与他两个臣子的关系，这个君主在爱上拉瓦莉埃夫人的时候，竟对一个臣子瓦尔德侯爵袒露胸怀，推心置腹，而另一个臣子洛增公爵则有时是路易十四的情敌，有时又充当他的心腹。这种君臣关系就足以说明个人感情、内心隐私在宫廷生活与上流社会公开化的程度，足以说明贵族阶级内部对爱情心理的体验、分析与谈论的普遍化程度。不论是拉辛的心理剧还是拉法耶特夫人的心理小说，所写的正是这个阶级的爱情心理，它们产生于这样一种阶级生活的土壤中，产生于与宫廷关系密切的两位作家之手，也就是完全可以理解的了。而且，《克莱芙王妃》中的心理描写虽然细致生动，但男女主人公以道德克制自己感情的典范行为，正符合路易十四王朝所提倡的理性精神，打上了路易十四规范的烙印，因此，有意无意为路易十四王朝唱了赞歌。当然，从心理小说的发展来说，拉法耶特夫人个人的重要意义是毫无疑问的，她以这部小说显示了她创造性的才能，并作出了划时代的贡献。

18 世纪在法国是一个新旧交替的时代，1789 年的资产阶级大革命推翻了封建专制的统治，开辟了资本主义社会的新阶段，在这次革命之前，意识形态领域中持续了几十年的启蒙运动冲击了神权与王权的思想体系以及一切封建的意识形态，为社会大变革作了思想舆论的准备，正是在这样的历史进程中，个性的解放、主体意识的发扬比过去更有了一个飞跃，如果说个性自由与自我意识过去是贵族阶级内部享有的一种特权的话，那么到了 18 世纪，随着王权与神权的衰落与倾倒，这种精神自由就普及到更广泛的社会层次中，也成为了平民的"天赋人权"。由此，文学中对自我感情、内心世界的描写也相应地由上层阶级普及到平民阶层，心理小说也没有继续在贵族上层社会的领域里进一步发展，而在较低的社会平面上有了新的滋生，文学中这一历史发展的代表人物就是让－雅克·卢梭。

卢梭出身于平民，早年在社会底层长期过流浪生活，后来自学成才，在音乐、哲学、数学、文学、历史等各方面，打下了广博的基础，1749 年、1755 年先后以《论科学与艺术》《论人类不平等的起源》两部论著名震法国，此后，又以《新爱洛绮丝》（1761）、《社会契约论》（1762）、《爱弥儿》（1762）等重要作品与论著以及晚年写出的自传《忏悔录》，奠定了他在 18 世纪思想界的崇高地位，成为继孟德斯鸠、伏尔泰、狄德罗之后又一位重要的启蒙思想家、文学家。卢梭对后世的影响是深远而重大的，并表现在多方面。在法国心理小说的发展中，他是一个重要人物，代表着一个发展阶段。

卢梭著名的自传《忏悔录》（1778）虽然并不被人视为一部心理小说，但它祖露地抒写了一个平民知识分子的独立个性与内心世界，在某种意义上又带有"心理小说"的性质，特别是其中个性解放的精神、坦率诚实的勇气、出自内心深处的强烈感情，对后世文学的影响却又不亚于一部划时代的心理小说巨著。卢梭的另一部作品《新爱洛绮丝》倒的确可算一部心理小说，当然，是一种特殊的心理小说。这部作品写一对青年人由于阶级地位悬殊而不能结合的悲剧，贵族少女朱丽亚因与自己的平民出身的家庭教师圣·普乐恋爱而内心充满了感情与名誉、门第观念、封建礼教的矛盾，后来在封建家长的命令下嫁给一个年龄很大的贵族后，又以宗教与道德的规范压抑自己内心深处并未熄灭的对圣·普乐的爱；圣·普乐置身于这样一个命定的悲剧境况中，则强烈地感受着爱情不得自由的痛苦、个人价值得不到社会承认的委屈、不满与愤慨以及面对改变不了的命运而产生的失望与消沉。整个小说以两个人物这些心理内容为其主要的内容，采用了书信体的形式，得以方便地让人物直接倾诉内心深处的种种感受，人物炽热而强烈的感情在社会环境的重压下又是迸发喷射而出的，有如火山口的熔岩之流。这样就形成了作品中人物心理的倾泻方式，我们可以根据这种特点把这种小说称为心理倾诉小说。小说的此种形态归根结蒂还是来自作者本人的激情，首先是他感受了封建社会里等级制度的罪恶，对它怀有极大的愤慨之情，对它的受害者充满强烈的同情与怜爱；正是作者本人这种反封建的激情，使他的人物迸射出强劲的感情之流。虽然法国的浪漫主义文学运动发生在资产阶级革命之后，但早在革命前，法国浪漫主义就已经从卢梭那里得到了个性自由的精神、对个人情感的崇尚以及祖露自己、直抒胸怀的激情与方式。在这个意义上，卢梭是法国浪漫主义的一个渊源，他的《新爱洛绮丝》也可以说是法国心理浪漫主义的一个代表作。

　　事实上，卢梭在他以后的半个世纪之内，就引发出法国小说中一个倾诉内心感情的高潮，促使心理倾诉小说成批地出现。当然，随着时代的发展，又由于各个作者的经历与立场不同以及所采用的题材不同，各种心理倾诉小说的内容与倾向也就各有差异。在资产阶级革命爆发以前，有拉克洛（1741～1803）以贵族上流社会中放荡淫乱的男女关系为题材的《危险的关系》（1788），虽然作者本人出身贵族，但他深受了卢梭的思想影响，他在这部书信体小说中，让贵族阶级的男女在互相通信中用各种形式的自白，暴露出他们淫邪的心理状况与内心中卑鄙的隐私。资产阶级革命后，则出现了夏多布里昂（1768～1848）风靡一时的小说《勒内》（1805），这部小说以自述体的形式，把主人公勒内那种忧郁、孤独、厌世的心理状态描述得充满了诗意与浪漫情调。尽管夏多布里昂所写的实际上是贵族破落子弟革命后在生活中找不到自己位置的内心感受，但他致力于描写人物的心理情状而不是人物的心理内容，因而对处于其他境况的青年也颇有感染力，能引起共鸣，他这种忧郁心态一时颇为时髦，被称为"世纪病"。与此同时，还有塞南古（1770～1846）的小说《奥培曼》（1804）与诺谛埃（1783～1844）的小说《萨尔兹堡的画家》（1803）。塞南古的这部书信体小说记录了一个在瑞士漫游的法国青年的内心感受：痛苦、孤独、忧郁与愤世嫉俗；诺谛埃的小说则以《烦恼心情的日记》为其副标题，是一部模仿歌德的《少年维特之烦恼》的作品，其中的主人公也是一个敏感多情的维特式的人物，作品就是表现他内心中的那维特式的痛苦、悲叹与呻吟。所有这些小说虽然内容与倾向各有不同，但都采取了书信体或自述体的形式，都以大量地、直率地倾泻人物内心深处的感情之流为目的，并充满了强烈的激情力量与浓重鲜明的主观色彩，都可算是心理倾诉小说，属于卢梭所开辟的心理浪漫主义的范畴。

二、心理现实主义的高峰

心理浪漫主义是社会大交替大变动时期的产物，根源于人们面对着重大社会矛盾与激烈变迁时或激昂、或紧张、或不适应的心理状态，它在法国文学史上似乎是一去不复返的，这一方面是因为相同的社会历史条件不会重复出现；另一方面，更重要的原因则是，它对主观的感情采用倾泻、直抒与渲染的方式，就不免流于自我的膨胀、浮夸、过分与失真，在艺术上容易使人感到疲乏。因此，当资本主义关系在法国趋于稳定的历史时期开始后，由拉法耶特夫人所开辟的心理现实主义又开始恢复了活力，不是在贵族阶级的传统中，而是在新一代资产阶级作家手里，在新的社会层次的基础上得到了继承，而龚斯当与司汤达就是在 19 世纪上半期继承并发展了这种方法的最为杰出的代表，在他们的作品里，心理现实主义达到了前所未有的高峰。

龚斯当（1767～1830）是法国复辟时期资产阶级自由派的政治家与思想家。他出生于瑞士一个法裔贵族家庭，青年时期受过完备的高等教育。1794 年在瑞士结识了法国著名女作家、政治家斯达尔夫人，1795 年随斯达尔夫人来到巴黎，参与了法国的政治活动；在帝国期间，因反对拿破仑而与斯达尔夫人一同被勒令离开法国。两人在国外流亡多年，1814 年回国后，在复辟王朝时期是议会中资产阶级自由派的领导人，在政治上颇有影响。他在政治理论与宗教史研究与文学批评方面均有论著，但他传世不朽之作却是他的小说《阿道尔夫》，他主要是以这部篇幅不大的小说奠定他在文学史上的地位的。这部小说以他与斯达尔夫人持续了 14 年之久的充满了感情风暴的爱情生活为素材，带有很大的自传性质。

小说中的爱情悲剧的根源，不像在《克莱芙王妃》中那样来自道德标准、礼仪规范对人物的束缚，也不像在《新爱洛绮丝》中那样来自等级制度的界线与偏见，总之，不是来自外部的、客观的原因，而恰巧是来自两个情人的内部，而且，对于这一对情人来说，不是未能结合的悲剧，倒是结合之后破裂的悲剧，不是由于爱情的消亡而产生的悲剧，而是由于一方的爱情强烈而炽热使另一方面追求绝对的独立与自由的个性感到了束缚并力求解脱而产生的悲剧。整部小说几乎都由对双方，特别是对自述者"我"的心理剖析所组成，外部环境与为数极少的其他人物都是陪衬性的，轮廓极为简略，因而，这种心理描写与现实生活中其他的人与事以及日常生活细节的关系甚为微弱，带有相当明显的封闭性，而作者正是要在这样一个封闭性的空间里，集中笔力解析这一对情人的感情矛盾并达到使读者感兴趣的目的。他给自己规定的这个任务无疑具有较高的难度，他只能以细致、深刻、合情合理的心理分析取胜。由于他的心理刻画是以自己深切的感情体验为基础，他成功地达到了自己的目的。他细致地描绘出这两个人物各自不同的心理轨迹、每一条轨迹以及每一条轨迹上每一段的起伏跌宕与细微变化。这两条轨迹时而互相迎面交叉，有了一个汇合点又朝两个方向离去；时而平行靠拢，有了一段重叠与结合，而后又出现细小的裂缝，有了微妙的游离；时而若即若离，终于彻底分道扬镳，愈离愈远，酿成了女主人公爱诺尔蕾的死去。作者的成功在于不仅细致地表现了这两条心理轨迹本身丰富而复杂的变化与看起来平常实则充满了心理戏剧性的悲剧进程，而且还深刻地表现出这两条心理轨迹各自变化发展的基础、出发点与内部机制，那就是两个人物不同的个性、气质以及人生观与价值观，虽然这里不存在善与恶的对立，但却足以造成两个心理上南辕北辙的悲剧。而且，也正因为不是善与恶的对立，这一场由心理差距、心理隔阂而逐渐酿成的悲剧才更为自然可信，更为令人扼腕叹息。作者的成功还在于细致地描述并分析了这两条心理轨迹灵敏而紧张的状态，往往其中的一条心理轨迹的细微变化，就引起另一条轨迹敏感甚至激越的反应，爱情悲剧进程中的某些戏剧性正是由此而来。虽然，龚斯当的《阿道尔夫》在心理分析上所达到的深刻程度，在心理描写上所达到的高度艺术水平，在文学史上是不多见的，特别是阿道尔夫这个人物已经成为了资产阶级个性的一个典型而进入了经典的人物画廊，所有这些使这部小说获得了心理现实主义杰作的地位。

19 世纪上半期的另一位作家司汤达在心理小说发展中的地位与影响，无疑更超过了龚斯当。司汤达（1783～1842）出生于一个资产阶级家庭，在资产阶级革命火热的岁月里度过了童年，青年时期又恰逢代表着法国革命最后阶段的拿破仑时代，他在拿破仑军队中服役多年，转战整个欧洲，直到 1814 年拿破仑失败为止。在复辟时期，他作为拿破仑阵营中的一员被扫地出门，丢了饭碗，不得不到意大利旅居了 7 年，在此时期，他开始写作。他的文学创作量甚丰，其不朽的代表作是两部著名的长篇小说《红与黑》（1830）与《巴马修道院》（1839），而从心理小说发展的角度来说，他杰出的贡献则是《红与黑》。司汤达生活在资本主义与封建主义两种制度、共和国与君主国两种前途、进步与复辟两个阵营激烈斗争的时代，他从思想到行动都属于进步的反封建复辟的阵营，但他却遇上复辟倒退的时期，他在复辟王朝时期不仅感受到尖锐政治矛盾，而且还感受到个人自由发展与封建等级制的冲突，这构成了他创作著名小说《红与黑》的思想基础与心理基础。

《红与黑》在文学史上的意义是多方面的，它在心理分析上的成就只不过是它多方面成就中的一个方面而已，而它在心理分析上的意义，同样也是多方面的。

我们可以把它视为一部性格心理小说，因为它写出了构成主人公于连表里不一、双重人格这一特定个性的全部心理内容；写出了于连内心里向往资本主义价值标准、企望在容许自由施展的社会条件下以自己的才能、意志与精力来建立业绩、得到社会承认、获取地位与财产，但在行动上却不得不屈从复辟时期封建贵族阶级的价值标准，不得不服从复辟社会的等级规范的那种复杂的心理状态；写出了他恃才自傲、藐视居高位的贵族而在实际生活中又不得不听从他们调遣的那种复杂的心理状态。正是这种极为复杂的心理状态，使于连这个在复辟时期特定历史条件下的小资产阶级人物陷于人格的分裂，具有了貌似答尔菊夫的双重性格，而这种复杂心理状态的本身又包含了极为深刻的社会历史内容。

我们也可以把《红与黑》视为一部爱情心理小说，因为它写出了于连在德·瑞那夫人、玛特尔小姐这两个贵族妇女的爱情生活中的复杂而微妙的感情与心理，而这两次爱情在作品中占有了相当重要的地位。作者对于连的爱情心理的描写无疑是文学史中同类描写中颇具特色、很有深度的。在于连的爱情中，既有异性美的吸引，也有占有欲的推动，更令人注意的是，还有平民、卑贱者那种强烈的逆反心理以及在复杂环境中提防戒备的警惕意识，而最后，又不乏出自灵魂深处的真挚柔情。这种爱情心理之所以异常复杂，就在于它受制于社会地位、环境情势、思想观念以及自然人性等多元因素，并往往在不同因素的制约下朝不同的方向、按不同的逻辑发展变化，形成了一种充满了矛盾冲突、变幻不定的复杂心态。于连在花园里下决心去握德·瑞那夫人的手的那一章与他接到玛特尔约他幽会的信后从犹疑不决到作出种种应变安排的那一章，就是这种心态描写、心理刻画的绝妙篇章，足以在爱情心理小说中享有经典性的地位。

我们还可以把《红与黑》视为一部政治心理小说，因为它很有深度地刻画出了一个小资产阶级青年在两种政治信仰、两种政治制度、两个政治阵营尖锐对立的社会现实中复杂的政治心理以及由此而作出的选择、采取的态度，特别是揭示了他对拿破仑帝国与复辟王朝、对拿破仑崇拜与保王主义的深层感情，描绘出他在自己的生活道路、处世态度、爱情、向上爬、参与政治阴谋以及生与死等问题上精细的政治考虑。这种政治心态描写在小说中经常可见，其中有不少极其深刻而精彩的章节，如他失败后在狱中对自己奋斗经历与当前处境的分析与思考，就是文学中心理描写的辉煌范例，其中明智的哲理、清醒的形势感、对社会现实必然性的认识、对死亡的预见与悲凉的身世感杂然交织，构成了深沉的政治心理悲怆交响乐。也正因为人物的政治心理表现在他几乎所有的行动中，渗透在他的人格心理与爱情心理中，政治心理的描写在小说中居于一个统率全局的地位，我们也就可以把《红与黑》主要视为一部政治心理小说了。

　　司汤达的心理分析与心理描写不仅以细致、严谨与准确见长，而且总是结合着一定的客观现实与境况，不像龚斯当那样往往脱离具体事件对心理作纯定性分析，在这一点上，他继承了拉法耶特夫人的方法并把它推进到新的高水平，但他又不像拉法耶特夫人那样有时在贵族人物矫饰的感情中兜圈子，而是直剖人物最真实、最可信、最自然的心态。他不仅是自觉意识、表层意识的明晓的表现者，而且他还开始触及人物的深层意识，于连第一次到市长家去的路上经过教堂时所见到的带有神秘主义、象征主义色彩的情景——印着一个人死刑消息与"第一步"字样的碎纸片以及圣水缸旁的"一摊血"，实际上就是他对自己打进上流社会去的前途的一种预感，而这种预感正是来自他作为一个平民知识分子在复辟时期由于被压抑而形成的某种不自觉的恐慌心理。《红与黑》在心理分析与心理描写上所达到的多方面的成就，显然大大超过了以往任何一个作家，即使是时至今日，这部小说仍然在法国心理现实主义中占有难以超越的崇高地位，这也是它成为世界文学中最引人注目的少数经典名著之一的原因。

三、心理现实主义的新发展

小说史的发展并不就是心理小说史的发展，因为有小说并不就等于有心理小说，即使出现了优秀的小说家、优秀的小说作品，也并不意味着一定出现了重要的心理小说家、心理小说作品。司汤达以后的现实主义小说的发展就是如此。虽然巴尔扎克是小说创作中的伟人，但他致力于时代风俗场景的描写，因此没有献出心理小说史上的代表作。福楼拜在法国小说史中也是一个承上启下的重要人物，他的杰作《包法利夫人》与《情感教育》中也有一些细致的心理描写，但他并不专注于此，并不在小说中始终以一个人物的内心活动为中心。法国心理小说更进一步的发展是在他们之后的左拉手里才有的事。

左拉（1840～1902）在文学史上的贡献远非限于心理小说。他生活在现代资本主义的初级阶段，这个初级阶段的重要标志之一，就是社会生产力与科学技术的迅猛发展，工业领域不断扩大，工业生产成倍地提高，自然科学新发明、新学说不断涌现。与此相适应的是，崇尚科学精神与实验方法的实证主义哲学极为流行，并渗透到这个时期的文学思潮之中，从巴尔扎克就已经开始的现实主义创作方法与自然科学的结合，到这个时期更成为一种强大的潮流。左拉在创作思想上本来就是一个现实主义者，又受到时代潮流的感应，所以十分自然地致力于文学写实与自然科学的结合。他接受了达尔文主义以后法国生理学、实验医学、遗传学的影响，有意识、有计划地将这些学说的认识与观点运用于文学领域，提出了自然主义实验小说创作论，并创作了自然主义的巨著、包括了二十部长篇小说的《卢贡－马卡尔家族》，通过一个家庭的发展变化表现了一个时代的社会史，推动了现实主义发展到一个新阶段。左拉对现实主义的发展的贡献之一，是开辟了对人的描写的一个新的方面，深入到心理刻画的一个新的层次。

在他以前，几乎所有的作家在写人物的时候，往往限于写他（她）在某种环境中、某一情势下的行为、态度、反应与内心中的活动，而内心活动则不外是思维与情感，巴尔扎克比这深入了一步，他进而写人物的"情欲"，在他笔下，这种"情欲"是与气质有关的。左拉比巴尔扎克更深入一步，他第一次把人的生理机制引入了文学，表现了人的"情"、人的精神活动与人的血肉、人的生理机制的关系，表现了人的"情"与精神活动所具有的生理机制的根由，这就把文学中对人的认识与描写推进到一个新的层次，因而也就使得心理小说别开生面。

左拉以当自己时代的书记为己任，他并不专注于心理小说的写作，在他的作品中只有《戴蕾斯·拉甘》（1867）与《玛德莱娜·费拉》（1868）可算是心理小说。这两部作品写于《卢贡－马卡尔家族》之前，在左拉开始形成自然主义创作思想的时候，是他早期自然主义的重要作品，其中《戴蕾斯·拉甘》在艺术上更为成熟，作为自然主义的心理小说名著，在心理小说史上具有重要的代表性。

《戴蕾斯·拉甘》所写的人物心理，从其性质来说，是一种犯罪心理。小说的故事实际上由两大部分组成，即戴蕾斯跟洛朗在道德上的犯罪与他们在刑事上的犯罪。道德上的犯罪是他们两人的通奸，刑事上的犯罪是他们互有默契地谋害了戴蕾斯的丈夫卡米耶。小说中人物的心理活动几乎都是围绕着这两次犯罪，因而，道德犯罪心理描写与刑事犯罪心理描写就成了小说两个主要内容。在小说里，左拉不仅把人物在每一个特定时刻的心态横断面，结合着人物具体的语言与行动，展示得清晰细致、触目惊心（如洛朗到停尸房去察看卡米耶尸体时的恐惧心理），而且，更主要的是把整个事件过程中人物心理发展变化的线索与逻辑描述得环环紧扣。这个过程从道德上的犯罪到刑事上的犯罪，再到自食其果，其间的谋杀与最后同归于尽的结局，不论对于被害者，对于这个家庭，还是对于戴蕾斯与洛朗他们自己，都是极为可怕极为悲惨的，而所有这些既不是环境所造成也不是周围人所促使，而正是戴蕾斯与洛朗这两个人自我心理变化的后果。从小说的创作来说，这就需要表现出这一发展变化中强有力的逻辑力量，足以推动事件进程的逻辑力量。左拉出色地做到了这一点，令人信服地表现出了导致两人最后一道毁灭的这一逻辑。如果说，在这一必然的发展之中基本上不存在外在的人与物的决定性影响的话，那么在这两个人同样也带有一定封闭性的整体中，却存在着对方作为客观的异己存在的重要的相互影响与作用。这种异己性特别在刑事犯罪之后，由于两个人不同的经历、身世、品行以及各自在谋杀事件中的作用与地位而愈来愈明显突出，由心理中的隔阂发展为矛盾、摩擦、敌对、戒备，最后变为仇恨并推动着事态向毁灭的结局直转急下。值得注意的是，在小说中，虽然第一次犯罪即两人的通奸是后来一连串事件的根由，但左拉却以作品的大部分篇幅来写第二次犯罪即谋害事件后人物心理的发展，突出表现了犯罪心理——恐惧、疑虑、悔恨、不安等等，最后让他们在痛苦中毁灭，显示出了作者本人的道德倾向。

作为自然主义的心理小说代表作，《戴蕾斯·拉甘》最主要的特点，是写到了人物的心理机制与生理机制的关系，表现出人物的言行以及心理活动在血肉之躯中的根由。左拉写这个妇女，与巴尔扎克写的女性不一样，不仅赋予她"情欲"，而且写出她的"肉欲"。她体内有"非洲的血液"，体格强健，肉体"不知满足"，却置身于比包法利夫人的环境更为沉闷阴暗的环境里，守在一个从小体弱多病、不能人道的丈夫身边，正是生理上的饥渴决定了她不自觉地期待着一个情夫的心态。至于洛朗，则是他那种一旦离了女人就无法生活的强烈肉欲，使他一见戴蕾斯就产生了邪念。总之，在这里很明显是生理机制的根由决定了人物的心理状态，决定了他们在行为上一拍即合。同样，在成奸之后，又是生理机制的原因发生作用：放纵的肉体享乐、强烈的性刺激，使人物心中的占有欲发展到极端，从而萌生出谋害丈夫的意图，推动人物从道德上的犯罪又走向刑事上的犯罪。如果左拉只是表现出上述过程，那么小说只不过是一个宣扬自然本能、格调低下的通奸故事，但他几乎只是以此作为起点或开端，而着力写另一个过程，即心理机制又反过来对生理机制发生影响的过程。在他的笔下，这两个人物虽然由于"本能的冲动"而"大脑失调"并犯下了罪行，但他们毕竟是人，即使结了婚、逃脱了法律罪责，却免不了种种复杂的犯罪心理，而这种心理又不断侵蚀扩张，发展为恐惧、悔恨与痛苦，并反过来作用于他们的机体与生理，竟使他们原来相互的性吸引力与对肉体享乐的追求荡然无存，甚至产生肉体上的憎恶，而这种生理状况又进一步加深了那种矛盾、敌对的心理危机，两者不断相互影响，形成恶性的循环，导致了最后两人的同归于尽。至此，左拉就成功地表现出了人物的生理机制与心理机制互相影响、互相作用的辩证关系，对他们作为活生生的人在精神道德与法律行为上的病态病理，提供出一份形象的真实的实验报告，也使得在以往的文学中已经出现过千百次的"奸夫淫妇"的题材焕然一新。

左拉的《玛德莱娜·费拉》是《戴蕾斯·拉甘》的姊妹篇，有异曲同工之妙，也是致力于表现心理机制与生理机制之间的关系，表现人物身上"灵"与"肉"的冲突，甚至故事情节也大同小异。所不同的是，玛德莱娜因为在生理上、在性的关系上被过去的情夫雅夫打上了深刻的烙印而在心理上始终未能摆脱其影响，这种心理影响甚至使她婚后与丈夫纪尧姆所生的女儿，竟在相貌上酷似多年前的情夫。在这里，左拉过于迷信当时流行的"渗透论"的生理学说，并把它作为这部小说的基本构思，反倒使小说比《戴蕾斯·拉甘》少一些可信性，失去了持久的生命力。

在自然主义文学潮流中，莫泊桑也是一个对心理小说有所贡献的大作家。他是早已有之的现实主义传统的后继者，直接师承福楼拜，而后，又接受了左拉的影响，成为以左拉为首的自然主义流派梅塘六作家之一。虽然他主要的文学业绩是短篇小说创作，但他的长篇小说亦很有成就，如果说他的短篇小说是以叙事见长的话，那么他在长篇中则显而易见地更注意对心态心理的描写与分析。他第一部著名的长篇小说《一生》中，有对妇女心理的细致而出色的描写，如果不是对女主人公一生的叙述相对地在小说中占较大比重的话，我们简直就可以把它当作一部妇女心理小说。而在他的其他五部长篇小说中，可算作心理小说的就有三部之多：《皮埃尔与让》《不可抗拒的爱》与《我们的心》。在《皮埃尔与让》中，主人公面对着围绕一笔遗产的某些迹象，产生了猜测、分析、判断等等心理活动，终于发现了自己母亲早年的私情与自己家庭的不完整性，由此又引起了家庭生活中种种心理纠葛与矛盾，整个小说所写的是一种家庭伦常关系的心理。在《不可抗拒的爱》中，一对长期保持着关系的情人，在双方即将进入老年时期的时候，感情生活中发生了极为复杂而微妙的变化，潜入了危险的阴影，并导致了深刻的裂痕，整个小说写的是人生中一个特殊阶段的感情心理，即更年期的不平衡、不稳定的感情心理。在《我们的心》中，男女主人公都是上流社会有文化教养的有闲者，由于一方在心理上的历史积淀而使得他们的爱情关系时冷时热、若即若离，小说写的是雅士名媛的纤细精致的爱情心理。从这几部小说的内容来看，莫泊桑无疑给心理小说带来了一些新意，在一定程度上对心理小说的题材有所开拓，而他的这种开拓性又多少带有自然主义的色彩，即把与血缘问题有关的心理活动以及人在某种自然生理期的心理活动引入了文学，特别是《皮埃尔与让》更要算法国心理小说史上一部出色的作品。

在《皮埃尔与让》中，莫泊桑摒弃了对任何其他趣味性成分的追求，而专致于揭示人物内心世界的状态与规律。皮埃尔是小说的中心，他的思想情感不断起伏变化，而他自己又不断进行自我分析，由此，人物的内心活动在小说里占有绝大的比重，不仅故事是随着人物的心理活动而开展的，而且，作为故事背景的历史事实也是通过人物的观察、思考、窥测、分析而逐渐显露出来的；人物内心种种思绪的滋生、发展、起伏、变化并非凭空而来，它们往往与日常生活紧密相连，琐碎的生活细节、无关紧要的某种形象就足以成为一种心绪、一段心理活动的诱因与契机。人物的内心活动与日常生活这样互为因果、互相推进，形成了一个表面平静得难以察觉、实际上锐利得令人心碎的伦常感情的悲剧。《皮埃尔与让》作为心理小说的意义还在于它展示了各种不同的心理描写。这里，既有皮埃尔连绵不断的心绪，也有让明白了真相后在如何对待遗产问题上思想斗争中的反复与思考中的不同层次；特别值得注意的是，莫泊桑实际上把朦胧意识的描写带进了文学，如皮埃尔在得知弟弟获得遗产后莫名其妙的烦恼、两兄弟在母亲与罗瑟米丽太太面前不自觉的较劲、皮埃尔对母亲那种不近人情的怨恨等等。莫泊桑还在对朦胧意识进行分析的基础上，表现了人物之间难以察觉、难以言传的非理性的感应关系与直觉交流，如第五章中皮埃尔与母亲两次关于一张肖像的谈话以及皮埃尔在客厅里来回走动时"都遇着他母亲的眼光"的情景，这些对内心活动外露形态的描写显然突破了 19 世纪上半期文学中的既定方式，有助于揭示内心深处微妙的活动，拓开现代心理分析文学的先声。

在作为现实主义发展新阶段的自然主义对心理现实主义作了新的开拓以后，法国心理小说更大为盛行，使得 19 世纪后期成为法国心理小说大繁荣的时代。这种繁荣与法国心理学的发展是同步进行的。这个时期正是法国心理学作为独立学科创建起来、发展起来的时期，著名心理学家李博（1839～1916）于 1885 年在巴黎大学主持专题讲座，是法国大学中实验心理学课程的开始；1889 年，法国第一个心理学实验室在巴黎大学建立；1895 年，另一个重要的心理学家比莱（1857~1911）创办了第一种心理学杂志《心理学年刊》。相应的，在这个时期的文学中从事心理小说写作的作家比任何时代都大为增多，心理描写、心理分析的题材与方法也呈现出多样化，值得一提的作家就有弗罗芒丹、布尔热、普雷沃、厄尔维欧、艾斯多尼埃、波尔多、布瓦勒夫、巴赞等一大批。

弗罗芒丹（1820~1876）的代表作是他的自传体小说《多米尼克》（1863），它继承了 18 世纪心理小说的传统，以细致的描述表现了强烈的感情，带有浪漫主义的色彩。普雷沃（1862~1941）以对女性内心隐秘的描写而著称，他对妇女心理的分析研究是他大部分作品的主要内容，其中以《有污点的处女》（1894）最为有名，"有污点的处女"（或"半处女"）一词也因此而进入了其他国家的语言。厄尔维欧（1857~1915）的代表作是《自我画像》（1893），它通过书信体的自述毫不留情地揭示了巴黎上流社会人士的卑劣心理。艾斯多尼埃（1862~1942）在《隐蔽的生活》（1908）、《巴斯莱夫先生的腾达》（1919）中表现了对心理描写的巨大兴趣，并力图表现平凡无奇的内心生活中往往能闪现出高尚感情的火花。波尔多（1870~1963）的小说以家庭问题、宗教问题为题材，致力于描写人心的自然状态以及与传统习俗的精神冲突，主要作品有《何凯维尔一家》（1906）等。布瓦勒夫（1867~1926）的小说则主要是描写爱情欲望所引起的心理混乱，代表作有《圣女群芳玛丽》（1897）等。巴赞（1853~1932）也是一个注重性格分析与心理描写的作家，他以表现乡村农民的心理状态而著称。所有这些作家，除了少数一两位有心理浪漫主义的倾向外，基本上都属于心理现实主义的潮流，他们的出现证明了心理现实主义强盛的生命力。

在 19 世纪后期相当一批从事心理描写的作家中，布尔热（1852~1935）是一个更为重要的代表人物。他的才能是多方面的，最初以三个诗集登上文坛，不久又在理论研究方面以《当代心理学论丛》（1883）一书而一举成名，而后才从事小说的创作。他在长、短篇小说的创作中均有不少成果，并在散文、文学批评与戏剧方面亦有建树，他属于作家兼学者型，1894 年当选为法兰西学院院士。

作为小说家，布尔热突出的特点与显著的成就，在于心理分析，他的几部重要的长篇小说《安德雷·高莱利》（1887）、《弟子》（1889）、《国际都会》（1892）、《阶段》（1902）、《离婚》（1904）、《中年魔障》（1914）等，在不同程度上，都可算心理分析小说，由此，他在法国心理小说史上占有了一个不容忽视的地位。而作为心理分析小说家，他基本上属于心理现实主义潮流，他既有小说创作实践，也有理论研究。他的理论研究先于他的小说创作，他在成为心理分析小说家之前，就已经是心理分析的理论批评家，而他的心理分析小说正是他心理学思想的体现。在心理学思想上，布尔热深受近代心理学的影响，他相信人心的变幻不定，人的内心中常混杂着、隐伏着无数从非理智的深渊中涌现出来的种种不同的意念，他以这种理论为基础，打破了过去一些作家的人物描写中常有的"性格统一"，而力求表现人物内心中奇特的多元分裂的状态，把人物复杂的内心世界呈现为多重的人格。他也曾接受实证主义与自然主义的影响，但他却自觉地回避自然主义在心理分析中常引进的生理因素，不像自然主义作家那样经常把心理现象归结为血肉生理条件发生作用所致。他感兴趣的只是心理活动本身，满足于对它们进行封闭式的细致的分析，在这一点上，他可说是拉法耶特夫人与龚斯当的传统的继承者。由此，布尔热往往是到闲愁聊绪浓厚、心理活动更为细腻复杂的社会层次中去寻找题材与人物，他的作品大都以上层社会为背景，他的人物主要都是绅士淑女或知识分子。如果说他的心理描写也与自然主义有关的话，那就是它也以精确性与科学性见长，他经常还在作品中以直接或间接的方式进行指点评说，解释人物的行为，揭示人物的心理；在某种意义上把小说当作了精神解剖学的论文，显露出他身上存在着小说家与心理学学者的分裂。

布尔热的代表作是《弟子》。这部小说的主体部分是平民知识分子格雷斯鲁与贵族小姐夏洛特的爱情悲剧。与《阿道尔夫》一样，这个悲剧与外部的任何社会原因以及任何其他人物均无直接关系，全是两个人物心理上的复杂原因造成的。夏洛特是一个敏感、善良、富有浪漫激情然而却有强烈的自尊心与执著的勇气的姑娘，她爱上的这个平民知识分子却偏偏又是一个人格分裂、思想复杂、感情变幻不定的青年，他既不能说是好人，也不能说是坏蛋。夏洛特被他有计划地撩起了爱情并委身于他之后，不幸地发现了他居心叵测、不怀好意的一面，因而痛苦而又高傲地自尽了。小说同样采取了男主人公自述的方式，它的出色之处在于深刻地剖析了这个人物的多重人格与分裂状态，他既正派、虔诚、执著地追求学识，又不诚实、惯于作假；既有平民知识分子的良知，又有爱好虚荣、仰慕贵族的心理；既有脱俗的趣味，又有淫邪好色的习性；他对夏洛特既有冷酷的预谋、粗俗的肉欲，也有真诚的热爱、难以克制的内心冲动与痛苦的恋情。小说所表现出来的人物内心世界的复杂性显然是符合近代心理学的理论的。小说在分析主人公多重人格形成的原因时，也接触到遗传的原因，但它只承认了精神、气质与性格特点的遗传，而把生理的遗传排斥在外，说明了作者在这个问题上的观点与左拉不同。小说的主人公本人就是一个对心理学有研究的青年学子，他在引起了这桩惨案因而被捕之后写下了自己的忏悔，作者利用这种安排让他以丰富的心理学知识分析了自己整个心理过程，虽然小说因此而有一种心态病理报告式的理论色彩，但正显示了作者对心理活动深刻的洞察力与剖析力，这就足以使这部小说成为心理现实主义的心理分析名著。

四、心理现代主义的产生与发展

在不止一种文学体裁上，法国 19 世纪后期的文学都开 20 世纪文学之先河，在心理小说上也是如此。这个时期的自然主义小说对下个世纪文学中的心理描写与心理分析的影响自不待言，就是 20 世纪大为昌盛的心理现代主义也应溯源于 19 世纪末期心理学的新发展与新型心理小说的出现；正是由于心理学的发展提供了对心理活动更为深入细致的认识，再加上文学表现方式的更新，才造就了声势浩大的心理现代主义。

心理现代主义的小说以及与它相关的理论学说，是一种泛欧美的文化现象，它先后出现于欧美各国的时间差不过一二十年：在心理学理论上，1890 年，美国心理学家威廉·詹姆斯提出了"意识流"的新概念与新理论，由此到 20 世纪初，又有法国哲学家柏格森提出了内心意识的"绵延"说，奥地利心理学家弗洛伊德提出了"意识、潜意识与无意识"的理论；与此相应，心理现代主义小说也出现于这一阶段，1887 年法国杜雅尔丹的《月桂树已被砍尽》就是心理现代主义小说的"第一只燕子"，不久，在 20 世纪初又出现了奥地利作家施尼茨勒的《古斯特少尉》（1901），而后，到 20 世纪二三十年代，欧美心理现代主义小说就出现了普鲁斯特、伍尔夫、乔伊斯为代表的高潮。

杜雅尔丹（1861～1949），受过系统的高等教育，多才多艺、兴趣广泛，他所学的专业是音乐，对文学创作也很有兴趣。青年时期，正赶上象征主义思潮在法国高涨，他曾深受其熏陶。他在音乐喜剧、悲剧、小说、宗教研究方面都作过尝试，但没有锲而不舍的精神，加以生活浮华，有时不务正业，因而成就有限，除了在音乐方面写过一些出色的评论外，他重要的文学业绩就只有《月桂树已被砍尽》了。

这部作品在心理小说史上具有划时代的意义，它第一次运用了意识流的方法，并且日后直接启发了英籍爱尔兰作家乔伊斯写出意识流小说的经典名著《尤利西斯》。小说的内容相当简单，只是写一个青年人与一个歌女一次约会的过程，从一天的傍晚至深夜，几乎无故事情节可言，仅有他赴约在街上闲荡的细节与其间的心绪而已。故事情节在作品中如此不占重要地位，淡化到这样的程度，这在传统的心理小说中是少见的，在这点上，《月桂树已被砍尽》显示了新的现代风格，完全摆脱了对具有戏剧性的生活过程的追求。值得注意的是，小说对时间的处理：虽然小说中人物活动的时间是从傍晚到深夜短短几个小时，然而，在这段时间里，人物的心理活动中却具有更大的时间跨度；在他这段时间的心理活动里，既有对现时的感知，也有对过去的回忆与对未来的想象，这就出现了柏格森后来所区分的实际时间与心理时间。小说正是建立在这两种时间的差距上，即通过有限的实际时间中的心理时间，表现出更为绵延的实际时间中更多的生活内容，使读者从这个青年这一次毫无结果的约会看到过去很多次类似的约会，看到相当长一个时期里他对这个歌女的徒劳的追求与他的精力与钱财的白白消耗，从而对那个象征意味十足、其隐喻来自一首民歌的首句"月桂树已经被砍尽，美人把树枝捡个干净"的小说标题有领悟。更值得注意的是小说中人物心理活动的形态，与传统小说中那种带有持续性、逻辑性、条理性、明晰性的心理活动不同，这部小说里的心理活动是非逻辑性的——有些零乱，是非持续性的——断断续续、不时闪现，是非条理性的——往往杂然纷呈，是非明晰性的——有些模糊、不自觉。总之，这里的心理描写已经表现了西方现代心理学中所谓的意识流的那种自然、零乱、混杂的动态，虽然小说在对时空的处理与对意识流的描写方面还相当简单幼稚，甚至有些原始，但它已经第一次显示出了心理现代主义的若干重要特色，而这些特色后来到普鲁斯特、乔伊斯那里又有了进一步的发展。

在法国现代心理小说中，普鲁斯特至今仍占有着至高无上的地位，就像巴尔扎克在社会写实的领域、雨果在浪漫激情的领域里那样。普鲁斯特藉以获得这种地位的文学成就主要就是一部篇幅浩大的长篇小说《寻找失去的时间》。这部小说在规模上几乎可与巴尔扎克的《人间喜剧》、左拉的《卢贡－马卡尔家族》媲美，在对内心活动、内心感受的入幽入微的描写上，则是无与伦比的。而且，它置身于心理现代主义的潮流中，在观念上与技巧上又提供了新的理解与新的经验，从而使心理现代主义获得了它的第一部经典名著，大大推进了心理小说的深入发展。

普鲁斯特（1871～1922）是一个富家子弟，受过良好的教育，从小喜爱文艺，中学期间，接触并钻研过柏格森的哲学，青年时期常涉足巴黎的上流社会与文艺界，早年发表过一点随笔、纪事之类的作品，也翻译介绍过英国艺术评论家罗斯金的作品。他从小体弱多病，1906年后就因哮喘病而闭门简出，倾其全力创作了《寻找失去的时间》，他在世的时候，发表了小说的前四卷，后三卷是他去世后才问世的。

《寻找失去的时间》在某种意义上是普鲁斯特病榻生活的结果，是他抚今追昔的精神状态的产物。在蛰居或卧床的日子里，惋惜自己的岁月流逝一去不复返，于是产生了"寻找失去的时间"的企图与意志，以这种意念与毅力，他终于把那些逝去的时间重新寻找回来，使它们凝聚为他的这部长篇小说，在这个意义上，他的整个创作活动就是在厚重的岁月积淀下搜索与挖掘一段段深埋的时间，用文字使它们成形复活。然而，实际的、客观的时间是不可能找回来的，他所能找回来的只是他心理中的时间，即他自己所谓的"想象中的时间"。正因为他怀着这样一个独特的创作思想，所以这部作品不像传统的小说有一个或两三个主要角色，又不像自传或回忆录有一条发展的主线，如果说它有什么主要角色或什么主要内容、主要成分的话，那就是时间，是柏格森哲学中所谓的"心理时间"，或者说，就是已经逝去的实际时间在作者心理中的再现。小说的这一根本的性质与其中所体现的作者的观念，决定了小说在内容与表现方式上一系列的特点。

小说按照事物本来的原始、自然的面目，从心理时间的勾引而出，到心理时间的扩张、充实、繁衍、发展，从记忆与想象的闸门打开，到记忆与想象中的内容大释放、大流泛，本身就表现出了一种意识的流动。小说的空间起点最初是作者本人的房间与病榻，实际时间的起点是养病生活中的不眠之夜，意识呈辐射形向四处流动，伸伸缩缩，没有固定的方位与着力点，偶尔由如今所躺卧的房间联想到了儿时在贡布雷的卧室，由目前的失眠联想到儿时在贡布雷时晚间的不乐于就寝，由此，有关贡布雷时期童年生活的种种景象纷至沓来，联想翩翩，形成了一个定向的意识之流，不断地泛出。但是，泛流而出的毕竟只是那一部分感触最深的景象，其他大量的东西仍然埋在脑海的深处，一时难以把它们寻找回来。偶然一次，一块名叫小玛德莱娜的点心勾起了对儿时吃这种点心时的味觉的回忆，这次味觉的再得，又引发起更多的儿时在贡布雷生活的记忆，这一次闸门打开得更大，早已逝去的在贡布雷度过的全部时光以及与这段时间不可分的空间里的种种人与事都复活了起来。整个小说就是按照这种极为独创的线索、按照心理时间的连续复得而成为七大部分：司旺家的这边、在如花似玉的少女之中、盖尔芒特家的这边、索多姆与哥莫雷、女囚徒、出逃者、重新找到了的时间。这七大部分形成了外观十分壮阔的意识之流，或者说，一条巨大的意识之流是由七个水域宽广的湖泊连接而成的，我们也可以把它们称之为一条主线上的七个大部件。这种意识流的结构不仅体现在小说的大的整体上，而且也存在于每一个"大部件"中的每一个"小部件"即每一章中，还存在于每一个"小部件"中的每一个"环"即每一个段落之中。在这里，"大部件"与"大部件"之间、"小部件"与"小部件"之间、"环"与"环"之间，都有一个"诱发点"，也有一个"起爆点"，由一个事物诱发出另一个事物，由后一个事物又爆发出更多的内容，一环套一环，如此持续不断，形成了线形的发展，形成了链条式的延续、意识的流动。

不言而喻，普鲁斯特笔下这一段段生活片断，都是心理时间的绵延与持续，它与已经逝去的实际时间当然很不相同，最大的不同就在于，它们既然是通过自由联想产生的，就不可能保持原有的实际时间的先后次序，而出现了时序的变换、颠倒与混乱，这就根本有别于传统的从始至终的叙述方式，既与传统的回忆录或自传性作品不同，也与传统的心理小说不同，这是小说作为现代派艺术特征的一个标志。还有另一个标志是，既然它以自由联想、意识流为作品的主干与线索，它就不可能有统一的故事情节，甚至在相当多的篇章里几乎无情节可言，其内容只是在内心中再现出来的一个个生活片断、一个个见闻、一种种心境或感受等等，带有明显的散文化的特点。这个特点，对于一般的小说而言虽是小说趣味的丢失，但对普鲁斯特的心理小说而言，却并非一种损失，因为普鲁斯特是以他对一段段"被重新寻得的时间"的细腻的心理感受取胜。而且，普鲁斯特在复活已逝去的一段段时间的时候，固然很注意复活与这些时间不可分割的空间（环境、场景）以及在这些空间中的人与事物，但他更注意复活他自己在当时当地的思想、情感、心境、心理，这更足以保证了小说作为心理作品的性质。如果说，普鲁斯特具有一种善于把即使是再平凡不过的情景、事件与人物也描写得栩栩如生、趣味盎然的杰出才能的话，那么，他那种深入内心幽深境界的笔触简直就令人惊奇了。首先，他心理感受之丰富与心理辨析之深刻远远超过常人，他心理感受灵敏细腻到对几乎每一个细小的对象都有丰富的反应，不仅对某一事件或某一人物，而且对一个动作、一种气息、一种味道、一个音节、一个普通名词都有敏锐的感受，并且能在各种感受之间迅速建立通感的渠道，而一旦对某一事物产生了某种感受，这一感受还有所深入、有所发展，形成不同的层次。与这种极其丰富细腻的心理感受能力相适应的，是普鲁斯特颇具特色的语言风格。他非常善于运用结构复杂的长句，他的文句往往如春蚕吐丝，一段又一段，不绝如缕，使人经常有"山重水复疑无路，柳暗花明又一村"之感，正是在他这种九曲十八弯、蜿蜒不尽的文句中，一个个形象、一种种感受，得到一轮又一轮地扩充、一层又一层地深入。

在 20 世纪西方文学走向一体化的趋势下，继法国以普鲁斯特为代表的心理现代主义之后，在英国文学中又出现了伍尔夫、乔伊斯这两个作家，特别是乔伊斯以其不朽的名著《尤利西斯》把意识流的方法又推进到一个新的水平，对心理现代主义作出重大的贡献，只有不忽略这一个关键性的发展阶段，我们才能理解，在普鲁斯特去世若干年后，于 20 世纪 50 年代出现的法国心理现代主义的又一次新高潮所具有的特点。

如果细致地加以比较，乔伊斯的意识流小说较普鲁斯特的小说确实有所发展，这种发展大致有这样一些方面：

（一）以更多的呈现性代替描述性。在普鲁斯特的小说里，意识与心理活动往往都是由作者加以描述的，即作者对一种心态与反应都有一种旁白性的解释或交代，因而，作者的加工在作品里是显而易见的。在乔伊斯的小说里，意识与心理活动的出现或变化，往往都是采取自身呈现的方式，而并不伴随着作者旁白性的解释或交代，作者在作品中至少看起来是完全隐退了。由于这种区别，在普鲁斯特的小说里，时空即或有错位与颠倒，但一一被作者划下了界线，而在乔伊斯的作品里，时间的颠倒与空间的重叠、交错，往往并无明显的界线。

（二）更多地运用零碎的形象或单个的意识符号来表现心态的变化与心理。在普鲁斯特的小说里，一种心态、一段心理活动、一种感受往往是通过一系列形象的组合或通过动作的过程、事件的过程表现出来的；而在乔伊斯的作品里，心境、心理活动、心理感受则较多地通过零碎的形象、较少地通过系列形象的组合或一个过程来表现，还往往只通过一个隐喻式的意识符号来表现，这种符号既可以是一个形象，也可以是一句话、一个词、一个动作甚至一种颜色等等。

（三）更多地具有前意识与潜意识的心理内容。在普鲁斯特的小说里，几乎一切心理活动都是清晰的、明确的、自觉的，尽管意识活动的内容极为丰富复杂，而乔伊斯的作品，则再现了较多的不自觉、非理性的意识活动内容，再现了尚未形成自觉意识的前意识或潜意识。

总之，在普鲁斯特之后，西方文学中的心理现代主义又有了相当大的发展变化，这种变化从所表现的心理意识内容而言，是成分的更为复杂与非理性成分增加；从所表现的心理意识形态而言，是更符合人脑杂乱交错的意识之流的原始自然之态；从艺术创作的过程来说，则是作者从人物的内心活动中隐退，当然，只是表面的隐退。乔伊斯所带来的这些变化与新的艺术经验，成为在他之后的西方心理现代主义小说创作的共同财富，20 世纪后半期法国心理现代主义的一次高潮——"新小说"派的心理小说创作，就是在这个基础上发展的。

五、心理现代主义的新发展

法国的"新小说"作为一种文学潮流，发端于 20 世纪 50 年代初，相继产生了罗伯－葛利叶、克洛德·西蒙与米歇尔·布托这样几个代表人物，加上早从 20 世纪 30 年代就已经开始进行"新小说"实验的娜塔丽·夏洛特，形成了一个声势浩大的文学流派"新小说"派。

"新小说"派并不是一个专门从事心理作品写作的流派，它的全部内容并不是只以心理现代主义一词就能概括的，而且这四个主要代表作家又各有特点，彼此之间的差别也相当明显。虽然有这些不同，但总的说来，这是一个有理论、有创作实践的流派，其成员的共同点是力图摆脱传统小说窠臼，致力于新的小说技巧的实验，而其实验的范围又相当广泛，因而在小说技巧的各个方面都有所涉及。心理描写的作品只是他们文学创作的一个组成部分，心理描写的方法只是他们进行探索与实验的一个方面。如果我们从心理小说的角度来看，那么，这四个主要作家中，米歇尔·布托与克洛德·西蒙可归为一类，他们更明显地继承了乔伊斯的传统；罗伯－葛利叶与娜塔丽·夏洛特则另当别论，他们都各有创新发展。

米歇尔·布托（1926~　），青年时期当过教师，50年代开始进行小说创作，1954年以其第一部小说《米兰巷》登上文坛，后又相继发表了《日程表》（1956）、《变》（1957）、《度》（1960）等著名小说，60年代以后又转向散文、诗歌与文艺批评。布托在小说创作中进行了多方面的探索与实验，他是"新小说"派中显示了多方面才能的作家，以其多样化的百科全书式的小说技巧而闻名。他有"新小说"派的"物主义"的倾向，对物往往有非常细致的描绘；他对时空的理解精细入微，并在小说中时空的处理上有层出不穷的新手法；在心理描写方面，他也很下工夫，他的代表作《变》实际上就是一部心理小说。他是法国心理现代主义潮流中的一个重要成员，其主要特色是对乔伊斯的意识流手法的继承与合理变通。他的名著《变》就体现了他的这个特色。

《变》在结构上很容易使人想起乔伊斯的《尤利西斯》来。《尤利西斯》写的是主人公一天之内的经历，《变》也把实际时间压缩在一天之内，叙述主人公24小时之内坐火车从巴黎到罗马的过程。这一实际过程中除了极为琐碎的旅途细节外，并无任何构成事件的情节；从具体空间而言，是在一个固定不变的狭小车厢里。然而，作者却把这固定不变的空间放在一个不断变化的广大的空间即由巴黎到罗马旅途的广大空间之中，同时又在这一实际的短暂的一天时间里，填进了极为丰富而又漫长的心理时间。具体来说，就是让主人公在这一次旅程中，想到他曾经往返于巴黎至罗马的多次旅行，在一天的时间里想到他一些年来的往事，以此展现出这个人物在自己的妻子、家庭与自己的情妇之间的双重生活与分裂心态以及他在这次旅行中心情的变化。变化最终凝聚为他作出了改变这种生活方式的决定，放弃了要把情妇接到巴黎去共同生活的计划，而准备从事写作。这种时空环套的总体结构显示了作者巧妙的匠心，是对乔伊斯结构方式的一种继承。

布托对乔伊斯意识流方法也有所变通与发展。首先，他减少了人脑中意识流杂乱呈现的程度，而把之中混杂的单个意识加以条理化；其次，他减少了作者隐退的程度，在时间的交叉颠倒与空间的化出、化入以及重叠之处，或多或少划出了界线；此外，他又减少了意识流中前意识或潜意识的成分，而较多地表现清醒意识的流动，他在小说中既不是采用第一人称"我"进行"自述"，也不把人物作为"第三者""他"进行旁述，而是直指第二人称"你"进行叙述，这就加强了小说中的分析意识与清醒自觉的程度。布托所有这些变通，似乎是在普鲁斯特与乔伊斯之间作出某种折中，这使他的小说远不像乔伊斯的《尤利西斯》晦涩难懂。

克洛德·西蒙，在"新小说"派中是一个名声后来居上的作家，他原来的地位并不居于前列，但 1985 年获得诺贝尔文学奖，一举而声名大震，被视为这个流派在艺术上的代表。他青年时代在英国受过教育，也学习过立体派绘画，后来参加过西班牙内战与第二次世界大战，从 20 世纪 40 年代初，他即开始文学活动。战后，一面在外省种植葡萄园，一面潜心从事小说创作，在隐士般的生活中，建树了他的文学业绩，他至今已出版二十来种作品，其中《风》《草》与《弗兰德公路》是他的代表作。

在克洛德·西蒙的小说中，很难找出一部真正严格意义上的心理小说，但他的几乎所有的小说都或多或少地带有心理现代主义的成分。之所以说他的作品中没有严格意义上的心理小说，是因为他在小说里并不以写心理活动为目的，并不力图展示人物内心世界本身的内容与形态，而往往只着意于通过不止一个人物心灵的窗口来展现一幅幅并不连贯、并不构成一个统一体或一个完整过程的现实画面。他的兴趣在于描绘，在于把绘画艺术引入小说。他朝这个既定方面的努力，使他的小说达到了诗与画结合的意境，这正是他藉以获得诺贝尔文学奖的主要艺术成就。之所以说他的小说都或多或少具有心理现代主义的成分，则是因为它们都不同程度地通过人物心灵的窗口、运用了意识流的方法来实现作者预定的描绘场景画面的目的。在人物的印象、感知、回忆、想象与思考杂然纷呈这点上，在他们的"意识中有那么多事物同时存在、互相掺和"这点上，克洛德·西蒙是乔伊斯的继承者，而在以绵延不断的长句来表现复杂的心理内容这点上，他又与普鲁斯特相近。

在"新小说"派中，对心理现代主义作出明显、独特贡献的是娜塔丽·夏洛特。

夏洛特有俄罗斯血统，两岁时来到法国。青年时期在大学念过社会学，曾游学到英国牛津大学，毕业后从事法律事务，20世纪30年代即开始小说创作，并在创作中自觉地进行新的探索与实验，是"新小说"最早的开拓者。1950年，她又发表了后来被公认为"新小说"派第一篇理论宣言的重要论文《怀疑的时代》，奠定了在"新小说"派中的先行者的地位。她的文学创作在40年代末至60年代期间处于高潮，几部重要的代表作《陌生人肖像》《马特洛》《天象馆》《金果》《生与死之间》均出自这一时期。

　　夏洛特具有十分明确的创新精神与超越意识，她一开始就选择人的内心世界作为自己文学表现的唯一的固定的领域，她接受了普鲁斯特、乔伊斯、伍尔夫的启示与影响，致力于心理现代主义的艺术方法，同时，她又很自觉努力另辟蹊径，绝不与普鲁斯特或乔伊斯有所雷同，开辟出为她自己所特有的园地。她的小说几乎都没有情节，人物也没有完整的经历，甚至身份与姓名也被隐略，读者在这些小说里所读到的，全是这种像影子一样的人物的"内心独白"（用夏洛特本人所使用的术语来说）。如果考虑到在法国文学批评中，"内心独白"是一个笼统的概念，与意识流几乎等同，那么，就必须看到夏洛特的"内心独白"与以往心理现代主义几位大师笔下的"意识流"的区别。在心理活动的对象上，夏洛特不像普鲁斯特那样表现围绕着一个时期或一个阶段完整的生活的心理活动，也不像乔伊斯那样表现围绕着若干生活片断、若干人物的心理活动，她所表现的"内心独白"，几乎都是人物对于眼前琐事、细节、微物（如室内的窗帘、门上的把柄等）的内心活动，而且，这些琐事细节都是零碎的，由此，人物对于每一个事物的内心活动也就不具有持续性与完整性，也往往不集中为一个"焦点"，更不反映出现实中某一事件的完整过程。尽管有这些缺点，这些"内心独白"却更为琐细入微。在心理活动的形态上，夏洛特不像普鲁斯特那样精细地去描绘经过理性分析与回忆补充而在内心中完整呈现出来的某些场景与画面，不像普鲁斯特那样以其从容的描绘给人以静止凝固的印象，虽然这些描绘实际上也连成了一个"流"；她也不像乔伊斯那样展现出一条有连续性的活动着的意识之流，而是带有更大的跳跃性与间隔性，并且一旦着眼于某点，各种心理反应几乎就同时迸发而出。

　　更为重要的是，夏洛特发现并开发了新的心理描写领域，即她自己所谓的"内心独白的前奏"与"潜对话"。夏洛特的"内心独白的前奏"实际上是比意识甚至比前意识更为原始的心理反应，它远非成形，不仅还没有来得及形成清醒意识，甚至也没有形成定型的前意识，而近乎弗洛伊德主义中的作为"一种混沌状态""一锅沸腾的激情"的伊德式"无意识"，用夏洛特评论《陌生人肖像》时所比喻的，则是内心中那种"像伸伸缩缩的阿米巴变形虫似的蠕动"，我们不妨称之为原始的下意识的心理反应。夏洛特的"潜对话"，则具有更为丰富的内涵，它不仅包括了在意识中已经形成但未发而为声的"内心独白"与"内心独白"中的复调模式即在内心中进行的对话，而且还包括了明确的规范化的交往中的语言形式掩盖下的种种原始的反应、冲动、意向。夏洛特把她的"内心独白的前奏"与"潜对话"视为人内心中最真实的东西，她以自己几乎全部的作品去表现这种心理真实，虽然她的创作往往丧失了一般读者认为小说作品所应该有的情趣，但她却把描写人一根根神经末梢上那种原始的、生理性的反应的艺术推进到一个新的水平。

"新小说"派中另一个主要作家罗伯－葛利叶对心理现代主义也颇有独创性的贡献。他 50 年代初登上文坛，以他独特的小说，特别是以他两篇反对文学传统、鼓吹进行"新小说"实验的著名论文《未来小说的道路》与《自然、人道主义、悲剧》，而成为 50 年代中期以后逐渐正式形成的"新小说"派的主将。罗伯－葛利叶具有强旺的创作精力，他不仅写小说，而且还写电影剧本并参加制作与导演，他已经发表的作品近二十种，其中主要的代表作有：小说《橡皮块》（1953）、《窥视者》（1955）、《嫉妒》（1957）、《在迷宫里》（1959），电影剧本《去年在马里昂巴德》等。

罗伯－葛利叶与米歇尔・布托一样，他的全部小说创作也不能以心理现代主义一词概括无余，他的"新小说"实验远远不止于心理描写领域。从题材上来说，他有一些作品并不是心理小说，如《橡皮块》《纽约革命计划》《欧洲快车》等；从技巧来说，他所有的小说中，即使在可算是与心理题材相近的《嫉妒》《在迷宫里》与电影剧本《去年在马里昂巴德》里，它实验性的技巧的主要标志也不是心理现代主义的描写，而是他的"物主义"。在"新小说"派中，这种"物主义"虽不是罗伯－葛利叶一人所专有的（如布托也相当明显地具有这种倾向），但却是以他为主要的代表，不仅在他的创作中表现得最为鲜明，而且只有他从理论上进行了阐述，在理论上加以最高限度的强调。在我们对法国心理现代主义的发展进行论述的时候，之所以不能无视罗伯－葛利叶的"物主义"，正是由于它似乎与心理领域相距甚远，但在罗伯－葛利叶那里却偏偏与心理表现方法不可分割。

在罗伯－葛利叶的文艺理论体系中有一个核心论点，那就是认为传统的现实主义文学从一定人的观点去描写现实事物，恰巧掩盖了事物的面目。他在《自然、人道主义、悲剧》中指出，在传统的文学中"围绕我们的一切，从最熟悉的用具到自然现象，都被文学裹在一些观念性或感情性含义的网袋里，从而剥夺了我们同外在现实的直接接触。古典小说就是这样把世界加以'人化'，这样它就在世界与读者之间设置了铁丝网与隔障"，而在他看来，"物就是物""对人不发出任何信息"，因此，文学应该表现出物的"中立性"与"陌生性"，文学描写中应剔除一切人的色彩、人的因素。罗伯－葛利叶带着这种观点进入小说创作，其作品中往往就充满了大量的、烦琐的客观主义的对物的描写。

这种特殊的"物主义"看来与心理题材完全格格不入，很难想象能把它运用在心理表现上，然而，罗伯－葛利叶却创造性地进行了尝试，并获得了奇特的效果，这便是他的代表作《嫉妒》。《嫉妒》所处理的内容完全属于心理题材，是一个在非洲的种植园主如何观察自己的妻子与一个男邻居相处的情形以及他如何猜想他们的一次奸情，实际上所写的是一个固定的人物围绕着一件事从始至终的心理活动，正符合我们关于何谓心理小说的一个标准，完全称得上是心理小说。然而，这部小说不仅与任何传统的心理小说截然不同，也与以往的心理现代主义作品颇有差异。在这里，作者完全退隐，根本不存在作者对主人公的感情所作的任何说明与分析，甚至连丝毫的暗示也没有，更为奇特的是，也不存在一个自述者"我"，实际上那个作为主人公的自述者也完全从作品中隐退了。而且，在整部作品中，也看不到这个主人公任何一点感情的游丝，更谈不上他的嫉妒感情的踪影；在小说里，只有一件件物，一个个场景，可以说完全是一个由物与景象所组成的世界，只不过，这些物与场景都是围绕着妻子与邻居的，它们不断重现，不断组合，这就使得读者首先明确地感到，其中的一些物与片断场景是在实际的空间与时间中的，另一些物与片断场景则是在心理的时间与空间之中，而后，读者又隐约地感到收录这些与妻子、邻居有关的物与场景的那双在作品里隐退着的眼睛，是多么警觉、多么敏感、多么焦躁，那组合着这些物与场景且在作品中隐退着的脑海，是多么动荡不安。由此，读者就清楚地感觉到了在那些物与场景中，渗透着一个隐形的东西——嫉妒；而这双眼睛、这个脑海、这种嫉妒，都是属于那个隐形的种植园主。对于罗伯-葛利叶在这部小说中所使用的方法，我们不妨称之为物主义式的心态显影，它无疑是对心理现实主义的一个贡献。罗伯-葛利叶在他另外两部小说《窥视者》与《在迷宫里》中，也运用了这个方法，又更多地结合了乔伊斯式的时间颠倒、空间错位的意识流方法，前一部作品呈现出了一个犯罪者的心态，后者表现出一个士兵在陷于现实的迷宫的同时，又陷入了自己心理的迷宫。此外，他描写一对引诱者与被引诱者的故事的奇特电影剧本《去年在马里昂巴德》，虽然不是严格意义上的心理作品，但其中的象征性与心理深度却使它成了轰动一时的名作，甚至有的批评家根据弗洛伊德的方法，把这一对引诱者与被引诱者解释为精神病患者与引导她的精神病医生的关系。

六、传统与反传统：20 世纪心理现实主义高峰的启示

从拉法耶特夫人的《克莱芙王妃》到罗伯－葛利叶的《嫉妒》，法国心理小说在近 300 年的时间里，经历了漫长的过程，发生了巨大的变化。这些变化总起来说，不外是在两个方面进行的：一是对人的心理活动、心理机制本身的认识不断深化；二是表现不断被加深认识的心理机制的艺术方法日益多样化、现代化。而在这两个方面，19 世纪末心理现代主义的萌芽与出现都是一个标志，这一标志区分出两种显然不同的心理小说，即传统的心理小说与反传统的心理小说。

传统的心理小说，不论是心理现实主义的还是心理浪漫主义的，不论是心理分析的还是心理倾诉的，不论是由作者出面转述的还是由"我"来进行自述与剖析的，都具有一些相同的特点而从根本上有别于反传统的心理小说即心理现代主义。这些不同大致有这样几个方面：在心理内容上，传统心理小说都是写内心世界的表层意识、明确意识，而反传统的心理小说则往往是更多地深入到内心世界中的深层意识，甚至是无意识、潜意识的层次；在心理活动的形态上，传统的心理小说所描述的经常是经过条理化、规整化的井然有序的心理活动，而反传统的心理小说所描述的经常是看起来颇为混杂零乱、原始本态的心理活动；在与心理活动直接有关的时空关系上，传统心理小说所写的往往是既定的时间与空间里的心理活动，在这里，时间是顺序的，空间是固定的，而反传统的心理小说所写的，往往则是心理活动中的时间与空间，在这里，时序往往颠倒混乱，空间往往错位或重叠；在心理活动所围绕的事件上，传统的心理小说中的现实生活事件往往是完整的，即所谓有一定的故事情节，或者说，有散文化的倾向；在作品的内涵上，传统的心理小说往往较多地追求某种社会意义、道德意义以及思想意义，而反传统的心理小说则往往较多地追求心理描写的艺术形式与表现技巧；从作品的制作来说，在传统的心理

小说中，作者往往无处不在，无所不能，无所不晓，是万能的叙述者，而在反传统的心理小说中，作者则往往退隐消失，至少在形式上似乎退隐消失。所有这些不同，使两种心理小说泾渭分明，甚至相互对立。

自从 19 世纪末以来，法国反传统的心理现代主义较之于传统的心理小说，有了更为长足的发展，就其拥有的大作家与名著的数量与重要性而言，似乎成了 20 世纪心理小说的主流。然而，这绝不意味着传统的心理小说在 20 世纪已经被完全取代，事实上，在法国 20 世纪文学中，与心理现代主义同时并存的，还有传统的心理小说。如果说，那种感情倾诉式的心理浪漫主义由于已经不投合这个世纪的读书趣味而愈来愈少见的话，那么符合艺术创作的规律、蕴含着丰富的现实意义、以细致深刻的剖析见长的心理现实主义，却仍然在 20 世纪文学中保持着旺盛的活力，而且，由于它在以往的文学发展历史中具有久远的渊源与强大的传统，由于它所运用的基本方法比较适合大多数企图从阅读中得到愉悦效果而并想进行研究与求索的读者的需要，它肯定还会保持长久的生命力。而心理现代主义，虽然它由于要求读者在阅读中付出更多的努力以达到透彻的理解而较少地向他们提供一般意义上的愉悦效果，但它所提供的新的理解、新的角度、新的方法却有深刻的艺术哲学意义，对于发掘与表现内心深处的复杂成分具有某些优越性，因此，它也将有长久的生命力。传统的心理小说与反传统的心理小说的同时并存，特别是心理现实主义与心理现代主义的同时并存，已经是这个时代文学中的一种现实，并将成为将来时代中的现实。

值得我们特别注意的，还不是两者的并存与对立，而是两者的互相渗透与潜移。首先，法国心理现代主义在 20 世纪 20 年代的高度成就与它所产生的影响，就相当清楚地说明了这一点。以普鲁斯特为代表的法国心理现代主义在 20 年代出现，既是在杜雅尔丹之后的又一次对传统文学而言的创新，又可以说在某种意义上是对传统文学的一种继承，因为普鲁斯特在他那种意识流的大结构中，运用了精细而有条不紊的传统的描述方法。文学史上任何一次创新总是与固有的传统有这种或那种关系，法国心理现代主义第一次高潮中渗透了传统的成分是很自然的，也是容易理解的。

其实，足以说明传统心理小说与反传统心理小说的互相渗透与潜移的是心理现代主义取得令人瞩目的成就后，又对传统的心理小说发生了影响，并且对固有的心理小说传统进行了渗透。这种文学现象更需要我们多加考察、多加研究，而法国 20 世纪心理现实主义的杰出代表人物弗朗索瓦·莫里亚克正是这种文学现象的一个范例。

莫里亚克（1885～1970）出生于法国西南部吉隆特省波尔多市一个庄园主兼商人的家庭，从小生活在自己的故乡，直到中学毕业后才离开，波尔多市与覆盖着茂密松林的朗德平原，日后就经常成为他小说作品的背景。他 1907 年来到巴黎上文献典籍学院，但一年后就退学专门从事文学创作。他最初以两部诗集的成功进入文学界，不久就开始写作小说。第一次世界大战中断了他的文学生涯，战后才又重新恢复，并连续有作品问世。他在小说创作上进入成熟期是以 1922 年问世的《给麻风病人的吻》为标志，整个 20 年代至 30 年代初则是他创作上的黄金时代，他在法国 20 世纪文学中享有盛誉的杰作几乎都是发表于这个时期：《母亲大人》（1922）、《爱的荒漠》（1925）、《黛莱丝·德斯克罗》（1927）、《蝮蛇结》（1932）。莫里亚克以其辉煌的文学成就于 1932 年当选为法国文学家协会会长，次年又被选入法兰西学士院，1952 年荣获诺贝尔文学奖。

莫里亚克是严格意义上的现实主义作家，继承了巴尔扎克的传统，不过，他不像巴尔扎克那样以时代历史的书记自命、力求自己的创作包容广阔的社会生活现实，他只是像巴尔扎克经常所做的那样，致力于写资产阶级家庭的矛盾。他总是从他早年在南方故乡的生活经验中汲取题材，叙说朗德平原上、波尔多市里一个个地主资产阶级家庭的悲剧，从一个重要的侧面反映了自己时代的社会生活。莫里亚克笔下的家庭悲剧较之于巴尔扎克作品里的戏剧性的冲突少一些，而人性的、心理上的隔阂与矛盾则多一些，他很少写巴尔扎克那种以争夺财产的事件为中心而展开的悲剧，而经常是写家庭日常生活与琐细交往中所展现出来的"爱的荒漠"。莫里亚克小说创作中这种题材上的特点，决定了他对故事情趣的舍弃，而作为一种对小说的补偿，也出于他的诗人的天赋、性格内向的素质与虔诚的天主教宗教信仰，他追求柔和的诗意与深刻的心理描写。在作品的诗意上，他同样显示了与文学传统的深刻关系，他很受俄国作家契诃夫作品中那种色彩忧郁的诗意的影响，并结合着他处理家庭题材中丑恶与罪过时那种悲天悯人的宗教感情，形成了一种阴暗但柔和的诗意；而他对心理描写的自觉追求，则使他的小说在不同程度上或多或少带有心理作品的性质，《给麻风病人的吻》《母亲大人》《爱的荒漠》都莫不如此，《黛莱丝·德斯克罗》与《蝮蛇结》更是名符其实的心理小说。

莫里亚克的心理描写，是传统的心理现实主义在20世纪的一个高峰，他像以往的心理现实主义作家一样，在自己的小说里力求将对人物心理的描述分析与对现实生活的反映结合起来，赋予它们明确的现实内容与一定的思想意义。在他心理小说的主要代表作《黛莱丝·德斯克罗》中，他通过主人公黛莱丝围绕毒害自己丈夫一事的心理活动，力求表现出朗德平原上豪门望族中那种褊狭、虚伪、功利、卑劣、冷酷的气氛对人的窒息与毒害，家族观念对个性的扼杀；在另一部心理小说代表作《蝮蛇结》中，他通过一个吝啬老头充满了积怨的自白，力求表现资产阶级家庭中那种自私、仇恨、残酷的家庭关系，并企图宣扬宗教的爱的精神；在其他心理描述成分占很大比重的小说中，同样也存在着作者说明问题与阐释意义的明确意图，《给麻风病人的吻》写一个年轻美貌的姑娘被不合理的婚姻囚禁一生，是对豪门望族坑害人的罪行的又一次无情的揭露，《爱的荒漠》写父子二人同时迷恋一个无行的女人，则是对资产阶级家庭关系中感情的冷漠与日常生活的卑琐的又一次写照。在这些小说中，人物的心理活动直接或间接地都朝着主题的方向汇集，形成了作品中心理描写的清晰的既定的归向，使小说具有明显的思想意义与社会意义。

在所描写的心理内容的性质上，一方面由于莫里亚克所处理的现实生活题材无不阴暗卑琐，另一方面更由于他那种属于一个强大思想传统的天主教世界观与人生观，他总是不忘记挖掘人物心态中的"罪"与"恶"的成分，因此，莫里亚克笔下的人物心理无不带有"恶"与"罪"的性质——自私、冷酷、自我中心、虚伪、吝啬、卑鄙、仇恨、庸俗、猥琐等等。这些"恶"的成分不同程度地存在于不同人物身上，即使是受害者如黛莱丝也不例外。甚至在有的人物身上，恶的成分有时还发展到令人震惊的程度，如《蝮蛇结》中那个满怀仇恨的老律师。莫里亚克心理描写与刻画的这种尖锐无情的笔触，在加深了对人物内心世界的揭示的同时，无疑又增强了对阴暗现实的批判意义。值得注意的是，莫里亚克并不因此就把这些人物漫画化与恶魔化，相反，他以哀其不幸的眼光看待尘世中这些背负着原罪、因为自己无法掌握的人性恶而同时损害着他人与自己的芸芸众生，以贴切的、理解的态度来展示这些带恶的内心世界，把他们内心中的骚乱与困扰表现得真实自然、合情合理，不论是黛莱丝对丈夫的谋害还是吝啬老律师对家人的仇恨，都有着极其复杂而又自然而然的心理动机。莫里亚克不仅以同情的态度对待这些在罪恶深渊里盲动着的人物，而且还出于他的宗教感情在这些人物的心灵里安排一两颗向善的种子，他总是从事情的结局写起，让人物有可能审视与剖析自己的恶的内心历程，在反省之中，他们的灵魂里就出现了爱与善的一线光明，这样一种对带恶的历程的剖析性的回顾，就不可避免地带有人物抒情的成分；何况作者也投入了自己的感情，他的转述与人物的内心独白往往融合在一起，再加上他经过反复锤炼的精粹优美的文句，就形成了一种特殊的诗意，一种在心理小说中不常见到的诗意。

在心理描述方法上，莫里亚克是拉法耶特夫人与龚斯当传统的继承者，他既像拉法耶特夫人那样善于通过平凡的生活细节来刻画人物的心理活动，又像龚斯当那样善于以严格的逻辑力量对内心中的情感、动机、愿望等等作定性的分析。他经常采取的方式是作者转述中的内心独白，而有时他又沿用心理浪漫主义所常用的书信体（如《蝮蛇结》）与日记体（如《昔日一少年》），但又在其中运用了心理现实主义的方法。他总是写明确的、表层的意识，将它们加以条理化、规整化，并尊重时间的顺序与空间的界线。如果说他的文笔有散文诗般的特点的话，那么，他整部作品却并不是散文化的，它们都有着一定的故事情节与发展过程。所有这些特点都说明了莫里亚克的小说具有明显的传统的性质，是心理现实主义传统在 20 世纪高水平的发扬。然而，与此同时，在莫里亚克的小说里还存在着另一种倾向即心理现代主义的倾向。

莫里亚克的重要作品，几乎都是在 20 世纪 20 年代至 30 年代创作出来的，正是在法国文学中已经出现了心理现代主义第一个高峰之后。从 1913 年至 1927 年，普鲁斯特的心理小说巨著《寻找失去的时间》已经陆续全部问世，普鲁斯特的成就使莫里亚克深为折服，他曾写信给普鲁斯特尊称他为"年轻的导师"并接受了普鲁斯特的深刻影响。他的小说中有着这种影响的不可磨灭的印记，最为明显的是，莫里亚克不止一部小说的总体结构实际上是意识流式的结构，其中的人物都自觉或不自觉地在自己脑海里进行普鲁斯特式的"寻找失去的时间"的努力。在《黛莱丝·德斯克罗》中，是女主人公从法庭出来后在回家的旅途上追忆与分析自己犯罪的实际过程与心路历程；在《爱的荒漠》中，是男主人公在若干年后脑海里再现出青年时期的一段生活。而且与《寻找失去的时间》中茶盘里一块玛德莱娜点心就引出在贡布雷的全部生活那著名的方式相仿，黛莱丝是在出法庭后从父亲话语中的一个用词（"遮掩"），联想起她的外祖母而又再联想起自己的命运的。《爱的荒漠》中的男主人公则是由于一个女人的出现而"在他身上打开面孔激流的闸门的"，而一旦意识的闸门打开，过去的生活与心理活动像潮水一样涌来的时候，虽然这一股激流被作者在转述中或在"我"的自述中加以条理化，然而，由一个事物到另一个事物，由一个意识到另一个意识，经常是以内心独白与自由联想的方式进行的，因而也就形成了一种自然流动之态，而不是由作者人工化地分门别类，或者像以往传统的心理分析那样加以综合、归纳、抽象与解析。在莫里亚克小说中这种普鲁斯特式的意识流中，虽然不存在时间的颠倒与空间的错位，但却存在着由"现时的感知→过去的回忆→现时的感知"这样反复进行的跳跃，正符合意识流往返于现时与过去之间的状态。此外，虽然莫里亚克在小说中所展示的基本上是已经被意识的心理内容，然而，他有时也着意表现某些未被明确意识到的含混的心理内容，表现人物内心世界的某种朦胧的状态，我们可以把这种内容与状态划归前意识或下意识的范围，如黛莱丝急于结婚似乎是为了追求避难所，而又说不清究竟是什么避难所。又如，黛莱丝婚后的性冷淡与接到安娜的来信后感情的波动以及对安娜的男友的莫名其妙的敌对情绪。作者对这些心理反应的描写，显然带有现代心理分析的色彩。

莫里亚克的小说创作中的艺术现象，充分地表明他身上汇合着传统与现代的两股潮流，他的心理描写方法既属于传统，又面向现代，这是他作为一个伟大作家的重要标志之一，而在法国心理小说的发展过程中，他的创作又清楚地显示了心理现代主义对于心理现实主义的渗透，现代派文学潮流对于传统文学的渗透。人类的艺术创作本来就是总体的共建，各种方法、各种思潮、各种流派之间，并无绝对不可逾越的界线，莫里亚克的心理小说证明了这一个艺术真理。既然法国第一次心理现代主义的高峰对 20 世纪 20 年代传统的心理现实主义有这样的影响，那么，在"新小说"派掀起了本世纪法国第二次心理现代主义的高潮，又提供了一些新的艺术经验之后，七八十年代以后的传统文学，包括传统的心理现实主义是否会受到新的影响？是否会被进行新的渗透呢？这是一个将由时间来加以证明的问题。在我个人看来，新的影响与新的渗透完全是可能的。

1988 年 12 月 15 日完稿

长河上的胜景

——《法国中篇小说选》编选者序

  在人们的心目中，中篇小说介乎长篇小说与短篇小说之间，既没有长篇小说那种以巨大的篇幅容纳丰富的生活内容的优越性，也没有短篇小说那种"借一斑略知全豹，以一目尽传精神"[1]的特点，似乎构不成一种独立的文学体裁。

  其实，从文学的发展过程来看，中篇小说倒还确是源远流长的，甚至可以说它是叙述文学中的"正宗"，其源头肯定早于流传广、传播快、数量像海洋一样巨大的短篇小说，至于与长篇小说相比，究竟谁先谁后，也是大可研究的，至少不能说，先有了长篇小说而后才有了作为长篇小说的简化与变种的中篇。

  以法国文学史而言，短篇小说是从"故事"发展而来的，直到19世纪，不止一个作家还把自己的短篇小说称为"故事"，如福楼拜把自己三个出色的短篇小说收编为《三故事集》，都德的《月曜日故事集》，其实也就是一个短篇小说集。而"故事"这种文学形式的产生则是中世纪城市开始形成之后的事，与市民阶级的出现密切不可分，法国文学史上最早的短篇小说就是产生于中世纪城市中带有民间创作性质的"讽刺小故事"。长篇小说或中篇小说则不然，它们可以上溯到人类最初的文学形式史诗。它们之所以与史诗同宗，就在于它们不

---

[1] 鲁迅：《〈近代世界短篇小说集〉小引》，《鲁迅全集》第四卷，第104页，人民文学出版社，1957年版。

仅与史诗同属于叙事文学类别，而且具有同样的特征，即以巨大的篇幅比较广阔地表现丰富的现实内容。法国长篇小说或中篇小说最初的形式——以罗曼语写成的散文体或韵文体的传奇，与最初的史诗正是在这一点上相似，所不同的是，史诗歌唱的是民族的重大事件与帝王将相的战功业绩，是封建时代的产物，长篇小说或中篇小说所反映的现实生活内容则更为广泛，题材更为多样，是中世纪城市兴起以后才发展而成的。尽管有这些不同，它们在同一文学类别中血缘相近确是不可否认的事实。至于究竟是长篇小说还是中篇小说更与史诗相近，那倒很难一概而论，虽然中世纪的长篇叙事诗《玫瑰传奇》相当于后来长篇小说的规模，但法国的第一部史诗《罗兰之歌》的篇幅，却与后来的中篇小说基本上相等。

在叙事类文学中，中篇小说虽介乎长篇与短篇之间，在艺术形式上没有自己的特点，然而在实际的文学生活中，它却是最具有活跃生命力的文学形式之一。一个短篇，即使是精致绝伦的佳作，在内容的丰富与描写的细致上，总不如一个杰出的中篇，这就决定中篇小说以其反映现实生活的广度与深度以及思想性、艺术性的分量比短篇优越。和长篇小说相比，尽管中篇小说在分量上、规模上较为逊色，但在创作与流传上却又比长篇来得方便。由于这些原因，在法国文学史上，从事中篇小说创作的作家为数甚多，而在闻名遐迩的名篇与划时代的杰作中，中篇小说在数量上也占有明显的优势。因此，在某种程度上，法国中篇小说的发展也就反映了法国文学的发展，而且，法国作为世界文学大国，与其他民族相比，特别以叙事类文学见长。法国文学史上一些杰出的中篇小说都经受了时间的考验，获得了长久的生命力，远远超出了本民族的疆界，在全世界享有很高的声誉。因此，法国的中篇小说又在一定程度上代表了法国文学的风采与精华。这个选集，虽然未能将法国文学史上著名的中篇尽都选入，但所选的这 15 个中篇，就其风格流派上的代表性、思想哲理上的深刻性与艺术技巧上的独创性而言，在法国文学中基本上都属于第一流，其中不少篇还具有世界意义。

　　选集的第一篇《克莱芙王妃》产生于 17 世纪，出自一位与路易十四宫廷关系密切的贵妇拉法耶特夫人（1634～1693）之手，以法国 16 世纪中叶亨利二世时期的宫廷爱情故事为题材，前一个世纪的历史画面中显然有着路易十四时期凡尔赛宫生活的投影并渗透着这个时代的理性主义精神。尽管这个时代古典主义文学的立法者布瓦洛把"研究宫廷"视为文学"模仿自然"的两大内容之一，但 17 世纪古典主义文学中真正对法兰西宫廷生活作出如此真实而细致描写的作品，却只有《克莱芙王妃》。它对宫廷政治活动、礼仪庆典、日常生活的详尽描述，是同时代的其他作品中难以见到的，特别是它对宫廷关系学的描述与剖析尤为深刻。在小说里，这种特定的高级贵族阶层的内部关系中，政治利害、宗派矛盾、婚姻关系、人事纠纷、男女私情混杂缠绕，表现得极为错综复杂、隐秘微妙，这正是这部作品在反映时代社会上的价值所在。拉法耶特夫人作为封建王权鼎盛时期附属于宫廷的贵族阶级中的一个成员，她是以亲切柔和的眼光看待自己的同类的，因此，她笔下的贵族人物几乎无不风雅聪俊、高贵卓越。女主人公克莱芙王妃更是美德与贞洁的化身，她以令人惊叹的理性主义的精神力量克制着自己强烈的爱情，恪守着本阶级的道德规范，守身如玉，而这种道德规范只不过是这个阶级所宣传的理想，实际上很少被本阶级的成员身体力行。在这个意义上，《克莱芙王妃》是法国专制王权盛行一时的"太阳王"朝代贵族阶级道德理想的诗化。尽管在思想内容与道德含义上，小说具有浓厚的宫廷气息，然而在艺术创作上并未就范于路易十四时期的古典主义文学法规，它打破了当时的文学中人物描写的程式化，而致力于表现人物复杂的内在心理活动。作者的心理描写是细致而深刻的，她不仅善于区分不同的感情形态，而且还善于区分形态相同而内容不同的感情活动，并把所有这一切之间的微妙处表现了出来。在小说里，作者力图避免对人物的心理进行抽象的分析，她总是在生活的进程中加以展示，她笔下的生活进程又不是戏剧性的起伏跌宕，而只是由日常的细节所组成，人物感情的细流就是从这些生活细节里渗透而出，并在礼仪、规范、道德观念以及环境间隔所构成的石堆障碍之间蜿蜒流淌。这种出色的心理写实产生于 17 世纪，无疑带有划时代的意义，它使《克莱芙王妃》成为近代心理现实主义小说的先驱而在文学史上占有重要的地位。

《老实人》《拉摩的侄儿》《曼侬·莱斯戈》与《保尔与维吉妮》，是法国 18 世纪文学中的名篇。从文学形式的发展来看，如果说 17 世纪的法国文学是以戏剧的昌盛为其主要特色的话，那么 18 世纪的文学则意味着叙事类文学开始走向复兴与发达，这里的四个名篇就显示出这个世纪小说在思想价值、艺术水平与风格等方面的多元化趋向。

18 世纪文学的主潮是启蒙文学，这是一种为行将来到的资产阶级革命作全面思想准备与舆论准备的文学，其社会历史意义是极为重大的。启蒙文学的主要实绩，除理论与散文外，就要算哲理小说。在这种小说形式中，作者注意的首先是把某些哲理通过带有明显喻义的形象表现出来，而不是着力于现实生活本身的描绘与人物性格的刻画，因此，哲理小说的艺术性往往就在于作者把深刻的哲理通过某种适当的形象巧妙地表现出来的方式和高度的语言艺术。18 世纪的启蒙作家都写哲理小说，在中等篇幅的哲理小说中，伏尔泰的《老实人》与狄德罗的《拉摩的侄儿》是高水平的两篇杰作。

伏尔泰（1694～1778）是启蒙运动第一阶段的代表人物，他经历了整个世纪的四分之三，以令人惊异的充沛精力在思想文化领域的各个方面进行卓越的活动。就他所起的作用与所占有的地位来说，他的确是这个世纪思想界的泰斗，启蒙运动的领袖与导师。他的哲理小说产生于他思想成熟的晚年，是他文学业绩中的重要部分。《老实人》体现了伏尔泰作为思想家的强有力的方面。在这篇小说里，作者以一种自觉地向自己所处的那个腐朽的封建社会进行战斗的精神，努力要打破人们对现存的封建秩序永恒性的幻想，针对当时那种维护现存秩序、为封建统治服务的"一切皆善"的说教，进行了一次卓越的、形象的"说理"，它通过小说中人物种种不幸的经历，明确指出了"满目疮痍、到处都是灾难"这一对现实社会彻底加以否定的结论。整篇小说带有尖锐的揭露性，它讽刺的笔锋横扫了整个欧洲，它对腐朽的统治阶级进行了无情的鞭挞。尽管小说是作者理念的产物，但它并不乏艺术的力量，它把批判性的哲理通过生动而适当的形象完美地表述了出来，小说中辛辣的讽刺显示了作者的高度智慧与嬉笑怒骂皆成文章的绝妙才能，它泼辣的风格正是作者整个一生斗争精神的凝现，而其中某些滑稽、夸张、漫画式的描述，则又包含着现代艺术中荒诞性的萌芽。

《拉摩的侄儿》的作者狄德罗（1713～1784），是继伏尔泰之后另一个重要的启蒙思想家。如果说伏尔泰是反封建统治的披荆斩棘的先锋的话，那么狄德罗就是资产阶级意识形态大厦的一个主要的奠基者。他除了在哲学、美学理论、小说戏剧创作等方面留下了丰硕的成果外，还是"百科全书"派的领袖人物，主持了资产阶级意识形态大建设的《百科全书》的编辑出版，总汇了一个历史时代反封建的思想斗争与科学发展之大成，为新兴资产阶级登上历史舞台扎扎实实地准备了舆论条件。在思想的丰富与深刻上，狄德罗无疑超过了他的先驱者，他的《拉摩的侄儿》就反映了他的这个特点。这是一篇另一种类型的哲理小说，它不像《老实人》那样以完整的形象故事集中阐明某一个哲理，而只是以一个形象的框架容纳着丰富的哲理与议论。在18

世纪，属于这一类型的名作还有卢梭的《爱弥儿》。这种哲理小说不可能靠形象的故事取胜，而只能凭其议论的才华与哲理的深刻来吸引读者。这正是狄德罗的所长。在小说里，他通过两个人物之口，对时代、社会、历史、人生、哲学、音乐、文学、道德等等问题进行了广泛的议论，这些议论虽因人物的身份、性格不同而语气、基调不同，但无一不精辟隽永，才智盎然。狄德罗是写"是非谈"的高手，他善于通过两个人物的对话、辩论、"抬杠"，把对某一事物的哲理层层深化，使人见出其内核中的精髓。他还是发悖论的能人，在玩世不恭的语调下迸出一针出血、令人拍案叫绝的警句，对事物的理义讲得再透彻不过，将世情的真相剥露得一览无余。在这篇小说里，他借拉摩的侄儿这个流浪汉兼食客之口，把这种包含着严酷真理的悖论发挥得淋漓尽致。狄德罗在小说里表述的哲理从来都不是片面的、偏颇的，他善于利用两种意见的互相对立与互相补充，使他的哲理全面而完全，发出辩证法的光辉。同时，他的哲理又不是枯燥无味的，它夹叙夹议，妙趣横生，并且在对话的形式中还富有某种戏剧性的变化。特别令人惊叹的是，狄德罗在一篇充满议论的小说里，仅仅通过两个人物对话这一形象的框架以及少量的描述，竟塑造出一个性格复杂而鲜明的人物形象，并且使这种性格具有现实生活的深度。

拉摩的侄儿是一个既悲惨又可耻的落魄文人的形象，他有出众的才能、丰富的学识、深刻的见解，但为了得到大人先生的赏赐，任何卑鄙无耻的事都干得出来。他的复杂性在于，他并不单纯像坏蛋无赖一样认为自己的生活是自然而然的，他非常清醒、非常自觉地认识到自己生活的肮脏卑鄙，他有时也表现出一些理性、诚实与尊严，但所有这些又不妨碍他继续自觉地"采取蠕虫的方式"过卑污的生活。他清楚地看出，在他那个社会里人对人是狼、是窃贼，因而他就决然以狼、以窃贼的方式去对待别人。狄德罗笔下的拉摩的侄儿就是这样一个时代社会的畸形产儿，他以辩证的方法挖掘与表现了这个人物性格中尖锐的矛盾，特别是这种矛盾着的性格所反映的社会现实生活中的尖锐矛盾，由于狄德罗对人物与对现实有着如此深刻的理解与发掘，恩格斯曾称赞他的《拉摩的侄儿》是"辩证法的杰作"[1]。

《曼侬·莱斯戈》出版于 18 世纪上半叶，作者安托万·弗朗索瓦·普莱服神父（1697～1763）是一个与时代主潮脱节的人物，他的经历虽然变幻无常，但总是与教会、军队以及上层贵族联系在一起，他之所以能在文学史上享有一席地位，仅仅是由于《曼侬·莱斯戈》。从作品与现实生活的关系而言，这个中篇是 18 世纪摄政王时期、路易十五时期腐败社会风气的真实而典型的反映。既然荒淫无度、醉生梦死的国君也有这样不计后果的名言，"我去后哪管洪水滔天"，那么，在上下一片放纵荒唐的氛围里，格里厄骑士为女色而无所不为、曼侬·莱斯戈为追求财富与享乐而不顾一切，就是很自然的了。格里厄在父亲面前自我辩护时声称自己的种种堕落之举"并非没有大人物的先例可援"，就道出了问题的实质，这使小说不无揭露的意义。从作品与人性的关系而言，《曼侬·莱斯戈》更为显著的意义则在于，它提供了——用作者的话来说——"热情力量的可怕的事例"，而用客观的准确的语言来说，则是"情欲的力量的可怕的事例"。在格里厄身上，是对美色的情欲使他不顾出身、体面、道德规范、宗教信仰、文化教养以及荣誉观念等等，一再堕落为赌徒、骗子、罪犯，在曼侬·莱斯戈身上，则是对物质享受的贪欲使她随时抛开对情人的爱而委身于他人，实际上堕落成了一个娼妓。小说对这种有一定普遍意义的病态人性的揭示，无疑是强有力的，小说中的一切艺术手段，从故事情节到人物自白，都是为这个目的服务，它也的确把这种人性的病态揭示得令人触目惊心，因而，它也就成了一部脍炙人口的作品。可以不夸大地说，《曼侬·莱斯戈》是文学史上这种特

---

[1] 恩格斯：《反杜林论》，《马克思恩格斯选集》第三卷，第 59 页。

定揭示系列的开端。在它之后，梅里美笔下的硬汉唐·若瑟为了吉卜赛女人而沦为强盗；巴尔扎克作品中高贵的于洛将军为了妓女而倾家荡产，丧尽了体面与荣誉；左拉的小说中，莫法伯爵为了迎合一个娼妓的利益，情愿自己戴绿帽子。而到了 20 世纪，则又有了把人性的变态表现得令人震惊的《洛丽塔》[①]。从作者的主观倾向来说，小说中既有对良家子弟不要因女色而荒唐的劝诫，也有认为美色是不可抗拒的迷醉，而从对这一对情人到了美洲后的那种自由感的描写中，作者又提出了文明道德的环境与人性的对立、淳朴自然的环境与人性的契合这种哲理性的命题，使小说混杂的思想成分中有了些许的新意。

当然，自然与文明的矛盾对立这个主题，在 18 世纪主要是属于大思想家、大作家卢梭的，他在自己的论著与作品中，极为天才地阐述了自己关于这个命题的那些辉煌的哲理，可惜他没有以中篇小说的形式把它们表现出来，不过，他的那种足以影响了两个世纪的"回到大自然去"的思想，毕竟在他的朋友与信徒贝那丹·德·圣皮埃尔的名篇《保尔与维吉妮》中有了充满诗情画意的折射。贝那丹·德·圣皮埃尔（1737～1814）比卢梭小 25 岁，他在 34 岁时认识了晚年的卢梭，结成一对忘年交，由此，他得到了卢梭思想的余泽。尽管他思想的格调与意境远远逊于自己的导师，但他渗透着卢梭主义的这个中篇，却带给了 18 世纪后期文学一股清新的绿意。这是法国文学史上少有的一本畅销书，1887 年出版后，当即轰动法国，成为家喻户晓的读物，并在下一个世纪里经久不衰地深受读者欢迎。小说之所以得到如此畅销的幸运，首先因为它是一个爱情悲剧的凄楚动人的挽歌，令人扼腕叹息的悲剧情节与催人泪下的感伤情调使它具有通俗小说的某种素质而能广为流传。从文学价值来说，小说的成功在于它以优美的语言出色地描写出美丽的大自然风光与男女主人公青梅竹马、两小无

[①] 系俄裔美国作家纳勃科夫于 20 世纪 50 年代发表的一部长篇小说。

猜的动人情景，构成了自然美与人性美的画意诗情。在小说里，不论是那个海外小岛上淳朴纯净的自然环境，还是那一对青年人天真无邪的深情以及作者贯穿于其中的返朴归真的理想，都足以给18、19世纪的读者以清新之感。小说的叙述是极为流畅的，同时又饱含着浓郁的感情，其中还不乏对世事人情精辟而隽永的哲理，而叙述者在叙述时那种缅怀与感慨的交织，则又增添了感人的力量。作者是怀着浪漫主义激情写成这个中篇的，它的一些段落写得像散文诗一般美，保尔与维吉妮的一些对话往往就是一首首动人的情诗，这种诗的风格与纯净、自然、淳朴人情内容的结合，使这篇作品能经受时间的考验，至今仍焕发着光彩。

在这个选集里，我们打开《阿道尔夫》，也就进入了19世纪。如果说，德国人可算是"诗人与思想家的国民"，美国人是"戏剧家的国民"的话，那么，法国人就可以说是"小说家的国民"了，而19世纪正是法国小说空前繁荣的时代。当然，在这一片繁荣中，中篇小说也占有相当大的比重，这个世纪的中篇小说，在反映现实的深刻、人物性格的生动、形象描写的丰富与风格流派的多样上，都比过去有了长足的发展。《阿道尔夫》是19世纪前期资产阶级自由主义思想家、政治家龚斯当的作品，龚斯当也是仅以这一个中篇而奠定了他在文学史上不可抹杀的地位的。这是一个别具一格的爱情小说，作为一种新式的爱情悲剧，它在法国文学中还是第一次出现，以前的爱情悲剧往往是外部的社会的因素阻碍、破坏了情人已经达到的结合，在这里却是情人内心的感情矛盾破坏了两人已经达到的结合，而感情矛盾的发生甚至与常见的"第三者""插入者"毫无关系，完全地、单纯地是由于这对情人在心理上的差距。小说的女主人公是一个理想化的、超功利的、热情的形象，她本身就是一团感情，在爱情的驱使下，她敢于冒犯社会舆论、习俗规范，甚至可以置家庭利益与个人利害于不顾。不幸的是，她的爱情悲剧却恰巧是恋爱的另一方阿道尔夫所造成的。问题的复杂性在于，阿道尔夫并不是一个流氓坏蛋，他与爱蕾诺尔的破裂完全是由于他的内心障碍所致，是他那种落落寡合的个性所决定的，而他这种个性又有着深刻的社会根由。在文化修养、智力水平上，阿道尔夫显然大大优越于他所处的那个平庸的上流社会，因此，他与自己的阶级格格不入。阿道尔夫属于 19 世纪初资产阶级社会里第一代优秀的青年，他们从这个世纪启蒙思想家那里得到的关于理性社会的理想，在新建立起来的资本主义现实面前完全破灭。阿道尔夫对社会现实的不满与厌倦，正反映了整个一代人理想破灭后的失望与彷徨，反映了智力上出众的人物在生活中找不到自己位置的苦闷。在苦闷与彷徨中，在对一切都感到厌烦的心境中，如果阿道尔夫还保持了什么真正的追求与爱好的话，那就是对自己个性自由的追求与爱好。阿道尔夫这种性格特点是社会的产物，又反过来作用于现实生活，在他爱情生活中成为了破坏性的因素，甚至使他把爱蕾诺尔那种想要完全占有他的热情看作是对自己个性自由的束缚，由此感受到一种类似"别人就是地狱"的尖锐的矛盾与痛苦。龚斯当在这个爱情悲剧中挖掘出如此深刻的个性的根由，这就使他笔下的爱情故事不同凡俗，也正因为他通过一个爱情故事所挖掘出来的阶级个性在近代社会里具有某种普遍性，所以他所塑的阿道尔夫就成了一个有社会典型意义的形象。在艺术上，这个中篇颇有独特的价值，在这里，作者进行了一种大胆而有意义的尝试："在一本只有两个人物、只有一种情境的小说里，也可能别具一种趣味。"[1]他以平实的叙述与细致的心理描写作为中篇小说两种仅有的成分，让故事只在男女主人公之间展开，几乎完全排斥了环境描写与其他任何插叙、烘托与陪衬，而以冷静准确、层层深入、细致精微的心理分析取胜，他在这方面取得的高度成就，使《阿道尔夫》成为一部心理现实主义的杰作，在法国

---

[1]　龚斯当：《〈阿道尔夫〉第三序》，《龚斯当作品集》第43页，Pleiade 版。

心理小说中占有重要的地位。即使在今天，小说中出色的心理描写方法也并未陈旧过时，仍具有借鉴的意义。

比较起来，《阿达拉》在今天则像是文学上的一个陈迹，虽然它曾经有过出版后不到一年就印行了六版的辉煌历史。它是法国贵族浪漫主义文学的首席代表夏多布里昂（1768～1848）的成名作，马克思曾把夏多布里昂称为"漂亮的文学制造商"，如果说他是"一身浪漫主义的化装"[1]，《阿达拉》就是一部充满了"浪漫主义化装"的作品。在这个中篇中，雄伟壮丽的美洲风光、旖旎新奇的异国情调、原始部落中传奇式的爱情、茫茫大森林里的逃亡、宗教信仰与感情的激烈冲突、天国与上帝的神秘气氛、人物夸张的感情，等等，无一不是典型浪漫主义式的。作者为了满足当时人们在资产阶级革命恐怖时期之后追求强烈文学趣味的需要，极力在他的描写中泼洒浓艳的色彩，甚至不惜以想象来代替事实，给他描绘的密西西比河平添上一些童话般奇特的景色，如"吃醉了葡萄的黑熊""气味如龙涎香一般的鳄鱼"，等等。小说的思想倾向显而易见是宣扬宗教，作者为了证明基督教的感召力与诗意，安排了一个蛮荒女子以身殉教的故事，她宁可牺牲自己的爱情与生命也要保持信仰的忠贞，作者对大自然的描绘同样也渗透着宗教的色彩，其中隐约地响着对上苍的礼赞。正因为出版于1801年的《阿达拉》满足了法国大革命之后世纪初的文学时尚，迎合了大革命时期被取缔的基督教信仰在当时的复兴，所以在法国成为风靡一时的作品，并与夏多布里昂后来发表的小说《勒内》，共同奠定了夏多布里昂的浪漫主义文学先行者的重要地位。今天，《阿达拉》中的宗教情绪、失真的美洲风光与臆造的爱情悲剧都已显得过时，但这篇作品作为法国浪漫主义文学的第一只燕子的历史价值仍是不可抹杀的，而且，其文笔之优美、色彩之艳丽、辞藻之丰富、臻于

---

[1] 马克思1873年11月30日给恩格斯的信，《马克思恩格斯论艺术》第二卷，第251页。

诗境的散文风格以及它全部的"文字魔力"也值得观赏。在法国，一百多年来，这篇小说中有的写景章节常被收入法语课本，其原因也正在这里。

从夏多布里昂之后，法国浪漫主义有了巨大的发展，到 19 世纪二三十年代，出现了浪漫主义文学运动的高潮，这一股强劲的文学潮流几乎贯穿了整个 19 世纪上半期，直到 40 年代末才趋于平息。可以理解，法国 19 世纪上半期文学中出现的那些杰出人物，无一不是与浪漫主义运动有过这种或那种关系，即使被认为是现实主义者的司汤达、梅里美，甚至巴尔扎克也都如此。他们不仅在这个潮流里得到洗礼，而且还留下了具有鲜明浪漫主义色彩与情调的名篇，司汤达的《卡斯特罗修道院女院长》与梅里美的《嘉尔曼》就是这样的两个中篇。

司汤达的命运几乎可以说是随着拿破仑的兴衰而起伏的，他在拿破仑麾下度过了他的青年时期，曾随拿破仑的大军转战欧洲各国，1814 年拿破仑垮台，波旁王朝复辟，他也就随之而落魄，不得不旅居意大利达 7 年之久。在这里，他参加了当时作为意大利民族解放斗争的组成部分的革命浪漫主义文学运动，并受到了深刻的影响，从此，他把意大利当作自己的祖国，对它的感情终生不渝。因此，意大利题材在他的文学创作中自然也就占有相当重要的地位，他的两大长篇名著之一《巴马修道院》写的是意大利 19 世纪的"今"，而他的中短篇集《意大利遗事》则主要是写意大利文艺复兴时期的"古"。意大利题材吸引司汤达的所在是什么？是意大利性格，即意大利人那种凭强烈的感情冲动用事，由此不顾任何后果而往往演出暴烈可怕一幕的性格，司汤达用它来对照资产阶级文明社会中的人由于利害关系窒息了身上的自然感情而变得苍白无力，从而在这种性格上寄托了他对"力"的崇拜。《意大利遗事》集中体现司汤达的这一思想倾向，而《卡斯特罗修道院女院长》则是《意大利遗事》中的力作。

在这篇爱情小说里，海兰·德·堪皮赖职里与虞耳·柏栾奇佛尔太之间门第与社会地位悬殊的鸿沟、派系对立与家庭血仇所形成的障碍，无一不是可怕得令人绝望，然而他们却冲破了这一切而相爱，特别是这种爱情竟终生不灭，最后还导致了海兰的悔恨与自尽，这是爱情的力量。在这爱情的悲剧里，每个有关的人物站在自己的地位与立场上，把自己的要求、利益与意愿都以最强烈、最尖锐的方式表现出来，海兰的父兄为家族的体面要杀死虞耳，虞耳为自己的尊严也不甘示弱，手下更不留情，海兰的母亲为了报复使用了对海兰来说真可谓残忍之极的诡计，这些都是暴烈的力量。人物身上的这种力量既造成了化装幽会、夜劫情人、浴血死斗之类惊心动魄的传奇性情节，又带来了撕裂人心的悲剧后果。整个作品强烈的效果、鲜明的色彩、大起大落的变化，都显示出了浪漫主义的特点，然而与此同时，作为一个擅长心理描写的大师，司汤达又非常真实而深刻地写出了人物的复杂性格，主要是写出了海兰的复杂性格。这个意大利女子虽然心里一直埋藏着对虞耳的爱情，然而在谎话多年围攻下，由于精神上被削弱、由于无聊、由于虚荣心，也由于肉体的诱惑，她终于失身于人，而且一反她原来善良温柔的性格，也做出了不义的狠心的事来。这种对人物在一定情势下性格的变化与人生的复杂的描写刻画，正是司汤达接近 20 世纪现代性的一个所在。

如果说司汤达表现了对热烈的意大利性格的喜爱的话，那么，梅里美（1803～1870）则对某种野性的、自由的性格表示了向往，同样，这也反映了梅里美对苍白无力、卑鄙怯懦的资本主义人与人关系的不满。而且，梅里美较晚于司汤达，他这种感情也是他在资本主义秩序稳定时期、英雄主义已经成为过去、社会生活中是普遍的平庸苍白这种历史条件下苦闷不满心情的一种表现。由此，倒形成了他文学创作上的一个特色：往往从蛮荒粗野的风土人情中发掘某些较少被资本主义文明沾染的东西，以赞赏的态度去加以描写。他一系列中短篇都是如此，而其最高成就则是他塑造出了一个举世闻名的人物形象的著名中篇小说《嘉尔曼》。嘉尔曼是一个社会与法律的"化外之民"，她自觉地站在社会规范的对立面，以触犯它为乐事，她是社会的叛逆者。她同时又是独立不羁性格的典型，为保持自己个性的独立与自由，她不愿忍受任何束缚，即使是在死亡威胁面前也寸步不让。以整个生命为代价来忠于自己，是这个人物最突出也是最吸引人的特点，这种特点掩盖了她身上某些邪恶的东西，使她成为一个特别动人的、野性的、自由的妇女的形象。在小说艺术上，梅里美以具有精致的风格而著称，他仅以为数不多的中短篇就在文学史上占有重要地位，由此可见他在艺术上独特的魅力。《嘉尔曼》集中了梅里美作品中所有的行文洗练、结构严谨、叙述明快流畅、构思巧妙、情趣耐人寻味等等优点，是一篇现实与浪漫主义两种成分和谐结合的杰作。作者对生活场景与事件过程的描述是严格写实的，细节达到高度的真实，场景画面给人以客观现实生活本身的印象，而他所塑造的不平凡的性格与所叙述的震撼人心的事件，又充满了浪漫主义的色泽。

乔治·桑（1804～1876）是公认的浪漫主义者，虽然她并没有参加法国的浪漫主义文学运动，她的作品却无一不属于浪漫主义的性质。她早期那些写爱情悲剧的小说，充满了个性解放的精神，对爱情幸福的憧憬以及由于不幸而发出的痛苦的呼号，浪漫主义的激情是这些小说的基调；她中期的空想社会主义小说，是她空想社会主义思想的形象体现，通过理想化的人物表现了她对理想化的人与人关系的向往与追求，小说的热情与理念显然远远超过了真实；同样，她文学创作第三阶段的一系列田园小说，也有浓厚的浪漫主义色彩。乔治·桑的田园小说以农村生活为题材，是她创作的最高成就，《魔沼》则是她田园小说的代表作。这是一个淳朴的农村环境中纯洁动人的爱情故事，充满了柔情与诗意。富有的农民日耳曼不顾社会地位的差距娶贫苦的牧羊女玛丽为妻，小玛丽也打消了由于日耳曼与自己年龄不相称而产生的顾虑，愿意以身相许，一种纯朴真挚的爱消除了他们之间的障碍，缩短了他们之间的差距，使得初看起来并不相宜的双方最后达到了美满的结合。就此，乔治·桑写出了一曲真正爱情的凯歌，而在她看来，这种爱情的基础正在于农民那种与大自然浑然一体的人性与他们"心灵的质朴"。本着这种卢梭主义的思想，她在小说里着力表现农村人物优美的心地与品行，并把自己对于人道、对于善良、对于爱的理想赋予这些人物，从而成功地绘制出闪耀诗意光辉的农村生活画面，这种光辉泛出了轻淡的空想社会主义的色彩，而其背后，则是作者对资本主义金钱利害关系的厌弃，无疑具有明显的民主主义的性质。不言而喻，乔治·桑在《魔沼》中对农村生活的描写并不真实，但她透过自己笔墨的那种天真的热情，却能给人以深深的感染，而她那呈现出淳朴人生的图景与优美农村风光的散发出清新气息的篇章，毕竟可以向读者提供其他 19 世纪作家所未能提供的独特的美的享受。

本选集中的《高利贷者》是法国文学中闻名遐迩的中篇，作者巴尔扎克在法国文学的发展中，是人们公认的一个高峰，他的包括了 90 多个小说作品的《人间喜剧》使他不仅在法兰西文学中而且在整个人类文学中获得了崇高的地位，这一部规模宏大的杰作是 19 世纪上半期法国社会的百科全书，是这一时期社会现实生活完整的缩影。在这里，军事生活、政治生活、乡村生活、巴黎生活、外省生活等等各个领域，无一不得到了充分的、形象的描写。如果说，在法国 19 世纪那些深刻描写了自己时代社会的作家中，巴尔扎克有自己的特长与优越性的话，那就是他特别善于从经济关系来认识与表现社会的本质，他在这方面所取得的成就是法国其他作家望尘莫及的，而在对经济关系的揭示中，巴尔扎克最深刻处则在于写尽了金钱在资产阶级社会生活中的罪恶作用、对家庭关系的破坏与对人性的腐蚀，他不少力作名篇都是致力于表现这一个主题。

《高利贷者》是其中之一。这是《高老头》中家庭悲剧的继续与发展。高老头的大女儿雷斯托伯爵夫人终于因淫乱而被情夫——一个狂热的赌徒拖向了破产的深渊，雷斯托伯爵眼见家业将要被不贞的妻子与她的情夫败尽，不得不作了用心深远的安排，以求保下一点财产留给自己的儿子，于是一场争夺财产的斗争在这一对夫妇之间展开，这一斗争最后在雷斯托伯爵咽气的病床前进行到白热化。巴尔扎克是描写家庭战争的能手，在这里，他把在家庭关系温情纱幕下围绕着一张期票、一个法律条文的争夺描写得惨烈到惊心动魄的程度，并且以其中人情世故的戏剧性深深地吸引着读者，使人像对一个惊险故事一样保持着强烈的兴趣。这个中篇另一个重要的艺术价值在于成功地塑造了高布赛克的形象。这个高利贷者作为金钱的人格化身，不仅洞察与知悉巴黎不少家庭的秘密与隐私，而且掌握着这些家庭的命运，他与法国文学史上曾经有过的高利贷者形象一样，贪婪、狠毒而又悭吝，但他在巴尔扎克笔下，又绝不是一个漫画化的形象。他经受过现实生活严酷的磨炼，他对社会、对人性有透彻的了解，有锐敏的看法，虽然金钱与贪欲已经使他几乎成了冷血动物，但人性的复杂成分仍不时在他身上闪现，甚至有时他还不乏同情与人情味。巴尔扎克赋予了这个形象以人的血肉，也就使他比法国文学史上其他高利贷者形象来得更真实也更深刻。

福楼拜（1821~1880）被一些文学史家认为是法国 19 世纪文学史上一个真正的现实主义作家，他的两部杰出的代表作《包法利夫人》与《情感教育》中逼真的描绘、冷静的态度、不掺杂任何主观色彩与虚夸成分的写实风格给他赢得了这样的称号。但是，另一方面，他的长篇《萨朗波》与《圣安东尼的诱惑》却又带有浓厚的浪漫主义色彩，选入本集中的《希罗迪娅》亦属此类之作。就福楼拜的中短篇而言，代表作当然要数《一颗朴实的心》，只因为《一颗朴实的心》为读者所熟知，本选集才另选了《希罗迪娅》。这篇小说写于福楼拜的晚年，以罗马历史事件与基督教故事为题材。作为一篇历史小说，它显示出作者对历史事件、古代生活习俗透彻的了解与丰富的知识，它的描写简约洗练，但又准确并富有表现力，生动呈现了一幅幅古代生活的画面，有力地勾画出了人物的轮廓与面目。而其中的历史氛围又足以造成时空的距离感，使人感受到某种浪漫主义的情调。如果说整个小说的烘托部分中的描写风格是简约的话，那么在小说中占有中心地位的莎乐美的起舞与她向希罗王索取圣徒约翰的头颅的一场，则是以浓重的色彩绘制而成的。这个同时体现了女性的神奇魅力、色情的可怕诱惑与人生的可悲弱点的历史故事场景，曾经是不止一个文学艺术家汲取创作灵感的源泉。在这方面，福楼拜不是第一人，更不是唯一的人，但他以高超的语言艺术对莎乐美的舞姿作出了色彩浓艳的、有声有色的精彩描绘，他的画面上同时又弥漫着轻淡的恐怖与罪恶的气氛，其艺术效果足以与 16 世纪德国画家克拉纳克、19 世纪法国象征主义画家莫罗同样以莎乐美为题材的绘画杰作媲美。

左拉是 19 世纪法国文学中成就可与巴尔扎克媲美的一个大家。他的文学道路经历了由浪漫主义、现实主义到自然主义的过程，最后以自然主义文学大师而闻名于世。左拉一直把自己视为巴尔扎克的继承者，他的自然主义其实就是传统现实主义的继续，是现实主义发展到 19 世纪下半期的产物，是特定历史条件下的现实主义，其基本原则仍是写实。如果说它较传统的现实主义有什么新的东西的话，那就是在写实的方法上更进一步接受了自然科学，特别是生理学、遗传学的观点，不再满足于写人的"灵"与"情"，而接触到人的"血肉之躯"，进入到人的生理之欲、进入到人的生理特点与遗传性，他的包括了二十部长篇小说的巨著《卢贡－马卡尔家族》，它既是法国 19 世纪下半期历史发展的真实写照、社会现实的深刻揭示，又是一个家族以遗传因素为其纽带的生理史与自然史。左拉是创作量惊人的作家之一，仅以其中、短篇小说的篇幅而言，就相当于主要从事中、短篇小说创作的莫泊桑此类作品的一半，而且在风格上也呈现出多姿多彩，浪漫主义的、现实主义的、自然主义的各种代表作均有之，可以选入本集的不止一二而已。现在所选的《苏尔蒂太太》在风格特点上倒不是有多大的代表性，它除了从"始"到"终"的全面铺陈、徐缓描述以外，并不具有典型的自然主义特色。小说的别具一格是在于它的题材与角度。画家费迪南由于纵情酒色而毁掉了自己的才能，他的画作全部由中产阶级的妻子代劳，尽管赝品的风格俗气，公众仍把它们当作费迪南的杰作而称颂备至，而且，费迪南由此还获得了最高的荣誉地位。通过这样一个故事，作者揭示了有产阶级中的世态人情，戳穿了盛名与高位的虚假，讽刺了公众艺术趣味的麻木与迟钝，构思可谓相当巧妙。小说中甚有艺术功力的所在，是对费迪南与妻子两人不同绘画风格与特点的描写，这种细致的描写是小说中的戏剧性与主题成立的基石，也显示出作者精微的艺术鉴赏力与他关于艺术个性是构成真正风格的有利因素的精辟艺术见解。左拉早年曾从事过绘画评论，写过不少画评，这个中篇正是他艺术思想的一次形象的凝聚。

莫泊桑是法国文学史上短篇小说的巨匠，有"短篇小说之王"的称号。他的长篇小说与中篇小说同样也很出色。他的中篇应以《羊脂球》为代表作，本选集为避免与过去一些选本重复，特意选用了《遗产》这一个另具特色的中篇。莫泊桑的小说创作中，除了偶尔有浪漫主义甚至神秘主义色彩，占主导地位的是传统的现实主义倾向与新的自然主义成分。莫泊桑早年是左拉的追随者与信徒，虽然他后来不承认自己是自然主义作家，但无疑他是接受了左拉自然主义的影响。影响之一，就是在对人的描写上，他同样也把人的"血肉"、人的生理因素带进了文学，《遗产》正是在这一点上具有自然主义特色，而不仅仅是一篇传统的写实之作。这篇小说既像巴尔扎克的作品那样写出了一个家庭里围绕着一笔遗产的种种卑劣猥琐的"情欲"，还把对这种卑劣猥琐的情欲的描写与婚姻生理学内容的揭示结合了起来。在这里，继承遗产的戏剧性矛盾不在于家庭成员之间的纷争，而来自男主人公生理上的无能、家庭的无嗣。于是，为达到继承遗产的目的，在这个家庭里就进行了一场不同于刀子毒药的惨剧，也不同于法律诉讼的闹剧，而是以婚姻生理学为内容的家族丑剧，为求嗣而请人代庖的丑剧。莫泊桑以高度写实的技巧通过日常生活的场景与细节，表现了这一出隐秘微妙、披着堂正外衣悄悄地进行着的丑剧，把人性的卑劣猥琐揭露得淋漓尽致，其深刻的程度当不下于巴尔扎克。

本选集的最后一篇是罗曼·罗兰的《皮埃尔与吕丝》，随着它，读者也就告别了 19 世纪而进入了 20 世纪。罗曼·罗兰（1866～1944）20 世纪 40 年代才逝世，但他最主要的代表作，也是他最高的文学成就《约翰·克利斯朵夫》早在世纪初就开始问世。罗曼·罗兰在精神上走过漫长的历程，而第一次世界大战的爆发与对他的震动正是他觉醒的开始，并成为他思想道路发展的一个契机。1914 年，他发表了《超乎混战之上》，谴责与反对帝国主义战争，就标志着他思想上的进步。《皮埃尔与吕丝》是他这一阶段思想发展的产物。作品写于 1918 年，作品中的故事也发生在 1918 年，可以说是对即将结束的第一次世界大战的一个"判决"。在这篇小说里，大炮与炸弹的轰鸣构成了一个阴沉严峻的背景，在这背景上是一对年轻人热烈而纯洁的初恋，这初恋像一支天真的战地浪漫曲。年轻人的爱情天地里，不仅有社会、有人生，还有绘画与音乐，皮埃尔擅长音乐，而吕丝则懂得绘画，这正是罗曼·罗兰喜欢赋予他的青年主人公的特点，在爱情故事中如此贯入美的内容、美的情调，也是他写爱情故事爱用的一法。他把人物对爱情的感受与对音乐的感受糅合在一起，水乳交融，写出两者之间的通感，构成了具有独特美的爱情感受的精彩篇章。中篇小说的故事性并不强，作者并不致力于表现爱情的情节，而是在散文化的结构里，以一幅幅画面——巴黎街头的晤谈、塞纳河畔的散步、家里的促膝谈心、寂静树林中的嬉戏、教堂里的祈祷等等，从多方面突现战争与青春、与爱情、与艺术、与善良美好的愿望、与一切美好事物的敌对，最后，作者让这一对相爱的年轻人在战争结束的前夕死于战争，死于轰炸中，死在遐思与向往着天国的时刻，双双葬身于教堂的废墟下，强烈而集中地对战争提出了控诉，突出了整个中篇反战的性质。

这个选集所展示的就是法国文学发展长河中一个支流上的若干显著的胜地，它们构成了一片旖旎多彩的风光。短短 300 年中，就出现了这样万紫千红的壮景，我们不能不惊叹法兰西民族在文学方面惊人的创造力。产生这种创造力的原因是什么？这当然是一个巨大的课题，远非这篇序言所能容纳得了的，但至少有一点是显而易见的，那就是这些名篇无一是在沿袭前人的道路上制作出来的，而是作家要超越前人、要对现实有自己的新发现新开拓、要对艺术表现有自己的新突破新发展的自觉意识的产物，是作家在对创作自由与独创性的自觉追求中取得的。这种对独创性追求的传统正是法国文学富有生命力的一个源泉，它造成了过去时代的繁荣，也造成了今天 20 世纪的五光十色。这个民族的艺术经验中所体现的这个真理虽然简单而又平凡，但对人类艺术创作来说，也许最具有普遍的、永恒的意义。

1986 年 12 月底

法国大革命与文学

——纪念法国大革命 200 周年中国法国文学研究会的献词

呈献在这里的一束演讲词、政论与诗歌，是《世界文学》编辑部与全国法国文学研究会共同编选的，由研究会的两个理事单位的三位教授译出，作为法国文学研究界纪念法国大革命 200 周年的一项活动。

这些演讲词与政论出自四位在大革命中搬演过巨大历史事件的政治活动家之手。米拉波是大革命初期的风云人物，在革命爆发前，当国王下令解散国民议会时，是他挺身而出进行抗议："我们是根据人民的意志在这里开会，刺刀也不能把我们解散。"丹东是大革命的主要领导人之一，在革命政府里担任过司法部长，负责掌管国防，在革命遭到外国封建势力的进攻，处于危急状态的时候，是他那"我们需要的是勇敢、勇敢、再勇敢"的有力号召，激励了整个法兰西的革命斗志，使祖国转危为安。罗伯斯庇尔是雅各宾专政的领袖人物，是把恐怖主义当作"自由的英雄手中闪闪发光的宝剑"，用它清除了一切障碍，使革命远远超出了它令仅摘取胜利果实的这个目的，写下了法国大革命中最严酷无情的一章。马拉是大革命中一个举足轻重的思想家、活动家、雅各宾俱乐部的主要成员，他像革命暴风雨中一只翱翔的海燕，每当革命的关键时刻，每逢革命的重大问题，他无不发出高亢激进的声音。

今天，当人们面对这些演讲词与政论的时候，也许会认为有的过于温和，有的又失之偏激。这是一个后人的历史眼光、历史评价的问题。我们编选的目的，仅仅是把它们作为有历史意义的重要文献，以便在这 200 周年纪念的时刻从其中重睹这些站在时代潮流前头的巨人当时思考问题与对待问题的方式，重睹他们是怀着怎样的激情、穿着怎样的古罗马的崇高衣装，搬演着那场伟大的历史剧。

除了那些杰出的历史人物外，还有一个巨大的角色推动着法国大革命的发展，那就是法兰西人民，特别是巴黎的人民群众。7 月 14 日 30 万人攻陷封建专制主义的象征巴士底狱、10 月 5 日向凡尔赛的著名进军、推翻君主制、逮捕路易十六的斗争、建立雅各宾专政的起义、高唱革命歌曲抗击外国侵略军、保卫了共和国的战斗等等这些历史事件，都是这个伟大角色的杰作。这里所选的诗歌就是人民群众在创造这些丰功伟业时的心声，它们反映了法国大革命中浩大群众运动的这个方面，而这一运动正是法兰西革命恐怖主义的平民基础，是 19 世纪巴黎史诗的起点，这一部史诗后来以巴黎公社为其顶点与终结。

演讲词、政论与革命诗歌，再加上这里未入选的一些迅速反映时事的革命短剧，所有这些几乎就是法国大革命时期文学的全部内容了。从纯文学的意义来说，这些内容在法国文学史中并不占重要地位，但它们作为大革命火热斗争的产物与为革命事业服务的武器，却具有特殊的历史意义，其中有的作品还具有持久的生命力。众所周知，《马赛曲》至今仍是法兰西人民精神凝聚力的象征，而且，19 世纪以来，它几乎唱遍了全球。

正如法国大革命开辟了法国历史的新纪元一样，法国大革命对于它以后的法国文学也犹如一个巨大的源泉。首先，它以自己狮子的血与骨髓直接喂养了整整一代文学新人，从斯达尔夫人、龚斯当、塞南古、诺谛埃到雨果、贝朗瑞、司汤达、梅里美、巴尔扎克；同时，它革命风暴的余波又造成了从德·迈斯特、波纳尔、夏多布里昂到拉马丁、维尼等一大批人才精神上的隐痛。正是这两部分人共同开创了法国 19 世纪前期文学的繁荣局面，他们的创作活动都不同程度地笼罩在法国大革命的光与影之中，他们的文学作品往往都打着大革命的烙印。这一代人的作品中直接以法国大革命为题材、为基础的也为数不少。巴尔扎克的成名作《朱安党人》描绘了大革命高潮时期复杂而激烈的军事斗争，他的《恐怖时代的一个插曲》《现代历史的内幕》则是大革命严酷史实的写照。雨果的辉煌杰作《九三年》，可称得上是法国大革命的一部史诗，它那历史性画面之中包含着对这场伟大革命各个重大方面的深沉思考。司汤达的巨著《红与黑》与《巴马修道院》的实际内容，也是以法国大革命为基础的，其中的典型人物正是法国大革命的精神产儿，他们仍带着与大革命血肉相连的脐带在逆境中进行挣扎。拥有大量读者的作家大仲马不止一部作品的故事也是安排在法国大革命的历史环境中。到 19 世纪末、20 世纪初，从法国大革命历史事件直接汲取灵感的文学家仍不断出现，阿纳多勒·法朗士在他的《诸神渴了》中，对法国大革命的恐怖时期进行了严肃的反思。罗曼·罗兰以他一系列历史剧——《群狼》《理性的胜利》《丹东》《七月十四日》《爱情与死亡的戏弄》《百花盛开的复活节》《流星》《罗伯斯庇尔》，真实地展现了法国大革命的历史，赞颂了大革命的精神，力图弘扬大革命的英雄传统。时至当今，把法国大革命当作自己创作源泉的作家亦不乏其人，仅笔者两次访法所直接接触的 20 多个当代作家中，就有三位曾致力于创作法国大革命题材的作品：皮埃尔·加斯卡尔先生的《罗伯斯庇尔的影子》、吕克·维莱特先生的《忿激的人群》与雅克琳·布吕莱女士的三部长篇历史小说——《黑夜里的心》《罗卡杜古堡》《无辜的岁月》。

　　法国大革命对法国文学的意义，当然远远不仅作为一种背景或一种题材。人类历史上这次伟大的革命对文学的最重大的意义还在于它所开辟的新时代与它所宣扬的精神原则。法国大革命推翻了封建专制政体、彻底肃清了封建主义的流毒，把全社会的成员从一切封建性的奴役束缚中解放了出来，开辟了自由资本主义的新时代。它最大的功绩是把启蒙思想家所主张的"人生而自由"的理想，确立为一种政治原则，把自由、平等作为基本人权而在法律中予以确认；而一旦自由、平等用法律的形式被确定下来，就在社会生活各个领域带来意想不到的活力，使人的创造性、人的潜力得到前所未有的发挥，这对文学这一其本性要求充分自由的活动来说，无异于提供了崭新的生存空间。

法国大革命所开辟的新时代，使文学成为了一个充分享有自由的王国，封建专制主义时期黎塞留倚仗首相的权势通过夏普兰对高乃依的《熙德》横加批评，迫使这位杰出作家改变创作倾向的那种长官意志永远一去不复返了；大革命之前 27 年《爱弥儿》被查禁被焚烧、其作者卢梭被迫害的那种"清除"事件也永远一去不复返了。法国大革命人权宣言所宣布的"自由传达思想和意见是人类最宝贵的权利之一"，所确认的"公民都有言论、著述与出版自由"，保证了文学创作成为一种真正自由的事业。这种创作自由给法国大革命后 200 年来的文学艺术带来了巨大的、持续不断的繁荣，使法国成为这两个世纪中一些具有世界性影响的新思潮、新流派、新风格的发源地。

法国大革命在使文学成为自由事业的同时，也使文学成了一种真正独立的事业。法国大革命清除了社会关系中一切封建性的依附与从属，在人权宣言中宣布了"人们生来是，而且始终是自由平等"，"在法律面前所有公民都是平等"的原则。此后，再也没有必要像莫里哀那样在他的杰作《伪君子》的结尾，画蛇添足地对路易十四大献颂词；雨果虽然在复辟时期曾对波旁王朝歌功颂德，但很快就表示了懊悔。人权宣言中自由平等原则的确立，在政治、思想、文化领域里最明显的直接后果，就是保证与培养了知识阶层的独立精神与自觉参与意识。这种精神与意识使得 200 年来的法国文学中不断地出现了一些杰出的个人，他们自觉自主地对全人类、全民族、全社会的问题进行严肃的思考，得出自己独立的思想见解，并且以献身的精神参与、投入，敢于以个人的精神人格力量对抗强大的社会习惯势力，甚至还大无畏地站在国家机器的对立面，他们形成、发扬了法国文学史作家兼斗士的传统，雨果、左拉、罗曼·罗兰、萨特就是这个传统中的一些光辉的名字。这种独立精神和参与意识，在政治社会生活中形成一种强大的舆论监督力量，而这种力量又成为现代社会自我调节、自我完善的有力手段之一。

法国大革命不仅是法兰西人民的骄傲，而且是全人类的共同财富。它体现了人类社会发展的必然性，反映了人类在一定历史阶段、一定社会条件下对自我状态的愿望与意志，它的胜利，在一切经历过新思想的启蒙、具有新意识的觉醒与现代社会关系萌芽的地区与国家，在一切已经产生了从封建主义阴影下走出来的躁动的地区与国家，在一切非蒙昧状态的地区与国家，都得到了热烈的反响。不论是德国、意大利、英国、西班牙还是俄罗斯的思想文化界，都曾向它鼓掌欢呼。法国大革命在开辟了法国文学新时代的同时，也为欧美各国文学的发展、思想文化的演进，注入了新的活力，影响了它们的进程。19 世纪欧洲各国文化界的杰出人士，很少有人与法国大革命无关，从德国的赫尔德尔、毕尔格、弗尔斯特尔·帅梅、荷尔德林、歌德与席勒，英国的拜伦、雪莱、华兹华斯、柯勒律治、骚塞以及狄更斯，直到意大利的浪漫派，西班牙、波兰、俄罗斯甚至拉丁美洲的进步的思想家、作家，等等。在社会政治斗争方面，法国大革命对一切争取民主主义与现代化的国家，更产生了直接的冲击力与推动力。200 年来，很多国家的社会改革与社会革命，都是在法国大革命的自由平等的旗帜下进行的。

19 世纪以来，在文学中与历史学中一直存在着对法国大革命中恐怖主义的反思、争论以至决算，随着社会的稳定、正常秩序的建立与法制的健全，这种对过于严酷的暴力行为的反思是自然而然在所难免的，然而，这种反思又正是在这次革命所开辟的民主法制的时代里才有可能。不论怎样，法国大革命的光辉至今仍然粲然夺目，它始终标志着人类社会由封建时代向现代的飞跃，这一飞跃是神圣的；它所揭开的新的一章还只有 200 年，在人类社会发展史中所占用的篇幅还远远不是过分的，历史将允许这一章继续充分展现它的内容。它还具有广阔远大的前景。人类的活动至今仍没有完全超出这一章的范围，人权宣言的原则仍具有其理想的光辉。

我们生活在一个封建专制主义长达两千年历史的国家，封建主义的积淀仍在政治、经济、思想、文化、社会生活方面压抑着我们这个古老民族的生机，在今天，当我们已经开始觉醒并奋起直追的时候，重温法国大革命的意义，敢于并善于从其中汲取有益的营养，对于实现中国的现代化，对于发展中国的新文化，都是大有必要的。

1989 年 3 月 23 日

法国自然主义文学导论

——《法国自然主义作品选》编选者序

自然主义文学产生的社会条件、发展过程与创作特点

19 世纪是法国文学思潮不断涌现的时代，继前期的浪漫主义与现实主义思潮之后，又出现了自然主义文学思潮。自然主义文学既是 19 世纪前期现实主义文学发展的结果，又是后期新的历史条件所促成的产物。这股潮流在当时有着巨大的声势，不仅有泰纳、龚古尔兄弟、左拉这些著名的人物推进了它的发展，而且，叙述文学中的其他杰出人物如莫泊桑、都德也都与它有关，它实际上成了这个世纪后期的文学主流，它在法国产生以后，又很快波及德国、英国、西班牙、意大利、日本、美国以及拉丁美洲，使这些国家与地区同时或相继都产生了相同的文学倾向，形成了 19 世纪后期至 20 世纪初期这一历史阶段中一种世界性的重大文学现象。而自然主义作为写实文学的一种特定的形式，即使在它告一段落、趋于平息之后，又不仅在法国，而且在整个世界范围里，对 20 世纪现实主义的发展都发生着深远的影响。

法国自然主义文学出现在 19 世纪 50 年代至 70 年代的第二帝国时期，这一时期的社会历史条件为这种文学提供了必要的土壤与气候。

拿破仑三世统治法国的 20 年，是一个"充满了疯狂与耻辱的奇特时代"，它以 1851 年一次卑劣的政变为开端，在这次政变中，路易·波拿巴纠集了"由所有各个阶级中淘汰出来的渣滓、残屑和糟粕"[1]作为自己所依靠的力量而黄袍加身，开始了一个"由一帮政治冒险家和金融冒险家剥削法国"[2]的帝国。这个帝国在欧洲意味着战争，它梦想恢复拿破仑一世的疆界，不断投向黩武的狂热与战争的冒险；在国内，投机倒把、贪污舞弊与普遍盗窃的行为，都发展到疯狂的程度；从拿破仑三世宫廷到整个上流社会的寻欢作乐、骄奢淫逸的风气则比过去的七月王朝更为炽烈，更为露骨。这种社会现实必然引起像左拉、莫泊桑这一类在清贫生活状况中冷眼旁观的知识分子的反感与不满，诱发并激起他们在文学中的揭露意识与批判意识。由此，就有可能产生某种继承着19世纪前期现实主义的揭露精神的文学。

从19世纪文学发展到第二帝国时期的行程来看，注定要产生的这种新文学绝不可能是浪漫主义的，而只能是写实性的，而且必然比以往的文学更具有彻底的写实性。这不仅因为七月王朝以来资产阶级社会完全埋头于财富的创造与和平竞争，冷静务实的风尚已使得浪漫主义奔放的想象、夸张的风格与泛滥的主观感情，日渐成为过时的文学趣味，真实与自然成为文学表现的标准；这不仅因为主张"不要妖怪，也不要英雄"，而在严格写实方面又比巴尔扎克有所发展的福楼拜，直到整个19世纪70年代结束仍作为承上启下的人物，活动在第二帝国时期以至第三共和时期的文坛上，直接指导着、影响着后来成为主力的一批作家的成长；而且，更主要的是因为拿破仑三世愚蠢地投入普法战争，遭到可耻的失败，带给法兰西民族严重的灾难与莫大的屈辱。由此，在整个社会中所激起的对第二帝国的憎恨与愤怒已经达到了极点，而这种愤怒反映在文学中，则必然是对第二帝国时代彻底的、无情的暴露。事实上，左拉正是怀着对第二帝国进行总清算的创作意图来进行《卢贡－马卡尔家族》的写作，对拿破仑三世的帝政

---

① 马克思：《路易·波拿巴的雾月十八日》，《马克思恩格斯选集》第一卷，第652页。
② 恩格斯：《〈法兰西内战〉1891年单行本导言》，《马克思恩格斯选集》第二卷，第327页。

的满腔愤怒使得这部巨著所作的揭露触目惊心。同样，也正是对普法战争共同的痛楚感受，促使自然主义流派"梅塘集团"的合集《梅塘之夜》问世。

既然第二帝国的现实决定了必然出现一种文学来继承本世纪前期现实主义文学的批判精神与写实原则，那么，这种文学本来很可能就是巴尔扎克式的现实主义的继续与重复，然而，第二帝国时期新的社会历史条件，却使这种文学在过去的现实主义文学基本精神一致、基本倾向相同的基础上，又有着自己的新的特点，这就是它与实验科学、自然科学的更进一步结合，由此，它就有了自己的称谓——自然主义。

第二帝国既是一个耻辱的时期，也是一个充满了生产活力的时期。在这个时期，法国基本上完成了资本主义工业化，各生产部门都广泛使用了新技术与新工艺，机器设备不断更新，发明创造层出不穷，冶金工业、化学工业、纺织工业、铁路建设与航海事业等等，无不得到了迅速的发展，工商业扩大到了空前的规模。生产力的猛进是以自然科学的发展为基础的，反过来又促进了科学研究的发展，而科学精神的昌明与自然科学的进步，又不可避免地使从事文学活动的人们在创作思想上受到新的启迪与熏陶，自觉或不自觉地将自然科学中的某些新观念与新方法引入文学领域。

这种影响与引入基本上有三个途径与方面。首先，这一时期整个自然科学的发展决定了实证主义哲学的盛行，而实证主义的盛行，则为文学提供了实验科学的精神与相应的方法。虽然实证主义的创始人奥古斯特·孔德主要是活动在七月王朝时期，他主要的代表作《实证哲学教程》早在 1830 年至 1842 年就已问世，但他直到 19 世纪 50 年代末才逝世，更重要的是，他的实证主义在第二帝国时期被尊奉为官方哲学，这种只承认经验事实与经验现象才确实可靠的哲学很快就影响了文学理论与批评。泰纳是接受了这种影响并据此创建了完整文艺理论体系，又进而影响了文学创作的出色的代表人物，他在《拉封丹及其寓言》（1853）、《历史与批评文集》〔1858）、《英国文学史》（1863～1869）中，提出了从种族、环境与时代三方面条件来考察文学的著名体系。泰纳的实证主义文艺理论对文学创作有着直接的明显的影响，它使文学创作中树立起重视确凿的事实的指导思想与科学精神，它把对真实的追求提到一个更严格的水平，还引出了在文学创作中搜集事实的实证方法，它是自然主义文学产生的理论先导。左拉曾明确说明，他在青年时期接受了泰纳的影响，并把泰纳的理论应用到了小说创作中。

其次是达尔文学说的影响。1859 年，达尔文的名著《物种起源》在英国发表，它提出了以自然选择为基础的进化论学说，阐述了人类起源与性的选择的理论，震动了当时的学术界，成为 19 世纪自然科学的三大发现之一。1862 年，达尔文这一名著翻译成法文在法国出版，很快就发生了巨大的广泛的影响，对文学也不例外。在文学理论中，同样还是泰纳最先也最出色地接受这种影响并加以运用，他的"决定文学的三条件说"就体现了达尔文关于环境对自然物的影响与选择的理论，他的三条件说中的种族性之说更是达尔文生物遗传学的一种具体演绎，而泰纳的这些理论又影响了文学创作。整个说来，达尔文学说促使文学家从自然科学的角度来对人加以考察，把人看作是自然人，把民族看作是自然人的族类，并导致对人性与遗传之间的关系、对人性与实际环境之间的关系的把握，为自然主义文学提供了如何认识人、如何表现人的理论基础。左拉所宣称的他要在《卢贡－马卡尔家族》中"研究一个家族中的血统问题与环境问题"[1]的意图，他要赋予自己的作品"两个因素，其一为纯粹人的因素，其二为环境的社会作用与物理作用"[2]的意图，就是来源于此。

---

① 左拉：《给出版家拉克洛瓦第一次计划书》，《卢贡家的发迹》第357页，法朗斯瓦·贝尔诺阿尔全集版。

② 左拉：《关于家族史小说总体构思的札记》，《卢贡家的发迹》第354页，法朗斯瓦·贝尔诺阿尔全集版。

有了科学的精神与实证的方法，有了对人的总体认识的科学体系，还不足以产生自然主义文学，自然主义文学的产生，除了以上两个前提条件外，还直接得助于法国本国生理学与实验医学的迅速发展。1851 年，法国著名生理学家克洛德·贝尔纳的论著《肝脏的糖合成机能》的发表揭开了法国生理学、医学新发展的序幕，1854 年、1855 年，他相继在两个高等学府主持生理学与实验医学的讲座，1858 年，他又发表了《实验方法论》一书，1865 年，他最重要的论著《实验医学研究导论》出版，除此以外，还有吕卡思早在 1847 年发表了《关于神经系统健康与疾病的自然遗传的生理哲学的论文》。所有这些开辟了对人的生理机能与神经现象的认识领域，使文学家对人的认识又有了新的角度，为他们描写生理的人提供了启迪以至具体的指导，对自然主义文学创作产生了直接的作用，左拉正是接受了这些医学论说的影响，才进行自然主义文学创作的。

从形成与发展的过程来说，"自然主义"一词最先出现于泰纳的文艺批评。1858 年，他在著名的《巴尔扎克论》里，不止一次指出巴尔扎克身上所存在的"自然科学家"的品格，认为"他以自然科学家的身份描写现实"，把他称为"自然主义者"。虽然泰纳并没有充分论证出巴尔扎克何以是一个"自然科学家"以及他究竟在何种程度上可说是真正在创作中充分运用了自然科学的方法，但他第一次提出了"自然主义"的概念并赋予它这种特定的内涵：文学创作理应和自然科学的观念、自然科学的方法更紧密地结合。这无疑是一种与 19 世纪前期现实主义文学有所不同的更新更明确的创作主张。当然，这一创作主张在文学创作中的贯彻运用并发展成思潮流派，还有待时日。

19 世纪 60 年代是法国自然主义方法真正形成的时期。最先在文学创作中体现出新的自然主义倾向的是龚古尔兄弟。龚古尔兄弟早从 50 年代就开始小说创作，60 年代，陆续创作出一系列重要小说——

《夏尔·特马懿》（1860）、《费洛曼娜修女》（1861）、《勒内·莫普兰》（1864），特别是 1865 年出版的《热曼妮·拉瑟顿》更是法国自然主义文学的第一部代表作。他们为自然主义文学开辟了道路，这不仅因为他们较其他作家更早登上文坛，而且因为他们的创作显示了日后将由左拉大大加以发展的一些萌芽。首先，他们开始把科学精神与科学方法引入文学，强调文学作品的资料文献性质，他们在 1864 年就这样认为，"现时的小说是由依据自然之口述或笔录所构成的"[1]，由此，小说的内容应为现实生活中所闻所见的确实事实，而搜集事实则应成为小说创作的一个重要步骤。他们 1860 年、1861 年相继发表的小说《夏尔·特马懿》与《费洛曼娜修女》的内容就具有这种实际的确实性，或带有自传性质，或为实际所闻。因而，搬用事实与搜集事实也就成为创作这两部小说的重要手段。其次，龚古尔兄弟根据文学作为"人文资料"的思想，力求更进一步扩大文学的表现范围，把下层人民的实际生活状况引入文学。他们在《热曼妮·拉瑟顿》的序言里这样指出："生活在 19 世纪这个普选制的时代，这个民主自由的时代，我们要问，人们称之为'下等阶级'的人群是否无权进入小说？"他们正是以这部小说提供了一个先例。对自然主义更有意义的是，龚古尔兄弟自觉地把自然科学的方法开始运用在人物描写中，他们在同一篇序言里认为："今天，小说强制自己去进行科学研究，完成科学任务，它要求这种研究自由而坦率。"他们在《热曼妮·拉瑟顿》中，通过一个女仆的沉沦故事，在"赤裸裸的对感官享乐的逼真描绘后面，隐含着对性爱心理的临床研究"，直接影响了后来左拉的《戴蕾斯·拉甘》的写作。

紧接着龚古尔兄弟进行自然主义文学开拓的是左拉。左拉在 60 年代初进入文学创作领域，他怀着传统的现实主义文艺思想，逐渐涤

---

[1] 《龚古尔日记》1864 年 10 月 24 日日记，第七卷，第 15 页，蒙纳科版。译文从罗新璋同志。

荡了自己身上浪漫主义的气息，在新思潮的影响与龚古尔兄弟先例的启发下，于 1867 年、1868 年相继写出了他早期自然主义的代表作《戴蕾斯·拉甘》与《玛德莱娜·费拉》。前一部小说把人作为自然人来加以描写，表现了人的生理要求如何决定了一对男女的欲望与罪行；后一部作品不仅描写了生理状况对人物心理的影响，而且直接把当时遗传学中的"感染说"引入文学创作，表现了感染与遗传因素在人物命运中的作用。两者都贯穿了人物的个性取决于人的生物本能的认识，都带有对人类的"临床研究"的性质，而 1868 年左拉对进化论、遗传学、生理学、实验医学的系统钻研，更使他进一步制定了写作以血缘遗传脉络为联系纽带的多卷本家族史小说的宏大计划。

70 年代与 80 年代，是法国自然主义文学兴旺昌盛时期，这个时期作为自然主义文学发展的高潮，具有三个方面的涵义：一、它是自然主义文学主要实绩创造的年代；二、它是自然主义文学理论正式阐明的年代；三、它是自然主义文学流派形成的年代。在这三个方面，左拉都居于中心的地位。

法国自然主义文学创作的最大最主要的实绩就是左拉的包括了二十个长篇小说的《卢贡－马卡尔家族》，这既是一个家族的血缘遗传的自然史，又是一个家族在现实生活中发展变化的社会史。它的第一部于 1871 年问世，其余绝大部分作品都发表于 70 年代与 80 年代，其中 1877 年的《小酒店》、1880 年的《娜娜》、1885 年的《萌芽》、1887 年的《土地》与 1891 年的《金钱》，都获得了巨大的成功，引起了强烈的反响，有的甚至轰动一时，以其严酷的写实与无情的暴露而惊世骇俗。在理论方面，左拉并没有一开始就提出一套自然主义的创作纲领，而是在他进行自然主义文学创作达 10 年之久、作出了一定实绩的时候，才发表他系统地阐明自己的自然主义文学理论的论著。他的名著《实验小说论》出版于 1880 年。次年，其他几部论著《自然主义戏剧》《我们的戏剧作家》《自然主义小说家》《文学资料》也相继问世，构成了自然主义的理论文献之库。

自然主义文学流派不像 19 世纪上半期的浪漫派那样形成于文学业绩的创造之前，也不那么富有戏剧性，而是逐渐形成于自然主义文学不断创作、逐步扩大影响的徐缓过程之中。虽然早在 1865 年当《热曼妮·拉瑟顿》问世的时候，左拉就已经与龚古尔兄弟有书信来往，但有较密切联系是在 1868 年之后。1869 年底，左拉又认识了福楼拜，于是，逐渐形成了一个趣味相投的文艺圈子。这时，龚古尔兄弟中已有一人去世，这个圈子由福楼拜、埃德蒙·德·龚古尔、左拉、都德以及俄国作家屠格涅夫 5 人组成。从 1874 年 4 月 14 日开始，每逢星期天经常在一起聚餐，史称"五人聚餐会"。后来，聚餐会的成员又有所增加，新参加的是后来成为"梅塘集团"成员的文坛新手。1877 年，《小酒店》的成功使左拉的文学声誉大为提高，一批年轻的作家推崇他为大师，团聚在他周围，每逢星期四到左拉家聚会。由此正式形成了一个文学团体，以左拉的梅塘别墅为名，是为"梅塘集团"。其成员除左拉外，还有莫泊桑、阿莱克西斯、瑟阿尔、于斯曼、厄尼克。1880 年，"梅塘集团"六作家的合集《梅塘之夜》问世，在这个集子里，莫泊桑以其名篇《羊脂球》脱颖而出，像一颗新星开始在法国文坛上光华四散。

1890 年以后，法国自然主义走向衰落。1893 年，左拉完成了《卢贡－马卡尔家族》最后一部小说《巴斯加医师》以后，很快改变了原来自然主义的方向而从事空想社会主义小说"三名城""四福音"的创作。同年，莫泊桑下葬于蒙巴那斯公墓。1896 年，埃德蒙·德·龚古尔逝世。至于"梅塘集团"的其他成员，他们与左拉的创作倾向本来就并不完全一致，有的接近福楼拜，有的接近龚古尔，有的接近波德莱尔，《梅塘之夜》是他们唯一的一次文学联合行动，而且，他们创作成就也不高，未能给自然主义文学增添多少实在的内容。虽然法国自然主义文学的巨浪在 90 年代趋于平息，但却开始波及本土之外，在其他国家激起相应的文学潮流，德国、拉丁美洲、日本、美国的自然主义文学接踵而至，产生于 19 世纪末、20 世纪初。

在法国自然主义文学潮流中，令人瞩目的几个大家就是龚古尔兄弟、左拉、莫泊桑以及都德，他们各自以其创作成就、文学活动与艺术个性而在文学史上占有不同的地位。

龚古尔兄弟二人在文学史上是一个不可分割的整体，他们一个长于思索，一个富有才情，始终亲密合作，共同进行了一系列文学活动。他们具有广泛的兴趣与多方面的才能，在创造出小说实绩之前，先在历史散文、艺术史话、人物传记方面达到了一定的成就。他们是 18 世纪法国历史精细的研究家，他们的历史散文作品基本上都是以这个世纪的历史、艺术、人物为对象，他们以生动形象的文笔再现了当时一个个社会生活场景，带有丰富的历史色彩，使这些作品具有的文学价值大大超过了其历史学术的价值。而在他们关于 18 世纪绘画艺术的作品里，则又表现了艺术评论家精微的鉴赏力。他们主要的文学成就是小说创作，他们合写的小说作品有七部，题材比过去有所开拓，以他们生活圈子范围里常见的中下层人物的生活为描写对象。弟弟茹尔死后，埃德蒙单独完成的四部小说也具有这个倾向。由此，在他们作品里，出现了一个颇有特色的人物群：女仆、低微文人、普通画家、妓女、马戏团杂技演员，正是在把文学描写范围向中下层扩张这一点上，他们最先显示出了自然主义小说的特色，并提供了最早的代表作。他们作为自然主义先行者的意义还在于，他们较早地开始在创作中把对真实的追求提到一个更严格的程度，他们的小说在一定程度上都带有实录性，题材故事大都确有其事，场景与细节也往往是实在资料凑集而成。他们对人物性格的病理性的研究与描写，也开左拉家族史小说的先声。他们对法国文学史的另一大贡献，是他们从 1851 年直到 1896 年几乎坚持了半个世纪的《龚古尔日记》。这部卷帙浩繁的日记生动地记述了整个自然主义文学时期文坛的情况动态、作家交往、轶闻趣事以及当时的社会风貌，具有很高的历史文献价值。他们还给后世留下了龚古尔学院与龚古尔文学奖，沿袭至今，兴盛不衰，在 20 世纪法国成为鼓励写实文学发展的机构与旗帜。所有这些构成了龚古尔兄弟在自然主义文学潮流中的显著地位。遗憾的是，尽管他们的语言风格刻意求工，但写出的小说作品往往缺乏想象与艺术性，流于平板，不能算是高水平的文学成就。

左拉在法国自然主义文学中享有经典大师的地位。他具有宏大的气派与雄浑的才力，不仅是自然主义文学主要实绩的创造者，而且可说是自然主义创作理论唯一的发言人。他的《卢贡－马卡尔家族》无疑是法国文学史上数一数二的巨著，是法国历史中整整一个时代的形象历史，几乎无所不包，其结构规模之大，其社会生活内容的充实丰富，其描写现实的深入细微之程度，足以与巴尔扎克的《人间喜剧》媲美；而它作为人类资料、作为生理临床研究、作为自然科学精神与文学的结合，又全面地显示了自然主义文学的特征。这部巨著的客观存在本身清楚地表明，自然主义就是现实主义传统的继续与发展，就是现实主义在新的历史条件下的一种特定的形式，而左拉则是巴尔扎克最伟大的继承者。在理论上，左拉同样继承并发展了过去传统的写实论的思想，同时又将自然科学、实验医学的观点带到文艺理论的领域，从而建立了他一整套自然主义创作论的理论体系。左拉的自然主义文艺理论把文艺创作中对自然科学方法的运用强调到一种绝对的地步，轻视并否定了文艺创作本身的一些特殊的规律与因素，带有很大的机械论的成分，不能完全正确地指导文艺创作。不过，事实上左拉本人的创作大大超出了他理论的范围而具有更生动、更充沛的活力。左拉的风格具有多种的成分，他的气质本来就是浪漫主义的，这给他的早期创作带来了轻巧灵致的格调，而在他盛期的作品里，这种浪漫色彩又与自然主义方法所决定的繁详、重缓与严酷的写实形成一种独特的结合，并有时还造成某处象征性的意象。左拉是法国文学史上最具有强烈的民主主义思想与正义感的作家之一，他的文学创作与文学活动都鲜明地体现了进步的倾向，他的家族史小说充满了对第二帝国强烈的愤慨和大胆的暴露，他还怀着良知与勇气投入了社会政治活动，向资产阶级国家机器的不正义进行了大无畏的斗争，成为法国历史上从伏尔泰到雨果的作家兼斗士的传统中的一位杰出人物，并留下了一批充满战斗激情的政论。难能可贵的是，他还能把握社会时代的脉搏，接受了新思潮的影响，在自己的作品中描写与歌颂了劳动人民的斗争，并讴歌了人类美好的社会理想。左拉以其文学成就在法国文学史中具有重大的意义，是推动着文学前进的少数第一流巨人中的一员，他给传统的现实主义增添了一些新的内容，其中合理的主张与方法对文学更真实地描写现实与描写人起了开拓性的作用，对后来的法国文学与世界文学都发生了深远的影响。在 19 世纪法国文学中，仅有巴尔扎克与雨果能与他比肩而立。

莫泊桑是自然主义文学潮流中晚于龚古尔兄弟与左拉的新秀。他主要从事短篇小说的创作，数量达三百篇之多，在法国文学史上是空前的。他继承并发展了现实主义小说的传统，把短篇小说创作艺术推进到一个前所未有的高峰。他那些以严谨的结构、清晰简约的风格集中表现现实生活中一段插曲的短篇，至今仍在法国文学以至世界文学中保持着经典的地位。他在长篇小说的创作上也取得了出色的成绩，留下了《一生》《漂亮朋友》这样的杰作。他的小说取材面相当广泛，特别对普法战争、公务员小人物状况、诺曼底乡镇生活以及新闻出版的内幕有细致生动的描写。他受业于福楼拜而又在自然主义文学潮流中受到熏陶，接受了左拉的影响，虽然他后来否认自己是自然主义者，但他的作品中显然有自然主义的痕迹，特别是在从生理的角度对人物进行观察与描写上。

另一个作家阿尔封斯·都德，他完全是在自然主义文学潮流兴盛的时期进行写作，而且与左拉、龚古尔兄弟的关系也相当密切，但他在自己的创作中却游离于这个潮流而保持他个人的创作特色，他在对外在世界的写实中注入淡淡的诗意与温情，形成了自己独特的风格，当然，他不可能完全不受时代潮流的影响，他的剧本《生存竞争》就被认为是"舞台上的达尔文主义"之作。

在真实的描写现实上，自然主义文学与19世纪上半期传统现实主义的文学根本上是完全一致的，但是，由于自然主义作家的创作方法全面地渗透了自然科学的精神，在如何真实地描写现实上，自然主义文学也就与现实主义文学有所不同而形成了自己的特色。

自然主义把自然科学的方法带进文学创作，首先表现在追求一种自然科学式的周全齐备、繁细具体的描写。从宏观而言，自然主义文学对它立意所要反映的第二帝国这一时期社会生活的各个领域、各个方面都有全面细致的描写。左拉的家族史小说，每一部都是以一个特定的社会生活面为其对象，二十部小说就有二十个社会生活面之多，真正堪称"第二帝国的全部历史"。描写范围之广，与巴尔扎克分为各处场景的《人间喜剧》不相上下，而描写之分门别类、齐备周全，则又明显过之。如《土地》写农村，则写尽农村中各个阶层、各种类型人物的生活状况；如《萌芽》写产业工人，则写尽了各种类型的工人形象；等等。就微观而言，自然主义把对具体场景、具体事物的描写提高到前所未有的繁详细致的程度，包括对场景与事物的情势、状态、位置、度量等等，都力求进行精确细致的描写。如左拉对金融交易（《金钱》）、对巴黎大菜市场（《巴黎之腹》）、对万象剧场（《娜娜》）、对蒸馏器（《小酒店》）、对火车头（《人兽》）等等的描写就都是著名的例子。如果说，对场景与事物的描写在过去现实主义作品中，往往要服从于表现主题、塑造人物、叙述故事的需要的话，那么到了自然主义文学中，则具有了相对独立的意义。它本身并不仅仅是一种带从属性的手段，而在相当的程度上开始成为一种文学表现的目的。自然主义文学的这一特点开了 20 世纪"新小说"派对"物"的描写的先声。

自然主义文学根据自然科学的客观主义的精神，在对生活事件、生活过程以及人物行为的描写中，力求剥除任何浪漫的不平凡的色彩，力求避免任何人为的布置与匠心的安排，而致力于追求日常生活化，力求以平淡无奇的生活图景与生活进程来达到真实地描写现实的目的，由此，就使得不具有任何主观色彩、任何典型意义的生活细节也得以进入文学。如一个妇女梳妆的具体过程、一个男人洗澡的琐细小节、一桌酒席上菜进酒的种种情况、几个农民一次劳动的始末详情，等等。这种客观的、平淡的细节描写在左拉的自然主义代表作中屡见不鲜，它们给人一种生活实录与生活照相的印象，这种平淡琐细的实录性的文学描写同样对法国 20 世纪文学发生了影响，现当代文学中情节的淡化、叙述的散文化实际上从这里已经开始。

自然主义贯彻自然科学冷静严格精神的另一个必然的后果，是对严酷真实性的追求，它比过去现实主义的"不美化现实"的立场更进一步，直面现实中的丑恶，敢于并乐于表现与描写各种丑恶：或为社会生活中的丑恶，如《金钱》中贫民窟中男女杂居的情景；或为人性的丑恶，如《土地》中布托夫妇如何杀父；或为道德状况上的丑恶，如《漂亮朋友》中杜洛华捉奸的场面；或为人物生理上的丑恶，如《小酒店》中古波酒精中毒发疯的景象；或为人形体上的丑恶，如《娜娜》中女主人公染病身亡后可怕的尸体；或为两性关系中的丑态，如莫法伯爵撞见老朽的舒阿尔侯爵像一滩烂泥躺在妓女怀里的情节。自然主义彻底打破了文学表现的禁区，真正做到了让任何一切都可以进入文学作品，在文学史上留下了一些前所未有的触目惊心、惊世骇俗的篇章。从艺术上来说，这些篇章虽因描写过于淋漓尽致反而经常使人不能卒读，但另一方面，由于作家的批判意识与严酷的写实，往往又能对腐朽丑恶的事物达到无情暴露的效果。

自然主义较之于过去现实主义的一个最明显的不同，在于它真正开始从生理的角度来观察人、理解人与表现人，它重视自然人的一面，在相当大的程度上把人的行为、意识、思想、感情归之于人的生理机体，并以这种观点在作品中对人物加以描写。在法国文学史上，以往的作家在描写人的时候，往往总限于表现人的"灵"与"情"，不是善的"灵"与"情"、美的"灵"与"情"、正常的"灵"与"情"，就是恶的"灵"与"情"、丑的"灵"与"情"、反常的"灵"与"情"。即使是在真实描写人上取得了杰出成就的巴尔扎克，也并没有根本改变这种状况，他至多把人类的各种"情"、各种"欲"与人的气质联系起来，而自然主义则把人的"血"与"肉"都带进了文学，它所表现的人都是体现了自然机能、由生理机制运转的"血肉之躯"，它开拓了一个新的方面，即人的"灵"、人的"情"、人的"欲"与人的生理条件、血肉之躯的关系。左拉在整个家族小说中对人的描写，就是建立在对这种关系的认识基础上，他力图将家族的生理遗传因素表现为影响家族成员的性格与命运的重要根源。同样，莫泊桑也是从这种认识出发来塑造人物形象。在他的笔下，杜洛华这个人物与巴尔扎克的拉斯蒂涅虽同为野心家，但在拉斯蒂涅身上只能看到野心、贪欲、谋略与手段本身，而杜洛华的野心、贪欲、谋略与手段，则往往与生理的要求与冲动有关。在另一部作品《一生》中，莫泊桑也表现出婚姻生理学是影响男女主人公的家庭关系、决定女主人公命运的一个重要的因素。自然主义的这种描写从另一个方面开拓与充实了对人的写实，对 20 世纪文学产生了明显的影响。

自然主义文学在 19 世纪后期具有头等重要的意义，它以其成就与贡献在整个法国文学的发展中占有显著的地位。自然主义文学的成就与贡献，总的说来，就是它出色地对自己的时代社会进行了真实的描写，在真正意义上构成了自己时代社会的一面镜子，既留下了一份充分说明整个一个历史时期经济政治、风俗人情的文献资料，又留下了一份在叙述文学中真实描写现实与描写人的艺术经验的财富。

在对时代社会的描写上，自然主义文学既有很大的广度，也有一定的深度。就本时代的历史事件而言，从路易·波拿巴的政变到普法战争以至巴黎公社，在不止一个作家的作品里都得到了正面的、专门的描写；就本时代的发展潮流而言，资本的集中、垄断组织的出现、社会生产规模的空前扩大、社会主义思潮的兴起与流行，在这里都得到了强烈的清晰的反映；就社会的本质而言，上层的荒淫腐朽、下层的悲惨不幸、尖锐的贫富对立，在不少作品里都被揭露得淋漓尽致，使人触目惊心；就社会构成而言，贵族世家、资产阶级暴发户、地主、工业家、金融家、投机商、文人、艺术家、手工业者、产业工人、富裕农民、雇工、农村流氓无产者、城镇小店主、军官、士兵、妓女、演员、教士、公务员，等等，各阶级各阶层人物的形象在自然主义作家的笔下都有栩栩如生的再现；就地域与社会生活面而言，从巴黎到外省，从上层社会的沙龙到社会下层的贫民窟，从工矿区到农村，从政治斗争、军事生活到文学艺术、新闻报刊，从金融投机到商业活动，从教士医生的行业到娼妓的人肉市场，所有这些在自然主义文学里都有详尽的描写。这些成就清楚地表明，自然主义文学在反映时代社会的真实风貌上，其周全与细致具体的程度，实际上已超过19世纪前期的现实主义文学。

特别应该指出的是，在19世纪后期的法国，劳资矛盾、无产阶级与资产阶级的矛盾比过去更为发展、更为尖锐，因而，社会主义思潮在法国得以迅速传播，并开始与工人运动结合，这构成了那个历史时期中一个重大的社会现实。这种社会现实要求在文学中得到反映，文学中的这一历史任务在相当大的程度是由自然主义文学担负了起来。自然主义文学不仅比19世纪前期的文学更多更具体地表现了社会下层的悲惨生活，而且，在法国文学史上第一次正面地细致地描绘了各种工人的形象与他们的劳动生活状况，直接表现了他们反对资本主义剥削斗争以及社会主义思潮的结合，左拉的《萌芽》就是这样一部杰作。在这一点上，左拉无疑超过了巴尔扎克，他的作品构成了自然主义文学的一项特别的贡献。

还应该看到，由于自然主义作家在描写社会生活时力求准确、实录，自然主义文学作品里就得以拥有大量的政治经济、社会历史、风土人情的细节，工厂矿山的设备水平、农场的生产规模与劳动组织、交易所的经济手续、农民的生产工具与劳动程序、市场的价格、金融市场资本流通的详情、菜市场上的品种与大百货商店的销售情况，等等，所有这些都被描写得细致而精确，具有高度的认识价值与历史学的价值。

自然主义文学无疑也存在着明显的局限。自然主义作家对自己作为历史学家的要求虽颇为严格，但他们很少像19世纪前期的现实主义作家那样，要求自己也具有思想家与哲学家的品格，因而，他们作品中的思想意义远不如那些现实主义作家来得丰富、缺少思想的闪光与隽永的意味。有的作家如莫泊桑原来思想格调就不高，加以只专注于写实而忽略思想性的挖掘，更形成了客观主义的倾向。同样，自然主义作家也很少，甚至根本就不要求自己在艺术形象中思考与探索道德伦理的意义，因而他们的作品中道德伦理倾向有时显得过于淡泊，特别是莫泊桑作品更是如此。自然主义文学严格的写实，尽管带来了一些重大的文学贡献，但它缺少艺术的加工与提炼，过于烦琐，造成叙述与描写上的呆板与滞重，而它对丑恶肮脏事物的描写，有时又缺少节制，使有的篇章反倒引起反胃的效果。自然主义作家从生理与遗传的角度描写人，固然开拓了对人的描写领域，但当他把生理遗传的因素加以绝对化时，就削弱了对人的正常人性与社会性、阶级性的挖掘，在一定程度上损害了人物形象的描写。

关于本选集的内容

这个选集是前两年出版的《法国浪漫派作品选》的姊妹选本，目的在于提供法国自然主义文学的一个概貌。不言而喻，用一册篇幅有限的选本作为这样一个拥有大量作品的文学流派的缩影，是有很多困难的，这个缩影只能是高度鸟瞰式的，极为简略的，而且，还得尽量不与已出版的译本重复，因而这个缩影视野不全、比例失当的缺点是在所难免。我实在不敢说本集所选的内容是精当的，我只能说，何以选入了这些内容，编选者还是作了一些考虑的。

法国自然主义文学成绩斐然的文学形式是长篇小说，几个主要的作家都写长篇，但在这里只选了龚古尔兄弟与左拉的几部，莫泊桑的则未选入。其实，莫泊桑的长篇虽然不如龚古尔兄弟的多，成就却比他们高，而且他的《一生》《漂亮朋友》《温泉》中自然主义倾向是显而易见的。如《一生》中自然景物的罗列式的图景，约娜家庭风波的每一个细节、约娜与于连夫妇间婚姻生理学的详情、约娜病中的生理感觉与她为怀孕而作的努力以及使女罗莎丽产下私生子的具体情景；如《漂亮朋友》中杜洛华的食欲与肉欲，他对佳肴美酒的生理感受、他与妇女相处时的性意识与性意向、他与不同人物握手时的各种手感以及福雷斯蒂埃死后尸体的生理变化等等；如《温泉》中保尔身上"动物性的热情的本能决定他热爱乡村"，"乡村挑逗起他的性感"，他对怀孕的情妇生理上的嫌恶以及小说中关于医学、医疗方式、健康生理学、营养学内容的描写；等等。也许，节选出以上这些章节将有助于解决所谓莫泊桑是现实主义而非自然主义的争议，甚至打破莫泊桑认为自己并不是自然主义者这一对自我的幻想，然而，这几个长篇均已翻译出版，广为读者所知，故不再入选。至于莫泊桑的另外三个长篇《我们的心》《胜过死亡》与《皮埃尔与让》，它们都偏重于心理描写，自然主义特征不如前两部。当然，《胜过死亡》作为一部心理小说所写的爱情心理，是以人渐入老境的生理变化为基础的，也可以说写的是人在生理上更年期的感情，在爱情作品中，也是一部颇具自然主义色彩的小说，但限于篇幅，只好略去。

在龚古尔兄弟的长篇中，《热曼妮·拉瑟顿》是当然的代表作，而且，作为法国自然主义文学的"第一只燕子"过去在中国并不为读者所熟知，因此，我们第一次全文译介，未作节选。这部作品除了具有我以上曾指出的它在文学发展过程中的历史意义外，还具有不可否认的文学价值。它以形象的描写把读者带到了 19 世纪后期法国巴黎下层市民的世界，深入到一个女仆的劳动与生活的环境，见识到一幅幅真实的图景以及大量生动的细节。作品的价值还在于塑造了一个有血有肉、值得同情也值得怜悯的女仆的真实形象，就其善良的心地、淳朴的感情、老实的为人而言，她简直就是福楼拜著名小说《一颗纯朴的心》中女仆全福的同胞姊妹。不可否认，龚古尔兄弟描写出这样一个人物，显然是受了福楼拜的启发与影响，然而，他们笔下的女仆却要比福楼拜笔下的女仆显得复杂。如果说，全福是一颗真正纯朴的心，在她身上占绝对统治地位的只是一种为他人效力、为他人献身、几乎不掺任何杂质的感情的话；那么，热尔米妮身上却有了自己强烈的"欲"，不可抗拒的血肉生理的要求，由于这种"欲"，她不免失足，道德上有了污点，然而，她又为这种过失与污点付出了沉重的代价，死于内疚、恐惧与痛苦之中。作者对人物深厚的人道主义同情是显而易见的，他们力图表现出热尔米妮身上"欲"的正常性质，她只不过需要一个男人，一个本分的、能与之建立正常家庭生活的男人而已。她这样一个起码的要求在虚伪、自私、冷酷的市民环境里却不可能实现，相反，她被欺骗、被愚弄、被利用、被推上犯过失的道路。作者的这种人道主义精神使这部作品带有鲜明的倾向性和对卑劣狡诈世道的强烈义愤，使作品中不乏感人的篇章。小说最后的墓地情景一节，凄凉的画面中渗透着哀伤的情感、深邃的意境，体现着鲜明的民主主义思想，大大提高了作品的思想品格，并构成了文学史上出色的作品结局之一。

左拉的长篇是这个选本的重点。左拉的创作分为三个阶段：前期，他从浪漫主义发展到自然主义；中期，他进行家族史小说二十卷的创作；后期，他转而写空想社会主义小说。既然这个选本以介绍自然主义文学为任务，他后期的小说则不选入，虽然在后期的小说中的空想社会主义思想内容往往是通过自然主义的风格表现出来的。

在左拉前期的创作中，短篇集《给妮侬的故事》《给妮侬的新故事》、长篇《克洛德的忏悔》《一个女人的遗愿》与《马赛的秘密》，都带有浪漫主义的色彩，而1867年的《戴蕾斯·拉甘》与1869年的《玛德莱娜·费拉》则标志着他进入自然主义的创作阶段。《戴蕾斯·拉甘》无疑要算左拉的第一部自然主义代表作，这是一部以生理分析为基础的病态心理分析小说，基本上有两大内容：其一，男女主人公在道德上犯了通奸罪后又在法律上犯谋害罪；其二，他们犯罪后的不安、恐惧与自食其果、自我毁灭。左拉把这两个人物的情欲、通奸与犯罪都归之于生理的原因，他明确地这样指出："如果人们细心地阅读这部小说，就会看到每一章都是对某种生理的奇特病情的研究。"[1]从这个意义上来说，这部作品所显示出来的自然主义特征，比左拉家族史小说中任何一部单独的作品都有代表性，因而也充分地受到了重视，在西方各国已经多次被改编成电影与电视。本来，编选者准备把它选入本集，仅仅因为已有两个出版社决定出版它的单行本，并且很可能在这个选本之前就问世，所以，本集有意避开而另选《玛德莱娜·费拉》。

---

[1] 左拉：《〈戴蕾斯·拉甘〉序》，见《戴蕾斯·拉甘》第9页，法朗斯瓦·贝尔诺阿尔全集版。

《玛德莱娜·费拉》也是表现道德上的污点与过失所引起的心理变态，是对人的生理因素如何成为人的行为与心理活动的基础的一种探讨，是以生理分析为基础的对婚姻、爱情、两性关系以及与此有关的心理状态的一种研究。作品中的形象描绘归结起来是灵与肉的冲突，这种冲突既发生在纪尧姆与玛德莱娜之间，更发生在玛德莱娜本人身上。玛德莱娜不像戴蕾斯·拉甘那样几乎完全是生理要求的奴隶，而是一个具有理智与情操的妇女。她不像戴蕾斯那样放纵自己的肉欲本能、任其泛滥成灾，而是竭力加以控制，不断加以谴责。因而，她身上灵与肉总是处于一种反复较量的状态，往往道德精神力量占优势，即使肉欲得势于一时，但不久又遭到自己严厉的清算。在这些描绘中，左拉显然比在《戴蕾斯·拉甘》中更注意人身上的"灵"与精神力量，表现出了更为强烈的道德感，这是我们选入了这部作品的另一个原因。但不幸的是，过去与情人的肉体关系总是像某种烙印一样打在玛德莱娜身上，不仅是她摆脱不了的，而且还不断地不以她自己的意志为转移地在起作用。在这里，左拉完全运用了吕卡思博士的"浸透论"的生理学观点。按照这种观点，少女一旦与第一个男人发生性关系，体内就永远浸透有他的存在。左拉笔下的玛德莱娜就陷入了这种命定性，甚至她后来与自己丈夫生下的女儿，竟在相貌上酷似过去的情夫。左拉的这种描写对于他的自然主义创作方法来说，显然要算是典型的一例。

左拉中期创作的家族史小说是自然主义文学的纪念碑。但是，长篇达二十部之多，要加以选择实在不易。在编选者看来，家族史小说中最出色、最有意义、最有代表性的是《小酒店》《娜娜》《萌芽》《土地》与《金钱》五部，这五部之中有四部已翻译出版，有的译本还不止一种，我们只能避免重复，剩下的《土地》则是编选者注意的重点。但《土地》的篇幅很大，有好几十万字，故此，本集又只能加以节选。

　　《土地》可以说是法国 19 世纪后期农村生活的一部百科全书，像它这样全面齐备的百科全书式的农村题材的作品，在法国小说史中实不多见，即使是巴尔扎克的杰作《农民》，也不如它真实全面。在这部作品里，农村中的阶级关系与财产关系、农村中的政治与公共事务、农民阶级的衣食住行以及劳动等方面的条件与细节、农业与工业的矛盾、大生产与小土地所有制的冲突、法国的农业前途与世界市场问题等等，都被作家通过对农村中各阶级、各阶层人物活动的真实描绘而反映了出来，并且达到了文献资料般的详尽细致的程度。以农民不同的生活面而言，左拉带着风俗学家的浓厚兴趣，详尽地描写了他们在财产经济问题上如何签订条约、履行手续以及在财产关系上的种种表现。他们在乡村教堂里如何喧闹地过着徒具形式的宗教生活，他们在政治上如何对待选举、如何在农村公共事务上由于利益的矛盾而进行那些粗野得像口角一样的"论辩"，他们在市集上如何讨价还价、彼此进行小小的欺骗，等等。左拉在民俗学式的考察中，善于摄取一个个不流于一般化，具有独特性的生活场面，以生动的描写给小说增添了有声有色的精彩篇章。农民在冰雹袭击下的惊恐与诅咒，他们在耕作时的打闹，在草场上劳动的艰苦和他们解闷的笑谑，酿酒时节的欢乐与滑稽的场面，婚礼上的热闹，晚饭后在牛栏里夜聚时的闲聊与讲述，小酒店里乱哄哄的高谈阔论以至生老病死的悲惨情景以及农民妇女分娩时的痛苦，所有这些都以斑驳杂然的色彩呈现在小说里。当然，更引人注意的是，左拉在这部小说里还提供了一份农民阶级的道德精神面貌的写照。他通过一个农民家庭围绕继承土地与财产的矛盾而发生的悲剧，表现了落后的经济条件下偏僻乡野环境中粗野的民情与农民作为小私有者的愚昧、落后、贪婪、自私、冷酷以至残忍。

　　在这个选集中，我们限于篇幅，只选了小说的第二章。这章的第一节看起来似乎是叙述一桩男女争风的丑闻，实际上作者是着意再现当时一个农场内劳动的条件、设施、规模以及劳动组织与日常起居的情景，其中经济生活的种种细节颇有认识价值；第二节与第三节对农村中天灾人祸与日常交往的琐细叙述，从另一方面显示了自然主义的风格；第四节对草地上劳动的描写、第六节对农村市集的描写，其情景、其色彩、其音响都真切生动，发散出浓郁的乡土气息，是文学史中难得的篇章；第五节是当时农村政治关系与公共事务的一幅缩影，具有某种文献资料的价值；第七节对毕托与莉丝的婚礼的描写，则是一幅细致的民俗画面。虽然只是整部小说的一章，但这些丰富的内容足以使读者看到左拉的自然主义在反映生活上的意义与艺术风格上的特点。

此外，我们还从另外一部家族史小说《巴斯加医师》中选入了部分章节。这部小说是家族史小说的最后一部，发表于 1893 年，它在整个家族史小说中的地位是既重要又不重要。它不重要是因为它并不具有意义重大的社会内容与出类拔萃的艺术力量；它之所以重要，则是因为它归结了全部的家族史小说。这部小说的主人公巴斯加固然也是卢贡－马卡尔家族中的一员，但他作为一个人物，仅仅是左拉的一种工具，被用来说明作家关于卢贡－马卡尔家族的血缘谱系与生理遗传体系。我们知道，左拉早在 1868 年创作家族史小说之初，就已经拟定了这个家族的世系表，并根据这个表格的构想来安排各部小说中人物的世系关系。这个表格在 1878 年曾公之于世，它按这个家族 5 代人的辈分分为 5 个层次，标出上下代的血缘关系。第一层次列出第一代的成员，每个成员均附有姓名、出生年代、主要经历、遗传性、潜伏病因以及在心理上与生理上造成的后果等等。这些成员有一些已经在已发表的八部家族史小说中出现，有的将在未来的家族史小说中出现。只不过 1878 年后，左拉扩大了家族的两大成分之一马卡尔分支，于是到 1893 年的《巴斯加医师》中，他就让他的人物巴斯加在小说里出面制定了他最后的家族世系图。这个图呈一树状，印在作品的卷首，成为左拉二十部家族史小说的家族人物表。在整个家族史小说里，左拉把家族的 5 代人分布到社会的各阶级各阶层，在每一部小说里集中表现一个成员或几个成员的经历与命运。在最后这部小说里，他借助于巴斯加医师来概述这些人物的故事。于是，巴斯加医师对他侄女的那些回顾，实际上概述了以往十九部家族史小说每一部的主要内容。此外，巴斯加医师对这个家族的尚存者的现状也都一一作了交待。我所选的这一章的内容就是如此。可以说，这一章就是左拉二十部家族史小说的一份概要，是了解他全部家族史小说人物关系的一把钥匙。不仅如此，左拉通过巴斯加医师之口，阐释了他的生理遗传学观点与他对人类繁殖、遗传、存在的信念。他的遗传学观点当然是从当时的生理学中搬运来的，不能不受时代的自然科学发展水平的限制，但他对人类的生存、延续和信念却还是充满激情的。由此，也有助于我们对他的自然主义文学作品中的人类学思想内容，有比较全面的认识。

在自然主义文学的短篇中，左拉的仅选入一篇，而莫泊桑的则理所当然是入选的重点。

左拉的短篇《夏布尔先生的贝壳》是一篇很有特色的作品，尽管其中夏布尔夫人在美丽海滨的这次外遇故事进展得相当缓慢，就像日常生活之流徐徐而来，其中一个个场景也颇细致入微，但似乎还谈不上是典型的自然主义繁详琐细的风格，倒是颇与缪塞式的轻快情调与明丽色彩相近，不过，整个故事却是发生在一个明确的婚姻生理学的背景上，即夏布尔先生因肾阴不足而无嗣，当他进行无效的饮食疗法的时候，他的妻子却以最自然不过的方法解决了他苦于无嗣的矛盾。这种婚姻生理学的背景无疑是典型的自然主义式的，左拉在这篇小说里，以高超的手法绕过了人的自然生理这个本来无需多加表现的问题，让它只成为一条远远的地平线，而在这地平线前搬演了一个有点浪漫情调、发散着大自然气息的爱情故事。

莫泊桑《女雇工的经历》中的基本矛盾也与左拉的上述短篇相似，它表现的是人追求子嗣的自然本能所引起的喜怒哀乐，这种本能的要求在农庄主人的身上已经多少有点变态与异化，甚至因妻子过去曾与别人生育而喜，这是作者对自然人性的一种略带讽嘲的探讨。当然，作者在小说中对于女主人公经历与身世的描写，又提供了农村女雇工生活的真实情景，这在 19 世纪文学中也是不多见的。《泰利埃公馆》是莫泊桑的短篇力作之一，它对世态人情的揭示与讽刺，它艺术上的圆熟出色，足以与他的名篇《羊脂球》媲美，在这里，作者所揭示与讽刺的，是以肉欲为背景的庸俗市民资产者的世态人情。作者对这些俗物因妓院关门歇业而满腔无名之火大发、无故争吵冲突的那种描写，在过去的文学史中是没有的，显然是自然主义的一种新角度，其讽刺之尖刻也令人拍案叫绝。饶有兴味的描写还有，作者与此同时又故意安排那一批在欲海中沉浮的妓女到乡下旅行一趟，让她们在清新的自然环境与纯朴的乡村居民中洗涤了她们身上的脂粉尘垢，于是，我们就看到了莫泊桑笔下精细的诺曼底农村的风俗画与景物画，其风格自然而平淡，当属自然主义的笔法。《郊游》与《莫兰那只公猪》也都有自然主义的特色。在这里的人物，都是肉体的、生理的人，而不是情感的、灵智的人，作者从男女的关系中径直看到的是生理上肉欲的冲动，然而，不要以为他这种观察的角度必然会带来所谓的黄色描写，相反，他把这种观察表现得极其巧妙幽默。在《郊游》中，他以自然景物与小鸟的啼叫来烘托，在《莫兰那只公猪》里，他又写得那样诙谐戏谑，并无有伤风化的败笔，两篇作品都构成对资产阶级社会中市民身上人性的某种讽嘲。

在文论方面，本集所选的一种是作品的序言或创作札记。这里的三篇序因其所说明的三种作品（《热曼妮·拉瑟顿》《戴蕾斯·拉甘》与《卢贡－马卡尔家族》）的重要性而值得入选。在这些序言里，自然主义大师说明了他们的创作动机，值得注意的是，他们都着重指出了他们作品中对人的病理分析与病理研究的成分，这就把他们对人自然性与生理性的关注在自然主义文学中的重要性突出了出来，而这正是自然主义在传统现实主义基础上所增添的主要内容之一。自然主义作家在自己的作品里对这种自然性、生理性，特别是病态的自然性与生理性的表现，在当时就引起了非议与责难，因而，他们在序言里，不得不在道德上进行自卫，并说明自己的道德意图，这部分观点与表白即使在今天我们这里还不是过时的。

入选的另一种文论是专题的理论文章。左拉的《小说论》与《实验小说论》二文，都选自《实验小说论》一书，它们构成了这部理论名著的主体。如果说《实验小说论》一文表现了左拉的文艺思想与传统现实主义文艺思想的某种差异的话，《小说论》一文则表现了他的文艺思想在本质上是完全与现实主义文艺观一致的。同样，在自己作品中表现出明显自然主义倾向的莫泊桑，在他著名的文论《论小说》里所阐述的观点，也完全是现实主义的。这些文论的客观存在向我们有力地说明了这样一个事实：法国自然主义本来就是现实主义的一种演变。尽管有一定的差异，但我们实在没有理由把它与现实主义对立起来。

1986 年 4 月 18 日完稿

法国散文的风貌特色

——《法国散文选》编选者序

　　当代中国读者对散文的理念、尺度、标准与规格，最初在一定程度上是从《古文观止》这样一本家喻户晓的书以及"五四"以来《荷塘月色》之类的散文名篇那里得来的。既定的民族文化形式不可避免地要规范人们的文化观念与文化趣味，特别是在历史过程与现实生活中经常流通、为人常见的那些文化成分，更容易造成人们的"先入为主"之见。如果按照这样既定的民族格式与常见的形态去面对、去衡量另一个国家、另一个民族的散文，定会产生某种差异感，甚至不习惯感。这种差异感、不习惯感绝非坏事，恰巧相反，它是文化上开阔视野、深化认识、兼收博采、充实滋益过程中的一个起点。

　　现在我们具体面对的是法国散文。此时，它使我们产生的最表层的一种差异感就是，法国散文中的单个名篇明显不如中国散文多。在中国散文中，《滕王阁序》《桃花源记》《赤壁赋》《岳阳楼记》《秋声赋》《陋室铭》这一类布局谋篇极为凝练完美，遣词行文字字有如珍珠，且朗朗上口，为世世代代广为传诵的妙文，实不在少数。而在法国散文中，有自己独立的艺术生命，在历史时序的长河中仍传诵不衰的单篇经典，却为数不多。虽有一些，也不见得就符合中国散文的模式。如雨果的《〈克伦威尔〉序》，它内容丰富、气势博大、富于文采，在文学发展史上起过重大作用，真可谓具有经典意义的宏文，但它的篇幅超长，不像中国散文那样在结构上凝练内敛、玉润珠圆；再如，左拉的《我控诉》一文，义正词严，充满了愤慨的力量，曾在法国发生了春雷震响般的巨大作用，可以说是政论散文的经典，但按中国艺术散文的标准，它的政治性则过于压倒它的艺术性。

对于这种差异性，不应该急于做出谁优谁劣谁高谁低的结论，每个国家、每个民族的散文都有它自己的特点。如果说，法国散文中单个的、如珠玉般的经典名篇为数不多的话，那么，成书成册的散文名著却不胜枚举，其数量之多，当居世界之前列。至于不仅在艺术上有欣赏玩味之美趣，而且在思想上、文化上有厚重分量与开创意义且发生了世界性的深远影响的散文名著，恐怕就要算法兰西最多了。

事实上，在法国文学史上称得上是散文作家的，无不都有一部部分量厚重的散文作品，而不是单篇散文，作为自己地位的奠基石、自己身份的标志。正是这些作家与作品构成了法国散文史系的框架与支柱。不论是否有人对散文史一词不屑一顾，但散文史是客观存在的，正如法国有自己的小说史、诗歌史与戏剧史一样，只不过，由于散文界说的游移，"散文城堡"的边缘模糊，散文史比较难作罢了。这篇小序不可能写出法国散文全部的历史发展过程，但也不妨指出这一过程中若干值得注意的盛况与一些最为突出醒目的辉煌景点。

法国散文灿烂的黎明是在 16 世纪。黎明从这里开始是因为此时涌现出了相当一批甚有实绩的散文作家，如加尔文的《基督教建制》一书与他约两千次的布道演讲。其庄重的文笔，简洁有力的风格，引人入胜的论说，为法国散文开了一个好头。多比涅的《写给孩子们的自传》则提供了法国有史以来较早一部饶有兴味的散文回忆录。黎明从这里开始，特别是因为散文家之中，还有一个霞光万道的人物与一部气象万千的散文大作，那就是蒙田与他的《尝试集》。此作是人文主义思潮的结晶，代表了一个时代的心声与智慧，充满了自由个性的情趣，它以广博充实的内容与明洁清新的风格，至今仍在文学史上保持着散文经典巨作的至高地位。

17 世纪是法国散文继续大放光彩的时代，致力于写散文并获得出色成就的作家大有人在，且明显比 16 世纪为多，传世之作绝不止一二。帕斯卡尔的《思想录》一书，就其片断散论的形式而言，与中国古散文中的子书有所相似，而就规模之巨大，思辨之精深则有过之而无不及。它思绪畅大，文笔清明如水，对后世影响甚大，即使到了 20 世纪，仍是哲人作家汲取哲理灵性之源泉。拉布吕耶尔的《品性论》是一部深刻隽永的奇书，它对社会各阶层的人作了"成体系的"描述评析，可谓一个时代众生相的百科全书式的画册，既带有时代研究总结的性质，又在对人性的思考深刻方面达到了新的高度，其启迪认识的价值是不言而喻的。拉罗什富科《箴言录》是一条条精辟隽永的格言式文字的大集锦，条目 500 条有余，机智犀利、出色独到的思想，俯首即拾，曾深受马克思的赞美。塞维尼夫人的《书简集》清丽自然，既有当时生活的写照与见闻，又不乏作者的实感与性灵，是后世乐于阅读的书信散文佳品。波须埃的《谏词集》是文学史上一本独特的书，集中了他庄严肃穆、深切感人的追悼文。他的此类文章把追忆缅怀、论说评判、感情抒发、哲理阐释熔于一炉，富于灵感与诗意。圣西的公爵的《回忆录》，史料丰富、见闻广博、观察敏锐，描述生动传神，文笔充满情趣，是兼有史学与文学双重价值的名著，深受 19 世纪的浪漫派作家的推崇。17 世纪的文坛上还发生过著名"古今之争"大论战，前后二三十年之久，卷入论争的作家也很多，其盛况亦可见这个时代散文之发达。

18 世纪是法国散文的极度辉煌时期，真正称得上是世界文化伟人的大散文家接二连三地涌现，他们在社会历史巨变的前夜，预感时代演进的暖流，以自己超常的心智与雄浑的笔力写作出一部又一部散文巨著，为新时代的到来启迪世人的思想。人类近代精神文明的大厦就是靠这些巨著作为主要基石建立起来的。

孟德斯鸠的《波斯人信札》是最先宣告了启蒙思潮的散文杰作，这股思潮有力地冲垮了封建专制社会的基础，不仅在法国而且在全欧甚至世界范围里，都带来了新文化、新精神的春天。《波斯人信札》尖锐的社会内容、深刻的思想含意与优雅随意的信札文笔的完美结合，是人类散文艺术的一大景观。孟德斯鸠的另一部巨著《法意》更是政治学说的划时代之作，为近代国家政权的建制提供了理论基础与指导原则，虽然不属艺术散文的范畴，但也可列入大散文的领域。伏尔泰是对法国专制主义社会起了摧枯拉朽作用的大思想家、大散文家，他最善于在自己的散文中对旧时代旧制度进行嬉笑怒骂。他的《哲学通讯》是带来新思潮、起过启蒙作用的散文力作；他的《路易十四时代》在生动有趣的文笔与对历史人物个性的描绘中，贯彻了近代历史学的科学方法，对后世历史学影响极大，至今，仍然是史学著作的楷模，又是历史散文的经典。到了狄德罗手里，散文也是派了大用场，成为他建造启蒙新思想宏伟大厦《百科全书》的有力工具，他以此完成了"改变人们普遍思想方式"的伟业；他还是近代第一位把严整的艺术理论体系、深刻独到的艺术见解与生动的艺术化的文笔结合在一起的大批评家，他一系列精彩纷呈的批评论著《沙龙》《绘画论》等在欧美批评史上享有巨大的声誉，曾被另一个民族的大批评家赞为"每一句名言如电光一闪，照耀着艺术的秘奥"。卢梭更是写出了一系列散文经典名著的伟人，他的《社会契约论》与《论人类不平等的起源》二书，奠定了近代民主政治的思想理论基础，是划时代的巨作。如果这两部书应划入政治思想的范畴的话，那么，卢梭的自传《忏悔录》与《漫步遐想录》则无可争辩地是世界文学史上最为杰出、影响最大的文学散文经典名著，它以清新而富有感情色彩的文笔所表达出来的个性解放的精神、自我袒露的勇气、返朴归真的向往与愤世嫉俗的力量，对 19 世纪的文学产生巨大的影响，不少重要的文学人物都承认自己曾在这里受教益，是从这所"学校"里毕业出来的。18 世纪散文另一大家布封，则以其卷帙浩繁的《自然史》而闻名，这部作品以生动的文笔，对整个自然界从天文气象、地质地理到树木花草、飞禽走兽作了说明与描绘，既是一部唯物主义的科学巨著，又是一部有文学价值、规模罕见的散文大作。

从 16 世纪到 18 世纪，法国散文显然是有了长足的发展，它在整个文学中所占有的份额愈来愈大，比例愈来愈高；到了 18 世纪，它无疑已占了绝对的优势。其原因除了时代社会的需要外，还有文学本身规律的根由：那就是因为散文直抒胸臆，毕竟是一种较小说相对简便的文学形式。在小说还没有充分发达起来的文学史早中期，有志于写作者，有所感而需要进行写作者，往往自然而然就选取散文这种文学形式。就叙述、描绘与评说的艺术功能而言，在小说、戏剧、诗歌、散文这几种文学形式中，小说与散文是比较有关、比较邻近的两种，因此，这两种文学形式既有互相促进的方面，也有互相争衡的方面。从艺术经验的积累而言，两种文学形式常有互相促进、互相沟通、互相借鉴，甚至互相补偿的时候；而从文学史的客观空间而言，这两种文学形式往往有互相争地盘的时候。如果说文学史的早、中期散文比小说更发达的话，那么，到了 19 世纪、20 世纪法国小说空前发达的时代，散文在文学中所占的份额与地位就相对缩小了。这是因为一个时代、一个社会的文学创作能量守恒，能从事文学的人总有一定的限度，而从事文学的人所具有的创作能量也总有一定限度，特别是投放在相邻的两块文学园地上的创作能量更有一定限度。

虽然法国 19 世纪的小说空前昌盛，其总体成就超过散文的总体成就，但在散文领域实绩斐然的作家与有分量的散文力作仍然为数不少。夏多布里昂是以词藻丰富的华美散文而著称的一大散文家，他的《基督教真谛》一书特具文采，充满灵性，不仅唤起了整个一代宗教信仰的复兴，而且是法国 19 世纪浪漫主义文学的第一部名著，其影响十分巨大。他的多卷本《墓外回忆录》以及游记作品也具有值得重视的文学价值。司汤达的散文作品为数甚多，《罗马·那不勒斯·佛罗伦萨》是他旅居意大利数年观察、随感的结晶，着重于社会、政治与历史方面，是对一个国家一个时代有深度的写照与评析；《罗西尼的一生》是一部很有特色的音乐家传记；《论爱情》则是一部有心理深度而趣味盎然的专著。雨果仅游记作品就写有好几部，其中《莱茵河》一书在文学上的价值更高，它是莱茵河流域自然风光、历史社会、人文习俗的全面的生动展示，而且显露出欧洲一体化的远大目光，颇合 20 世纪的时代潮流；他的《莎士比亚论》是一本独特的批评论著，以充沛的激情与火热的语言写出来，具有文学散文的强烈感染力；他卷帙浩繁的《见闻录》是他漫长一生中政治社会、文学艺术、联谊交往等各方面经历、活动、目睹耳闻的形象记录，充满了生动的历史场景、栩栩如生的人物与有趣的轶事，兼有文学与史料的价值。福楼拜出奇制胜，竟也以个人的书信而在文学昌盛的年代赢得了散文家的地位。他的书信写得认真讲究，且论文说事，言之有物，加之通信者不少均为一代名流，自另有文史价值；他的多卷本书信集，无疑也是要算这个世纪散文文库中的一份宝贵财富。都德在世界文学中独特的声誉就在于他作为小说家出色的散文化倾向，他的《磨坊文札》是小说化的散文与散文化的小说的典范之作，享誉世界文坛；他的《巴黎三十年》等两部散文回忆录也颇有名。左拉的散文作品也有好几部，其中以《我的憎恨》与《真理在前进》这两本带政治性质的书为最重要，是左拉作为文学家兼社会斗士这种身份特点的具体体现，它们在法国社会斗争中所发挥的重要作用，已经成为一个历史事实载入了史册。19 世纪的历史散文中也名著迭出，米谢莱的《法国史》等书因其史笔有想象的补充而描述生动，故他有"想象学派"之称。泰纳的《艺术哲学》是一部史论结合的艺术史巨著，以其自成一家的理论体系、充满形象的历史描述与鲜明灿烂的文采而享誉世界。勒南的《耶稣传》，不论就内容还是就文笔而言，都是一部经典名著。这三位杰出的史家亦另有文学散文佳作，如米谢莱的系列散文集《鸟》《昆虫》《海》与《山》，泰纳的《比利牛斯山之行》与《意大利游记》，勒南的《青少年时期的回忆》等等。

20 世纪的情况与 19 世纪相同，虽然也是小说昌盛的世纪，小说的总创作量与整体成就几乎足以盖过其他所有的文学形式，但在散文领域大放光彩、具有世界影响的作家作品亦为数不少。罗曼·罗兰的《贝多芬传》《米开朗基罗传》充满了感情色彩的散文写作达到了很高的成就，其中宣扬的英雄主义与主体奋进精神曾在整个青年中刮起了一股向往之风。纪德的《地上的粮食》一书堪称这个世纪的散文经典，它流露出的个性自由的清泉滋润了一代又一代人的心灵。他的《刚果日记》也具有世界意义，是世界左倾散文中难得的一部成功之作。莫洛亚以《拜伦传》《巴尔扎克传》《雨果传》等传记巨著而享有盛誉，其历史知识之渊博、学术功力之深厚、性格描绘之生动、文笔意趣之雅美，在世界传记散文领域里至今仍无人能出其右。圣爱克·苏佩里是独特的一大家，专以航空生活为题材，他的《人的大地》等小说化的散文作品，可以说是把人类从事航空开拓事业的丰富感受写到了极致，他显然独占了世界的蓝天。萨特的理论散文与政论有十卷之多，在思想文化、社会政治领域均发生过世界性的巨大影响，他的自传《文学生涯》是《忏悔录》式的不朽力作，其严酷的自我剖析足见作者非凡的人格力量，是他获诺贝尔奖的主要依据。他的《圣日内》《福楼拜传》与《波德莱尔》，这三部巨制鸿篇，以其巨大的心理深度与深刻的哲理思辨，而被认为是作家评传领域中的奇书。他的终身伴侣西蒙娜·德·波伏瓦的《第二性》，是当代女权主义的经典巨著，在全世界影响极大，她的富有文采的多卷本回忆录，是一代知识分子生活历程与西方文化界状态的详尽忠实的纪录，具有很高的文献价值。与萨特关系密切的加缪，是本世纪一位举足轻重的哲人作家，他的名著《西西弗神话》对人的生存状态有极为深刻而形象的描述与阐释，它在世界的巨大影响是怎么估计也不会过分的。马尔罗不仅是一位在世界舞台上搬演历史的大人物，而且是一位大文学家，他的散文作品甚多，其中《反回忆录》既有丰富的、意义重大的社会历史内容，在写法上又别具一格，纵笔如天马行空，灵气飞动，被认为是新潮派回忆录典范之作。

从以上简略的回顾中，不难看出法国散文的基本风貌与民族特色。你进入了法兰西散文这片天地，你会有怎样的印象与感触呢？习惯把《滕王阁序》《陋室铭》《荷塘月色》当作散文典范、散文模式的读者，在这片新天地面前，定会感到奇异与反差，像《波斯人信札》中巴黎市民看到波斯人不胜惊奇一样。如果说，中国传统的散文世界，好像一个充满了曲径奇石、小桥流水、盆景苗圃、花丛林薮、亭台楼榭的美不胜收的大观园的话，那么，法国散文就像一个颇有"山舞银蛇，原驰蜡象"之势的大世界，当你在大观园的幽径上娱目观赏、应接不暇之后来到这片大世界的面前时，定会有"星垂平野阔，月涌大江流"的开拓感。在这里，玲珑精巧的小制作并非没有，更多的是鸿篇巨制；在这里，吟哦休闲并非见不到，更多的则是上升到历史、社会的高度，意在对精神文化的发展有所作为。

这种基本风貌与民族特色是可以理解的，要知道，法兰西在世界近代史上一直处于中心地位、关键地位，这种民族的地位与处境要求它具有开阔的全欧眼光，甚至是全球眼光，要求它具有全人类的历史社会意识与人文意识。在这片国土、在这个民族条件下出世的一批批智士才人不能不感应到这种现实的需要、客观的要求，不能不去适应它、服从它，把它当作一种铁律，一种命令。于是，我们从法国文化精神的历史发展中，就能看到那些制造思想意识形态的智者，很多人都往往以思考、说明重大的社会历史问题与人文意识问题为己任，都往往以探讨政治、历史、社会、精神、文化、道德、宗教、艺术等领域中的根本规律与重大事理为己任，他们的头上很早就没有封建专制君主的戒律与威吓了，他们有充分的思想自由去这样做。不像中国的文人学士往往要把历史政治、社稷人伦等重大问题的阐释权让给自己敬畏的君主，而只给自己留下了山水名胜、花木鱼虫、交往酬答、日常琐事的领域，由此就有了法国文人的公民意识，中国文人的臣民意识，法国散文的社会效应性，中国散文的个人闲适性。不可否认，法国散文中的确没有那么多像《醉翁亭记》《赤壁赋》的如大珠小珠般的珍品，但它历代那些运用了散文形式的才智之士，却使得法兰西在人类近代史上成为有深远世界性影响的社会政治思潮与文化艺术思潮的发源地。

如果说法国的文人才子缺乏纯粹个人的幽思心绪，不善于吟哦咏唱，那就错了，他们更多地把这个领域交付给了他们的诗歌；如果说他们对世上各种景观景物的感受不够丰富，不善于描绘渲染，那也错了，他们把这个广大无垠的领域交付给了他们同样空间无限的小说。且看，北美的瑰丽风光在夏多布里昂的小说《阿达拉》里得到了色彩多么丰富的大篇幅的描绘；古战场的惨烈在雨果的《悲惨世界》里有了多么惊天地泣鬼神的专章；外省小城的风光风情在司汤达的《红与黑》里有了多么出色的描写段落；一块普通的番茄片，在罗伯-葛利叶的《橡皮块》里得到了多么精确而无微不至的写生。这些专章段落不胜枚举，你能说它们就不算充分的、上好的散文艺术？

总之，"大课题、大气派、大手笔、大制作"就是我们所理解的法国散文的整体风貌。这种风貌固然决定于法国的社会历史条件，但也与法国文人那种非常强烈、非常自觉的成书意识、出版意识有关，特别是法国散文中的大制作不胜枚举，更是与此分不开。这种意识之强烈程度，仅从举世闻名的《龚古尔日记》即可看得出来。写日记纯属私事，仅仅是自己记事抒怀，并不是为了给别人看的，即使要发表出版，也是身后的事。但埃德蒙·德·龚古尔在 1887～1896 年就已经将他们兄弟二人 1851～1895 年间的日记陆续出版了。同样，虽然私人信件也不是为了公开流传的，但塞维尼夫人早在她生前就已经把她给自己女儿的信件拿到朋友们之间去流传，这些就是后来著名的《塞维尼书信集》的来由。这里的确存在着一种不同的文人意识，如果说中国文人在特定的历史条件下，往往习惯于孤芳自赏，由此逐渐形成了一种对清高出世的崇尚的话，那么，法国文人则恰巧相反，他们具有强烈的参与社会、结合人群的自觉与力求在社会中、在人群里引起轰动效应的愿望。也许，按照中国散文中常有的那种淡泊超然的意趣标准，法国文人的此种脾性乃是一种入世的虚荣心，但不可否认，它的确有助于推动法国文人去进行散文作品的大制作。

1996 年 1 月 30 日

权威的文学庙堂——龚古尔文学奖

——《法国龚古尔奖小说名著大系》总序

当我们今天面对龚古尔文学奖这个"庙堂"的时候，首先不能不对其创设者龚古尔兄弟做些缅怀，致以敬意。

"龚古尔兄弟"是法国文学以至世界文学中一个响亮的名字，在文化史上、文学史上，兄弟两人作为一个整体而名垂千古，这种情况是极为罕见的。

就生活经历而言，从 1848 年起，25 岁的哥哥埃德蒙·德·龚古尔就开始像慈父一样对 17 岁的弟弟茹尔·龚古尔承担照顾的重责，直到 1870 年弟弟去世，22 年之中，两兄弟始终形影不离，两人分开超过 24 小时者不过两次而已！

就事业而言，他们从青年时期开始，就共同从事绘画，徒步周游全法国，沿途写生。几乎与此同时，他们开始有一个共同的记事本，把当天的经历、见闻、印象记载下来，坚持不渝，直到 1896 年埃德蒙·德·龚古尔逝世前的 12 天为止，最后达数十卷之多，这就是举世闻名的《龚古尔日记》。从 19 世纪 50 年代起，他们又共同投入文学事业，共同写剧本，共同写小说，共同写历史论著与人物传记，共同办报刊，共同写艺术评论。哥哥沉着踏实，弟弟才华横溢，两人相得益彰，在各个方面都留下了两人水乳交融的丰硕劳动成果。弟弟先死于 40 岁的英年，哥哥曾经一蹶不振，后来虽活到 70 多岁的高龄，也单独写出四部小说，但其文学成就均明显不如兄弟二人的合作。不过，埃德蒙最后却完成了一个创举，那就是他临死前立下了遗嘱，把兄弟二人的全部家产与版权收入作为基金创立龚古尔学院，与创建于17世纪具有保守倾向的官方最高文化文学机构法兰西学院分庭抗礼，奖励独创性的小说创作。

龚古尔兄弟这些多方面的活动与功绩，在今天看来，它们的意义、价值与作用如何呢？

他们作为历史学家与美术家的功绩往往是被人们忽视的，应该注意，他们是法国18世纪社会史的卓越的专家，著有《大革命时期的法国社会史》《督政府时期的法国社会史》《十八世纪的艺术》《十八世纪人物内心写照》《十八世纪的妇女》《玛丽·安多纳德传》《路易十五的三位情妇》等十来部著作，他们的论著资料极为丰富，描述很是细致，堪称真切、生动、色彩绚丽的社会野史力作。

他们作为小说家的历史功绩大不可没。首先他们感应19世纪下半期科学长足发展并渗入各个领域的时代潮流，比福楼拜进一步使小说贴近科学的严谨与最大程度的真实，他们强调文学作品的资料文献性，以治史的科学精神来对待小说创作，力求使其小说带有真人真事的实录性，在小说创作中往往用搜集事实、搬用事实、再现事实的方法来代替浪漫的想象与人工的构建。其次，他们根据文学作为"人文资料"的思想，力求更进一步扩大文学的表现范围，把下层人民的实际生活状况引入文学，他们曾经尖锐地提出了这样的质问："生活在19世纪这个普选制的时代，这个民主自由的时代，我们要问，人们称之为'下等阶级'的人群是否无权进入小说。"尽管他们本人的生活格调带有贵族的倾向，其文学创作思想与文学实践却具有民主主义的性质。此外，他们还自觉地把自然科学的方法开始运用在人物描写中，乐于对人物进行病理性的剖析与实验性的"临床研究"，以严酷的真实为目标，不回避对可怕的病态进行描绘。他们给19世纪下半期法国文学带来的这些新的内容，都直接影响并引发了自然主义文学潮流的产生与发展壮大。自然主义文学大师左拉可以说就是龚古尔兄弟的直系弟子，龚古尔兄弟作为自然主义文学的先驱与"始祖"的地位是无可置疑的。龚古尔兄弟以上述自然主义的创作思想，共同创作了《夏尔·特马懿》《费洛曼娜修女》《勒内·莫普兰》《热曼妮·拉瑟顿》《玛奈特·莎洛蒙》《谢凡赛夫》这样六部小说，其中《热曼妮·拉瑟顿》是他们的代表作。左拉的名著《小酒店》就是在此书的直接影响下写成的。

龚古尔兄弟文学还有一个特殊的价值，他们作为私人日记的作者竟具有世界性的意义，他们的日记跨度几近半个世纪，有数十卷之多，对经历、对见闻、对人对事的记述与描写均真实、具体、生动、细致、绘声绘色，其散文价值自不待言。由于他们在一定程度上居于当时文学界的中心地位，参与过各种社会历史事件，结识过几乎所有当代的文化学术名流，因此，他们的日记极具宝贵的文史资料价值，构成了法国当时社会文化生活的一部野史。

龚古尔兄弟出身于靠近德国边境的洛林省一个贵族门第家庭，其姓氏在古德文中意为"斗士"，埃德蒙曾不无优越感地说："这么一个好的姓氏，我要拿到文坛上去显扬显扬。"龚古尔兄弟的确也做到了这一点，他们在当时法国自然主义文学的行列中几乎占有了导师性的先行者与盟主的地位。然而，在精神文化领域，当时的作用与影响并不等于永世长存的魅力。作为历史学家，他们流于琐细，见木不见林，缺少高屋建瓴的史论与总观全局的史观，因而未能经得起科学新潮的冲击。作为小说家，他们所带给文学的那些新的特色，早被左拉以磅礴的气势、巨大的规模、完善的形式与更大的艺术魅力远远地超过了，以至到了今天，龚古尔兄弟只有其代表作《热曼妮·拉瑟顿》还拥有一些读者，其他小说几乎都已被时间的尘土盖住。作为法国社会文化发展的见证人，他们具有极其宝贵价值的日记，也由于其性质与巨大规模而远离一般读者，只有少数一些历史学家、文学家、社会学家前往这座大矿藏中去采金。今天，在他们的遗产中，唯独龚古尔学院光芒万丈，它使得全法国以至全世界每年都要纪念或怀念他们一次，而龚古尔获奖作品的广泛流行，则使人们不能不经常感到他们在文学史上曾经有过的分量与影响，对此，谁又能说人死后不能再创造自己的光荣？

埃德蒙·德·龚古尔想要成立龚古尔学院的想法由来已久。福楼拜在世时，福楼拜、龚古尔、左拉、都德、屠格涅夫5人常在星期天聚在一起，共进晚餐，讨论文艺问题，这是文学史上著名的"福楼拜星期日聚会"。1880年福楼拜去世后，龚古尔欣然接受继续做聚会的盟主，时间仍是星期天，地点则在龚古尔家的楼顶上，这可以说是龚古尔学院最早的雏形。埃德蒙逝世后，龚古尔学院于1902年正式成立，从1903年起，每年评奖一次，给一部小说颁奖，至今已有93年的历史。

根据埃德蒙的遗嘱，龚古尔学院最初设立在巴黎蒙莫朗西大街的一幢花园住宅，这是龚古尔兄弟于1868年以8.3万法朗高价购得的。学院从一开始就规定由十名院士组成，十名院士历来都是在文学创作上已获得成就并享有较高文学地位与文学声誉的作家，评奖对象则是青年作家的小说作品。法国是一个小说大国，每年小说产量很大，候选的小说往往多达数十本，甚至一两百本。学院的工作方式颇有传统之风，我1981年在巴黎时，现已作古的龚古尔学院院士、著名作家罗布莱斯曾经直接向我介绍了龚古尔学院进行评选的程序："院士们每月集会一次，并共进午餐，对候选作品加以评论；每午餐一次，就淘汰一批。到年中五六月份时，只剩下二三十本，到9月份时，剩下15本左右，到10月份，只剩下10来本……最后，就在两三本作品中进行投票。"[1]每年12月的第一个星期一，当龚古尔学院在巴黎的德

---

[1]　请见拙著《巴黎对话录》第71页至72页。

鲁昂饭店又进行传统性的午餐之后，就宣布当年得奖的作家作品，颁发奖金。"在很早的过去，奖金规定为 500 个金法郎，由于币制的不断变化，今天就只是 50 法郎了。"[1]

著名的"50 法郎奖金"！微不足道的 50 法郎，就票面价值来说，它在巴黎只能买束鲜花，或者吃一顿快餐，然而，它的社会效应却是无可估量的。某部作品，一旦获奖，即声誉倍增，引起轰动，印刷量可以达到数十万册，甚至近百万册。由此，作家的版税收入高，更重要的是，对作家本人来说，这是一次殊荣，是创作历程中的一块丰碑，其原因就在于龚古尔学院与龚古尔文学奖享有崇高的地位。

龚古尔学院与龚古尔文学奖为什么在法国的精神文化生活中占有如此重要的地位？

在一个重视传统特别是文化传统的国家，龚古尔学院的最初源头就熠熠生辉，它代表一个传统，来自一个光彩夺目的文学聚会，是与福楼拜、左拉、都德这些光辉的名字连在一起的，因而在法国也就特具魅力。尽管从历史传统来说，龚古尔学院不如创建于 17 世纪的法兰西学院，但法兰西学院中被尊称为"不朽者"的 40 位院士中，有成就的文学家只占很少数，它固然是精神文化的权威机构，却不能算是纯文学的权威机构，而龚古尔学院的全部院士均为有成就有声望的作家，它理所当然地要算是一个纯文学的机构，加上它的传统与组成，自然也就在法国文学中拥有了至高无上的权威。

在 20 世纪法国，文学奖金有很多种，主要有创设于 1915 年的法兰西学院奖、始创于 1904 年的菲米纳奖与始创于 1925 年的瑞诺多奖。虽然这些文学奖也已有悠久的历史，但其影响、作用、地位与受公众重视的程度，均不及龚古尔奖。之所以如此，则是因为龚古尔学院高举着一个鲜明的旗帜，贯彻着一个响亮的口号，坚持着一条一贯的标准，那就是自然主义。"我们忠于龚古尔兄弟的态度，每年只给

---

① 请见拙著《巴黎对话录》第 71 页至 72 页。

一部自然主义的作品发奖。"龚古尔学院院士罗布莱斯曾经对我如是说。这种统一一致、持恒一贯的传统价值标准与传统取值倾向，是其他文学奖所缺少的。这一点无疑也造成了龚古尔奖的权威与声望。

自然主义是以真实的描写为目的，即以对客观外在的现实（包括社会现实生活）的真实描写与对人生、人的机体的真实描写为目的，真实是自然主义的基本出发点与前提，在这一根本点上自然主义与传统的现实主义是一脉相承的、完全一致的。如果要说它与以前的现实主义有什么不同的话，那就是自然主义文学创作中要求有更大范围与程度更为彻底的真实，它追求无所不包的真实、绝对的真实、严酷的真实、不带任何粉饰的真实，即使是卑污的事物、肮脏的事物、尴尬的事物、刺激人们美趣的事物或使人们道德感有所难堪的事物，都有如实进入文学表现领域的权利。正是由于有了自然主义，人类的文学才完全超出了沙龙、舞会、林荫道、乡间别墅的狭小天地，而才有了矿井、坑道、小酒店、贫民窟、洗衣坊、工厂里的车间、农村里的市集、大城市中的菜市场、交易所里的各种金融业务……。在真实描写现实的方法上，较之于传统现实主义，自然主义一方面把科学的、文献式的描述方法引入了文学，使文学对现实的描写达到更全面、更细致、更繁详的程度；另一方面，自然主义把实验医学与生理病理学的观察方法引入文学，把人的血肉之躯与生理机制带入文学，使得文学对人的描写达到了更科学的生理真实性的程度，因此，应该说，自然主义是现实主义的演变与发展，是在 19 世纪后期科学昌盛的历史条件下的一种特定形式的现实主义。法国是自然主义文学的发源地与主要舞台，产生了龚古尔、左拉、莫泊桑、都德这样一大批具有世界意义的大师巨匠，他们献出了极其辉煌的文学业绩，由于这些业绩，人类文学宝库又增添了一个巨大的份额。在中国，过去由于观念上的偏激与理解上的肤浅，不少人把自然主义视为现实主义的蜕化与"堕落"，甚至把自然主义简单地等同为"黄色描写"。但是在法国，自然主义却是一段光荣的历史，是一笔巨额的文化财富，是一个辉煌的传统，是一面灿烂的旗帜，它并不因为 20 世纪不断产生的新文学潮流的冲击而黯然失色，它在 20 世纪法国文学以至整个西方文学中仍是一个存活的现实，是一种跃动的生命，是一株根深叶茂的常青树，它的艺术经验早已作为共同的财富为世界文学所融汇、所吸收。龚古尔学院的龚古尔文学奖以自然主义为传统、为标准、为旗帜，以自然主义的正统继承者自命，这正是它的优越与强有力的所在，这正是它成为法国最有权威性的文学奖的主要原因。由于法国从来都是世界的小说大国，其优势地位在 20 世纪仍长盛不衰，龚古尔文学奖也就可算是世界性的一大文学奖了。

虽然法国是西方 20 世纪各种新文学思潮与新流派产生的摇篮，但在法国文学中写实的传统，现实主义、自然主义的传统仍是十分强大的，从作家的数量而言，传统的阵营远超过新潮先锋的阵营。在这种文学背景上，龚古尔文学院就成了法国写实文学领域里的一个选英集粹的磁场，龚古尔文学奖也就成了一个收纳包容佳作名篇的大文库。90 多年来获奖作品所组成的这个大文库，琳琅满目，美不胜收，真可谓是法国 20 世纪写实文学的一个重要的集中的展所。它作为一个整体，题材广泛多样，艺术水平整齐上乘，风格也多彩纷呈，其中不少获奖作品已经进入文学史而成为不朽的名著，如巴比塞的《火线》（1916 年获奖）、杜阿梅尔的《文明》（1918 年获奖）、普鲁斯特的《如花似玉的少女们》（1919 年获奖）、马尔罗的《人的状况》（1933 年获奖）等等，在这个意义上，龚古尔奖获奖作品的历史书目已经标出了法国 20 世纪文学发展的一个粗略轮廓。现在呈献给读者的十卷本，是龚古尔获奖作品选的战后篇，选取的是从第二次世界大战结束一直到近期的获奖作品共十八部。

从题材来说，战后获奖作品中有相当大一部分，我们可称之为

“战痕文学”，即反映第二次世界大战生活的作品。从 1944 年巴黎解放一直到 70 年代，龚古尔文学奖经常是落在这种“战痕文学”作品的头上。这是龚古尔文学奖在战后的一大特点，而龚古尔学院的这种颁奖取向正反映了这一时期法国文学的实际情况。在法国被德国法西斯占领期间，抵抗文学不可能公开出版流行，1944 年巴黎获得了解放，法国作家从前线、从集中营、从斗争中、从屈辱下，带着自己的体验、感受、回忆与思考又回到自己独立的文学创作中。战争虽已结束，恶梦仍不断缠绕；灾难已成过去，伤痕仍隐隐作痛。似乎只有文学回忆才能使人彻底解脱。在战争时期有过这种或那种经历与感受的人，纷纷拿起笔进行抒写。于是，在战后法国长期社会萧条之中，却呈现了“战痕文学”的大繁荣。龚古尔奖正反映了这种文学现实，其获奖作品中颇有不少“战痕文学”的名著，如《第一个窟窿赔偿二百法郎》《夜深沉》《死人的时代》《冬天的果实》等等。

在法国文学表现社会现实生活的传统中，作家往往特别重视对新的现实面的开拓与挖掘，自然主义作家在这个方面表现格外突出，当巴尔扎克把上流社会的虚华几乎写完了之后，龚古尔、左拉就把笔转向了下层，特别是左拉，把笔转向了从未有人表现过的领域——小酒店、洗衣坊、大菜场、交易所；当巴黎生活已经被写得应有尽有时，都德则从外省普罗旺斯吸取灵感，莫泊桑则致力于表现诺曼底地区的人情与风光。这种开拓新生活面的传统在龚古尔奖战后获奖作品中表现得很明显，《名士风流》与《马鄂的雀鹰》《冬天的果实》等这些作品就是有力的印证。《名士风流》虽然主要是巴黎题材，但它十分新颖、十分权威性地把作为 20 世纪法国社会一种重要现象的左倾知识分子群在特定政治情势下的真实状态表现得极为出色，时代气氛与社会环境的描写中还有深层次的人性挖掘，不愧为战后的一代杰作；《马鄂的雀鹰》与《冬天的果实》则是另一种类型作品的代表，它们把偏僻山区与小城镇的普通人的生活带进了文学，开辟了一个新的写实领域。

特别值得注意的是，战后龚古尔奖获奖作品中，有相当大一部分都是异国题材：《天根》的故事发生在非洲，《律令》是写意大利的生活，《闲暇》以西班牙城市为背景，《约翰·地狱》写的是美国下层人民，《大车上的贝拉齐》讲的是美国北部法裔移民大迁徙的历史，《神圣的夜晚》则是一个阿拉伯的故事。对异国题材的兴趣与对异国情调的追求，在法国文学中也是由来已久的，但在一种文学奖金的范围里，出现如此多的异国题材的作品，不能不说是一种非常突出的文学现象，这既反映了在战后西方各国经济与文化的逐渐一体化的趋向中，法国作家世界意识的增加与世界视野的扩大，而且也有力地表现了法国作家对世界题材具有多么广泛的认知能力、多么熟悉的程度、多么娴熟的艺术处理与艺术把握的能力，这是一种文学高度发展与成熟的标志，也是一种文学奖高度发展与成熟的标志。

1903 年创设的龚古尔学院与龚古尔文学奖，其悠久历史在当今世界的纯文学机构与纯文学奖中显然当首屈一指，它就像一株根深叶茂的常青常绿的古树，屹立在法兰西文学大地上。1988 年 5 月的一个下午，我来到埃尔韦·巴赞先生的家，他是龚古尔学院 1973 年以来的主席，他本人的文学创作硕果累累，著作等身，享誉全球，他又掌握着龚古尔学院的标准，每年主持着龚古尔文学奖的评选，使龚古尔文学奖成为一所"高等院校"，给一批一批作家颁发"高级职称"的毕业证书，推动着法国文学向前发展。我见到巴赞先生的那次，他已经 77 岁了，他驾车来车站接我。车的后座坐着一个不到 3 岁的小男孩，我以为是他的孙子或外孙；在他那幢房子门口，一个 20 多岁的鲜妍少妇出来迎接，我以为是他的女儿；在院子里的草坪边有一对老年的夫妇在晒太阳，显得比巴赞要老，我以为是他的长辈。经他介绍，我才知道，小男孩是他最小的一个儿子，少妇是他的夫人，那对老年人是他的岳父母，他们的年龄要比巴赞先生小不少。而在他的书房里，我又看到他不断问世的新作与不断拟出的创作计划。所有这些使我当时对巴赞先生的生命力与文学创造力深感惊奇。今天，在编选这套书时，我又深感龚古尔学院与龚古尔文学奖的悠久历史与文学活力，似乎与巴赞先生的年岁与生命力颇为相像。

1995 年夏

凝现时序的纪念碑

——中国法国文学研究会致普鲁斯特国际学术讨论会的贺词

　　任何一次学术会议都有这种或那种的必要。今天这次学术会议，在我们这个学界，无疑具有格外的重要性。1991 年，中国人在自己的首都，与来自法兰西的学者讨论普鲁斯特这位富有现代性的文学大师，显然具有多方面的意义。普鲁斯特现象即普鲁斯特及其巨著《寻找失去的时间》在文学史上的出现，堪称普鲁斯特传奇。这个传奇是人类智力劳动的奇迹，是人类艺术创造的奇迹。

　　如果巴尔扎克如他自己所说，是一个"精神苦力"，那么，普鲁斯特似乎更是如此，他以远比巴尔扎克虚弱十倍的躯体，完成了其难度约不亚于《人间喜剧》的艰巨劳作。他不是一个编写故事的人，不是一个倾泻自我感情的人，他给自己规定了极高的标杆，他提出了这样一个具有划时代意义的课题：时光流逝如烟消云散，人如何才能征服那一去不复返的时序，把转瞬即逝的时间凝固为具体的形式而使之像金字塔那样永世长存。他以超人的丰富而细腻的感受，奇妙地把实际时间转化为心理时间，又以令人惊叹的艺术天才，把心理时间转化为有形的、纪念碑式的文学巨著，从而以饱含着丰富艺术哲理的实践完满地解决了人类如何在艺术中征服时间这一个可以说是伟大的课题。尽管他具有"上帝的选民"的贵族化倾向，但他的艺术实践与艺术哲理，他的观察方式、感受方式与描写方式，对后人将永远是一座受益无穷的学校。普鲁斯特是现代的，他却将愈来愈成为人类优秀文化传统的一个组成部分。

由于种种历史与文化的原因，中国人认识普鲁斯特是很晚的事，基本上是最近十多年改革开放以来的事。然而，这种认识的速度与深度是令人惊奇的，其重要的表现就是普鲁斯特的巨著《寻找失去的时间》已经在中国全文翻译出版，这件事说明了改革开放使中国人在文化上具有多么强旺的接受能力。我们认为，这种接受能力应该作为现代中国值得自豪的事物而受到珍视。

1991 年 11 月 1 月

法国反法西斯文学鸟瞰

——《世界反法西斯文学书系法国卷》编选者序

法国的反法西斯文学，就其产生而言，可分为三个时期。各个时期的历史、政治特点，决定了各个时期反法西斯文学的状况。

20世纪20年代初期，法西斯主义的幽灵开始在欧洲徘徊，带有其色彩的集权主义倾向在30年代不同程度地扩展到欧洲各国，27个欧洲国家中只有10个仍是资本主义民主政体，法国就是其中之一。这种情况，再加上法兰西民族在思想上固有的敏锐，使得法国成为对欧洲的变化最先有所反应的国家。

欧洲环境的变化，最能引起法国敏感的，从来都是来自东部的那个邻国，至少从普法战争以后就是如此。1930年，纳粹党人在德国开始得势。1934年，希特勒上台。1936年，纳粹德国伙同意大利墨索里尼干涉西班牙内战，帮助佛朗哥建立法西斯政权。于是，如何对待这股咄咄逼人的法西斯势力，开始成为法国政界与思想文化界所面临的重大问题。在政治领域，右翼政府与左派组织在此问题上形成了尖锐的对立。右翼对法西斯主义采取不干涉的、绥靖主义的态度，把法国国家安全的赌注全部押在从隆居荣到莱茵河谷的马其诺防线上。左翼的民主的政党与社会团体，则开始了反法西斯的力量聚集。1933年，青年激进党人贝热里建立反法西斯共同阵线，民主、反法西斯主义倾向的刊物《箭》《黎明》《心灵报》纷纷创刊。1935年，巴黎50万人参加的大游行标志着人民阵线的成立，其中的主要力量是法国共产党、社会党、激进党以及左倾的社会团体，这个运动像巨大的磁石一样吸聚了知识界、文学界中一些杰出的人物。

与政治领域不同，文学界在对待法西斯主义的立场和态度上，不存在分野与对立，反对法西斯主义，是各种经历、各种倾向、各种观点的作家的共同一致的态度。10 年前曾互为论战对手的罗曼·罗兰与巴比塞，早于 1926 年就合作组织了"国际反法西斯委员会"；追求个性解放的纪德也发表过反法西斯的言论。1933 年，纳粹制造国会纵火案后，纪德与民主个人主义作家巴尔罗共同发起成立了"全世界争取德国反法西斯政治犯无罪释放委员会"；在营救季米特洛夫的斗争中，纪德、马尔罗、罗曼·罗兰都进行了重要的活动，发出了有力的呼声。1935 年 6 月，"全世界作家反战反法西斯主义委员会"成立，马尔罗与共产党作家阿拉贡均在其中起了重要作用并担任了要职。1936 年，西班牙内战爆发，法国的左翼作家与知识分子都纷纷参加了声援与支持西班牙共和派抵抗法西斯势力的社会活动，有一些人还走上了西班牙内战的前线，成为战火中的英雄，马尔罗就是最著名的一个。

整个 20 世纪 30 年代，对于法国知识界与文学界来说，是对纳粹德国充满了警惕、防范与斗争的 10 年。文学家们直接投入了政治社会活动甚至军事斗争，他们无疑是当时世界反法西斯斗争中的一批先进人物。

当然，社会政治活动并不等于文学创作业绩。由于有些作家如纪德、巴比塞已进入晚年，也由于法西斯的暴虐毕竟在法国社会政治生活中还不是一种现实，人们还没有具体的痛感，这个时期已在法国蓬勃高涨的反法西斯主义进步思潮，也就不可能在文学领域里带来大量的硕果。不过，反法西斯的文学作品已经开始产生，杰作名篇亦不乏其例，如罗曼·罗兰的《欣悦的灵魂》与尤瑟纳尔的《一枚传经九人的银币》。《欣悦的灵魂》完成于 1933 年，是一部反映 20 世纪前 30 年的社会生活与知识分子精神历程的巨著，其最后一卷《女预言者》

表现了 30 年代法国知识界先进分子面对法西斯主义在意大利开始猖獗这一欧洲现状的思想立场，以及他们所从事的反对法西斯主义的社会活动，小说的结尾描写了青年主人公玛克被意大利法西斯党刺死在佛罗伦萨的街头，是欧洲文学中最早的对法西斯暴行的揭露。问世于 1934 年的《一枚传经九人的银币》，则以墨索里尼专制统治了 9 年的意大利为背景，通过一件发生在罗马的反专制者的谋杀案，把"掩藏在当时法西斯浮肿表象下的空虚现实"揭示出来。最具有历史意义的作品，还要算马尔罗的《希望》。这一部巨著以真切的笔法直接表现了可歌可泣的西班牙内战，描写了西班牙共和派政府、工人、农民、知识分子以及国际纵队的英勇对敌斗争，并在灾难即将降临在全世界的危急时刻，表达了对人类反法西斯斗争必胜的信念与理想。作品出自西班牙战争中一位著名英雄人物之手，巨大的规模、广阔的画面、纪录性的描写，使它成为世界文学中关于西班牙内战这一重大历史事件的珍贵文献。

尽管作品为数不多，但以上的这几部却足以在世界早期反法西斯文学中占有经典性的地位，这经典性的地位是作品本身在思想上的敏锐性、它们作为反法西斯文学的先行性以及它们反法西斯内容所具有的完整而细致的形象图景与巨大的艺术形式规模所构成的。这些作品表现出对当时尚未充分暴露的法西斯主义的邪恶反动本质、狰狞面目以及巨大危害性的深刻认识，这种认识在 30 年代初期与中期，是少数杰出的有识之士才具有的。因此，这些小说放在世界反法西斯文学整个背景上，无疑要算是最早的一批作品，而且在形象表现与艺术形式上，《欣悦的灵魂》与《希望》都是 20 世纪世界文库中的巨制鸿篇。《一枚传经九人的银币》虽然只是一个中篇，却以典型深刻的形象描绘与凝练完美的艺术形式，足以进入名著杰作的行列而无愧。

1939 年 9 月，纳粹德国入侵波兰，第二次世界大战的序幕正式揭开。1940 年 5 月以后，德国的闪电战在欧洲连连得手，德军绕过马其诺防线攻入法国，6 月 13 日，巴黎沦陷，埃菲尔铁塔上升起了"卐"字旗，从此，法兰西忍受着被占领的屈辱，直到 1944 年 8 月才获解放。

法国在一个月之内沦陷，使全世界大惊失色。法国人一时惊魂不定，当时在美国的尤瑟纳尔从广播里听到不幸的消息，竟感到是世界末日的来临而与友人抱头痛哭。但法兰西很快就恢复了勇气，投入了战斗。戴高乐将军在伦敦领导着"自由法兰西"运动，成为盟国反纳粹德国斗争的一个重要组成部分；以法共为主力的地下抵抗运动，也在国内逐渐壮大，蓬勃发展。

在文学界，为德法亲善效劳、与纳粹通气合作的人屈指可数。从战争一开始，凡有民族气节、爱国情操的作家，都纷纷以不同的形式投入到保卫祖国、反抗法西斯的神圣事业，仅以当时已成名的作家为例：马尔罗作为装甲部队的普通士兵上了前线，后来又进行了地下斗争，成为游击队的组织者、统领者，率队伍参加了解放战争；与他并肩战斗的，还有著名小说家安德烈·尚松；莫洛亚已是卓有声誉的法兰西学院院士且年届 55 岁，亦投笔从戎，先后在情报总部、英国远征军司令部工作，并于 1943 年参加了北非的战斗、科西嘉登陆与意大利战役；法共作家阿拉贡曾应征入伍，上过前线，法国沦陷后又转入地下斗争，是当时抵抗运动中的活动家、地下刊物《法兰西文学报》的领导人，解放前夕，又参加了游击队的战斗，他的妻子艾尔莎·特丽奥莱一直是他地下斗争中忠实的伴侣与战友；萨特也曾参军上前线，被俘后在集中营编写排演了一出有抗敌寓意的戏剧，后来又与西蒙娜·德·波伏瓦进行地下活动，筹建名为"社会主义与自由"的知识分子抗敌组织，最后终于发现"编剧是他当时唯一可行的抗战手段"。此外，还有一些在文学领域里已崭露头角的作家，也都投入斗争，其中一些还英勇地献出了生命：保罗·尼赞光荣成仁在战场上，琼・普莱服与雅克・德古尔都牺牲在抵抗运动的武装斗争中，西蒙娜・韦尔作为"自由法兰西"的战士死在自己的工作岗位上。在法兰西蒙难时期，法国作家们显示出自己不愧是贞德[①]的后代，以自己的勇气、坚定、英雄主义与自我牺牲精神，对人类与法西斯纳粹进行殊死斗争的正义事业，作出了不可磨灭的贡献。

在法国沦陷时期内所产生的反法西斯文学，经常被人称为抵抗运动文学。今天看来，在 20 世纪文学史上，法国抵抗运动文学最著名的代表作，当推维尔高的《海的沉默》。这个发表于 1942 年的中篇小说，写德国占领军的一个军官，试图与被迫接待并供他膳宿的法国老房东建立起"友谊"，至少建立对话的关系，但朝夕相处了一段时期，军官彬彬有礼的态度、高度的文化修养、热情洋溢的言词与百折不挠的耐心忍让都无济于事，始终未能使房东老头打破沉默而与他交谈。小说所着力表现的这种沉默，无疑具有丰富的含义，它是屈辱时期全部法兰西民族情绪的凝现，像海一样深沉，像海一样威严有力。萨特的剧本《苍蝇》是沦陷时期法国文学的另一名著，剧本取材于古希腊悲剧中俄瑞斯忒斯为父报仇、弑母除暴的故事。剧本中暴政统治下的阿耳戈斯城，无疑是对纳粹占领下的法国的影射，主人公复仇除暴的英雄行为，则隐含着作者向法国人发出的反抗占领者的启示与号召。特丽奥莱的中短篇小说，也是这个时期重要的佳作，其中以《阿维侬情侣》（1943）与《第一个窟窿赔偿二百法郎》最为出色，前一篇小说正面描写了法国人民英勇机智的地下斗争，塑造了一个抵抗运动女战士的动人形象；后一篇作品表现了第二次世界大战结束前夕法国人民所面临的严酷的现实以及德国占领军的暴行与垂死挣扎。特丽奥莱的中短篇小说显然具有特殊的重要性，它们所描写的都是人民正面的对敌斗争，在当时都是秘密出版、匿名发表的，本身就是抵抗运动的一部分。她主要由以上两篇作品所构成的小说集，在 1945 年战

---

① 贞德：法国女民族英雄。

后第一次文学评奖中荣获了龚古尔文学奖。

这个时期的文学，在数量上以诗歌作品最为丰富。用诗歌表述斗志、抒发心声、鞭挞纳粹、抗议暴行的，不仅有早已声誉卓著的大诗人艾吕雅、阿拉贡，有已经成名的德斯诺斯、埃马纽埃尔、卡苏、塞盖斯等等，还有一些并不属于文艺界，也不专门从事文学创作但在生活与斗争中深有所感、心有所发的爱国志士与青年。据统计，仅在当时公开或地下出版的报刊中发表的诗作，就有数百首之多，他们多出自于近百位诗作者之手，其中主要的诗篇有艾吕雅的《自由》、阿拉贡的《游击队员之歌》、絮佩维埃尔的《远方的法兰西》、塞盖斯的《明天》，等等。在抵抗运动成员中，以阿拉贡最为突出。他以自己《断肠集》《法兰西的号角》等诗集中充满了爱国主义激情的诗歌，赢得了法兰西民族诗人的声誉。在政论散文方面，不少作家如尤瑟纳尔、莫洛亚、莫里亚克以及保罗·尼赞、琼·普莱服、雅克·德古尔、西蒙娜·韦尔等，也都留下了抨击纳粹、谴责法西斯主义的篇章。此外，一些爱国志士在英勇就义前、在狱中、在集中营里，都留下了感人至深的血书，这些志士尽管不是作家，这些书信虽然并非纯文学作品，但都具有特殊的文献价值。

沦陷时期的抵抗运动文学，具有一个特别值得注意的特点，那就是精神抵抗性。这种精神抵抗性首先与法兰西在第二次世界大战中的命运有关。迅速的溃败与沦落、零星的游击队武装斗争，决定了这个时期法国文学中不可能有像《日日夜夜》那样的模式，不可能充满了枪炮声，甚至实际对敌斗争的题材也不多见，而倒是更多地表现了一种精神上对纳粹占领者的抵抗性。这种精神抵抗性在法国文学中由来已久，早在普法战争失败、阿尔萨斯与洛林两省割让给普鲁士之后，19 世纪法国文学中就出现了都德的《最后的一课》这个名篇，它把最后一堂法文课提升为被迫向祖国告别的仪式的高度，开辟了以细小的题材表现重大的民族悲剧、以平淡的语言与表现形式蕴含着激愤的爱国主义情感的传统，成为文学中精神抵抗性的一个源头。此后，巴雷斯不止一部小说也着力表现被占领土上的民族精神与曲折的、深层的抵抗意识。第二次世界大战中法国的处境，犹如阿尔萨斯与洛林两省在普法战争后的处境，作家正面写实际抵抗的文学作品，只能秘密发表在地下报刊上，这种条件足以说明抵抗运动文学中两部经典名著《海的沉默》与《苍蝇》所采取的角度与形式。维尔高的小说正是通过一个老人与一个少女的沉默来象征法兰西人民精神上的坚贞与抵抗，表现这种精神抵抗的无比韧性与深沉力量。《苍蝇》也不是表现俄瑞斯忒斯如何复仇的故事，而是表现他如何克服内心中的犹疑、矛盾、顾虑与无所作为的情绪，决定承担起责任、进行复仇的精神过程。故事虽披着古希腊的衣装，采用了寓言的形式，但是，对纳粹统治下的法国人的精神状态有明显的针对性，因而能起到强烈的启迪与号召的作用。

1943 年 7～8 月，盟军攻占西西里岛，意大利经历了 21 年之久的法西斯政权宣告结束。1944 年 6 月 6 日，盟军又在法国诺曼底登陆，很快向内地挺进，法国地下抵抗运动与游击队武装纷纷起而呼应配合，8 月巴黎获得了解放。不久后，纳粹德国与日本相继投降，人类反法西斯的斗争终于获得了胜利。

法国作家从前线、从集中营、从斗争中、从屈辱下，带着自己的体验、感受、回忆与思考又回到自己独立的文学创作中。战争虽已结束，噩梦仍不断缠绕，灾难已成过去，伤痕仍隐隐作痛，似乎只有文学回忆才能使人彻底解脱，在战争时期有过这种或那种经历与感受的人，纷纷拿起了笔进行抒写与回忆。除一些文坛宿将外，法国文学中又出现了一些以其反法西斯的处女作而成名的文学新人，如罗歇·瓦扬、朱尔斯·鲁瓦、罗伯特·梅尔勒等。同一个题材上集中了一支人数如此众多的写作队伍，于是，在战后法国社会一片萧条之中，却出现了反法西斯文学的大繁荣，从战争一结束直到 50 年代初期，大量的反法西斯文学作品纷纷问世，这个高潮直到 60 年代才逐渐消退。

一次重要的社会事件、一个巨大的历史题材，要在文学中得到全面、充分、成熟、垂直的描写，往往是在事件与题材已经过去、已经成为历史之后，这不仅因为历史的全景与始终到这时才展示了出来，而且还因为作家需要有时间对历史与事件进行咀嚼，以深化自己的感受与思考，以提炼自己的经验与印象。当然，对于法国作家来说，还有一个至关重要的条件，那就是他们只有在战后才有了正面描写反法西斯斗争的充足条件。因此，从文学史的高度来说，法国反法西斯文学的主体部分是产生于战后，其主要成就也是在战后取得的。

首先，特别值得注意的是，历史画卷般的带史诗性的作品的出现。1947 年问世的加缪的长篇小说《鼠疫》，就是一部对取得了胜利的人类反法西斯斗争作出了寓言式宏观概括的杰作。加缪是法国抵抗运动中一位出色的斗士，他开始酝酿构思这部小说是在 1940 年纳粹德国占领了法国之后。在小说里，可怕的鼠疫象征着横行猖獗的法西斯，北非海滨的奥兰城则是人类社会的缩影。这个城市面临着被鼠疫毁灭的严重威胁，各种各类的人陷于恐惧、焦急、痛苦中，或逃避挣扎，或奋起斗争，最后，经过团结战斗，终于遏制了鼠疫。小说的寓意故事实际上是指人类反法西斯的斗争，作者赞颂了艰苦斗争中的团结、友爱与人道主义精神，表现了一种充沛的理想主义热情，并且深刻地指出鼠疫之灾将来仍有可能威胁人类。进步的思想内容、真实生动的形象描写与深刻寓意的水乳交融以及古典的艺术风格，使这部小说成为了 20 世纪世界文学中的名著。

阿拉贡的《共产党人》（1949～1951）是一部史诗性的巨著，作者原来的创作设计规模极为宏大，最后完成的部分共五大卷数百万言。小说真实而细致地表现了从 1939 年战争前夕到 1940 年纳粹德国长驱直入攻占法国这一段历史里欧洲时局的变化与法国的社会生活。在法西斯灾难日益逼近，资产阶级右翼政府对外妥协投降、对内加强镇压，各阶层人民惶惶不安的广阔社会背景上，突出了进步的知识青年与共产党人的反法西斯斗争。小说虽然结束在法国沦陷的黑暗岁月，但主人公抱着斗争的意志与胜利的信念，使尾声充满了乐观主义的色彩。正因为这个长篇在广阔的社会画面中蕴含着对历史时代的深刻理解，正面表现了共产党人的活动与斗争，故一直被视为法国社会主义现实主义文学的代表作。

萨特的《自由之路》（1945～1949）也是贯穿着反法西斯内容主线的一部史诗性的长篇小说，由《不惑之年》《延缓》与《痛心疾首》三大卷组成。故事由 1938 年 6 月开始，结束于 1940 年 6 月，正是法西斯黑云压城城欲摧的危急时期，小说反映了这一历史时期法国的政治社会生活。通过知识分子主人公由彷徨、犹疑、观望到积极投入反法西斯斗争、最后在战斗中勇敢牺牲的经历，表现了法国知识阶层追求真理、向往自由、作出积极自我选择所走的光辉道路，并预示着这道路将通往改变黑暗现实的革命之路。与萨特的长篇小说相近的另一部反法西斯名著，是西蒙娜·德·波伏瓦的《他人的血》（1945），这部小说同样以进步知识分子、共产党人在战争爆发前后的历程为题材，描写了他们在法西斯主义步步进逼的历史时期的思考、追求与斗争。

由于法国在战争中迅速崩溃的悲惨现实，文学中军事战争题材的作品就相对较少，但就有军事战斗经验的人与所创作的此类作品的比例而言，文学实绩亦相当可观。较为著名的有：朱尔斯·鲁瓦以其在"自由法兰西"的空军中服役的生活经验，写作了小说《快乐谷》（1946），并获得了泰奥弗拉斯特－勒诺多文学奖；安德烈·苏比朗以其在军队里行医的经历，写作了《我是装甲车群中的医生》，同样也获得了泰奥弗拉斯特－勒诺多文学奖；安德烈·尚松借助他在阿尔卑斯骑兵队与地下游击队中的实感，写出了《奇迹之井》与《最后的村庄》（1946）等小说；罗伯特·梅尔勒是 1940 年 30 万英法大军从敦刻尔克大撤退一役的参加者与见证人，他以自己的亲身经历写出了他的第一部小说《周末在徐德科特》，荣获 1949 年龚古尔文学奖；皮埃尔·布尔则以他参加"自由法兰西"在印度支那的武装斗争的观察与体验，创作了小说《桂河桥》，获得了圣伯夫奖。《桂河桥》被搬上银幕，在全世界广为人知。所有这些作品都反映了战争的残酷与恐怖，描写了参与者悲剧性的处境与命运以及他们的种种心态与对苦难的承受力。故事往往是悲惨的，画面经常是阴沉的，但与此同时，作品又赞颂了战士们之间的兄弟情谊与人道主义精神，表现出人物的意志力量，并接触与探讨了战争条件下的行为道德。

与战争题材的小说相近的，是集中营生活题材的作品，这些作品都是出自在战争中被俘，经历过集中营苦难生活之人的手笔，如梅尔勒的《我的职业是与死亡相伴》（1953），皮埃尔·加斯卡尔的《畜生》、《死亡的时代》（1953）与《妇女们》（1955），戴维·鲁塞的《集中营天地》（1946）与《我们死亡的日子》（1947），以及雅克·佩雷的《被逮住的下士》，等等。这些作品再现了笼罩着死亡阴影的集中营生活，揭露了德国法西斯的冷酷残暴，给法西斯暴行留下了一份真实的纪录。由于这些作品所表现的囚徒的痛苦是延续在日常生活之中，它们对暴行的揭露也就更细致、更深刻、更尖锐，在反法西斯文学中，这些作品无疑是最具有控诉力量与悲愤力量的一部分。

法国被踏在纳粹铁蹄之下有 4 年之久，如果说在复杂的思想矛盾中追求真理、探索自由之路，只是法国一部分知识分子的独特体验，在前线、在集中营受苦受难，只是一部分男性战士的亲身经历，那么，对于绝大多数法国人来说，则人人都深切感受过长期被占领状态下日常生活中所渗透的屈辱与苦涩。战后时期对这种感受的回味咀嚼，就导致了为数较以上两类作品更多的反映沦陷时期日常生活的文学作品的产生。其中最为著名的有：琼－路易斯·博里获 1945 年龚古尔奖的《我的村庄在沦陷时期》、琼－路易斯·居尔蒂斯获 1947 年龚古尔奖的《夜森林》、弗朗索瓦·薄瓦叶 1947 年出版后被搬上银幕而深深打动了世界各国人民的《禁止的游戏》、琼·杜图尔于 1952 年获联合文学奖的《黄油颂》、伯纳德·克拉韦尔于 1968 年获龚古尔奖的《冬天的果实》，等等。这些作品是对在战争灾难重压下悄然死去或受损害的那些善良人民的怀念与追悼，除了个别作品是采取滑稽讽刺的形式（如《黄油颂》）外，其他多是以凝重的笔墨、灰暗的画面卓越地表现出在纳粹占领下法国普通人民压抑低沉、艰难凄苦的日常生活以及心灵中的阴影与创伤，并深刻地揭示了灰暗现实中形形色色的人心世态。它们深沉的感情色调、真切的现实主义图景，具有感人至深的力量。它们在法国 20 世纪文学史上的特殊价值是不可磨灭的。

比起上述描写沦陷时期日常生活的作品，那些表现这个时期地下抵抗运动的作品则具有了些微的浪漫色彩。地下斗争是法国人在第二次世界大战中主要的骄傲，只是在描写地下抵抗运动的作品中，人们才见到法兰西人意气风发，他们以自己民族素有的聪明、机智、勇敢、乐观的特点，在一次次地下斗争中赢得了对德国占领者的胜利。这类作品的主要代表作有：罗歇·瓦扬的小说《荒唐的游戏》与雷米的一系列作品——《自由法兰西——特工人员的回忆》《无畏与恐惧》《联络网是如何消失的》《边界线》等。前一部小说塑造了一个坚强、成熟、老练却多少有点玩世不恭的地下工作者的形象，出版后很快就被搬上银幕，获得了巨大的成功；后一系列作品出自一个抵抗运动领导人之手笔，真实地反映了沦陷时期的地下秘密斗争。

除了以上几种直接反映与表现大战前后反法西斯斗争的文学作品以外，法国战后也有反思文学的出现。由于法国的国情与社会现实不同于德国与意大利，反思文学作品的数量也就很少，不过，也出现了像萨特的《阿尔托纳的隐藏者》（1959）这样的杰作。该剧以德国的生活为题材，把在纳粹统治时期犯有罪行的人物放在历史时期的现实关系中加以分析，并且突出表现了这种人物在战后的阴暗的精神状态，具有深刻的社会现实意义与性格心理深度。

　　法国从来都是一个文学大国，第二次世界大战中它在军事、政治上的软弱无力，与它在精神文化上的强大，与它的文学在反法西斯斗争中所表现出来的敏锐性、丰富性与力度是很不相称的。法国在反法西斯文学中拥有像马尔罗、萨特、阿拉贡、加缪、尤瑟纳尔这样一些在世界文学中有第一流位置的大作家、大手笔，也拥有世界高水平的文学奖如龚古尔奖的一大批获奖作品，另外，还有一些在世界范围里流传甚广的作家作品。我们的这一卷作为"世界反法西斯文学书系"的一部分，完全按照整个书系统一的标准与平衡要求进行编选，限于所规定的四卷篇幅，我们只能从法国反法西斯文学厚实的整体中编选出目前的八部长篇小说、一部剧作、若干篇中短篇小说、一组诗歌以及适量的戏剧和纪实文学，以求多少能反映其全貌。

1992 年 2 月 24 日

对 20 世纪西方文学少一点形而上学

——《西方文艺思潮论丛》第一辑序

呈现在读者面前的这个文集，是《西方文艺思潮论丛》的第一辑，我们起意编这样一个"论丛"，已经有两三年了，而这种意图则是产生于近年来外国文学学科内的发展与问题，产生于这两三年来文艺领域里的一些流行舆论。

为了把情况说清楚，我们有必要上溯到更早的时候。

新中国成立以后，我们外国文学的翻译介绍与研究评论都取得相当大的成绩，特别对 20 世纪以前的古典文学，由于有马克思、恩格斯的有关论述可循，我们基本上持继承的态度，并进行了一些历史唯物主义的分析与研究，尽管这种研究还不深入，并且不时受到一些"左"的干扰。

但是，在对 20 世纪西方文学，特别是对现代派文学的态度上，情况就不同了。在这方面，我们没有马克思、恩格斯的具体论断可循，而在新中国成立初期，以至五六十年代，我们在西方文化的问题上，似乎又非要遵循一点什么不可，由于当时处于向"老大哥"学习的热潮中，于是，斯大林时期负责意识形态工作的苏共领导人日丹诺夫在第一次全苏作家代表大会上的报告中对 20 世纪资产阶级文学的批判，就成了对我们有指导意义的权威性论断。日丹诺夫是这样说的："由于资本主义制度的衰颓与腐朽而产生的资产阶级文学的衰颓与腐朽，这就是现在资产阶级文化与资产阶级文学状况的特色和特点，资产阶级文学曾经反映资产阶级制度战胜封建主义，并且创造出资本主义繁荣时期的伟大作品，但这样的时代是一去不复返了。现在，无论题材和才能，无论作者和主人公，都普遍地在堕落……沉湎于神秘主义和僧侣主义，迷醉于色情文学和春宫画片，这就是资产阶级文化衰颓和腐朽的特征。资产阶级文学家把自己的笔出卖给资本家和资产阶级政府，它的著名人物，现在是盗贼、侦探、娼妓和流氓。"长期以来，我们正是以日丹诺夫的这种观点来看待 20 世纪资产阶级文学，用几乎完全相同的语言来评判 20 世纪资产阶级文学的。当然，在日丹诺夫的论断占统治地位的时候，西方现当代文艺作品，特别是现代派文学作品的翻译出版是根本不可能的。

如果说，这种对日丹诺夫的迷信是思想上、文化上的一种蒙昧的话，那么，这种蒙昧是社会性的，而不是个别人的，是一定历史条件的后果，而不是批评家个人是否高明、态度是否公正的问题，总之，是历史悲剧的一个小小的组成部分。而这种蒙昧的消除，只有在中国社会主义发展的新阶段，只有在改革开放的新时期里才有可能。

解放思想与实事求是原则的提出，实践是检验真理的唯一标准的讨论，给意识形态领域带来了大好的新形势，这种形势是外国文学翻译、评介工作得以有了一次飞跃性发展的前提条件。飞跃性的发展首先表现在 1978 年冬全国外国文学工作规划会上对日丹诺夫的论断提出质疑与批评，对 20 世纪资产阶级文学进行重新评价[①]。接着，理论上的突破使外国文学的编辑出版出现了新的气象：上海译文出版社以介绍外国现当代文学为任务的《外国文艺丛书》于 1979 年陆续问世，人民文学出版社与上海译文出版社合作出版的《二十世纪外国文学评论丛书》也相继与读者见面。也是从 1978 年以后，各地文艺刊

---

① 参阅拙文《现当代资产阶级文学评价的几个问题——在1978年全国外国文学工作规划会上的发言》，见《外国文学研究》1979年第1、2期。卞之琳、李文俊等：《外国现当代资产阶级文学评价问题的讨论》，见《外国文学研究集刊》第一辑（1979年9月），第二辑（1980年8月）。

物与杂志在介绍外国文学时，几乎毫无例外地以现当代文学为重点。禁区打破了，眼界开阔了，人们终于看到了本世纪西方文学的客观实际，接触到一大批在思想上和在艺术上都有长处的优秀作家的作品，见识了本世纪外国文学中种种令人眼花缭乱的流派、风格与手法，对自己所处的世界文学的环境有了比较清醒的认识。

这是一件好事，是中国从闭关锁国到对外开放的伟大历史转折的一部分，它受到了众多对文化、对书籍感兴趣的人们的热烈欢迎。然而，酷爱某种古老观念的人还是有的。日丹诺夫的论断明明不符合马克思主义历史唯物论的精神，但有人偏要说它是马克思主义的；它明明不符合西方文学全面的客观实际，但有人宁愿用这种武断来代替对 20 世纪西方文学的切实研究；它明明已经是陈旧过时，即使是在它自己的国家也早已被大大突破或被废置，但有人却仍把它当作一种革命的传统，就在 1978 年全国外国文学工作第一次会议之后不久，有人在 1979 年全国外国文学工作第二次会议上，竟对打破禁区、重新评价 20 世纪西方文学一事，进行批判和责难，声称"批日丹诺夫就是要搞臭马列主义"。当然，在这种批判中，西方现代派文学，从意识流小说、卡夫卡到萨特、荒诞派戏剧以及黑色幽默等等，无一不在横扫之列。这一批判持续不断，至今尚未绝迹。

这是在外国文学学科中发生的事情。

与此同时，创作评论界也有过一些情况。西方现当代文学禁区被打破，各种不同流派、风格与创作方法的作家作品被介绍进来以后，文学创作界一些同志敏感地予以关注，并且实际上是严格地遵循了一贯强调的"取其精华，去其糟粕"的原则，试图从这些流派、风格、手法中得到合理的、有益的借鉴，开始局部地汲取了少量对我们的文学创作有用的东西，如心理描写与意识流的手法等。这本来也是一件好事，并且这种借鉴与新手法在我们文学创作中的运用，也收到了良好的效果，使人感到了新意，受到了读者的热情欢迎。对此，创作界的一些同志感到欣喜。[①]然而，这一切却引起了一些人的忧虑与不安，随之而来的，则是对西方现代派文学的批判。不外乎说，西方现代派文艺在思想内容上当然是反动、消极、颓废的，不应予以肯定，即使是它的艺术手法，也是与它反动、颓废的世界观直接有关，因而也不应加以借鉴，何况，中国的文学要坚持民族化，借鉴外来的新奇手法就有走上歧途的危险，等等。在这些批判中，我们不难听到一个熟悉的声音，即日丹诺夫的声音的回响。

如果说，这两个领域里对西方现当代文学的批判，几乎是随着对西方现当代文学的重新评价与参考借鉴同时发生的话，那么，这种批判断断续续进行了一段时间之后，到 1983 年下半年，对现代派文学的批判，一度成为政治表态的一个重要的内容。于是，西方 20 世纪文学，特别是现代派文学作品又难以出版了。当然，应该承认，在对西方 20 世纪文学的重新评价上，存在科学分析的水平与评价的分寸的问题；在借鉴参考上，也曾有某种意见不当地把社会主义文艺方向与现代派文学联系起来。但是，这些都是学术问题与严格意义上的文艺问题。对此，只能用百家争鸣、百花齐放的正确方法去加以解决，而不应动用帽子与棍子。帽与棍可以奏效一时，归根结底对学术问题与文学问题是无济于事的。所幸，上述"左"的做法被及时地纠正了，而后，20 世纪西方文学的翻译出版才又逐渐有所恢复。及至今天，党中央在中国作协第四次会员代表大会的祝词中，明确地总结了文艺领导工作中的几个缺点，并倡导创作自由。以后，人们要研究与探讨 20 世纪西方文学，要在文艺创作中进行借鉴与创新，就有了空前良好的条件。

西方 20 世纪文学无疑是非常纷纭复杂的，其中每一种思潮、每一个流派，即使不说都是一个世界，但也构成了一角天地，本身之中

---

① 参阅冯骥才、李陀、刘心武关于现代派文学的通信，见《上海文学》1982 年第 2 期。刘心武：《在"新、奇、怪"面前》，见《读书》1982 年第 7 期。王蒙：《致高行健》，见《小说界》1982 年第 2 期。

又是精华与杂质并存。对它们作简单的肯定或作简单的否定都是行不通的。正确的态度就是切实地加以研究，实事求是地进行科学的分析，该肯定的要敢于肯定，该扬弃的要舍得扬弃。应该看到，从 1978 年打破禁区、重新评价以来，虽然我们翻译介绍了一些西方 20 世纪的文学作品，但是，我们对 20 世纪的西方文学，特别是对现代派文学，还所知不多，若明若暗，还谈不上有深入的研究。前一阶段之所以对现当代西方文学有那样一些不切实际的、"左"的流行舆论，就和人们在这个问题上所知不详有关。一方面是陌生的领域，是若明若暗的状态，另一方面则是日丹诺夫现成的论断与语言，操起现成的语言作评论比进行艰苦的分析研究当然要方便省事得多；而且，既然客观实际是在他知识视野与思考范围以外，那么他如何能对这客观实际去讲究实事求是呢？

正是由于以上的缘由，我们产生了编撰《西方文艺思潮论丛》（以下简称《论丛》）的意图。我们无意于"鼓吹西方现代派文艺"，我们也无意于搞"彻底批判"，我们的目的不过是要对当代西方文艺思潮流派作一些切实的研究，对这些思潮流派如实地加以介绍与说明，尽可能科学地加以分析与评判。由于这些思潮流派本身的复杂性，《论丛》并不谋求舆论一律，对于不同观点、不同分寸、评价不同的文章，我们将不强求统一，不准备提供一致的结论，而只求对客观实际有所说明，对问题有所分析。《论丛》将分辑出版，每辑一个专题或一个以上专题，以一种思潮流派或以一种以上思潮流派为论述对象，在对该思潮流派进行论述的同时，还将译介与该思潮流派有关的理论资料。不言而喻，《论丛》将以 20 世纪西方文艺思潮流派为主要对象，但因为 20 世纪的文艺思潮流派也和历史传统有这种那种关系，对 20 世纪以前的某些思潮流派，我们同样也需切实地加以研究，所以《论丛》也将兼及 20 世纪以前，例如，紧接着的《自然主义》专辑即是。

本辑以未来主义、超现实主义与魔幻现实主义为内容。这是 20 世纪三个各自独立的思潮流派，发生在不同的国度与地区，但它们之间又有着一些共同点与内在的联系。未来主义与超现实主义都有相同的源头即法国的象征主义，它们之间还有着某种沟通，如法国未来主义诗人阿波利奈尔，也就是法国超现实主义的启迪者之一。在社会政治思想与文艺观点上，它们一方面各有着自己的体系，艺术手法也各有不同；另一方面，反传统文学的立场与反理性主义的对梦幻、对下意识、对荒诞的追求，又是它们共同的特点。它们一前一后，未来主义发生在 20 世纪初，超现实主义发生在第一次世界大战后，同为 20 世纪现代派文学中最大、最早的两个流派。就其声势而言，未来主义波及了整个欧洲，而超现实主义则更超出欧洲的范围，在北美洲、拉丁美洲、非洲以至亚洲都有着不少追随者。就其作用而言，他们在 20 世纪现代派文学中首开先河，后来的意识流小说、荒诞派戏剧、黑色幽默都从它们这里汲取过营养。它们的影响还不仅限于文学，几乎席卷了绘画、雕塑、戏剧、电影、舞蹈、音乐等各个艺术领域。至于拉丁美洲所特有的魔幻现实主义，更以丰硕的小说创作成果，在 20 世纪取得了爆炸性的文学声誉。它受超现实主义的影响，也是显而易见的事实。

因此，我们把这三个流派集中在一个专辑里加以介绍与论述。为了使我们的介绍能更实在一些，我们特地翻译了这三个流派的理论宣言，或集中表述了其创作思想的文论，编译了三个流派发展过程的大事年表。我们希望，这些介绍与说明有助于对这三个流派有更切实的了解，从而也有助于对一些理论问题有更深入、更细致的分析。例如，"反理性主义"曾是用来判决西方现代派文学是"反动、消极、颓废"的有力证据，但超现实主义那些反理性主义的具体内容，是否也能使人们看到其中一部分反对资本主义社会的偏见、习俗、传统、成规的积极因素？是否可以使人看到它也曾在一定程度上给文艺创作带来某种意想不到的艺术效果？再如，民族化问题，它曾经是用来告诫人们不要去借鉴西方现代派文艺的一个堂而皇之、强而有力的论据，但是，根源于民族的土壤，吸收了现代派文学有益的营养的魔幻现实主义，是否可以作为民族内容与外来影响奇妙结合的一个范例而有助于打开思路、消除那种对民族化问题的封闭式的僵化的理解？

　　去一点形而上学，多一点实事求是，这就是我们在这一辑里所希望达到的目的。

1985 年 2 月

重新评价自然主义

——《西方文艺思潮论丛》第二辑序

在我们的文学批评界，"自然主义"是一个颇具贬义的用语。如果人们谈到繁琐的、死板的、令人感到厌烦的描写，经常就用"自然主义"一词去加以概括；如果人们谈到色情的、黄色的描写，更是经常用"自然主义"一词去加以称呼。如果是谈一个写真实的作家，对他作品里一些值得肯定的成就与长处，人们总把它们归功于现实主义，而对他作品里一些缺点与毛病，如"歪曲了现实""歪曲了人的社会性与阶级性""没有反映出社会现实的本质""以表面的貌似真实的描写掩盖了社会的本质"，等等，则都归罪于自然主义的影响。而如果要谈人类文学思潮发展演变的过程，那么，人们则把自然主义称为现实主义的蜕化，还有更不客气的，干脆称之为一种"堕落"。

这种批评看来是出于一种静止的狭隘的理念，即现实主义至上论的理念、现实主义中心论的理念，掌握了这种批评标准的人肯定是自认为在把现实主义作为文艺创作中的最高理想、最高原则加以维护与捍卫，其主观愿望无疑是好的，但实际上，这却是把现实主义仅仅归结为巴尔扎克型的模式，把它看作是静止不动、一成不变的，而且，也忽视了这样一些常理常情：在百花争奇斗艳的人类文学的园地里，果能有一种方法是至高无上、亘古不变、绝对理想的？这种方法真能压倒一切、君临一切而使体现了其他创作方法的名篇巨制都黯然失色、价值全无？这些显而易见的问题早已对这种理念主义的现实主义至上论、现实主义中心论是否站得住脚提出了质疑。而站在这种至上论、中心论的立场上，把自然主义视为现实主义的反面，则会引起更多的疑问：自然主义文学产生后文学史上一些事实与现象简直就无法解释了，一些文学史研究家、学者的论著中有关的论断更是无法接受了。别的不说，仅仅对一幅举世公认的漫画就无法解释，那是安德烈·吉尔的作品，画着巴尔扎克与左拉两个巨人相互致礼，把巴尔扎克表现为左拉的"精神上的父亲"。

可见，对自然主义文学的上述偏颇，实与文学批评的主观主义有关，是对文学史发展实际缺乏如实的把握而从绝对理念出发的结果。因此，对自然主义的切实研究，不仅与对自然主义的评价有关，而且也有助于对现实主义的更宽广、更深入的理解。我们正是本着这样一个目的，编辑了这一个文集。在这个文集里，我们除了对自然主义文学的主帅左拉与法国自然主义思潮中另三个重要作家龚古尔兄弟与莫泊桑进行全面的论述外，还组织了关于其他各国自然主义文学的专题文章：有对德国、拉丁美洲、日本、意大利各国自然主义文学的综合评介，有对西班牙、英国、美国一些被视为具有自然主义倾向的作家的论述，他们是西族牙的加尔多斯、英国的班奈特、美国的诺里斯与德莱塞，所有这些，基本上构成了整个世界范围里自然主义文学的全貌。当然，还有的作家，如美国的克莱恩与杰克·伦敦、英国的乔治·吉辛与乔治·莫尔，也被一些西方文学史家与批评家认为具有自然主义倾向，由于种种原因，我们未能组织到文章，不能不说全貌之中有所欠缺与不足。

这个论集里的文章，并不求从定义与界说出发，来规定一个流派或一个作家的性质，也不先入为主地推崇或贬责某一种主义，不论是现实主义还是自然主义，而是尽可能如实地对这些被公认是属于自然主义的作家与流派，或者被认为是具有自然主义倾向与色彩的作家与流派的客观实际加以介绍与说明，对他们的创作主张、创作道路、创作实践加以介绍与说明，且在如何区分、如何评价上不求一律。这样做，我们相信有助于对自然主义的性质、作用与地位有比较切合实际的了解，当然，也有助于对现实主义加深认识。

那么，究竟自然主义的基本性质与它在文学发展过程中的作用、地位是什么？

尽管在这个问题上有不同的观点与意见，但谁也不能否认，自然主义是以真实的描写为目的，即以对客观外在的现实（包括社会现实生活）的真实描写与对人性、人的机体的真实描写为目的。真实是自然主义的基本出发点与前提。在这一根本点上，自然主义与传统的现实主义是一脉相承的、完全一致的。这个集子里所附的自然主义作家的一些文论，就充分说明了这一点。如果要说它与以前的现实主义有什么不同的话，那就是自然主义的文学创作中要求有更大范围与程度更为彻底的真实，它追求无所不包的真实，绝对的真实，严酷的真实，不带任何粉饰的真实。具体说来，现实生活中任何范畴里的事物都应真实地加以描写，即使是卑污的事物、肮脏的事物、尴尬的事物、刺激人们美趣的事物或使人们道德感有所难堪的事物，都有如实进入文学表现领域的权利。在真实地描写现实这个根本的文艺问题上，18 世纪的狄德罗曾经是一个标志，他针对当时封建时代文学的实际，主张扩大真实描写的范围，要求市民、资产阶级凡俗而不高雅的生活进入文学表现的领域，成为文学描写的内容与对象。这在文艺思潮的发展过程中标志着现实主义创作原则的一次重大的开拓，从理论上为日后 19 世纪现实主义文学创作开辟了道路。同样，自然主义也标志着一次重要的突破，它彻底打破了文学表现的禁区，使所有的一切都能进入文学作品，这不能不说是文学写实主义原则的又一次发展。

不要以为，由于自然主义，人类的文学中只多了一些令有德之士唯恐避之不及的场景，如《娜娜》中莫法伯爵撞见自己的老丈人像一堆枯骨瘫痪在娜娜怀里的那一幕，《金钱》中萨加尔在自己情妇的床上被当场捉奸后与情敌高等检察官像野兽一样对吼的场面。应该看到，由于自然主义，人类的文学才完全超出了沙龙、舞会、林荫道、乡间别墅的天地，而才有了矿井、坑道、小酒店、贫民窟、洗衣坊、工场里的车间、农村里的市集、大城市中的菜市场，以及农民在地头的劳动、工人的操作技术、乡间酿酒的程序、交易所里的各种金融业务……而且，所有这些都不是作为背景被粗略地加以勾画，而是作为文学表现的内容被加以细致详尽地描写，由此，自然主义的巨著《卢贡－马卡尔家族》的确堪称一部几乎无所不包的"第二帝政时代的社会史"，整整一个历史时期的百科全书式的图景，其反映社会现实之广泛与详尽，比巴尔扎克的《人间喜剧》有过之而无不及。在其他国家里，尽管没有出现左拉这样气派宏大、才力过人的作家，但自然主义思潮的影响，也明显地扩大了文学真实描写的范围。在德国，19 世纪末的自然主义思潮中，作家们一反"创建时期"粉饰现实的宫廷文学，将目光注视到社会底层，把社会矛盾与劳苦大众的生活带进了文学领域；在拉丁美洲，19 世纪末至 20 世纪 20 年代的自然主义思潮促进了文学摆脱感伤主义、浪漫主义而走上了写实的道路，并且产生了一批广泛反映社会现实的文学作品；在日本，20 世纪初自然主义文学的兴起，实际上也是对封建文学遗风的一种反叛，它促进了以写实为主要特色的日本近代文学的诞生。而且，还应该特别指出，整个西方自然主义文学产生与流行的 19 世纪后期至 20 世纪初，正是无产阶级的生活与斗争在社会现实中愈来愈举足轻重，并要求在文学中得到反映的历史时代，以真实表现社会现实为己任的自然主义，在一定程度上正满足了这种要求，产生了像左拉的《萌芽》、霍普特曼的《织工》这样真实描写了劳苦工人的悲惨生活、歌颂了他们的反抗斗争的杰作。至于从自然主义开始，各种各样真实的工人形象才出现在文学中，无产阶级的思想情感、生活状况的详情才得到了比较充分的描写，这更是一个明显的事实。

正因为自然主义文学在反映现实、表现现实方面作出了不可磨灭的贡献，所以，我们应该说，自然主义就是现实主义在19世纪后期历史条件下的一种特殊的形式，是现实主义的演变与发展，它从根本上绝不是现实主义的反面。有鉴于此，有一些批评家与文学史家，往往把自然主义与现实主义等同起来，虽然我们认为这两者之间还是有所不同，存在着差异，但我们往往也难以下结论说，左拉、莫泊桑、德莱塞、班奈特等就是自然主义作家而与现实主义无关，或者，这些作家实际上是现实主义的而并非自然主义的；而只要有人把自然主义与现实主义对立起来，那更会陷入不可解决的矛盾，在对左拉、莫泊桑、龚古尔、德莱塞这些作家进行定性评价的时候，会发生明显的混乱。

人们把自然主义从现实主义的圣殿里驱逐出去，经常持有一些振振有词的理由。理由之一，说自然主义对现实的描写是纯客观的，缺乏倾向性，缺乏主观的思想感情，是没有生命的照相式的描写，而现实主义的描写则是有倾向的、有思想感情的，因而两者有本质的不同。是的，在自然主义的局部具体的描写中，作家经常是力求客观、冷静、无动于衷，不过，这不是为了别的，而恰巧是为了更加如实、更加严格、更加科学。而且，我们更应该看到，自然主义文学作品的总体形象，并不是无倾向的、无思想性的。众所周知，左拉是要求自己的自然主义巨著《卢贡－马卡尔家族》"成为一个充满了疯狂与奇特时代的写照"，因而，这部作品尖锐无情的揭露与鞭挞，并不亚于巴尔扎克的《人间喜剧》，而且，其中的一些主要作品如《萌芽》《土地》《溃败》的结尾，都充满着作者对光明、对社会进步、对民族与人民的理想与激情。同样，德国的自然主义文学也具有明显的、对资本主义社会批判的性质，日本的自然主义文学的兴起则带有反封建主义的色彩，拉美的自然主义文学对落后、腐朽、野蛮的社会现实也起了充分暴露的作用。还应该特别指出，有相当一大部分自然主义作家，比一些现实主义前行者具有强烈得多的民主主义感情，左拉较之巴尔扎克，政治思想立场就远为激进，他是法国文学史上作家兼斗士的突出范例之一。

把自然主义逐出现实主义圣殿的理由之二是，现实主义是表现现实本质的真实、典型的真实，而自然主义只表现表面的真实、非典型的真实。但是，我们不能否认，本质的真实、典型的真实都是人们对真实的一种抽象与概括，是属于认识范畴的东西，它不可能不与人的理念、人的思想观点、人的标准尺度有关，甚至往往以它们为转移。其实，事实就是事实，真实就是真实，写真实就是写真实，写得真实就是写得真实，这本来是再简单明了不过的。用这种爽快的方法去看待文艺与现实的关系，也许文艺批评的问题要单纯一些。对于一部作品，只要看它是否形象生动、栩栩如生、符合实际而又同时展示了某种意境、足以对人有所启迪就行了。如果先入为主地树立某种本质的真实、典型的真实的概念与标准并加以绝对化，那么，问题就会复杂得多。比如说，如果一个作家以一部小说描写了一个女仆由于客观环境的污浊邪恶与自己主观意志的薄弱而被侮辱以至沦落的经历，掌握这种标准的人一定会不满意地提出：这不是典型的真实，为什么你不写真正的工人？及至作家写了工人，如像写了古波式的工人，批评者根据这种标准又会提出：你为什么不写真正能代表无产阶级的产业工人？及至作家写了产业工人悲惨的生活与反抗的情绪，批评者从这种标准出发，仍然可以继续提出：这不够典型，你应该写产业工人在社会主义思想的指引下的活动与斗争。如果作家也写了这种活动与斗争并按当时的历史条件写出了其悲剧性的失败，批评家仍然可以不满意地说，这也是不够典型的，应该表现出这斗争光明的、必然胜利的前景。过去，我们在一些对《热曼妮·拉瑟顿》《小酒店》《萌芽》的评论中，就曾见到过这种批评方法。的确，社会主义运动兴起以后，对文学如何写真实必然要提出自己的要求，这种要求是自然的、正常的，不过，也应该看到，这种要求基本上是党派性的要求、政治性的要求，而不是纯文学性的要求。如果有的作家能按照这种标准的要求进行创作，当然是值得欢迎的事，但如果把这种标准加以绝对化，把它作为文艺的一条至高无上的准则，那么，就不仅会对自然主义作家笔下的真实提出不近情理的责难，而且，也会导致文艺创作中只有一种"本质的真实""典型的真实"，从而大大堵塞了文艺写真实的广阔道路。

总之，在我们看来，自然主义属于现实主义的范畴，当然，不言而喻，自然主义与传统的现实主义并不能完全等同，两者之间也存在着差异。这种差异就是，自然主义比传统的现实主义更多地在文学创作中引进了自然科学的成分，让自然科学的精神与具体学说对文学创作起更多的指导作用。不过，即使在这一点上，两者的差异也不是南辕北辙、泾渭分明。事实上，现实主义的发展从来就与自然科学密切有关。远的不说，狄德罗一整套现实主义的绘画论，就渗透着自然科学的精神与认识；司汤达从数学中得到熏陶与启发，形成了他严谨精确的现实主义风格；福楼拜把解剖学的方法用来剖析他的人物；被我们视为传统现实主义文学的经典大师巴尔扎克，也曾明确地在《人间喜剧》的前言里，说明了宏伟的《人间喜剧》的整体构思是如何从法国博物学家若夫华·圣伊莱尔的"统一图案"说中得到启迪而产生的。从巴尔扎克之后，到了 19 世纪下半期，进化论、实证主义、实验科学、医学、生理学、遗传学的发展，形成了一个更为昌盛的科学精神的时代，自然主义只不过是在这样的历史条件下，继续、发展并强化了现实主义原有的与自然科学相结合的势头，把自然科学对文学创作的指导作用提高到一个前所未有的高度。此举究竟是功是过，当然不宜笼统而论，应该加以具体的分析。

自然主义把自然科学引入文学创作，最重要的结果是生理学、遗传学的观点用于对人的认识与描写，也正是在这一点上，自然主义往往受到了一些严厉的责难：它被指责描写了人的动物性，把人降低到了动物的水平；它被指责强调了遗传的因素而否定了人的社会性与阶级性；它被指责从生理的角度描写了人反而带来了一些令人恶心的丑恶场面；等等。这些责备有一定的道理，的确反映了自然主义存在的缺陷，但另一面，这些责备也不完全有理，因为它缺乏一种具体分析，缺乏一分为二的精神，完全抹杀了自然主义所具有的生理性等成分的一定的积极作用。

首先，我们应该承认，人本来就是一种广义上的动物，本来就是一种物质的机体，血肉之躯，因而，在文学的描写中，不应无视与否认人的生理条件的存在及其作用，不应否认人除了有人性、社会性外还有动物性、生理本能的一面。在自然主义以前，这个方面在文学中是一直未能得到充分认识与必要描写的领域，或者说，是作家们所经常忽略、经常回避的领域。作家们在描写人的时候，往往总是限于表现人的"灵"、善的"灵"、美的"灵"、丑的"灵"、怪的"灵"、正常的"灵"、反常的"灵"，等等。即使是在描写人上前进了一大步的巴尔扎克，也并没有根本改变这一状况，他在《人间喜剧》里的确曾十分有意识地，也相当集中地表现了人身上的 Passion（情欲），但他至多把人类的各种"情"、各种"欲"与气质联系起来；自然主义则把人的"血"与"肉"都带进了文学，它开拓了一个新的方面，即人的"灵"、人的"情"、人的"欲"与人的生理条件、血肉之躯的关系。在左拉笔下，绮尔维斯开始贪杯，第一步走向堕落，并不仅仅是社会环境影响与个人心境恶劣的结果，而与她身体条件的内因也有关系。莫泊桑笔下的杜洛华固然就是巴尔扎克笔下的拉斯蒂涅的"同胞兄弟"，但我们在拉斯蒂涅身上只看到野心、贪欲、谋略与手段，而在杜洛华身上，则不仅看到他的野心、贪欲、谋略与手段，而且还看到了对所有这些有所影响、有所刺激、有所推动的生理要求与冲动，即饮食男女之类的要求与冲动。当然，在社会人的身上，饮食男女的本能、人作为血肉之躯的物质条件，并不一定就是人性、社会性、阶级性的决定性条件，并不一定就构成人的意识活动与心理活动的全部基础，时代历史条件、社会阶级关系的确有更重要的作用，但如果只看到社会阶级关系的作用而完全无视人的血肉之躯、生理物质条件的作用，则无疑又是一种偏颇，是对人认识得不全面。从这个意义上来说，自然主义补充了对人的描写的另一个方面，也可以说，开拓与充实了对人的全面、深入的写实。

至于在生理条件中强调了遗传的因素，这不能说是自然主义莫大的过错。时至今日，人类通过科学的发展已经达到了这样的认识，遗传在生物与生理的规律中占有很重要的地位，遗传学是一门真正的严肃的科学，而不是"唯心主义的""命定论的"妄谈。既然遗传的因素在人的生理条件中占有重要的地位，那么，在理解人、表现人、描写人的时候，引入遗传学，从遗传学的角度来补充与加深对人的生理机体的认识，并与他的心理意识活动联系起来，又有什么不好？在这方面，自然主义也带有开创性，它做了过去传统现实主义所没有做过的事，较之于前者，它有所增添，有所发展，这就不能不说是它的贡献。如果说它有什么过错的话，那就是它所依据的当时的遗传学理论还处于比较低的水平上，带有一些推论的臆想的成分，因而，左拉据此所构设的卢贡－马卡尔家族世系遗传树状图，就带有一些编造的性质。不过，我们应该看到，自然主义者的科学认识、理论主张与他们的文学创作实践还不完全是一回事。以左拉为例，尽管他非常重视人的生理条件与生理状况，然而，他文学描写的内容中占绝大比重的仍是人的社会生活、社会行为，而不是纯生理的记录；尽管他用来贯穿家族史小说的遗传世系图有非科学的成分，但毕竟只是把二十部长篇小说连成一体的纽带，只是作家把同一个家族的成员分布到各个阶层、各个领域里去以便展示各个阶层、各个领域社会生活的有效手段。正因为自然主义作家的创作实践与他们的理论主张之间存在着一定的差异，所以，对他们的文学创作以及他们的文学创作所带来的文学贡献，就更应该作出实事求是、公正的评价。

自然主义重视、强调实验科学精神的另一个重要的结果，就是加强了文学描写的实录性、资料文献式的详尽性，对于这种情况，人们经常讥之为繁琐、笨重的描写。的确，从艺术性来说，自然主义的描写有时显然缺乏灵性、意境与生气，然而，从描写的真实性来说，它的精细、准确、详尽、全面，对促进文学的写实来说，无疑有不可磨灭的功绩，并开文献小说、实录小说、暴露小说之先河。

自然主义思潮在西欧从发生、发展到消退，已经将近 100 年了，它在人类文学的发展中曾刻下了一道深深的印痕。说它消退并不完全确切，确切地说，它是汇入、隐没在现实主义发展的巨流中，它至今并未成为一个独立的流派与思潮，就是因为它本来就基本上属于现实主义的思潮，也正因为如此，它才可能整个地汇入并隐没在现实主义之中。它当时的一些理论主张与创作实践肯定有失之偏颇之处，但它的一些合理成分与贡献却汇入了巨流而成为这巨流中的有机成分。君不见嘉陵江汇入长江的情景？它绿色的水流初看起来与长江颇不协调，而它汇入之后，两者就混合交融、浑然一体了，这时，长江似乎仍然是老样子，但这时的长江水却有了嘉陵江水绿的成分。我们不妨随意举一篇远离了自然主义思潮的时代、远离了自然主义产生的国土的小说，如王蒙的《杂色》，它无疑是以现实主义的方法写成，但它对主人公喝了酸马奶后那种种生理感觉的描写，显然是从巴尔扎克小说里找不到的。如果人类的写实文学不经过自然主义这个阶段，也许今天的文学里就不会出现类似的段落。

1986 年 1 月中旬

关于意识流问题的思考

——《西方文艺思潮论丛》第三辑序

今年 5 月 20 日至 22 日，中国社会科学院外国文学研究所"20 世纪外国文学评论丛书"举办了意识流问题讨论会，在会议开幕词里，我曾说了这样一段话，既作为我个人的思考，也作为会议上的引玉之砖：

近年来，在对意识流的介绍与评价中，的确存在着一些有待研究与探讨的问题，如意识流是一种文学流派还是一种方法？它在 20 世纪的出现与发展有何历史的必然？它与现当代哲学、心理学、美学、社会学有什么关系？它作为一种方法是否可以对表现内容有相对独立的意义？它的出现对小说的艺术形式有什么影响？应该如何实事求是估计它作为一种方法的价值与缺陷？

又如，文学中的意识流与心理活动中的哪些层次、哪些内容、哪些形态有关？它所表现的是哪种层次、哪种内容、哪种形态？它是否就一定表现潜意识？在表现内容上它是否就一定表现性意识？是否与泛性论有必然的关系？是否就一定会与腐朽的内容有关？是否就一定会带来某种污染？它作为一种文学描述，是否一定反理性或非理性？

再如，意识流在整个心理描写方法中占有什么地位？它与传统文学中的心理描写是否有关？与其他相近或相似的心理描写方法有什么异同？它是否就是自由联想？这与内心独白与潜对话有何相似，有何不同？如何对 20 世纪外国文学中这些相近或相似的心理描述方法做出界说与区分？

再如，在运用了意识流方法的作家作品中，是否还有一些细致的区别？他们各自的意识流方法有什么相同与不同？他们如何处理意识流中的空间与时间、形象与场景？他们所描述出来的意识流在结构与形态上有什么相同与不同？

等等，等等。

《外国文学评论》编辑部有意对意识流问题进行一些探讨，嘱我将以上意见加以阐释。固辞不果，只能从命。但对意识流问题，我并未作过全面深入的研究，所述己见，只是为"丛书"的系列之一《西方文艺思潮论丛》组织意识流专题论集而作为一个编者的思索与感言，其目的仍然是抛砖引玉，以促进对这个问题更深入的研究。

意识流问题最初之引起我的注意与思考，是国内不少书刊把它作为一个西方现代文学流派来加以介绍，然后，当然又曾一度被作为西方现代派文学而加以非难以至批判。批判的论据不外是，意识流是西方资产阶级心理学，是弗洛伊德学说的产物，它是一种反现实主义的、非理性的、反理性的文学流派，它以表现潜意识与性意识为目的，必然带来腐朽的内容与精神污染，等等。以我对西方文学、对意识流的有限知识，总感到上述那些非难与批判并不符合实际情况，而长期从事研究工作的人，又总有一个职业病，那就是一听到自认为不符合实际的言论就不大舒服，就总想按照自己的理解去把问题讲清楚。学术界过去出现过的一些麻烦与悲剧，往往就是由此而来的。好在意识流问题是一个技术性问题，而且我们现在又是处于改革开放的时代。正是这种想把问题讲清楚的动机与意图，使我产生了在《西方文艺思潮论丛》中组织一个意识流专题论文集的想法；也正是这种动机与意图，使我在意识流讨论会的开幕词里讲了以上那一段话。

意识流不是一个流派，而是一种方法，这本来是文学史上的一个常识，把它作为流派，无疑与对文学史缺乏必要的考察有关。它之所以不是一个流派，不仅因为它既无统一的理论纲领，又无具体的组织形式，甚至连运用了意识流的作家们之间起码的横向联系也不存在。在西方 20 世纪 20 年代前后集中出现的一批被公认的意识流作家，如法国的普鲁斯特、英国的伍尔夫、爱尔兰的乔伊斯、美国的福克纳，他们相互之间并无创作上的交往，显然不构成一个真正的流派。特别是因为，意识流既不是最早出现于二三十年代，也并不止于二三十年代，早在普鲁斯特、伍尔夫、乔伊斯、福克纳之前，在法国有杜雅尔凡丹，在奥地利有施尼茨勒，前者早在 1887 年就在小说《月桂树已被砍尽》里进行新的实验，后者在 20 世纪初就开始运用意识流手法。而在 20 年代前后，创作过被认为有意识流描述的作品的作家更是不计其数。他们活动在 20 世纪的各个年代，分散在世界上各个国家，分属于不同的社会制度，具有不同的政治信仰与文艺思想，他们的意识流作品的内容千差万别，思想倾向各不相同。这些明显的事实清楚地表明了意识流不是一个流派。而如果它不是一个方法的话，那么，它又如何可能被 19 世纪末以来几乎所有国家的不同倾向的作家所运用而写出不同内容、不同倾向的作品来呢？正因为它是一种方法，它具有相对独立的意义，因而，它也就能为不同时代、不同国家、不同思想倾向的作家所运用，用来表现各种不同的内容与主题。

问题在于这种方法的出现与发展。不论是它的出现与发展都有一个"名"与"实"的问题。关于它的出现：的确，"意识流"一词最初是出现在美国哲学家威廉·詹姆斯的《心理学原理》中。该书出版于 1890 年，而书中集中论述"意识流"的第八、第九两章，则早在 1884 年就已经发表。应该看到，威廉·詹姆斯所提出的"意识流"

并不是一种发明，而只是一种比较确切、相对完美的表述与概括，它把人类心理活动中那种像水流一样活动着意识的客观状态，比喻为一个生动的形象。在威廉·詹姆斯以后，"意识流"一词才进入文学领域，用来称呼这种把意识活动展现为一种"流"的心理描写的方法或心理描写的作品。然而，这个词只见于英国文论与德国文论之中，我国在引进了这个概念后，也创造了"意识流"这一个新词，法国人则一直拒绝像我们这样也在法文中去创造一个"意识流"的新词，于是，在一个文学大国的理论批评中，就根本没有"意识流"这个术语，似乎不存在以"意识流"这个词来加以称呼的那种意识活动状态与那种心理描写方法。这是"名"上的问题，"名"上的问题并不重要，重要的是"实"上的问题。

从"实"来说，有两个层次。第一个层次是，人类从有思想意识活动以来，恐怕就存在着"意识流"这种客观存在的精神心理现象，就存在着回忆、想象、联想、推理、猜测等等互相混杂而像水流一样活动的心理形态。也许它是随人类的诞生而开始具有的，其存在的历史该是很悠久很悠久的了。威廉·詹姆斯只不过是发现了它而已，正像哥伦布只不过是发现了早已客观存在着的新大陆一样。甚至还可以说，威廉·詹姆斯并不一定是第一个发现者，发现者或许早已有之，或许为数不止一人，威廉·詹姆斯只不过是第一个用最确切的语言将它表述了出来，第一个对它进行了形象的比喻与概括而已。

第二个层次是，在文学的描写与表现中，类似意识流的方法与描写，或与意识流相近的方法与描写同样也早在威廉·詹姆斯的概括之前就存在了，像法国人的"内心独白"、俄国人的"心灵辩证法"就被认为是这种客观存在。"内心独白"这一称谓的确是法国人的发明，最初见于大仲马的小说《二十年后》与戈蒂耶的小说《丧门神》，只不过在这两部小说里并没有什么像样的实实在在的"内心独白"，而只是出现了这一用语，而文学中实实在在的"内心独白"则早已在大仲马与戈蒂耶之前就客观存在着了。仅以法国文学而言，18世纪剧作家博马舍的《费加罗的婚礼》第五幕第三场中费加罗著名的独白，17世纪喜剧家莫里哀的《斯卡纳赖尔》第十七场斯卡纳赖尔的独白，就可以算得上是"内心独白"，至于实际上的"内心独白"是否就一定最早出现于法国文学，那还很难说。可见"内心独白"的"名"与"实"都是早已存在的，它与20世纪的意识流有关，然而还不完全是一回事，还有一些差别。喜欢标榜独立性的法国文坛仅仅因为这个术语是本民族的，因而就一直加以固守，不惜用这个相当古老的术语来称呼20世纪心理描写的新发展，甚至把比较典型的意识流都称之为"内心独白"，这种术语运用上的非规范化与各自为政，在文学批评与研究中就造成了不必要的混乱与障碍。另一与意识流有关的"心灵辩证法"，则是俄国作家托尔斯泰心理描写的新成就，它无疑要比单纯的"内心独白"来得较为丰富，而且，托尔斯泰也的确给他的"心灵辩证法"提供了杰出的范例。当然，托尔斯泰的"心灵辩证法"与真正的意识流相关但也相异，如果一定要把托尔斯泰的"心灵辩证法"说成是"意识流"，把意识流始祖的桂冠奉献给他，那又会在这个问题上出现另一种民族主义的非规范化，同样也会在文学批评与研究中造成不必要的混乱与障碍。

在清理了意识流问题上一些"名"与"实"的纠葛后，我们可以进一步思考意识流的实质问题。既然人类心理活动中的意识流是印象、回忆、想象、观感、推理以至直觉、幻觉的混杂，并构成一种活动着的"流"，那么，文学中典型的意识流手法同样就应该是表现出这种印象、回忆、想象、观感、推理以至直觉、幻觉等多种成分混杂在一起并构成一种"流"的心理活动的方法。而且，这种方法不是描述，而是呈现，作者不是插入其中，而是退隐其后。因此，文学中真正意义上的意识流就必然具有流动性、混杂性、呈现性。最充分具有这几种特性的文学名著，莫过于乔伊斯的《尤利西斯》与福克纳的《喧哗与骚动》，伍尔夫与普鲁斯特的作品则稍次，而法国的杜雅尔凡丹与奥地利的施尼茨勒不过是牛刀初试的先行者而已。意识流的方法在 20 世纪 20 年代前后大为时兴，固然因为一种方法从 19 世纪末迈出步子，其完备化总需要经过一个相当的时期才能完成，但更主要的原因则不能不说是 20 世纪所具备的某种新的历史条件，这里，与文学直接有关的历史条件至少有这么三个：一是在 20 世纪西方哲学、社会学、伦理学中更为突出的个性主义、个人主义思潮促使文学对个体人本身、对人的精神活动状态有更深入的关注；二是 20 世纪心理学的发展，特别是弗洛伊德学说的出现，为文学深入细致、别开生面地表现人的内心活动，提供了启示与理论根据；三是自然主义以后对更为严格的真实性与科学性的追求，促使文学尝试抛弃那种由作者出面来概述或描述人物内心活动的编排性、虚假性，而转向直接呈现人物意识活动的新的艺术途径。

那么，意识流手法与传统的心理描写方法关系如何？既然同为心理描写方法，既然都要尊重心理活动的规律与形态，当然两者不可能完全无关，正如我们已经看到的，内心独白与心灵辩证法既是传统的手法，也可以用来包涵意识流手法的某些内容。不过，我们应该着重考虑的是意识流手法与传统方法的区别，这才是意识流本身的实质与特征之所在。在我看来，区别首先在于它的流动性，在传统的心理描写中，人物的心理活动固然也存在着次序、连贯与流动，但这种心理活动经常是合乎逻辑或逻辑关系较强的顺"流"，已经条理化了的"流"，已经整治过了的"流"，而意识流的流动，则不一定是合乎逻辑或逻辑性较强的"流"，而且，其中还常有时间的颠倒与空间的重叠或空间的分解以及重新组合。在这种"流"中，景观就复杂一些，有回旋，有倒流，有明流，有暗流，等等。其次，意识流手法与传统心理描写的区别在于它的混杂性。传统文学中的心理活动当然也存在着各种成分，但显然不如意识流来得丰富、庞杂，意识流的混杂性既表现在心理活动的内容与形式上，也表现在心理活动的层次上。就心理活动的内容与形式而言，意识流中有回忆、有想象、有推理、有联想、有眼前具体的印象、有内视的意象、有场景、有形体、有色彩、有度量、有位置与方位，有表现为完整语句的内心话语，也有语言的片断或个别单词；就心理活动的层次而言，意识流中有明确的意识、完整的意识，也有朦胧的意识、片断的意识、深层的意识，还有潜意识与某些已经不属于意识而接近生理本能的反应。所有这些，不论是其流动性上的复杂情况，还是混杂性的复杂情况，归根结蒂，只不过是人类心理活动中客观存在着的复杂情况。意识流手法并没有臆造与发明，它只不过是以一种适合的方法把人脑中固有的复杂状态再现出来而已，而这种适合的方法就是呈现法，这是构成意识流与传统的心理描写的第三个重要的区别。这种方法取消了作者的插入与转述，而将复杂的心态客观地（至少在表现上）呈现出来，就像把人物的脑海当作一个荧光屏，让所有一切都在这屏上客观地再现一样。

既然意识流中所要呈现的心态是各式各样的，它所要显示的层次也绝不是单一的。不言而喻，意识流并不意味着只表现潜意识，除了潜意识外，它还要显示其他层次的意识。把意识流说成只是潜意识的表现而给它戴上反理性的帽子是不科学的。潜意识当然不是理性的东西，问题不在于意识流是否表现了潜意识，而在于人类的心理活动中有没有潜意识这种东西；不论我们对潜意识作何解释，不论我们是否完全同意弗洛伊德的学说，恐怕都不能否认潜意识的存在；意识流既然表现了人类心理活动中一种客观的存在，也就不能算是一种过错了。当然，我们也已经看到，意识流手法要表现时间的颠倒、空间的重叠、分解与重新组合，要表现朦胧的意识、片断的意识以至某些本能的反应，它所呈现出来的状况与图景，往往就是非理性主义的，即混乱、不符合逻辑、不构成正常的次序。然而，如果说，人脑中的这种客观状态的再现是非理性主义的话，那并不等于意识流手法是反理性主义的。这里有两个问题：一个问题是，人类的心理活动中是否存在着时间的颠倒、空间的重叠、分解与重新组合，是否存在朦胧的意识以至本能的反应？如果本来就客观存在着这些状态，那么，意识流方法再现出这种客观状态，正好是它的一个贡献。第二个问题是，文学创作只要是以获得读者为目的，客观上就不可能是反理性主义的。除了超现实主义者所提倡的自动写作与追求梦幻的极端的写作方法外，任何作家总要在自己的作品里表现出一些什么、告诉读者一些什么，用意识流方法进行写作的作者尽管要展现一些非理性的心态，但他笔下的每一个心态、每一段"流"、每一种"混杂"，都是他自己选择安排的结果，他的选择与安排则是有意识的、有目的的，是受一定的理性考虑制约的，而他之所以选用意识流方法，总与他某种创作意图与文艺见解有关。意识流作家与传统作家一样，都是自己作品中那个世界的造物主，不过，传统作家是显形的造物主，而他们则是隐形的造物主。不论作家用什么方法创造自己的世界，但每一个造物主都有自己创世的意图与理念。

至于说意识流方法必然导致泛性主义因而必然带来腐朽的内容与污染，更是缺乏理论上与实际作品的根据。性意识是人类意识活动中的一个重要组成部分，从真实表现人类的目的来说，它不应该是一个禁区，但正如性意识只是人类意识活动的一部分，意识流方法也并不必然导致只表现性意识，或只从性意识来解释人物所有一切的思想意识与语言行为，除非运用它的作家是要表现一个色情狂的心态或干脆只是想写一部性文学。的确，在弗洛伊德学说中，性本能被认为是人性中最基本的东西，可用来解释人几乎所有的活动与关系。弗洛伊德这种泛性主义是他对人的一种解释，是一种学说，他这种学说可为一些人所信从，也可为一些人所摈拒，正像阶级论有它的信从者，也有它的质疑者、反对者一样。那么，有什么理论根据与实际根据可以说明运用了意识流方法的作家就一定信奉泛性主义呢？事实上，意识流作家对泛性论不感兴趣、有所质疑、表示反对的，倒大有人在。事实上，文学史上意识流的名著几乎没有一部是泛性主义的，没有一部是性文学，而众所周知的性文学名著有不少却正好是用非意识流方法写的，是用我们某些批评家认为是理性主义的、真实反映现实的，因而也是至高无上的写实主义方法写出来的。总而言之，意识流方法与泛性主义决非一而二、二而一，也不是两者如形影相随，具有必然的联系。如实地看待这个问题，就不至于产生敲碎了鸡蛋就以为是杀死了小鸡的误会。

显而易见，意识流方法扩大了文学的心理描写的领域，并把对人类精神心理活动的文学表现推进到一个新的真实的水平。当然任何一种方法，都有其所长，也有其所短，意识流方法亦不例外。对于这个方法的过分执着，使用过量，至少就有使文学阅读变成密码破译的危险，且不用说文学美感力量的丧失了。如果正常地把它视为心理描写方法之一种，而加以适当地运用，则无疑有助于丰富与深化文学的表现力。不过，还存在一个问题：意识流的界线是什么？什么算意识流，什么不算意识流？它与其他相近或相似的心理描写有何异同？

在法国人看来，内心独白的确与意识流有某些相近，因为它由来已久，因此，法国人在 20 世纪用它来代替意识流。但实际上，内心独白在其流动性上比意识流要有秩序、有条理，它经常是一种内心中的思考，正因为是思考，所以它才比意识流更有逻辑性，更受人的理性的制约。而它的构成，也偏重于理性的因素，除了回忆、想象等因素外，还包括思索、分析、估量、预测等等这些因素。更重要的是，在内心独白中，一切都是以人物的清楚而相当完整的语言的形式出现的，只不过这种语言并未发而为声、书而为文而已。因而，在内心独白中，有大量的明确的意识、清醒的意识，而朦胧的意识、深层的意识甚少，潜意识与本能的反应则几乎不在内心独白中出现，在意识流中这些东西倒是常见的。

心灵辩证法。它与严格意义上意识流的距离，似乎比内心独白与意识流的距离还要远一点。"心灵辩证法"的条理性、逻辑性都是比较明显的，贯穿着理性，它缺乏严格意义上的意识流那种各种成分、各种层次的混杂性，也缺乏那种充满了不规则状态的流动性，更主要的是，它既不像内心独白，更不像意识流具有客观呈现性，而是由作者来直接插入，直接观照，直接描述，这样，"心灵辩证法"中人物的心理活动倒不是呈现在读者的面前，而是间接地经过作者的转述而被"通知"给读者。

自由联想。它比以上两者与严格意义上的意识流更为接近，它缺乏逻辑性，很少受理性的制约，带有很大的随意性与任意性。在这一点上，它与意识流几乎毫无区别。在意识的庞杂上，它也与意识流相近，但正如内心独白经常是表现为语言的形式一样，自由联想则较多表现为形象，而且经常是比较清晰的形象，它是人物完全清醒的状态中自由自在的意识活动。因而，在自由联想中，表层的意识、明确的意识比深层的意识、潜意识多，而深层的意识、潜意识或本能的心理反应则不如在意识流中那样多，这也许是它与意识流有所区别的一个地方。

至于潜对话，它像内心独白一样，完全是法国人的创造，是法国文论中的术语，出自法国新小说派作家娜塔丽·夏洛特的笔下，并构成了她的独特性，它无疑是现代心理描写的又一发展。它的活动形态不仅有随意性、任意性，它的内容也可以无所不包，具有庞杂性、琐细性。它更重要的特征，它与严格意义上的意识流有所不同而又为其他心理描写方法所不具有的特征则是，它不是着重表现个体人的自由的意识活动，而是着重表现人与人之间的不见于对话的一种隐秘的关系，一种微妙的相互作用、相互感应、相互交流的关系。而且，这种相互交流还不是未发而为声的"内心对话"，它比"内心对话"更为深藏、隐蔽。在这里，人物在对方的作用下，既不是产生了某种表态，甚至也还没有来得及形成某种思想、某种意识，而只是有了思想意识形成之前的某种微妙的原始的反应，这些反应多少带有本能的性质，而这种反应又引起对方类似的反应，于是就形成了互相之间深层意识下的一种特定的"潜对话"，一种接近本能反应的相互作用。

从以上这几种与意识流相近或相似的心理描写方法中，不难看出，意识的自由流动是它们共同的特点，它们还几乎都或多或少、不同程度地表现了人类意识活动中庞杂的内容与较深的层次，尽管与严格意义上的意识流有所不同，但确有相近或相似，对于它们，不妨视为广义的意识流手法。

即使是在意识流的范围里，也存在着不同的意识流手法，不同作家运用不同的意识流手法所描述出来的意识流在形态上往往就有所不同。就其运动的形态而言，是否可以说有以下这样几种？一是线形的意识流结构，即意识由一个源头连续地、一环接一环地连接的链条；一是放射形的意识流结构，即由一个固定的中心持续地向四周放射，像一个放射的星状；一是彩点式的意识流结构，即意识杂乱地互不相关地闪烁涌现，像散布的彩点；一是块状的意识流结构，即意识集结为大块的构件，整个意识之流由大块构件排列而成。乔伊斯与福克纳的作品中，前两种结构似乎居多，普鲁斯特的作品则偏于第四种结构。

除了结构形态外，还有一个问题值得注意，即意识流的构成单位或构成分子的问题。有的类型的意识流的每一环、每一部件、每一个"分子"比较简约，容积较小，或为一个形象，或为一句话，或为一个词，这样的意识流就显得节奏较快、流动较畅、闪现较活跃，线形结构的意识流与放射形结构的意识流、彩点式结构的意识流，也许可以说较多地属于这一种类型。另外，有的类型的意识流，其每一部件、每一构成单位则相当庞大，或为一个容积很大的场景，或为一段内容很丰富的生活现象，或为一个很完整的事件进程，块状结构的意识流往往就是如此。这两种类型的不同，是由于不同的作家在处理意识流中的空间与时间、形象与场景的问题上怀有不同的意图、要求与规划所致。

意识流是一个复杂的心理学、文艺学的课题，国内对这个课题的研究正在开始，以上所述仅仅是组织意识流学术讨论时的一些粗浅考虑，权充作开场锣鼓。

1987 年 8 月

现实主义是一个开放体系

——《西方文艺思潮论丛》第四辑序

这是《西方文艺思潮论丛》的第四辑，此前已经出版的三辑是：《未来主义、超现实主义、魔幻现实主义》《自然主义》与《意识流》。

按照我们的理解，这几辑的主题，都是将近整整一个世纪以来值得总结、值得研究的重大文学现象。这些文学现象在我国研究得很不够，而且存在着一些误解、似是而非的评论，甚至武断的判决。我们绝不敢期望起什么"正本清源"的作用，只想作些具体而切实的说明与论证，以向理论学术界提供参考。关于创办《西方文艺思潮论丛》的意图与目的，我们已经在第一辑《未来主义、超现实主义、魔幻现实主义》的序言中作了表白，这里不再重复，但需略加说明的是，这四辑的四个主题主旨，是我们在开始筹建这个"论丛"的时候就已经明确拟定的，只是由于学术出版等各方面的条件所限，经过 5 年多时间，我们今天才把最初的四个设想完全实现。

在这四个主题主旨中，"20 世纪现实主义"问题之所以提出，又有它的一些具体的必要性：

毋庸讳言，在社会主义中国，现实主义一直得到格外的尊崇。对于当代国内的文学创作，人们是以社会主义现实主义的原则来加以要求，对于外国的或过去时代的作家作品，则总以现实主义作为衡量标准、批评标准，甚至有时作为是非标准。现实主义文艺思想被认为是唯物主义认识论在文艺问题上的表现，现实主义创作方法被认为是唯物主义实践论在文艺领域中的具体运用，因而，现实主义也就被认为是一种最合理、最符合文艺创作规律、最具有优越性的文艺思想与方法，凡与现实主义不同的文艺思想与方法，几乎都不同程度地遭到贬低。于是，在我国文艺理论界实际上就形成了一种现实主义至上论。

既然现实主义是一个如此重要的尺度，那么现实主义本身的"标准化"与准确内涵也就是一个至关紧要的问题了。究竟应该如何看待现实主义？认定它究竟具有一些什么本质、什么内容、什么特性？在这些问题上，实际上又存在一种现实主义绝对理念观、现实主义固定模式观，它与现实主义至上论紧密结合在一起，而巴尔扎克、托尔斯泰则被认定是现实主义绝对理念的最高体现、现实主义模式的最高典范。于是，巴尔扎克、托尔斯泰式的创作原则、叙事方式、结构成分往往也就被视为艺术准绳，凡不符合的，难免受到非难与批评。

在我们看来，现实主义至上论不利于文学艺术风格多样化的要求，因而也是不符合文艺创作的根本规律的，而现实主义绝对理念观、现实主义固定模式观，则与文学发展史，包括现实主义文学发展史的丰富实际、蓬勃生机诸多不合，以现实主义至上论、现实主义绝对理念观、现实主义固定模式观来指导理论批评与文学艺术创作，必将带来一连串消极的后果。因此，我们认为很有必要对现实主义作为一种历史发展，作为一种不断变化、不断丰富的观念与方法之总和，作为一种开放的而非封闭的体系，进行一些切实的探讨与论述；由于从 19 世纪以来、巴尔扎克（我们暂不说他有很多浪漫主义成分）以后，现实主义已经有了长足的发展变化，特别是现实主义在 20 世纪已经表现出广泛兼容并蓄的开放性与不拘成规的灵巧与活力，因之，"20 世纪现实主义"自然也就成为我们这个"论丛"的一个预定的主题主旨。

早在 1987 年年底，我们为了组织《二十世纪现实主义》这个论文集，曾经散发了一份组稿约稿的"选题范围与纲要"，因为它体现了我们对 20 世纪现实主义问题的若干看法以及对本论文集的设想，所以，这里不妨全文照录如下：

一、本体论研究（着重结合 19 世纪以来的文学发展）

1.现实主义的哲学基础及其对艺术创造的意义。

2.现实主义到底是一种创作方法、一种创作原则，还是一种特定的艺术流派？

3.现实主义的美学特征及其发展。

4.现实主义是一种固定不变的绝对理念，还是一种历史发展着的认识方法？

5.现实主义是封闭的模式体系，还是带有开放性？它的开放性是无限的（或无边的）还是有限的，它的最后界限是什么？

6.现实主义的本质特征或核心内容是什么？

7.现实主义在艺术创造上是否是至高无上的典范？

二、20 世纪现实主义研究

1.20 世纪的现实主义与传统的现实主义有何不同？这种不同是一种进步、发展，还是一种倒退？它有何长处？

2.20 世纪是否存在着一个严格意义上的现实主义流派或一种为众多作家普遍遵循的现实主义原则？

3.20 世纪现实主义的发展状况及其趋势。

4.20 世纪的现实主义与现代主义的本质区别是什么？

5.20 世纪的现实主义与现代主义是如何互相渗透、互相潜移的？

6.20 世纪的现实主义有哪些现代特征？

7.主体性在 20 世纪现实主义中的地位。

8.20 世纪现实主义对真实性和客观性的理解。

9.20 世纪现实主义作家论。

10. 我国现当代文学中的现实主义。

三、比较研究

1. 现实主义与超现实主义。

2. 现实主义与魔幻现实主义。

3. 现实主义与新现实主义。

4. 现实主义与社会主义现实主义。

5. 现实主义与心理现实主义与意识流。

6. 现实主义与自然主义与物主义。

在这个组稿约稿的计划中，我们特别期望能对现实主义在 20 世纪的发展与它的开放性这两个重点问题有所突破。对前一个问题作出尽可能详尽的归纳还不是很难的，后一个问题则比较麻烦，它的关键在于确定现实主义开放的最后疆界究竟在哪里。这就涉及传统现实主义与 20 世纪新现实主义、魔幻现实主义等重大文学现象的关系，也涉及与心理现实主义、意识流、物主义、"新小说"的边缘与界线。

从我们开始以上述提纲进行约稿组稿以来，已经过去 3 年多的时间了，这是由于在学术出版面临巨大困难的条件下，我们不得不有意地延宕进度，等待着"论丛"前几辑的出版，以免"过于密集"，使出版社在经济上承受不了。现在，我们把约来的论稿编辑成集，虽然不能说这个论文集就解决了"20 世纪现实主义"这个主题主旨，虽然在一定意义上来说，这样一个巨大复杂的理论问题也不是一个论文集所能解决的，何况这个论文集也未能完全完成原来预定的计划，但我们总算是实现了提出这个问题的初衷。

1990 年 4 月 4 日夜

20 世纪小说新观念新技巧

——《西方文艺思潮论丛》第五辑序

这是《西方文艺思潮论丛》中继《未来主义、超现实主义、魔幻现实主义》《意识流》《自然主义》《二十世纪现实主义》之后的第五个论文集，以从现实主义到后现代主义、"20 世纪小说新观念新技巧"为题。

20 世纪已经只剩下最后的几年，回顾这个世纪的文学发展，很容易就可以发现惊人的变化，其中小说的变化无疑是较为显著的：

以文学与现实的关系、文学的真实观而言，传统小说所追求的往往是类的真实、概括的真实、典型的真实、必然的真实，是符合这种或那种理性秩序的真实，是一种被赋予某种真理性质的真实，而 20 世纪现代小说，则往往满足于个别的真实，偶然的真实，浮动不定、变化无定型的真实，分解的局部的真实，多角度的相对性的真实。

以对现实的表现与描写而言，传统小说中那种描述者无所不知、无所不见的上帝全能式的方法愈来愈被搁置、否定，小说家的描述往往带有这样或那样的限定性，如果不是限定于一个人称的感知范围之内，就是固定在一个观察点上、一个视角之内，作品中所表现出来的现实，也就带有确切的见证性、直接的目睹性、感知性、体验性。不仅如此，有的小说家还力图在对客观现实的描述中，滤除人的任何色彩，剥去人的任何意义，而追求一种比自然主义更客观、更纯粹、更精细、更繁详的"物主义"的描绘，以求展现出物客观地存在于时空之中，不以人的任何意念、愿望为转移的实际状态。

以小说表现的内容与对象而言，传统小说往往较多地表现现实生活的事件，完整的、有始有终的、严密的、没有疏漏与破绽的故事情节，是它所重视与追求的一个目标。而20世纪的新小说，则往往较多地表现内心中的事件，在这里，对故事情节的精心设计与编排，已完全被抛在一旁，完整的故事、合乎逻辑的事件发展过程已不复存在，而内心中的事件，则仅仅表现为零星的碎片、断续的段落。实际时间、客观时序已让位给心理时间与主观意识活动而列次。以往，人的心理是客观事件过程的派生物，而今，人的心理是事件的包涵体，事件倒成为心理活动的携带物，小说的结构依据已从客观时序转换到了主观的空间。

再以小说表现的内容与对象而言，传统小说中空间场景一般都具有异时性，不同的空间场景总是与不同的事件时序不可分的，即使是同一时间的不同场景，在作品中的描述也是异时的，有先后次序之分，因而，不论是不同时的不同场景还是同时的不同场景，在传统小说里都是具有各自明确的内涵与清晰的周边界线。在20世纪的现代小说里，空间场景同时序事件一样，不是以物质现实存在的具体形式出现的，而是作为主观意识活动的内容与派生物出现的，其最明显的特点就是共时性，不论在现实中是同时的还是不同时的场景空间，在这里往往是一涌而现，往往有所重叠、有所交错。因而，每个空间场景的内涵与周边界线往往也就模糊不清，特别当不同的空间场景的某些成分与内容被主观意识分解、离析出来而重新组合的时候，则更是混淆难辨。

以小说中的人物形象而言，在传统小说中，人物明显的是作者从外部进行塑造、描绘的，一般总具有身份、历史、经历、出身、社会关系、外貌举止、衣着打扮、思想倾向、性格素质、心理情感等等条件，有些是作为社会关系总和的体现者，有些则是作者思想意图的形象载体。在 20 世纪新出现的小说里，人物似乎已不是由作者从外部加以塑造，而似乎是自我生发而出，自在地存在着，他们往往只是一双观察着周围的眼睛，一种对环境的种种反应与神经末梢感受，即使现代小说中的人物具有某种社会条件与个性素质，也远不是完整的、齐备的、充分的。

以体裁形式而言，古典的关于"诗与画"之间的界线已开始淡化，并逐渐消失，各种体裁形式之间开始出现了位移与转化。特别重要的是，传统的关于不同体裁形式中有不同的美学原则、艺术规律与技巧方法的条律已被打破，空间艺术的造型方法被引进了小说这种时间艺术的部类，在现代小说中出现了绘画化与影视化的艺术现象。

以小说的语言而言，20 世纪小说中已多次出现了反传统的语言实验与"文字冒险"，语言不仅只担负着小说内容所要求的描绘叙述的任务，而且，它的形式本身还要体现作者对现实丰富性、复杂性的理解以及对文学创作的特定观点。这是文学语言功能扩大的一面。但另一方面，小说中的文学语言功能又有相对的缩小，它由在传统小说里作为唯一的"符号"而在这里成了其中一种"符号"，虽然仍是最主要的"符号"。现代小说里，除了文学语言以外，还愈来愈经常出现象形、图画、标志等视觉符号，甚至在文学的排版印刷上还采用了字体变化、字母拼图等等形式的花样。

以小说与读者的关系而言，新型的小说一般都不企图担负思想教化、道德宣传的职责，也不企图对现实作出阐释与评判，有时甚至也不企图确证它所表现的内容。小说家对读者是否理解自己的原意、是否读懂了作品的本文并不在意，而寄希望于每个读者"创造性地理解"、纯主观地感受与随意性地解释。这种"接受美学"的立场，使小说家不仅把对作品的理解权、说明权，而且把取舍权、组合权与某种程度的再创作权都交给了读者，由此出现了扑克牌式的小说结构。

以作品的形象表现而言，20 世纪小说中更多地运用了象征、荒诞、魔幻的手法，尽管这些形象表现并非在以往的文学中前所未见，但在 20 世纪文学中如此大量地出现，则是与这个时代对现实、对现实关系以及对社会人生的各种特定的思潮与哲学有关，也可以说是 20 世纪小说新观念与新技巧的一个组成部分。

以上仅仅是对 20 世纪小说创作领域里的一些新变化的列举，显然是不够全面，还应该说明的是，这里所说的 20 世纪小说是指发生了变化的这一部分，事实上新观念新变化仅仅体现在一部分，甚至是一小部分小说创作中，在这个世纪的小说领域里仍按传统的观念与技巧创作出来的小说，事实上数量要比新小说大得多。但是，这些变化既然是 20 世纪文学中的新现象、新问题，在研究工作中就理所当然应该被置于优先的地位，且不论这些新观念新变化是否有现代生活的必然根由，且不论它们是否有言之成理、言之有据的哲理与学说作为其根据，更不论它们是否是哲学意义上的"新生事物"，它们是否有生命力，是否代表着未来小说发展的趋势以及在什么程度上可以代表着。因此，不能像霸乐多洛诅咒刚发明不久的金鸡纳霜与种牛痘那样[1]，对待这些新观念新变化。

这就是我们所理解的组织 20 世纪小说新观念新技巧这个课题研究的必要性。这个课题对于总结 20 世纪文学的发展走向是必不可少的，而科学地总结 20 世纪文学，已经是我们这个学界面临的一个急迫而重要的任务。

我们组织这个论文集的具体目的有两个：一是对 20 世纪小说新观念新技巧进行一些切实的分析与初步的梳理；一是对这些新观念新技巧的价值与意义作一些理论上的探讨与总结。鉴于客观上课题本身内容的丰富复杂，又由于我们在这个领域里的研究与总结毕竟还处于起步阶段，在以上两个目的中，又以前一个目的为主，如果在现阶段能对 20 世纪小说新观念新技巧方面一些典型的重要的现象与有代表

---

[1] 见博马舍的戏剧《塞维勒的理发师》。

性、有影响的作家作品，作出较深入的剖析，作出一番梳理，我们也就感到满足了。因为，在我们看来，具体切实的剖析与符合实际的梳理，才正是宏观的理论概括与美学价值体系不可或缺的基础，如果缺乏这种基础，宏观的理论概括就会成为空谈与概念的演绎。

在宏观的理论概括中，我们尊重目前已有的"现实主义""后现代主义"这一概括，尽管对这一概括我们并非没有保留。在我们看来，"后现代"的概念不是对理论本质的概括，而只是对时间发展的概括，而时间发展正好是相对的，对于处在不同时期的人来说，有着不同的"近代"与"现代"，因而，仅标志着时间发展的概括，难免有由于时间的演进而将陷入过时的尴尬的危险。而且，20世纪小说中已开始出现的新观念新技巧是否就已经到了画句号的时候，是否就不会再有重大的发展与突破以及将会有什么样的发展与突破，这都是谁也无法准确预言的问题。但不论我们有多少保留，这个概括毕竟已经成为一种为大家所关注、所感兴趣，甚至已甚为流行的概括，因此，在现阶段，以这样一个概括来涵盖到目前为止的一些引人注目的文学新态，仍然是可行的。

1991 年 12 月 31 日

荒诞概说

——《西方文艺思潮论丛》第六辑序

　　我们这次学术会议的题目是"20 世纪西方文学中的批判意识与荒诞问题"[①]，不言而喻，讨论的中心是荒诞问题。任何题目都有片面性，都不可能包容其客观范畴的全部内容，何况在拟定题目时，我们还得考虑学术会议通常要有的意识形态规范。事实上，荒诞既是 20 世纪文学中特别突出的重大现象，又不仅是 20 世纪文学独有的特产；既是一种批判意识，又不仅是一种被赋予一定意识形态色彩的批判意识，说得更清楚一点，远远不仅是只针对着西方现有秩序与生活方式，并且印证了某些历史、社会、政治既定结论的那种特定意义上的批判意识。

　　如果这次会议有兴趣，未尝不可探讨一下文学中荒诞的渊源。看来，荒诞的由来已久，早在 20 世纪以前的文学中就已经屡见不鲜了。当我们在拉伯雷的《巨人传》中看到神学家让卡冈都亚花了五十几年工夫把各种课文读得可以倒背如流，一个女国王可以不吃不喝、仅以抽象观念为生的时候；当我们在斯威夫特的《格列佛游记》中看到政治家因鞋跟高低不同而分两党，看到一个国家在吃鸡蛋应从哪一头吃起的问题上进行理论斗争，甚至因此爆发内战的时候，我们大概不会怀疑这不是荒诞。

[①]　本文原为在中国法国文学研究会所主办的"20 世纪西方文学中的批判意识与荒诞问题"学术讨论会（长沙）的开幕词。

什么是荒诞？哲学家、作家、批评家、学者可以作出种种界说与表述。这里，我们先持这样一个粗浅的解释：荒诞，是把所面对的现实理解为一种不合理状态、不符合逻辑状态的意识。面对不同的现实范畴，也就有不同的荒诞：政治法律荒诞、精神文化荒诞、语言荒诞、生存荒诞，等等。现实是否合理、是否符合逻辑，这都是人类理性管辖的事情。当作家把现存的事物、关系、规范、秩序，理解为、表现为逻辑性、必然性荡然无存的不合理状态时，他就是在持一定的理性尺度进行批判。任何时代、任何国度的作家，都可能把自己这种作为批判意识的荒诞感引入创作中，任何事物都有可能被召唤到荒诞感的审判台前来，被剥去其合理的、堂皇的外罩，而袒露出其中可怕的混乱与荒唐。至于在文学中，这种荒诞感的审判能实现到什么程度，能涉及多大的范围，则取决于社会政治条件允许作家走多远。不论情况怎样，在人类文学中毕竟形成了这样一个可贵的传统：荒诞。

在 20 世纪西方文学中，荒诞显然发展到了昂首阔步的程度。上帝已经死了，人的思维不再受任何顾忌的束缚、任何精神负担的重压；社会政治生活的进化，也日渐解除了对作家艺术思维、艺术表现的强化制约与严格规范。于是，客观世界与社会生活中任何神圣的事物、神圣的观念，在荒诞意识的面前都未能得到豁免，正如我们在很多小说与戏剧作品中所看到的那样，国家、法律、主义、戒规、宗教、家庭、现代交往形式甚至荒诞意识本身赖以表现自己的语言文学形式等等，都曾被呈现为荒诞图景，而且，荒诞还有恶心、异化以及黑色幽默等与自己同在并存，其声势也就格外壮大。在 20 世纪文学里，正如在传统文学中一样，荒诞具有十分明确的社会历史内容，而且比传统文学具有更为彻底的否定精神、更为强烈的批判性，甚至达到了惊世骇俗的地步。

与过去时代比较，20 世纪文学中的荒诞如果有什么更引人注意的重要内容的话，那也许应该说是对生存的荒诞意识，这是几个在

20 世纪举足轻重的哲人作家给 20 世纪文学带来的新成分。在他们那里，荒诞感已从一般的社会历史范畴上升到人类存在的范畴，从一种批判意识发展成为一种彻悟意识，在他们那里，荒诞并不仅仅在于社会现实中的事物，而在于人的整个存在，在于人的全部生活与活动。也许，在古代神话的解说者那里，西西弗推石上山的故事，本来就蕴含着一切徒劳的哲理；而巴斯喀所描绘的人死亡命定性的图景原就有对人生的悲叹。但是，把这故事与这图景引发成为明确而系统的人存在的荒诞性哲理，并以丰富的艺术形象表现在文学中的，却是 20 世纪的才人。

20 世纪文学中的荒诞发展到极端极致，无疑带有极其浓厚的悲观绝望的色彩，似乎像宇宙中的黑洞那样一团漆黑。然而，艺术中撕裂了逻辑性与必然性的反理性的荒诞图景，正是以理性为依据、为出发点、为衡量尺度而制作出来的，正是以对理性的向往为其潜在的前提的。在不合理的社会现实荒诞的后面，正是对合理的社会现实的向往；在生存荒诞感的后面，正是对人永存不朽的向往。荒诞的图景愈是荒诞绝伦，愈是蕴含着一种理想主义的痛心疾首、一种天真而锐利的失望。因此，即使以社会主义文艺批评标准来衡量，荒诞也有着光亮的内核、合理的内核。而且，20 世纪作家在对生存荒谬性彻悟的基础上，建立了旨在超越生存荒诞性、超越死亡命定性的存在哲理，不失大智大勇的气概，向世人启示了一种既是彻悟又积极进取的人生态度。

显而易见，荒诞是 20 世纪文学中一个重大现象，它不仅是一个形象表现问题，而且也是一个社会历史问题、人生哲理问题。很多世界第一流大作家都与这个问题有关。今天，当 20 世纪将要结束它的行程，我们面临着总结这个世纪文学发展的任务的时候，对荒诞问题进行比较系统的探讨是很必要的。这就是我们举办这次学术会议并组织一个论文集的目的。至于与荒诞紧密相关的存在问题，中国法国文学研究会准备另行举行学术讨论会，《西方文艺思潮论丛》的下一个论文集，即第七辑将以"20 世纪文学中的存在问题"为题。

　　文学研究是一种自由的、创造性的事业，文学评论的道路是极为宽阔的。我们这次讨论会面对着一个重大而复杂的文学现象，在这里，马克思主义的方法与其他一切有科学性的批评方法，都可以找到自己独特的角度与足够的活动空间，我们相信，在各种不同的文学观点和睦共处、宽容互补的气氛中，学术讨论会将取得成功。

1992 年 8 月 20 日

"存在"文学与20世纪文学中的"存在"问题

——《西方文艺思潮论丛》第七辑序

我们这次会议①所要研讨的、被我们现在称之为"存在"文学的这个对象，显而易见就是过去被人们称之为"存在主义文学"的那个东西，如果说我们在标出题目的时候，多少带有某种也许是不自量力的正名的奢望的话，那仅仅是因为不得不考虑到以下的事实：

1943年左右，加布里埃尔·马尔塞对萨特的文学创作贴上存在主义标签之后，萨特在1945年塞尔夫出版社的一次讨论会上，曾经明确予以拒绝，宣称："存在主义，我不知道此乃何物。"当然，应该看到，一生都惯于追求某种轰动效应的萨特后来终于还是接受了存在主义这面大旗，并充当了旗手，但是，被括入了这个称号的另一个主要人物加缪，则从来都断然加以否认。至于西蒙娜·德·波伏瓦，也曾表示对这个标签"感到恼火"。虽然她作为萨特的影子终于也接受了这个称号，但直到60年代初，在她第四部自传《势所必然》里，仍然表白说这是"我们抗议纯系徒劳"的不得已的结果。

时髦风尚、精神鼓噪与主要当事人的"随和"与顺应，最后使得"存在主义文学"成为一个正式的牌号进入了20世纪文学史，在世界上的这里那里，读"存在主义文学"曾成为某种精神层次的标志，谈"存在主义文学"曾成为一种时髦，而在我们这里，对"存在主义

---

① 指在西安召开的中国法国文学研究会所主办的"'存在'文学与文学中的'存在'问题"学术讨论会。本文为大会的开幕词。

文学"的清除，则一度成为社会政治的使命。不论是推崇它赞颂它，还是非议它责难它，都说明了它已经是当代文学中的一个庞然大物，一个名气巨大的称号。然而，当惯于思辨分析的研究者面对它的时候，却始终有感于它内涵的不确切、边缘的模糊与名实的差距。

存在主义为何物？毫无疑问，哲学中的确有存在主义，众所周知，属于这个阵营的有相当一批赫赫有名的哲人，哲学史家已把他们分为两个系列，那就是从胡塞尔、海德格尔到海尔洛－蓬蒂的无神论存在主义与从克尔凯郭尔到雅尔贝尔斯与加布里埃尔·马尔塞的基督教存在主义。这种划分，我们很难说它足以成为一种共识或结论，因为海德格尔自称是反对他称之为存在主义的某种学说的，他对存在根本不感兴趣，只对"在"感兴趣，他只是一个研究"在"的哲学家，而不是一个研究"存在"的哲学家；而雅斯贝尔斯也宣称过，存在主义是哲学的一个坟墓。

哲学的殿堂高妙幽深，常人难以登堂入室，我们无力对存在主义哲学作出全面准确的概括与界说，仅从殿外偶见其堂奥，如对人类生存命定性的阐释，存在与时间的哲理，生存哲学，生存哲学现实论，关于存在、关于超越的理论，对现在、境遇与瞬间的论述，真理的多重性，宗教价值的超验性，等等。

不可否认，存在主义哲学与被人们习惯地称为"存在主义文学"的那部分精神文化成果，是有着紧密关系的。存在主义哲学也许要算是最接近文学、最关注文学的一种哲学了，它力求把哲学与文学之间的鸿沟填平，它在方法论上所推崇的是描述，而不是分析与阐释，这就使哲学家的工作大大地向文学靠拢了一步。因此，在存在主义哲学家那里，文学与美学问题曾得到不断的关注与思考并获得不少深刻的理论成果，而对于有志于文学工作的人来说，存在主义也就自然具有相当强的吸引力了。根据西蒙娜·德·波伏瓦回忆录的记载，早在1933 年，先入存在主义现象学之门的雷蒙·阿隆对萨特这样说："小兄弟，你如果是一个现象学家的话，就可以对一杯鸡尾酒大做文章，从里面弄出一些哲学来。"这话当时曾使萨特激动得脸色发白，因为"依据自己对事物的接触与感觉来认识事物，并从中弄出哲学来"，正是还未入存在主义哲学之道的萨特"梦寐以求的目的"，从阿隆这一席话之后，他才跨出了研究存在主义哲学的第一步。同样，青年时期的加缪，也曾钻研过存在主义哲学。

根据自己对事物的接触与感觉，从中弄出一些哲学来，也许存在主义哲学现象学正如雷蒙·阿隆所说，就是这么一回事，但根据自己对事物的接触与感觉弄出些要用感性的形象及文艺形式表现出来的哲理，那就是另外一回事了。因为，最浅显不过的道理是，在任何感性形象或文艺形式里都不可能容纳得下一种哲学的理论体系与思想观点，文学艺术本身的规律也不允许这样做，即使是对非常热衷于哲理的作家而言，也是如此。

事实上，被称为存在主义文学的那一部分精神文化成果与存在主义哲学之间，的确存在着相当大的差距。这种文学远非这种哲学的移植或翻版，它无意于容纳与表现出这种哲学的思想体系与理论观点，它的内涵与这种哲学的内涵既非同一也非等量，它的内涵限于对人的境况、人的存在的感受以及面对着人的状况、人的存在状态而提出来的主张，具体说来，就是对荒诞、焦虑、孤独、恶心、自我选择、超越、反抗等等问题的思考与表现。这些内涵与其说是属于哲学认知与理论解析的范围，不如说是属于伦理学人生观的范围。如果说，存在主义哲学仍是对世界的认知与描述，那么，被称为"存在主义文学"的那一部分文化精神成果的内涵，则是对人生的清醒认知、彻悟意识、态度主张与形象展示，用简单化的话来说，就是有关人的存在的一种人生观。因此，对这种文学与其称为存在主义文学，不如称为"存在"文学，即有关人的存在哲理的文学。当然，我们不能无视创造存在文学的作家与存在主义哲学的密切关系，但正如西蒙娜·德·波伏瓦所说的那样，他们"是根据自己的人生体验，而不是根据理论体系来写小说的"。这一声明就足以使人们有理由把存在文学与存在主义哲学的界限划分出来，足以有理由把这种文学不再称为存在主义文学，这样做，在各学科分工日益细密、专业术语更趋精微准确的今天，似乎颇有必要，正如在五彩缤纷、各具色调的现实生活里，人们有理由，也有必要把旗袍裙称为旗袍裙而不统为旗袍一样。

虽然我们主张将存在文学从存在主义哲学里划分出来，区别各自的内涵，但作为与存在文学紧密相关的一种现代哲理，存在主义哲学仍是我们这次学术讨论会的探讨对象，特别是存在主义哲学家关于美学问题的理论见解，更是我们将要编辑出版的《西方文艺思潮论丛》第七辑《二十世纪的"存在"文学与文学中的"存在"》的重要课题之一。

在我们关注存在文学与现代精神的关系的同时，我们也有必要注意这种文学与传统的关系，从某种意义上来说，存在文学是一种具有传统色彩与古典风格的文学，它体现出了法国文学中一种传统的努力、传统的追求，即巴尔扎克所说的"精通形而上学，才能出类拔萃""先成为深刻的哲学家，再成为作家"的那种努力，在清晰明晓的形象里表述对世人有益的深刻哲理的那种追求。既然存在文学所要宣扬的哲理内涵是有关人的存在的，而人的存在这个问题又是一个与人本身同样古老的问题，对有关人的存在的哲理思考与表述，也就不能不说是古已有之的了。最深刻的例证就是 17 世纪哲人巴斯喀对人的状况的命定性、荒诞性的形象描述，正是他这一则形象图景，在 20 世纪 30 年代就引发出马尔罗那些充满了对人的生存荒诞性的彻悟意识与对人的存在命定性的超越精神的雄浑篇章。由于这些篇章的哲理内涵，文学史家不无理由把马尔罗也划入了存在文学的范围之内。不难看到，存在文学是世界文学中最具有精华意义的部分之一，它从对人存在命定性、悲剧性的彻悟意识到行动上的直面、介入、超越与反抗，不论是马尔罗笔下的冒险、革命与艺术创造，还是萨特作品中的自我选择、历史的阶级的介入，还是加缪的西西弗式的坚毅或纯粹的反抗，都具有积极进取、奋发昂扬的基调与态势，不失大智大勇的精神，对世人足以构成一种启迪与激励。这种文学中所体现出来的人文哲理，既不会因为左的理论批判而丧失其全部价值，也不会因为受结构主义的冲击而隐没消失。

法国的存在文学在第二次世界大战以后，确曾有过广泛巨大的影响，这种影响并不限于法兰西国境之内，这就构成了"存在"的幽灵在世界范围的游荡，构成了世界文学中对存在文学的共鸣与回应。因此，我们把 20 世纪文学中的"存在"问题作为本次学术讨论会的一个重要方面，作为我们《西方文艺思潮论丛》第七辑的一个重要课题，在这方面，我们热诚欢迎其他国别文学的研究家们发表高见。按我们的理解，世界文学中的这种相应、这种和声并不仅仅因为法国存在文学曾经广为流传，而是因为人的存在状况问题是人类共同面临的问题，并非法国人所特有的；而对人存在问题的思考与感受，也是人类共同的一种"通感"，并非只有某一个民族才能感受得到。

存在文学在不同的国度有过不同的际遇，它在我们这里的际遇是众所周知的。今天，它不再是以社稷安危、精神道德秩序为己任的批评家、理论家严重关注的焦点，谈存在、谈存在主义色变的时候已经过去，自我选择在现实生活里已蔚然成风，成为千万人有意识或无意识奉行的行为准则，其中肯定只有极少数喜爱哲理的人是由于受了存在文学的影响，而大多数人恐怕都是在开放时代的广阔天地里合理合法地利用了个体自主性、发挥了自我主观能动性而并未在意任何哲理与意识形态问题的结果，这种殊途同归之道，多少说明了对自我选择等存在哲理大动"批判的武器"实无必要。当今，在改革开放的大潮声中，在脱贫致富、投资开发、资金股市、效应利润、反腐倡廉等等所构成的时代主旋律中，对存在文学评价高一点低一点，已无关紧要了，似乎只是少数穷酸学究的一曲闲聊波尔卡。我们对时代社稷负不起多大责任，我们只有学术良心的真诚。当问题不再是承受了千万人严重关注的焦点时，问题上的压力也就不存在了，我们可以各抒己见、畅所欲言，不求危言耸听，不求"语不惊人死不休"，但求实事求是、科学合理、多少有益于人群。

最后，祝学术讨论会成功！

1994 年 4 月 7 日写

关于当代西方文学的新风貌

——《当代外国文学概述丛书》总序

在 20 世纪的文学发展历史中，第二次世界大战以后的文学已经自成一体。这不仅因为从第二次世界大战结束到今天，是一个独立的历史阶段，在世界范围里，有的矛盾已经解决，新的一系列矛盾又已产生，并在各个地区、各个国家的生活中打下了深刻的烙印；而更重要的是因为，这个时期的西方文学完全有了自己的开端、自己的主流、自己的文学流派、自己的运动发展。这些重大的文学现象不能说没有承接战前某些文学现象的余绪，但都完全具有自己的表现形态与创作实质，与战前重大的文学现象相比，在某些方面还有所进展与超越；而这些重大的文学现象，又比较集中在这个时期之内展示完其主要的内容与风采，它们即使还能延伸到下个世纪，却决不会延伸得太久。另一方面，在 21 世纪到来以前，看来也不会产生其他重大的思潮、流派与运动了，人们在 20 世纪所能拥有的，看来大致上就是现今既存的这些东西了。这样，自成一体的战后文学，就愈来愈明显地等于 20 世纪后半期的文学。

历史将会证明，战后这半个世纪是人类历史上一个非常重要的时代。在这个时代里，人类创造了比埃及金字塔、罗马水道与哥特式教堂不知神奇多少倍的奇迹，进行了比民族大迁移、十字军东征不知宏伟多少倍的远征，而其最集中、最突出的成就，就是进入了宇宙太空，登上了月球。科学技术各个领域里重大的发展与进展，打破了原来一系列的世界观，使原有的关于世界的学说与理论体系亟待修正与补充。在这个时期，世界秩序、国家结构、社会发展都出现了新的局面，不同制度、不同阵营、不同阶级的对抗与冲突，逐渐被互相妥协、互相依存、互相合作、互相转化所代替。多元化、多极倾向更趋明显，使世界图景与社会图景呈现得更为复杂、微妙、多变。世界范围里的经济进程，表明了两三个世纪以来的近代生产方式的巨大活力与宽广前景，近代生产方式所带来的物质生活的巨大繁荣与旺盛生机，已经大大突破了原有政治经济学理论体系与社会发展学说的框架，原来的定义与预言有待修正，新的客观现实有待人们去重新认识与总结。总而言之，这个时期社会历史的发展，向人们以往的认识结论与思维方式提出了严重的挑战。

在这样一个充满了变革的时代环境里产生的文学，不可能不具有新的面貌，它的重要特色不可能不是创新，不可能不是对传统的偏离与逆反。如果说这个时期的文学有什么新主潮的话，那么，以创新为目的的文学就是新主潮。

战后时期文学思潮流派的创新，与这个时期物质生活、认识方式的变化紧密相关，也围绕着文学如何观察认知现实、如何描绘表现现实这个问题，并带有鲜明的时代烙印。在这里，绝对的现实观为相对的现实观所取代，现实的图景不再是统一的、完整的、确切的、有固定答案的，而是局部的、分离的、多元的、有歧义的。典型的真实被自然的真实或超现实式的真实所代替，典型人物被自然的、个别的人物所代替。多角度、多元化、多层次、多形态，成为描绘与表现现实中追求的目标，文学内部领域里固有的秩序也被打破了，古典的诗与画的界线愈来愈模糊，不同文学艺术部类之间、各种体裁样式之间的互相渗透愈来愈明显。文艺创作与文艺阅读欣赏之间那种传统的史诗吟唱者与听众的关系开始移动了，读者与观众也被引入参加艺术合成，由此又引起了一些表现形式的突破。至于文学创作的内容，其明显的变化是主体性比重的大为增加，文学取材与文学表现更多地倾向人的主体本身，更多地深入人的自我，而且，在世界范围里，还出现了以探讨人的主体意识、宣扬主体哲理的强大的文学流派。

战后文学中所有这些新的内容，固然在战前文学中并非毫无征兆，但它们无疑是在战后才有了充分的、淋漓尽致的发挥。这些内容有不少显然是属于实验性的，有不少也难免带有幼稚、不成熟、偏颇、过分的缺陷，但只是在战后的文学创作中，这些内容才取得了相当可观的实绩，这些实绩已经具备了进入文学史的水平与资格。也正因为这些新内容并非纯属标新立异、哗众取宠的伎俩，而在艺术上显示了自己存在的理由与魅力，可以愈来愈多地被固有的传统文学所吸收、所借用，而这种传统文学从作家作品的数量来说，在这个时期仍然占压倒优势，但如果这种文学完全摈拒新的潮流、完全沿袭既有的道路、落于陈旧的俗套，则似乎有接近通俗文学的危险。故而，新的潮流从旧的传统中脱颖、背离而出，旧的文学传统向新的潮流表示了关注与兴趣，两者互相交织、互相渗透，就成了20世纪文学的一种景观。战后文学中这些重大的现象，显然是过去的批评标准、美学体系所难以容纳得下的，它们要求艺术批评观念的更新，艺术观念的拓展，它们促使新的文学理论的出现，召唤新一代批评家、文学史家的诞生。

第二次世界大战刚一结束，中国就经历了国内战争，而后不久，进入了一个社会主义时代，这个时代的前30年，基本上是在闭关锁国的状态中度过的。不言而喻，在战后一个漫长的历史时期里，中国人对除社会主义阵营以外的外部世界文学环境，几乎一无所知。当70年代末80年代初，迎来改革开放的时代以后，面对当前外部文学环境的五光十色，人们自会有新鲜兴奋之感，而另一方面，由于日丹诺夫式的惯性，又必然产生逆反、摈拒、清扫、排除的躁动。这10年来，中国人对当代外部世界文学环境的认识，就是在这两种相反倾向的互相撞击中起步的。当我们好不容易突破日丹诺夫的理论秩序、在困顿中积累了一些还不很系统、不很深刻的当代外国文学知识才几年之久，却发现又已经快走到 21 世纪的门口，人们还未来得及很好追踪的 20 世纪文学已即将结束它的行程，一个对 20 世纪文学进行总结的巨大课题又已摆在我们的面前了。要研究这个课题，我们显然将碰到困难。困难一方面会来自 20 世纪文学本身的复杂性、新奇性，另一方面又会来自传统的批评标准与日丹诺夫论断的残存影响，来自惯性、偏颇与失衡。

组织专家编写系列读物，介绍几个主要文学大国战后文学的发展，这无疑是一件开拓性的工作。在我国虽然已经编写完成并获出版的国别或地区的外国文学史，只有两卷本《德国文学史》《欧洲文学史》与《英国文学简史》以及三卷本《法国文学史》等极少几种，但关于如何编写外国文学发展史以及外国文学发展史应该编写成什么样子，人们所听到的宏论与告诫已经很多了。一个社会的文化积累是一项艰巨浩大的工程，必然从点滴做起，需要实干。有，总比没有好；能写出来，总比没有写出来好。只有迈出了第一步，才能谈得上进步与提高。因此，我深信这套系列读物是有意义的，在固辞未果、受委托写此短序的时候，我衷心祝它成功。

对中学语文课本中 20 世纪外国文学选目的意见

　　《中学语文教学》编辑部的同志一定要我就中学的外国文学教学问题讲点什么。隔行如隔山，为了多少了解一点情况，我只好请他们提供一份中学语文课本中的外国文学篇目。现在，我就讲一点看了这个篇目后的感想。

　　这个篇目从数量来说，选得很精，很注意思想性，这是编教材的同志们花费了宝贵劳动的结果，值得肯定。如果说，我有什么意见、有什么补充性建议的话，那就是，我觉得这个篇目在数量上还可以多一点，选的范围应该更广一点。

　　我们是生活在世界各民族、各国家交往日益发展、日益密切的时代，早在 19 世纪 40 年代，马克思、恩格斯就在《共产党宣言》中指出了统一的世界市场的形成与世界文学的出现。这是人类历史发展的一大进步。从那时到现在，人类各民族的物质交往与精神交往比过去更加频繁，更加扩大，闭关锁国已经是愚昧而反动的了。现在，我们国家正顺应人类历史的潮流与本民族发展的需要，采取对外开放政策。对外交往与实现四个现代化，都要求我们对世界各国的事物有更多的知识。与这样一个任务比较起来，中学教科书中的外国文学篇目就显得少了一点。不要以为，外国文学都属资产阶级意识形态，应该看到，外国文学也是其他民族的形象的历史，是其他民族生活与斗争的反映，是其他民族精神智慧的结晶。如果把它看作一种历史与客观现实生活的反映，一种精神文化的财富，那么，也许就不至于因为它与我们的意识形态不一致而妨碍了对它的接受。而且，还应该看到，资本主义时代的文化并不等于资产阶级的文化，而资产阶级的意识形态总要比封建主义的意识形态进步，只要是在反封建与反封建残余的历史任务没有彻底完成的时代与地区，资产阶级意识形态往往还有一定的进步性。

至于说选题的范围应该更广一点，我指的是外国的 20 世纪文学。我注意到，在这个篇目里，20 世纪文学篇目很少，作家基本上只有高尔基与奥斯特洛夫斯基两个，这种选目显然是不全面的。

我们这个世纪已经有 86 年的历史，再过十几年，就是整整 100 年了，这不是一个很短的时期。在这个时期里，世界上已经发生了很多直接与我们有关的大事，同样，外国文学中也出现了很多重要的作家与作品，这些作家作品在世界范围里已广泛流行，有些作家作品已成为人们的普通常识。在这种情况下只让我们的中学生知道 19 世纪很少几个作家，而对 20 世纪文学除了高尔基等一两个名字外则几乎一无所知，这无疑已经落后于时代，用现在常说的术语来讲，这样的知识结构已经老化了。这种情况理应有所改变。

显然，这种情况跟对待外国 20 世纪文学的谨慎态度、保留态度有关，而这，又远远不仅是一个中学语文教学里的问题，根本的原因是由来已久的。

新中国成立以后，我们对待外国古典文学，总的来说，是采取接受的、继承的态度，这是因为马克思、恩格斯都高度赞赏过外国古典文学中那些杰出的作家与作品，我们在如何对待的问题上有他们的经典论断可遵循，而在如何对待 20 世纪的外国文学，特别是西方文学，我们就没有他们的指导了。但新中国成立初期，在这个意识形态问题上，我们又必须遵循一点什么才行。由于当时"一边倒"，正处在向"老大哥"学习的热潮中，于是，斯大林时期负责意识形态的苏共领导人日丹诺夫，在 1934 年第一次全苏作家大会上那个报告中，对 20 世纪西方文学的批判，就成了我们的指导。日丹诺夫是这样说的："由于资本主义制度的衰颓与腐朽而产生的资产阶级文学的衰颓与腐朽，这就是现在资产阶级文化与资产阶级文学状况的特色和特点。资产阶级文学曾经反映资产阶级制度战胜封建主义，并能创造出资本主义繁荣时期的伟大作品，但这样的时代是一去不复返了。现在，无论题材和才能，无论作者和主人公，都是普遍地在堕落……沉湎于神秘主义和僧侣主义，迷醉于色情文学和春宫画片，这就是资产阶级文化衰颓和腐朽的特征。资产阶级文学家把自己的笔出卖给资本家和资产阶级政府，它的著名人物，现在是盗贼、侦探、娼妓和流氓。"根据这个论断，我们新中国成立以后长期对 20 世纪的西方文学一直采取摈拒与批判的态度，不介绍，不出版，不讲授，直到十一届三中全会以后，才打破这个禁区。中学教科书中 20 世纪外国文学选篇如此之少，看来就是上述历史情况的一种陈迹。不过，教科书是出版物中最求稳定性的，它变化得比较慢，也是可以理解的。

以现在大家的认识水平，很容易就能指出日丹诺夫对 20 世纪西方文学一概否定、一笔抹杀的论断是不符合历史唯物主义的，是不符合列宁关于"两种文化"的论述的，也不难指出日丹诺夫的论断是多么不符合西方文学的实际。但是，也不可否认，后来人的头脑经常容易不自觉地被前人的思想观念所笼罩所纠缠，因此，直到现在，我们不时还可以看到在外国文学领域里对 20 世纪文学的某些过分的谨慎、过分的保留，甚至过分的苛刻。

事实上，20 世纪西方文学的主流是健康的，其中有反对帝国主义战争的文学，反抗法西斯的文学，揭露资本主义社会的弊端与黑暗的文学，反映普通人生活的文学，同情被压迫者、被侮辱与被损害者的文学等等，的确产生过不少优秀的作家作品，不论在思想性与艺术性上都颇有价值，即使是现代派文学，也远不是一团漆黑、一无是处。

这就是我们所直接面对着的 20 世纪世界文学的环境。我们不能让生活在 20 世纪的青年人，对 20 世纪的文学环境一无所知。我们应该选用一些优秀的作品进入中学语文教科书，以扩大青年人的眼界，增加他们的知识，培养他们新时代的健康的审美能力。

我在这里只是提出一个问题。提问题要比解决问题容易千百倍，如果从 20 世纪文学中适当选择一部分优秀作品进入教科书，不言而喻，应该照顾青少年的特点，应该服从德育与智育的要求。选什么、如何选，当然会有一些困难，但我想，困难总是可以克服的，如果我们有心去克服的话。

1987 年

倡有所为的价值标准

——《诺贝尔奖获奖者传记丛书》总序

古往今来，在世人的头上，曾高悬着各种价值标准，而种种名义的荣誉，从爵位勋章、圣徒称号到奖状奖金，则为价值标准的最高物化体现。价值标准连同它们的"绶带"，如巨光吸引着芸芸众生争相追求、舍命飞扑，造成了历史与人生的五光十色的景象。价值标准是人制定出来的，绶带奖章是人制造出来的，人又以自己的造物为理想、为目标，人是奇妙的上帝，他自编自导自演了规模宏大、壮丽非凡的追求奇观。

每一种价值标准，不论是政治法权的、宗教道德的、社会文化的、学术技艺的，都曾力求保持自己的庄严崇高的"仪表"，都曾声称自己的绝对与永恒。然而历史是无情的，它总要把各种价值标准召唤到它的审判台来加以检视，让它们辩明自己继续存在的理由，它严格精选出符合人类发展方向、有助于历史进程、适应广大人群的利益与需要的那些价值标准，让它们成为支撑人类永恒精神文明建构的有力支柱，而涤除那些出于谬误观念、狭隘利益、偏激需要的价值标准，不论它们是以何种神圣的名义而显赫一时且具有不可抗拒的威严。

艾尔弗雷德·诺贝尔 1888 年的一天早晨醒来，竟读到了他本人的讣告。这是新闻界报道失误，去世的原来是他的哥哥。这则讣告把他盖棺论定称为"甘油炸药大王"，给他提供了一个身后的视角来认识自我，他看到了自己在世人心目中的形象，不禁感到震惊。正是这个原因，促使他立下了遗嘱，把他的巨额财富设立奖金，以奖励对人类和平进步事业以及创造性精神劳动作出了杰出贡献的人士。

诺贝尔所发明的甘油炸药因带来了大规模杀伤性的战争，而常遭到诅咒，只有当人们需要开山劈岭时才想到它的益处。然而，诺贝尔终于以诺贝尔奖的建立而更著称于世。人可对抗自己，人也可以弥补与重建自己。诺贝尔提供了一个范例。

从 1901 年起，诺贝尔奖分物理、化学、生物、医学、文学与和平六个方面开始颁奖，1969 年，又增设了经济学奖。每年颁奖一次，至今获奖者已达到数百人之多，在价值标准如林、奖章奖杯奖状何止千万的 20 世纪，诺贝尔奖无疑已成为影响最大、涵盖面最广、最为崇高、最受人景仰的一种殊荣，诺贝尔奖获奖项目已成为 20 世纪人类创造性精神活动与进步事业的集中展现，而摘取了诺贝尔桂冠者已形成了 20 世纪人类真正精英的一支大军。

在 20 世纪这样一个各种意识形态、各种制度、各种民族国家利益、各种思想观点尖锐对立、激烈撞击的时代，诺贝尔奖历年各方面的颁奖对象，并非从未引起任何异议，这是不可避免的，是很自然的。但比起种种偏激狭隘的标准，诺贝尔奖毕竟更具有广阔的视野、博大的胸襟、公正的态度、合理的取舍，毕竟是为地球上更广大的人群所认同、所推崇，毕竟更经得起历史的检验，而它之所以能保持这种全球性的崇高地位与长存性，就在于它的价值标准中有一最简单然而也最可贵的精髓，那就是提倡为全人类的进步而有所作为。

有所作为，是人存在的真谛。虽然中外均有不少彻悟出世、超凡脱俗之士曾提倡过无为的人生，但所幸从者甚少，且亦难以做到，若人群皆以无为为本，人类恐怕还处于茹毛饮血的原始阶段。正是人的有所作为，推动了人类的进步，而且，个体人的有所作为，不见得就是迷途入世而未彻悟，最深刻、最有力的彻悟，是西西弗推石上山的有所作为的彻悟。个体人的推石上山时所要付出的艰苦，足以使他内心感到充实。当然，西西弗推石上山有不同的境界与层次，当其理想目标、坚毅精神、艰苦奋发达到了促进人类进步的境界与层次时，其人生即为充实的人生，即为超越于死亡之上的不朽的人生。

诺贝尔奖获奖者，就是西西弗式的巨人，他们的人生是充实的、闪光的。

长春出版社决定以一个大型丛书来——展示这些巨人的人生，展示他们的光荣与复杂、伟大与矛盾，这对于我们的时代、社会，显然具有多方面的积极意义。

1995 年 5 月 14 日

为了一种开放的批评

——《二十世纪外国文学评论丛书》总序

我们正处于 80 年代后期，眼见 20 世纪的世界文学将走完它的行程，然而却不无遗憾地发现，我们对这个世纪的文学所知不详，还缺少系统的知识与见解。原因很简单，我们从闭关锁国的状态中走出来还为时不久，对 20 世纪外国文学的科学评价与全面介绍，毕竟只是近 10 年来才有的。

为了对我们外部的文学环境有清晰的而非若明若暗的认识，为了对 20 世纪已经成堆的世界文学成果进行我们民族化的梳理以增加我们的文化积累，为了对世界文学的潮流、走向与规律进行总结以为我们的文化建设与艺术创作提供借鉴，组织一些专家学者，选取 20 世纪世界各国一些重大的文学现象——或影响巨大的思潮流派，或留名史册的大家，或传世不朽的名著——作为专题，进行切实的系统的研究，在此基础上写出一套有知识性、有评论性、有一定学术性的书，看来已成为外国文学工作中的一个当务之急。

这便是中国社会科学院外国文学研究所创办《二十世纪外国文学评论丛书》的缘由。

受命草创与承办这样一套丛书，应该遵循的宗旨是什么？

开放，是我们当今时代的潮流，同样，开放也是我所理解的这套丛书所应遵循的宗旨。

我们的开放，首先意味着科学无禁区。在 20 世纪外国文学领域里，我们主张充分放开学术视野、开拓思维的空间，没有什么不能作为理论探索的课题，没有什么不能作为科学研究的对象，凡客观存在而又具有一定影响与意义的，皆可入论。

我们的开放，意味着以实事求是、不带成见的态度对待 20 世纪外国文学领域里的一切思想倾向与意识形态。我们主张，对于一切有价值的思想成果，首先采取"取其精华"的建设性的态度，而不是首先层层设防、戒备封闭。唯精华是取，对其余杂质的舍置也就自然而然了。

我们的开放，意味着不囿于固有的美学标准，不局限于狭隘的美学趣味，不把美学上的任何一种主义、任何一种方法、任何一种形式尊奉为至高无上，君临一切。我们不赞成现实主义至上论，我们主张进化我们的美学标准，革新我们的审美意识，善于从各种不同的美学主张、文艺思潮、创作方法与艺术经验中发现有价值的东西，采撷其中的精粹。

我们的开放，意味着批评方法的多样化。任何一种批评方法，不论是社会历史学派的批评还是形式主义的批评，都不是无所不包、无所不能的，每一种批评方法的角度既有自己优越性，也有自己的局限性，它们存在着，皆因各有其得心应手、充分施展的范围与领域。我们主张本丛书中的批评方法、批评路数切忌一个模式，而应多几种途径与手段；我们还主张从不同的批评方法中采取有用的招数，施展于适合的论述对象与论述范围。

我们的开放，意味着以创造性的态度对待马克思主义文艺批评方法。马克思主义文艺批评方法至今仍是对文学艺术作社会历史研究所必需的最科学、最先进的方法，然而马克思主义需要有发展，需要有补充，它对 20 世纪外国文学并没有现成的答案。我们主张，以马克思主义的实事求是的精神对 20 世纪文学现象作出科学的分析，创造性地发展与丰富马克思主义文艺批评。

　　我们的开放，意味着兼容各种意见、各种观点、各种倾向。人文科学的真理具有很大的相对性，"仁者见仁，智者见智"，对于同一个问题，理应有不同的说明与观点，不同的说明有助于揭示问题的全部复杂性，一家独尊、形而上学、简单化，都是主观妄说的方便法门。我们主张百家争鸣，凡言之成理、言之有据的，皆可在丛书中占一席地位。

　　我们的开放，还意味着文体与风格的开放。文艺评论的陋习是千篇一律，套用固定的八股。我们提倡不拘一格、各有特色、各异其趣，甚至批评家不妨在自己的理论文学中泛出一些感情色彩，透出些许自我性灵。在本丛书中，宏观综述与微观剖析皆宜，重评介、重资料或重阐释、重理论皆无不可，我们既欢迎理论家严谨的高论，也欢迎鉴赏家精微的美趣，既收入成系统的讲章，也优选成束的评论、札记与随笔之汇集。

　　文艺评论是一种自由的、创造性的事业，文艺评论的道路是极为宽阔的，尤其是当我们面对着浩如烟海、五光十色的 20 世纪文学的时候，我们的开放宗旨，只不过是力求符合文艺评论的本质与规律而已，只不过是力求丛书中多有几重声部，多有几种格调，多有几套笔墨，多有一些色彩，因为，在我们看来，赤橙黄绿青蓝紫，杂然纷呈，正是文化昌盛的一种自然之态。

1987 年 10 月 15 日

宽容是文学批评的灵魂[①]

这个集子里的文章，除少数一些篇目外，都是我为各书所写的序言。有一些序，是出版社或有关同志要求我写，而我终于未能推辞掉的，更多的序，则是我自己在编书的时候，深感非要把我的立意与想法讲清楚不可而写的。

世上的序似乎有两种，一种是大人物的，不涉及书的实质内容，信笔写来，寥寥数十语，最后加上"是为序"也，就得算难得的序言了。因为，在这种文化现象中，世人所看到的、所看重的，正是"某人为某书写序"这个事实，而不是序的内容。这是"以光篇幅"类的序，是我等处于"中国社会主义初级阶段"的社会底层的精神苦力所不敢企望而为的。出版社要我们这一类人写序，那就是要求你至少对该书的内容作出点"像样的论述"，且不说对见解、文笔、字数、交稿时间等等的要求了。在这种序里，作者总要出售若干知识或观点，以求序言能变成商品，有助于略为缓解通货膨胀对自己微薄薪俸的巨大压力。

至于我为自己编的书写序，那就要从我为什么编书讲起。

人，总是力求实现自己，并且力求在更大的空间与更长的时间范围里实现自己，这恐怕是人之本性。文化人与学人的这种实现自我

---

① 本文是为几年前准备出版的论文集《宽容与存在》所写的自序，后来出版计划有变，论文集一分为二，一部分收入了《法国二十世纪文学散论》，一部分则汇入本论文集第二部分。此文权作为对这一部分中辨析性文章的一个说明。

的意志，和其他类别人物的这种意志相比，其实是无关国计民生之痛痒、微不足道的，只不过是企图维护与宣扬自己的思想见解而已。作为一个惯于与书本打交道的人，我一直满足于把自己对某个问题的研究心得通过一两篇论文讲清楚就了事，后来，我之所以不满足于这种方式，而力求在更大的实践范围里，在更具体的社会性的文化行为中实现与贯彻自己的思想，则是与下列这个事实直接有关。

1978 年，我对日丹诺夫的论断最先进行了批评，提出了对 20 世纪西方文学的重新评价问题，肯定了萨特的历史地位，此后，在一个不短的时期里，我就接二连三地遇到了一些麻烦。这种事除了大大激起了我的"逆反心理"外别无其他效应，由此我产生了编丛刊、编丛书、组织学术会议的意图，我把这些视为具体的社会性的文化学术行动，我觉得在这些行动中能够更实在、更具体、更活生生地实现与贯彻某种思想。于是，为了证明我在萨特问题上的观点，我编选了《萨特研究》，迈出了主编"法国现当代文学研究资料丛刊"的第一步；为了澄清在"清污"中被"涉及"的一些西方文学问题，我创编了《西方文艺思潮论丛》；为了向国内读者展示西方 20 世纪严肃文学的思想成就与艺术成就，我筹创与主编了《法国二十世纪文学丛书》；为了促进对自然主义的科学评价，我编了有关自然主义的书，组织了有关的学术会议等等。这样，近七八年来，主编工作成了我的一个副业，成了我用来贯彻一点学术意图的手段。在主编工作中，我保持了长期在研究工作中形成的"个体手工劳动者"那种原始的工作方式，从构思、选题、组稿、审稿直到发稿以及对格式提出设计构想等，全是自己动手，个体单干，不言而喻，为所编的书写序言，对我来说就更是一道必不可少的工序。而且，因为我是为贯彻一点意图才干这种副业的，所以，我力求把书的序言写得有点研究性与评论性，这些序言今天之所以还可以成集出版，也在于它们还有点研究性与评论性，而它们作为一本本书或一次次学术会议的标志，也多少代表着一个个具体的文化行为。

　　就内容而言，这些文章基本上都集中在自然主义文学与 20 世纪文学两个方面，原因很简单，在我国意识形态领域里，对这两部分文学都有作科学的公正的评价之必要，前一种文学由于恩格斯关于现实主义的定义与对左拉的贬低而未得到公正的评价，后一部分文学，则由于日丹诺夫的论断与意识形态领域里"左"的路线等倾向而屡遭责难与"清除"。我力图在这两个方面做一些工作。如果我在对这些思潮、流派、方法、作家、作品的研究论文与评论文章中，宣扬了什么东西，概括起来，那不外是"宽容"二字而已。

　　"宽容"完全是属于意识形态领域里的一个历史概念。虽然著名的美国历史学家房龙在他的专著里考察"宽容"的时候，上溯到古希腊时代，但在古希腊时代，并不明显地存在着一种反映现实迫切性的名为"宽容"的社会思潮，因为那时是奴隶主民主政治，在奴隶主、自由民阶层里并不完全缺少思想自由，而当时制造意识形态的人基本上正是出自这一个阶层。"宽容"这个问题异常严重、异常突出起来，是从中世纪之后，那时，教会的思想统治极为酷烈，一切意识形态都必须以宗教神学为准，稍为偏离即为异端，而一旦成为异端，那种思想与产生它的那颗脑袋可就危险了。这种黑暗的思想统治，在欧洲封建主义时代里是一种必然，它持续了好几个世纪之久，直到欧洲文艺复兴时期与启蒙时代，才遭到挑战，而在对中世纪思想统治进行挑战的新时代潮流中，"宽容"要算是最早的一种新思维、新概念、最先的一个呼声，早在"自由、平等、博爱"这一个划时代的口号之前，历史上一批又一批杰出的思想家已经在"宽容"的旗帜下，进行了长时期的求索与奋斗，它是对宗教专制主义的第一次反拨、第一次逆抗，它在人类思想解放的过程中起了卓越的作用。

　　俱往矣，我们生活在 20 世纪 80 年代。我无意于把 20 世纪的某些部分与中世纪相提并论。但是，我们也应该看到，在这个世纪，在不止一个存在着残余封建主义的国度与地区，由于意识形态上的不宽容而发生的惨剧，其触目惊心的程度似乎并不亚于过去的中世纪。人类的思想本来就是一个自由的王国，而思想的解放与自由，对于社会的发展、生产力的提高、民族的兴旺、文学艺术与科学的繁荣都是至关重要的，因此，在一个尊奉一种主义、一种思想、一种学说的国家里，多讲一点宽容实属必要。

具体到意识形态领域里我们这个小小的外国文学的角落，应该说，不宽容在这里还是屡见不鲜的。恩格斯对现实主义的定义与对左拉的评价、日丹诺夫对 20 世纪西方文学的"彻底批判"、卢卡契的"现实主义至上"论以及某个会上的这条原则那条原则，就足以在思想选择与艺术趣味上造成一种褊狭的、封闭的气量，这种气量本身就远不能容得下 19 世纪末以来西方文学丰富而复杂的存在，如果再碰上"文革"那样的日子，严厉的不宽容可不是吃素的。

黑格尔曾经说过，凡是现实的就是合理的。对此，我们不妨理解为：凡是存在的也是合理的。麻雀，曾经是几亿人被动员起来一齐敲锣打鼓进行围剿的可恶的公害，而今已被证明在生态平衡中颇有生存的权利，可见其存在有一定的道理。当然，凡是存在的就是合理的这一命题还得有一定的前提条件，但在文学中，至少可以这样说，一切存在过、发生过社会影响并有一定生命力的东西，无不具有它自己的合理性。因此，对于文学中那些曾被我们视为"麻雀"的存在，就有一个承认其存在的合理性并理解其存在的合理性的问题。在我个人看来，文学评论只不过是理解并说明作家作品之存在理由的方法与艺术，而不是裁判，也不是宣道。在这里，存在物本身是否符合你心中的规范、理念与秩序是无关紧要的，它存在着，它不以你的规范与理念为转移，也不在乎你的规范与理念，它只是等你去理解、感受与说明，如果你善于贴切地、准确地理解它的性质、规律、关系，并进行了精辟的说明，或者你提供了对它的性质、规律、关系的独特感受，那你就算完成了文学评论的使命，而对于一个评论者来说，最重要的也许莫过于要有一种能容纳各种存在的宽阔的思想度量、艺术度量与能适应各种存在的透彻的理解力。

我本着以上的理解与追求进行法国文学的研究与评论，故把这个集子名之为《宽容与存在》，当然，其中也包含着这样一个意思：希望我的工作与我的理解，作为一种存在，也能得到宽容。

1988 年 12 月 28 日

司汤达《爱情论》序言

　　《读书》前主编沈昌文先生，约我为他朋友崔君所译的司汤达《爱情论》一书写篇序。说真话，实在忙不过来。但即使再忙，我也应该从命：十几年来，他们赠阅《读书》杂志、一期不缺的这份"义气"，我一直有感于心。

　　司汤达的《爱情论》一书，我第一次读到是在 60 年代，那时刚大学毕业几年，正是钱拉·菲利普主演的《红与黑》在中国走红之后，自然对司汤达甚为崇拜，知道他著有这样一本哲理性的书，很想弄来一读。当时，本单位图书馆的外文书藏量虽然在京城也算是名列前茅的，但却无此书，倒是李健吾先生的个人藏书中有。健吾先生所藏最丰的是莫里哀与福楼拜，他是研究这两个作家的权威，至今仍无人望其项背，其次，恐怕就是司汤达的书了，他所藏的狄望版《英国通讯集》《罗马·那不勒斯·佛罗伦萨》《意大利绘画史》等书，甚至那时北京图书馆也都未藏有。

　　健吾先生生性豪爽慷慨，对青年人更是如此，仅以借书一事而言，其阔绰大方在学林极为罕见。学者一般都特别珍视自己的藏书，不愿意轻易借出，这是完全可理解的常情，甚至有人还采取预防性措施，在书柜上贴上"概不外借"的字条，叫人无法开口。但健吾先生只要知道你对什么书感兴趣，就主动出借，还搭上他推荐你该读的书，一借就是 10 来本，我就是从他那里借阅了司汤达的《爱情论》。

　　我读此书时，国内对爱情问题的观念意识形态是绝对"一元化"的，在人与人关系中、在桌面上，更不用说在出版物上，拿得出来的、合格的爱情只有一种，那就是"建立在革命思想一致基础上的爱情"，其他都不合格，不是资产阶级的，就是小资产阶级的，甚至它们是否有资格称为爱情，还得打上一个问号。当时《爱情论》一书给我最深刻的感受，就是令人耳目一新，眼界大为拓宽，这里，各民族不同的爱情方式，各情境中不同的爱的感情，各阶段不同的爱的变化，都有所解释，有所论及，有所例证，当时读后，真有渔人从狭小山洞口出来眼前"豁然开朗"之感。

　　应该承认，此书对我颇有影响，20世纪80年代初，我应《文汇月刊》主编梅朵先生力约，在他的刊物上开了一个名叫"外国短篇小说选评"的专栏，每月一篇，每篇结合一短篇小说佳作评析一种爱情心理或爱情情态。最后，共得40多篇，算是论及了40多种情态，结集出版后竟然一版再版，印行了201000册。此书之所以成了一本小有名气的书，不能不感谢司汤达的《爱情论》启发了最初的创意，特别是其中颂情抑欲的倾向，更是颇受此公此书的感染。

　　1988年，我在巴黎的时候，第一次到蒙玛特公墓去看了司汤达墓，它淹没在一大片墓群里，由一个扫墓者指点，我才找到了它。它平实无奇，上面有七八束鲜花，只比邻居们略多两三束，那墓碑却是举世闻名的，上方的两侧有两个耳状的小翼，中间是司汤达的头像，下面刻着任何一个文学史家、任何一个传记作者都要提一笔的铭文，这铭文是他生前为自己拟定的："阿里果·贝尔，米兰人，写作过，恋爱过，生活过。"

　　铭文排列为几行，每行一个词，言简意赅，大有深意，足以注释、铺陈为好几卷书，是司汤达一生的缩影，也是他人生价值的提纲挈领的标示。他把"写作过"列为首位是理所当然的，他知道这是他首要的，甚至是全部的价值所在，虽然他在世时从没有享受过什么盛誉，倒是受过一些讥讽，但他对自己的文学成就满怀信心，绝有把握，他预言"我将在 1880 年被人理解"。果然，随着历史的进程，到了 20 世纪，司汤达的文学声望日隆，颇有冠盖 19 世纪文坛之势。

"生活过"，这本来就不在话下，凡是在世上活过的人，都有权说自己"生活过"。司汤达把这再普通、再平凡不过的内容作为自己生存价值的一大项，似乎大大缩小了自我，要知道，他的一生是与 19 世纪上半叶法国以至世界的重大事件联系在一起的，在一定程度上，他可以说是欧洲历史进程的参与者。他兴高采烈欢呼过法国大革命的胜利，他跟随着拿破仑的大军转战了全欧，分享过盛极一时的帝国的光荣，也共尝过民族屈辱的苦涩，他还参与过意大利烧炭党人的密谋与活动……这不是庸庸碌碌的生活，不是浑浑噩噩的生活，在 19 世纪的文人作家中，很少有人像他这样充实地、有声有色地生活过，他那平平淡淡的"生活过"一语，显示了一个多么巨大的分量！

至于"恋爱过"，把它置于"生活过"之上，可见司汤达对爱情，颇有点"生命诚可贵，爱情价更高"的气概，然而，司汤达在爱情方面恰巧没有多少可以夸耀的"成就"。

在 19 世纪那些比肩而立的文学名人中，司汤达也许要算是在"爱情捕获"中，出息最少、最黯然失色的一人了。他在这方面还不如巴尔扎克得心应手，也不像雨果那样不断取得辉煌的胜利，直到 80 多岁的高龄，仍有接踵而来的艳福，当然更不像大仲马、莫泊桑那样广阅人间春色，享尽了醇酒美妇之乐，在他的记录中，倒是充满了尴尬与失败。虽然，他生活中，也有过不少次那种"一百二十八个没有爱情的夜晚"式的官能享受，但每当他倾心恋爱的时候，却往往不是单恋、苦恋，就是反复碰壁，简直令人惨不忍睹。这并不是因为他在妇女面前缺少机智与口才，他的谈吐是很有魅力的；也不是因为他不够风雅时髦，他一生都是新服装款式的追求者。主要的原因看来就是他的外貌不给他帮忙：身材不高、大腹便便、红脸膛、络腮胡、狮子鼻、薄嘴唇，看起来像个其貌不扬的胖店主，加以热恋情急，反倒难免有笨拙之举，于是，也就经常成为情场上的败兵。至于有的传记说，他患有性功能不全症也是一个原因，那恐怕只是臆想妄说而已。

如果他像包法利先生那样对爱与不爱的事情感觉迟钝，毫不在意，那事情会是另一个样，偏偏他生性敏锐、满怀热情，心里的爱意如泉涌不竭，对谈情说爱兴趣很浓，很是在意用心。自我脾性与客观现实如此矛盾，这就形成了他一生对爱的欠缺感、饥渴感，就像渴望当明星而始终没有当上明星的人，总有一种"明星情结"，一种追星狂热一样，司汤达也有一个总是想求纾解的爱情情结，实际上，他也成了一个"追星族"，这星不是别的，就是"爱情"。他自己说过："我爱上了爱情。"

这情结非同小可，从这里生发出来的缕缕情丝，延伸、舒张到了他的一生，到了他生活的好些方面，在他的内心生活、精神倾向与文学创作以及哲理议论中，都留下明显的印痕。

以爱情价值观、爱情理念而言，他声称过"我爱上了爱情"，这显然带有浓厚的爱情理想主义的色彩、爱情至上的倾向，其前提条件，必然是对爱情的理想化。如果爱情不是那样美，那样富有魅力，那样对"我"来说几乎有点可望而不可即，不是那样老像一个难以实现的而又不断招引人的梦，那么，为什么"我"要爱上它呢？问题在于他爱的是什么爱情，他作为"人类心灵的观察者"，作为一个社会爱情心理学家，曾把世人的爱情划分为肉体之爱、趣味之爱、虚荣之爱与激情之爱四种，这是一种客观的、科学的态度与分类，就像植物学家将植物分成不同的科目一样，不涉及主观的崇尚与爱好。如果要说崇尚与爱好的话，从司汤达与数量并不少的异性的关系来看，笔者实在不能说，他在这四种爱之中，有什么"偏食"的习惯，说实话，他倒是总不放弃任何机遇，只要不是当他沉浸在感情之爱之中力求保持自己的忠贞感，他对于艳福从来都是来之不拒的，但如果要说他本人崇尚向往、心仪心羡终生不已的爱情是什么，那就不能不说是"激情之爱"了。这当然首先与他的爱情观念有关，在他看来，爱情的仪式必须通过心灵的欢愉和整个感官的欢愉相联结来完成，而不是只有"感官的欢愉"，而最符合他这种爱情理念的，显然就是他心目中的"激情爱"，因为肉体之爱流于单一，太生理性而缺乏心灵性，而虚荣之爱与趣味之爱，则又失于芜杂，掺杂了不少功利性与人为性的因素。

心羡激情之爱，在司汤达这里，更重要的原因恐怕还是他那带欠缺性的存在状态与由此而来的爱情情结。他缺外貌，外貌在情场上的确很重要，连恩格斯也承认好看的外貌是引起"异性间性交欲望"的一个重要条件。他身上也缺乏虚荣之爱的支撑点，他不是腰缠万贯的富翁，只不过靠父亲应允给他的遗产过着小康的日子而已，一旦对女演员梅拉妮发痴、需要大把大把用钱时，他就大做起发财梦来，居然还把它写进日记里；他也不是权势炙手可热的人物，在达鲁夫人面前，他只不过是仰仗其夫鼻息的一个下级，即使在沾上了帝国荣光的年月里，在异国女性面前，他终究只是拿破仑军旅中一个忙碌奔波、风尘仆仆的干员。到了复辟时期，他的处境更糟，在他心羡的意大利妇女的眼里，他是一个身份可疑的外国旅居者，甚至身上颇有那么一点危险的气味。他剩下来的只有娓娓动听的谈吐与令人钦佩的学识，但这只能保证他在沙龙生活中成为一个受欢迎的交谈者，一旦他伸手去抓对方的手时，这种优势就不起作用了。于是，他只能期望用自己的满腔激情打动对方，也只能期望对方出于单纯的激情积极回应、接受自己，就像身无半文、身陷绝境的穷人，只能期望有钱人大发善心、慷慨施舍一样。然而，要碰上这种女性谈何容易，可怜的司汤达！这样他就只能用笔来寄托他对这种激情之爱的艳羡与向往，这就是他在从《意大利遗事》中《法尼娜·法尼尼》等一系列短篇小说到他的长篇《巴马修道院》里，所反复描写的意大利式的激情爱。这种爱不讲功利、不计得失、不忌任何规范、不顾一切后果，用今天时髦青年的话来说，真个是爱得"天昏地暗""死去活来"。司汤达更多把这种激情之爱定格为意大利式的，这固然是以意大利热情浪漫的性格与有刺激性和冒险成分的爱情方式为基础的，但也与他对这种性格与这种方式的美化和理想化有关，事实上，这些写意大利性格和意大利激情的故事，都带有一定程度的传奇色彩，而在任何传奇中，都少不了有理想化在起催化作用。

　　缺爱情结，不仅决定了司汤达作品里的爱情的理想模式、情爱"幻境"，而且也带来了爱情描写中的自我补偿心理。意大利题材，特别是中世纪意大利传奇性的题材，留下了足够的空间，允许他的自我情结酣畅地化为激情之爱的理想情境，但身边的现实题材则限制颇多，只能允许这种情结有限地化为某种补偿了，他的《红与黑》就是如此。这部杰作是司汤达的时代与他那一代人的经历际遇、思想状态真实深刻的写照，他把自己从思想情感到言行习性方面的很多东西都赋予了主人公于连，在爱情方面也不例外。他自己追求妇女时经常制定军事性"进攻计划"及向自己发布强制性"命令"的特点，一激动时就去抓对方的手的习性，曾经爬梯子去进行幽会以及为躲避对方丈夫而在地窖里藏身的经历，等等，都几乎原封不动地移植到了于连的身上，成为《红与黑》中令人激动的爱情情节。最大的区别是，他的化身于连远比他自己漂亮，他把英俊的外貌与挺拔的身材赋予于连，让他在妇女面前人见人爱，在情场上无往不胜，不论是贤淑的夫人，还是高贵的小姐，跟他都相随不渝、至死无悔，几乎有了点意大利的激情之爱的味道，这不能不说是司汤达本人最好的一种自我补偿之道了。

　　《爱情论》就是出自这样一个"恋爱过"的人之手，它开始写于1819 年，基本上完成于 1820 年春，1822 年出版，这时的司汤达将近40 岁，他已经饱经人世沧桑，有过不少次逢场作戏的男女关系，也经历了一生中最主要几次恋爱的失败与痛苦，特别是他对美蒂尔德的单恋、苦恋，更直接引发了《爱情论》一书的写作。

　　1814 年波旁王朝复辟后，司汤达"被扫地出门"，来到了意大利，一直在这里旅居到 1821 年。1818 年，他在米兰认识了美丽的美蒂尔德伯爵夫人。她出身于名门世家，婚姻不幸，与丈夫分居已多年，她年轻貌美、人品脱俗、气质高雅、富于才情与教养，更难得的是她胸怀社会理想与爱国主义热情，参加了意大利烧炭党人的革命活动，她家就是烧炭党人重要聚会的场所。司汤达几乎可以说是疯狂地爱上了她，在两三年的时间里，不断地向她表示热烈的爱慕，向她求爱，其真诚执着实在令人赞叹。为了美蒂尔德，他冒着政治风险，不带任何保留地支持意大利烧炭党人的密谋活动，为了在感情上保持对美蒂尔德的忠贞，他主动断绝了与其他女人的来往，甚至疏远避嫌到可笑的程度。他后来承认，一生中只经历了三次真正的激情，对美蒂尔德就是其中之一。落花有意，流水无情，美蒂尔德再三拒绝了他这份爱，一直只允许他作为一个朋友与她交往。司汤达仍紧追不舍，他无力自拔，大有春蚕到死丝方尽之慨，以至美蒂尔德不无烦恼地对他说过："我没想到要你灰心竟是如此之难。"

　　经历了长时间热烈而痛苦的单恋、苦恋，司汤达对美蒂尔德已开始濒于绝望，而满腔激情又如骨鲠在喉，不吐不快，他本想写小说，但怕招来美蒂尔德的愤怒，于是就决定写一部分析与论述爱情的著作，这就是《爱情论》一书的由来。就其成分要素而言，此书是人生哲理＋心理分析＋自传内容的一种结合，如果把这本书与司汤达的日记与书信加以对照，就不难发现司汤达热恋并追求美蒂尔德的心理经验、思想感受以及某些具体情节，都作为分析论述的例证写进了书里。书中并未提及她的名字，但某夫人、莱奥诺尔、阿尔维扎等都是她的代称，而萨尔维尔蒂、戴尔方特、里西奥·维斯康提或"一个我熟识的年轻人"，都是他自己的化名，其中第一卷第八节中的谈话，第三十一节中"我"冒雨伫立在她窗户下两眼含泪的记述，就是他本人在苦恋中的经历与实感。

不言而喻，从一次圣洁化的激情之爱中结晶而成的这样一部书，其哲理见解必然会映照出真正的爱情之圣火，而发出纯雅肃穆的清辉。最引人注意的是它贬虚荣之爱、肉体之爱而崇激情之爱的基本倾向，像"爱情是文明的奇迹""男女之间建立起最大可能的平等极为必要""只有由真正的激情支配的结合，才是唯一永远合法的结合"等等这样一些论述，实在是肃穆隽永深刻，至今仍熠熠有光。作者所表述的男女平等观、女性解放观、婚姻家庭观以及有关妇女教育制度的思想，都已经带有现代民主主义的色彩，而对人类爱情生活中各种类型模式、爱情发展过程中各个阶段的心态心理的科学分析，则又达到了现代心理学的科学水平。

在文学史上，与司汤达的《爱情论》同一性质的书，在他以前有罗马诗人奥维德的《爱经》，与他同时代的有巴尔扎克的《婚姻生理学》。如果加以比较，奥维德的《爱经》虽然作为一部独特的"奇书"，更具有完整的艺术形式与凝练集中的内容，然而，它实质上是论述与宣扬男女关系中的取悦术、求爱术、占有术，严整优美的格律与潇洒幽默的风格难以掩去作者浸染于其中的罗马帝国时期宫廷生活享乐淫靡的风气与他本人在爱的问题上轻薄放纵的倾向。巴尔扎克的《婚姻生理学》无疑是一部深刻犀利而又调侃有趣的书，是对以床笫为基础的家庭中、情场上的人生世态的尖刻描述，不免过于世故老道，生理学的气息偏浓。司汤达的《爱情论》虽然论述并不十分有条理，结构不甚完整，像是一堆随笔、回忆与杂感，但它把感情之爱、激情之爱置于道德美学的中心，真正科学地、接近现代心理学水平地分析了感情变化的形态，建立了一种新的感情伦理学与爱情形态学，对心理学与美学都是一种不可磨灭的贡献。

20 世纪 80 年代初，我在制作自己那本爱情小说评论集的时候，曾经写过这样一段话："司汤达如果不是文学家中对爱情问题最有研究者，至少也是最有研究者之一，中国读者熟知他是著名的小说杰作

《红与黑》与《巴马修道院》的作者，而不太知道他是一部理论著作《爱情论》的作者。这是一部很有分量的心理学巨著，专门就爱情这种人类特定的感情写出如此规模巨大的论著，对这种心理作出那么系统的论述与分析，就充分说明了作者对此具有广泛而精深的研究。这样一部著作，不论在文学史上还是在心理学史上，都是不多见的。将来，在我国，司汤达学的进一步发展，或者心理学的进一步发展，都无疑会提出对这部论著加以翻译介绍的要求。"

十几年过去了，这个愿望成为现实，据我所知，《爱情论》现已有了两个译本，一个是刘阳等人的译本，再一个就是崔士昆的译本。刘阳同志在南京大学工作，我与他从未见过面，前年他寄赠了一本给我，希望我在该书再版时为它写一篇序，我当时忙得实在顾不上，为此，我至今仍深感歉意。崔士昆，我也不熟，只偶然见过一两次，印象是敦厚温良、温文尔雅，我知道他在通讯社工作，那是一个翻译人才集中的地方，但公家的翻译任务极重，很难有时间与精力去从事自己感兴趣的翻译，因此，他们的译品往往更来之不易，更难能可贵。这两个译本都是认真严肃的，也必各有特色与所长。我相信，两个译本同时致力于再现一部名著的风采，受益的将是广大的读者。

1997 年 2 月春节期间

人性的观照

柳鸣九　著

前　言

　　这是一本随笔集，读书札记式的随笔集。从形式与内容来说，可以说是拿一些世界小说名篇在说事，这些名篇共有 78 篇之多，很多都是脍炙人口的。说什么事？集中一件事，那就是人性的形态，第一部分 44 篇是说人性中的爱情形态，第二部分 34 篇是说人性中的性格形态，总共有 78 种形态之多，当时思考时多少还是费了一些心的，基本上是我大学毕业后不久在文艺研究工作岗位上对人物性格论进行钻研的副产品。

　　从另一个角度来说，本书也可以说是在世界小说名篇的海洋中采藻拾贝，专门采撷、收集那些闪耀着人性形态之光彩的"藻"与"贝"，而这，则得益于我从文艺理论工作转向西方文学史研究的所获了。

　　有了视角、观点、见解与感受，又有了事例、典范、文本与名篇，似乎就开始拥有一定的条件去写一部学术理论著作。说实话，我的确曾经有过写一部关于人性形态学的论著，只是由于忙这忙那，未来得及投入整块的时间与精力去做这件事，后来，一个偶然的原因使得事情完全朝另一个方向发展。

　　20 世纪 80 年代初，上海出现了一家既有文化品位又特别受读者大众欢迎的刊物《文汇月刊》，它隶属于《文汇报》，主编是著名的记者、编辑家、影评家梅朵先生。我大学毕业后，有一个时期，曾经写过一些电影评论，作为"业余爱好"，其中关于法国影片《白鬃野马》《红气球》的文字颇得影评界人士的好评，由此结识了梅朵。他创办《文汇月刊》时，邀我为他的刊物写点文章。"老梅朵"催稿惯用"猛药"，在文化界是很有名的，一旦他跟你"约"了稿，没有几天，催稿的信函与电报（那时电话还不普遍）就接连不断了，那是你绝对招架不住的。当时，我实在写不出影评，只好拣我自己业内驾轻就熟的题目来，就我大学时期已译好的一篇都德的小说《繁星》，写了一篇短文交差了事，这就是本书中的《纯净的情操之爱》一文。没有想到，这篇短评配上这篇小说在《文汇月刊》上发表后，竟然大受读者欢迎，据说，杂志社收到了不少有佳评赞语的读者来信，"老梅朵"趁机扩大战果，首先是把一些佳评转录给我，然后，一定要我按第一篇的格式，每月写一篇类似的短文，同时配上一篇相关的外国小说佳作，构成一个固定的栏目。他这个决定对我当然有很大的吸引力，自己正可以轻车熟路嘛。于是我将自己对"情态"的思考，每期写出一篇短文并配上一篇外国名作。这样坚持了一两年之久。"水到渠成"，当然这个栏目里的文章也就自然结集成了一本书，那就是北京出版社出版的《外国短篇爱情小说选评》。而这本书的畅销，又引起了出版界人士的兴趣，于是，我又在上书的基础上，把规模扩大了一倍，成为1991年出版的《世界最佳情态小说欣赏》。后来，为了把自己对人性形态的理解都表述出来，我又按同样的格式完成了《世界最佳性态小说欣赏》一书的写作与编选（出版于1995年），前后两书构成了"姊妹篇"，总算把自己对人性的两态的理解与看法做了一个归纳与集结。

十多年来，不止一家出版社不止一次有意将这两本书加以再版重印，但终因其中均有些作品涉及国外版权而作罢。事情是这样的，国内有那么两三家出版社，凭借原有的传统优势，向外国出版社购买了某些作家作品的中文出版专有权，门槛甚精，购买的作品并不多，仅那么几部热门作品，就把一个作家占领了，颇像占据了几个"制高点"，就控制整个一大片领土，这么一来，国内其他出版社要出版或重印这个作家的其他中译本就难如上青天了，即使准备向国外的出版社照付版权费用，如不得到国内这家得到了"中文专有出版权"的出版社的正式同意，即为"非法"，就要遭到起诉，或者，你要出版、重印其他中译本也行，那就得先向这位"二房东"付出高昂的费用。如此这般，事实上，就形成了一种垄断与霸占。这种"中文专有出版权"究竟是个什么玩意，它是怎么玩出来的，我们且不用从深奥的法理上去分析，只按常情常理来理解，便可见出其有悖于自由贸易的精神与原则，试想，一家中国航空公司购买了几架空中客车，难道其他的中国航空公司就无权再去购买空中客车？至于在文化、文学艺术领域里，这种垄断更不合理，在这个领域里，最合理的法则本应该是像布莱希特所说的："一切应该属于最善于对待者。"打个比方说，你买断了海明威，你就能最善于对待海明威吗？你就能以最佳的形式、最佳的质量、最完满的效果把这个作家介绍、呈现出来吗？优秀的作家作品是人类宝贵的精神遗产，应该为广大人群共有、共享、共用、共赏，商家不应以"包二奶"的心态去占有、垄断，特别是以非完全等值交换的某种商业伎俩去占有、垄断。

不言而喻，正当的版权利益是应该维护的，但应该看到，不合理的版权壁垒已经成为了文化发展的束缚与阻碍。我们期待着这种不合理的状况将来有所改观。在目前的状况下，再版以上两部书的计划实难成行，仅仅因为其中一两个作家的少数两三篇作品已经被国内有的出版社"包下来了"。现在，我自己倒也乐于将这两本书的评论赏析部分剥离而出，合编起来独立为集，因为我写这些东西的初衷本来就是思考与评析人性的情态与性态，所附的小说名篇只不过是佐证与范例而已。我想，如果读者产生了对人性形态的兴趣，那么，对有关名篇佳作的理解与鉴赏，也会相应有所深化。

认识人性，赏析名篇，但愿此书能在这两方面对读者有点用处。

情态篇

颂欲思潮中的颂情例

——〔意大利〕薄伽丘：《费得里哥的故事》

　　这篇故事选自意大利薄伽丘的《十日谈》。《十日谈》可说是最早的一个著名的短篇小说集了，其中有 100 个故事，题材虽然并不单一，但爱情占较大比例。当然，这里所说的"爱情题材"是从广义而言的，指的是对男女之间关系的描写，包括正常的与不正常的，合法的与非合法的，矛盾的与和谐的，等等。这些故事都是文艺复兴时期市民文学的代表作，贯穿了强烈的反宗教、反教会、反禁欲主义的精神。一方面是因为刚从宗教禁欲主义的束缚中冲出来，物极必反，难免由"禁欲"而到"颂欲"，再一方面是因为反映了市民资产阶级的意识，同时又力求迎合市民资产阶级的爱好，所以，《十日谈》中的一些故事往往流于粗俗和色情。虽然很多故事对伪善而为非作歹的教会、淫邪好色的神父、嫉妒成性的丈夫，都进行了揭露、讽刺和批判，但作者同情和赞扬的却经常是以狡诈的手段偷情成功的妻子和情夫，作者加以歌颂的正是他们的享乐主义。即使有些短篇也着笔写情感、写热恋，不久却又发展为一桩粗俗的偷情。而且，毕竟是早期的短篇小说，它们叙事固然生动，但其中离奇荒唐的情事着实不少，还谈不上多少细节的真实性。类似的成分在与薄伽丘同时代的英国作家乔叟的《坎特伯雷故事集》里也有。从这种情况可以看出，文艺复兴时期的短篇小说一般来说还只来得及在故事的生动有趣、引人逗乐上下功夫，对现实关系和细节的真实还没有来得及加以较多的关注。这个问题的提出，要到 18 世纪的狄德罗；而在实践上的解决，则要到 19 世纪现实主义小说了。

我们从这个角度选了《十日谈》中第五天的故事第九。这一篇比较真实地反映了市民阶级的生活，它所叙述的故事虽然很概略，表现了主人公费得里哥经历了一些时日的追求和最后获得幸福的整个过程，其中并无奇特的情节，一切都比较自然：佛罗伦萨那位最美丽动人的太太乔凡娜，并不像其他故事里的少妇那样，有那种粗俗、低廉的"浪漫史"；而后，她的丈夫死了，她又有机会遇见了费得里哥；她既然需要再嫁，而且早又知道他过去对自己爱慕得如醉如痴，那么，其结果是可想而知的，何况她又再一次验证了他对自己矢忠未移的热情呢。这一切都很现实，很合乎情理，它如同后来的夏尔丹笔下的市民阶级的日常生活图景一样，普通而真实。

普通而真实并不等于平庸。文艺作品的普通而真实之中总要有某种比实际生活更集中、多少有点意义的东西才行，而作为爱情小说，总应写出一点感情上的东西。如果像《十日谈》中好些故事那样，只写情夫如何设法幽会、如何订下狡计、如何作弄愚蠢的丈夫、如何"快活了一辈子"，那不能说是真正的爱情小说。费得里哥的故事与那些故事不同，在一定程度上表现了某种感情的东西。表现在哪里？表现在那一头鹰上，他对那头鹰的疼爱与他最后的处置，正流露出了他真挚的感情，而那个富孀，也正是从这头鹰上看出了他的诚意。特别有意义的是，这位少妇并不因为费得里哥已经一贫如洗，也不顾亲戚们的劝阻，而最终和他结了婚，这个中世纪的妇女说出了一句很动人的话："我是要嫁人，不是要嫁钱。"这是《十日谈》中一句闪光的话，即使在今天看来，不也是颇为难能可贵的吗？

资产阶级上升时期的文学，在性爱问题上表现了两种倾向：一种是我们上面所说的以"颂欲"来反对封建宗教的"禁欲"，再一种就是表现新兴的等级在性爱上的道德力量和人性美。席勒的《阴谋与爱情》就是以市民人物高尚的道德情操来对照封建势力的邪恶阴险。狄德罗的《私生子》更是市民阶级道德的一则"颂歌"，这个剧本写两个市民阶级的青年同时爱上一个少女，一个为了忠于友谊，宁可自己失恋，甚至企图自杀以成全朋友的爱情，另一个也要以高尚行为来报答好友，其主题显然是颂扬市民阶级道德的高尚。每一个阶级在上升的时期都经历过这种道德的自信和自我颂扬。费得里哥的故事无疑属于这一类型，而且是这一传统的最初的一个例证。从这个意义上来说，它和《十日谈》中那些粗俗放肆的故事相比，多了一些思想材料的意义。

理想的夫妇忠贞之爱

——〔英国〕杰佛利·乔叟:《朵丽根与阿浮拉格斯》

乔叟与薄伽丘都是 14 世纪的人，薄伽丘仅长乔叟不到 30 岁，两人属于同一时代，即文艺复兴时代的初期。文艺复兴是一股泛欧性的思潮，在不同的国度都有着共同的特点。这两位作家正是在这股思潮初起之时，推波助澜，造成奇观，为各自的民族文学开辟了新纪元。

无独有偶，这两位同时代不同民族的作家，他们借以不朽的作品正是两部相似的短篇故事集——《十日谈》与《坎特伯雷故事集》。这两部作品的相似不仅在形式结构上，而且也在思想内容上。

《坎特伯雷故事集》有相当大一部分是爱情故事。在爱情问题上，文艺复兴时期的作家都具有共同的倾向：反对封建特权与暴力，反对教会的禁欲主义，反对不自然、不合理的婚姻，歌颂恋爱的热情、自然的合乎人性的结合，不论这种结合是婚姻的或婚外的。在这中间，既有由于反对禁欲而流于颂欲的一方面，也有对照封建阶级和教会的腐朽卑鄙而颂扬新兴阶级道德感的一面。《坎特伯雷故事集》里，也不乏《十日谈》中那些粗鄙的故事，但总的来说，粗鄙故事所占的比例要比《十日谈》少，而道德的、诗意的成分比《十日谈》多。两者的异同，属于比较文学探讨的范围，我们不在这里讨论。不过，其不同也许和这样一个原因有关，那就是《坎特伯雷故事集》大部分是用诗体写的，诗体总要带来一点诗意。

朵丽根与阿浮拉格斯的故事内容是三角关系：一个有夫之妇受到

一个青年的追求，她在一次玩笑中许下了看来永远也不可能兑现的诺言，却没有想到因此而陷入了困境，不过，结果是出人意料的，最后是道德和人格的胜利。这个故事没有半点粗俗的成分，充满了道德感是它在思想内容上显著的特点。这是一首对道德化爱情的颂歌，歌颂的是婚姻的神圣性、夫妇之间的忠贞。

恩格斯告诉我们，在野蛮时期的中级阶段和高级阶段交替的时期，对偶家庭开始瓦解，一夫一妻制家庭开始出现，而它的最后胜利构成了人类文明时代的标志之一。从那时以来，就逐渐产生了一种道德观念：忠贞，它的职责就在于巩固一夫一妻制家庭的稳定。对于阶级社会中一夫一妻制家庭的实质，恩格斯讲得非常透辟而坦率："它是建立在丈夫的统治之上的，其明显的目的就是生育确凿无疑的出自一定父亲的子女；而确定出自一定的父亲之所以必要，是因为子女将来要以亲生的继承人的资格继承他们父亲的财产。"[1]

这是政治经济学的语言，不是文学的语言。作为阶级社会意识形态的文学则是用完全不同的语言来描写这种家庭关系的，特别是以赞颂的语言来描写夫妻之间这种矢志不渝的。乔叟在这篇故事里通过人物之口举出了历史上一些贞妇烈女的事迹，而在文学作品中，最著名的描写恐怕要数荷马的史诗《奥德赛》和拉辛的悲剧《安德洛玛克》了。在荷马史诗里，奥德修斯出征特洛伊，战事持续数年，战争结束后，他在回国途中又历尽险阻，漂泊他乡，迟迟未归，这就苦了他在家的妻子潘奈洛佩。她日夜怀念"我的完美无缺的丈夫"，对于那些因她丈夫杳无音信而前来求婚的富家子弟冷若冰霜，远离他们，躲在楼上纺织，在思夫的悲哀之中"消耗着我的生命"，但求女神快赐她"温柔的死亡"。在拉辛的悲剧里，安德洛玛克的丈夫赫克托耳在特洛伊战争中牺牲，她本人成了爱尔比城邦的国王卑吕斯的女俘。尽管卑吕斯疯狂地爱上了她，不仅要立她为后，而且不顾一切压力保护她

---

[1] 恩格斯：《家庭、私有制和国家的起源》，《马克思恩格斯选集》第四卷，第57页。

的儿子，为希腊人最害怕的敌人赫克托耳保全这株独苗。然而，安德洛玛克并不为荣华富贵所动，仍把自己对亡夫的忠实看得高于一切，只是为了救自己的儿子才答应和卑吕斯结婚，决心婚礼一过，就以身殉节，以求达到既保护了儿子又保持了自己的贞操的目的。

乔叟的这篇故事就是属于文学上的这一传统，它所宣扬的思想主题，就是属于上述这个道德观念的范畴。它不仅和《十日谈》中一些嘲笑夫妇之爱和贞节观念的故事大相径庭，就是和《坎特伯雷故事集》中的一些粗鄙的故事也颇不一样。在这篇故事里，忠贞观念得到了作者最热情的赞颂，而女主人公的贞操得到保全、她与自己丈夫的家庭幸福未被扰乱，则是在一种理想的人与人之间的关系中实现的。在这里，矛盾着的各个方面都显示了某种美德，因而使得矛盾得到了妥善圆满的解决。女主人公朵丽根固然"美色无比"，其美德更不逊于其色，她在那样一个热情活泼、漂亮高贵的青年的追求下，始终守身如玉，忠于自己的丈夫，她眼见自己不得不履行诺言时，就决心自杀；她的丈夫也高贵得很不一般，他得知自己妻子困难的处境后，为了使她不至于失信丢脸，宁可自己痛苦也要让妻子偷偷地去履行诺言；同样，那个苦恋的情人也极为难能可贵，他对高尚品质的爱好甚于对自己占有一个美丽女性之权利的重视，他见到这对夫妻如此高尚，虽然自己曾煞费苦心、几乎耗尽了家财，但也放弃了要对方履行诺言的权利；还有那个魔术师，他面对着这三个人的美德，也不愿意自外于慷慨善行，竟也放弃了他所索取的代价。哪里见过人与人之间的如此善良、如此舍己为人的关系呢？这只能说是作者的一种空想。

其实，在阶级社会里，忠贞的观念往往只是用来要求妇女，一夫一妻制只对妇女而不是对男子有约束，"破坏夫妻忠诚这时仍然是丈夫的权利"，在《奥德赛》中，当潘奈洛佩在家苦等的时候，奥德修斯在外并非没有"艳遇"。对于这种男女不平等的状况，文学中曾有这样几种不同的反抗性的描写：一种像《十日谈》中的某些故事那样，作家为了反封建夫权和禁欲主义，往往反其道而行之，用赞赏的笔调写那些妻子和情夫偷情的巧妙，践踏忠贞的观念；一种像后来 18 世纪启蒙作家孟德斯鸠在《波斯人信札》中那样，虚构了一个妇女进入了仙境的故事，在那个仙境里，这个妇女拥有了好多男妾，对人世间的夫权狠狠地进行了报复。

乔叟在朵丽根与阿浮拉格斯的故事里，则做了不同的处理：他并没有去揶揄忠贞观念，而是把它建立在夫妻完全平等的基础上。朵丽根忠于自己的丈夫，并不是被夫权的暴力和封建义务强制的结果，而是由于他们的结合出自真诚热烈的爱情，特别是由于丈夫对她的尊重和信任，"他按照武士的风尚，向她立誓，自愿此生遵循她的意志，一切都为她的意愿效劳到底"，朵丽根得此尊重和信任，也就如同有了纯洁的天使守护着她的灵魂，因而一直保持着清白。乔叟在这里提出了这样的主题："若要情谊持久，就必须彼此谦让体贴。爱情是受不住压制的；压力来了，爱神就扑翅而飞，不再返回了。"

如果说，上述那两种描写是对封建观念的一种以"毒"攻"毒"的消极反抗的话，那么，乔叟在这篇故事里的处理，则带有正面的积极的性质了。

性的欲望与情操的制约

——〔法国〕让－雅克·卢梭：《巴西勒太太》

此段故事选自卢梭的自传《忏悔录》，把自传中的一段列入小说，是否有些勉强，甚至有点不伦不类？

但在选评者看来，它实在很重要，如果在描写爱情的篇章里缺了它，就如同在一次演奏钢琴名曲的音乐会上居然没有肖邦的作品。

何况，这个故事真实自然，情节也紧凑集中：卢梭在贫困的流浪生活中遇见了巴西勒太太，她收留了他，两人之间产生了爱情，但由于种种原因，他们并未成为情人，而且很快就不得不分离了，最后留给了卢梭一段动人的回忆。

对于这样一个故事，只要你愿意，未尝不可以把它当作一个短篇小说来看待。在短篇小说里，本来就有两种类型：一种是莫泊桑式的，故事性较强，情节生动；另一种是契诃夫式的，不以故事情节取胜，往往以似乎相当松散的结构发掘生活的某种深意，描绘人物的某种情感或状态。卢梭的这个故事，兼有两者之长，为什么不能把它当作一个短篇小说来看待呢？文学体裁之间的区分，是理论家用来说明问题而立的界石，如果把它加以绝对化，将它变为一道人为的鸿沟，那我们就会陷入一种荒诞的异化，而成为这种界石的奴隶了。

我们在上面把卢梭之于爱情描写比喻为肖邦之于钢琴乐曲。当然，任何比喻都是蹩脚的，也很容易被人指出这种或那种不当。我们的以上比喻只是基于这样的理解：肖邦是一个钢琴诗人，他把诗情带进了钢琴；而卢梭则是一个写情圣手，他把某种诗意性的东西，如真挚的脱俗的柔情等等，带进了爱情描绘。他们两个人都给自己的领域带来了新意，在这一点上可以说他们颇为相似。

不过，毫无疑问，卢梭在有些方面，是肖邦所远远不能比拟的。他在历史上的身影更高大，他的思想和胸怀更广阔，他不仅像肖邦一样，是一个创作了感人作品的文艺家，而且更是一个站在正面指导了时代潮流的历史伟人：他在历史上第一个用出色的辩证法论述了人类不平等的起源在于私有财产的出现；在 18 世纪法国黑暗的封建专制主义的统治下，他怀着极大的义愤批判了全部封建主义的上层建筑、意识形态，宣判了封建专制是人类不平等的顶点；而且，在行将来到的资产阶级革命的前夕，他提出了主权在民的社会契约论，为资产阶级革命提出了政治理想，为资产阶级共和国的政治制度提供了理论基础，从而在法国大革命中被民主共和派视为精神导师。

这样一个在历史上起了巨大影响的思想家，也是一个以热烈的感情而著称的人物。因此，他之从事文学创作，必然在宏伟的思想的基础上，对封建社会制度，痛加针砭，自然又给文学中的爱情描写开辟了新的领域。他的长篇小说《新爱洛绮丝》就是一部描写爱情的巨著。这部小说写的是封建等级制度下一对青年恋人的悲剧，他们之所以不能结合，仅仅因为女方是贵族小姐，男方是平民知识分子。在这部小说里，对男女主人公之间的种种感伤、痛苦、缠绵悱恻的描绘，都是用来控诉封建等级婚姻制的不合理、向造成这一对青年人悲惨命运的社会现实提出抗议的。卢梭正是以这部小说在文学史上提供了一部充溢着反封建主义激情的爱情题材的代表作。他把资产阶级向封建阶级进行直接斗争的历史时期中反等级制度这一重大社会课题与爱情题材结合了起来，从而为爱情小说做出了具有历史意义的贡献。

卢梭的上述贡献是人所共知、显而易见的，论者一般都不可能无视。但卢梭对爱情描绘还有一大贡献，而那一贡献却经常为一般论者所忽略，那就是他对爱情心理的坦率分析与对一种带有天真纯朴意韵的爱情的追求。

卢梭在《忏悔录》中宣称，他是在做一件史无前例的工作，那就是把自我如实地袒露出来，不加丝毫的遮掩和矫饰。他也的确做到了这点，因而，他的自传成为一部以惊人的真实而传世、而著称的奇书杰作，它那种坦率、那种炽热的感情、那种对个性自由的赞赏和尊重，几乎可以说在文学史上开辟了一个新的时代，成为后来法国浪漫派文学的先声。既然是一部自传，当然会要叙述自己的爱情生活，既然要求自己忠于自己的个性和本来面目，于是，在《忏悔录》中就出现了也许是古典文学中最真实的爱情心理的描绘，对巴西勒太太的回忆就是这么一个片段。

恩格斯曾经这样说过："不言而喻，体态的美丽、亲密的交往、融洽的旨趣等等，曾经引起异性间的性交的欲望，因此，同谁发生这种最亲密的关系，无论对男子还是对女子都不是完全无关紧要的。"[1]恩格斯这里讲的虽是古代的情况，但它对于任何时代的两性关系来说，都带有某种规律性的普遍意义。如果讲得坦率一点，那不妨可以说，在两性关系中，不外是"情"与"欲"。"情"，比较多地偏重于社会思想方面，"欲"，则比较多地偏重生理方面，而这两者，正如从恩格斯的话里可以看出的一样，是互相有关、不可分割的。"情"，不仅是由于共同的思想基础和旨趣，而且是由于对方"体态的美丽"而产生的，并且自然会导致恩格斯所指出的那种"欲"，而这种"欲"只要是来自那种具有合理基础的"情"，也就不失为一种人的自然而正常的"欲望"，而不是一种脱离了人性的动物性的本能了。这种正常的"欲望"，由于封建社会的虚伪礼教而被歪曲了。在文学描写中，这两者之间的辩证关系本来就不应该是一个禁区，问题在于作者如何去写、为什么去写，是为了表现社会现实生活的真实和人性的真

---

[1] 恩格斯：《家庭、私有制和国家的起源》，《马克思恩格斯选集》第四卷，第72页。

实，还是追求低级的纯官能性的"趣味"？

卢梭在这方面提供了一个值得我们注意的先例。他关于自己的爱情生活的自述，从来就没有回避过这两个方面，他有时坦率到了惊世骇俗的地步，他从不否认他在美貌异性面前的冲动、想入非非的思绪，甚至"不洁的念头"。而且，他毕竟出身底层，经历过长期流浪生活，正像他身上有着一层流浪生活的尘土一样，他的性格和习气也难免带有某些流浪汉粗俗的成分，就以这一段回忆而言，他一受到巴西勒太太善意友好的接待，居然就冒出了这一颇有江湖气的想法，"我认为我是成功了，而且还会获得更多的成就"，接着，就有了他那"目不转睛"的"贪婪的目光"和对于对方究竟愿意走多远以及为什么没有走到那一步的估计和分析。在这里，的确产生了一种"欲望"，这种"欲望"在卢梭和巴西勒太太的身上都很自然，一个是青春年少的小伙子，有着令人同情的经历和海阔天空闲聊的本领，一个是风姿绰约的少妇，本人富有情趣，但偏偏嫁给了一个粗暴而善妒的丈夫，而她作为一个意大利妇女，毕竟又是"多情而好复仇的"，很可能对她的丈夫进行报复。所有这一切描写看来袒露而粗俗，但是，我们读下去的时候，却发现他们之间的关系完全是按人的规律而不是按动物的规律发展的，也就是说，既然两性之间"最亲密的关系，无论对男子还是对女子都不是完全无关紧要的"，所以也就必然要受社会的、思想的和理智的因素的制约，在卢梭的这一段经历中，从他和巴西勒太太之间性的吸引中脱颖而出的，正是真正人的行为，富有高级的情感活动的人而不是只有低级本能的人的行为。

请看这段回忆中那著名的描写：隔着一段距离，卢梭情不自禁跪在巴西勒太太的背后，这可并不是在《水浒传》《金瓶梅》中曾经有过的"求欢"场面，而是一种感情上的倾倒所致，并没有带某种目的性。巴西勒太太觉察了对方的这个动作，温柔地用手一指，这一指虽充满了深情，但是那么轻微而娴静。就这样，他坐在了她跟前，两人之间出现了一幕动人的情景，既充满了热情的激动、强烈的吸引，甚至情欲的骚扰，又保持着端庄的纯朴，一动不动，像两个相对的塑像。这是古典文学作品中多么动人的一段爱情描写，它是那么令人心醉而又清新！

对于小说总应该比生活更集中更高，一般人往往容易理解为要有不平凡的故事情节和事态发展，而忽略了要表现出不平凡的人性，哪怕是人性中不平凡的那么一点火花。在卢梭的这段描写里，不平凡的两性关系的情节或动作是没有的，有的却是一段对人性的不平凡经历的回忆，在这里，焕发着诗意光辉的，正是这种人性的因素。

最后，我们还有必要回到作者的态度上来。卢梭写得很坦率，有的地方用词也相当粗俗，但他是怀着多么的深情来回忆这一段纯朴的爱情经历！而对这一段经历中所体现出来的高出于生理本能的那种"情"，又是多么赞赏、多么颂扬！他甚至这样写："我在她跟前尝到了不可言喻的甜蜜。在占有女人时所能感到的一切，都抵不上我在她脚前度过的那两分钟，虽然我连她的衣裙都没有碰一下。"从这种坦率的语言中，确有着高出于凡夫俗子的情操，而且，唯其是以坦率的语言把问题说到了最彻底的程度，这种对情操的肯定和追求，才是真实而非虚伪的、有力而非脆弱的，这就构成了这一段爱情描写的可贵的价值。

爱情描写的多样性与革命民主主义

——〔法国〕司汤达:《法尼娜·法尼尼》

司汤达如果不是文学家中对爱情问题最有研究者，至少也是最有研究者之一，中国读者都熟知他是著名的小说杰作《红与黑》和《巴马修道院》的作者，而不太知道他是一部理论著作《论爱情》的作者。这是一部很有分量的心理学巨著，洋洋万言，厚厚的一大册。专门就爱情这种人类的特定的感情写出如此规模巨大的论著，对这种心理做出那么系统的论述和分析，就充分说明了作者对此具有广博而精深的研究。这样一部著作，不论在文学史上还是在心理学史上，都是罕见的。将来在我国，司汤达学的进一步发展，或者心理学的进一步发展，都无疑会提出对这部论著加以翻译介绍的要求。

可以想见，这样一位精于爱情心理分析的文学家必然会留下不少动人的爱情篇章。事实正是如此。在 19 世纪法国作家中，司汤达的确是最善于描写爱情的一个。他在爱情描写方面，除了他那众所周知的特点即具有深刻细致的心理深度外，还有一个值得注意的特点，那就是爱情描写的多样性。虽然他没有一部作品是专门写爱情故事的，但他每一部作品都有爱情描写，而且这些爱情都有不同的社会阶级内容，不同的表现形式，不同的心理状态，以至不同的格局和不同的结果，这就呈现出了多种多样的爱情。

本来爱情就多种多样，因人而异，司汤达在他的《论爱情》里，就对爱情做过种种分类，像植物学家对植物的类别、科属加以区分一样，例如"理智的爱""精神的爱""肉欲的爱""激情的爱"等等。当然，我们不能完全按司汤达的分类法去对他笔下的爱情进行分类，而应根据我们对于人的阶级性、社会性和民族性的认识，对于人的性格和心理活动规律的认识去做出区分。

从阶级性、社会性来说，他写过同一阶级男女之间的爱情，如中篇小说《阿尔芒斯》中奥克塔夫与阿尔芒斯之间的爱情，但这一对置身于贵族上流社会的青年的爱情既具有复辟时期贵族阶级的生活内容，又带有哈姆雷特式的忧郁情调以及拜伦式的叛逆色彩。

他也写过不同阶级地位、社会地位的男女之间的爱情，在这里，司汤达的心理描写的专长发挥到登峰造极的水平，他既充分看到人性的作用又不忽视社会阶级性的制约，把异性之间的吸引与由于社会阶级地位不同而产生的心理上的差距这两者之间的辩证关系、既矛盾又统一的复杂状态，描写得再深刻不过。

从民族性来说，他在《红与黑》里描写了典型的法国式的爱情，天主教婚姻外的爱情，家庭教师与女主人的暧昧，在沙龙中的日常生活里不声不响地进行的男女关系，等等，而在《意大利遗事》中，则表现了意大利人强烈的热情和性格所造成的充满了风暴和激烈斗争的爱情事件。

从人的性格和心理活动规律来说，他创造了德·瑞那夫人这样一个温柔、哀怨型的爱情女主人公，赋予她真挚深情的性格和悲剧性的命运，使她成为欧洲资产阶级文学中最动人的妇女的爱情的形象之一。他也写出了玛特尔这样一个同时具有浪漫主义性格和虚荣心并且有时高傲到冷酷程度的恋爱着的少女形象，为19世纪法国文学的人物画廊添加了一幅很不一般的画像。他还描写出莫斯卡伯爵夫人这样一个极为复杂的妇女形象，她在爱情上有些随波逐流以至同流合污，周旋于糜烂的宫廷生活中，但同时她又在长者关怀的态度下，深深藏着对法布利斯的真挚、自我牺牲的爱。他还描写出阿尔芒斯、克莱利娅这两个莪菲利亚型的少女，她们善良、纯洁，对险恶的人与人的关系是那么不适应，最后她们的爱情都以悲剧而告终。所有这些就是司汤达在他的《阿尔芒斯》《红与黑》《巴马修道院》《意大利遗事》这些著名的作品中所表现的爱情的多样性。

《法尼娜·法尼尼》是司汤达著名的短篇，它虽然后来被收入了《意大利遗事》这个短篇集，但实际上写于 1929 年，比这个集子中其他篇时间要早得多，在司汤达的短篇中占有一个特殊的独立的地位。它是司汤达最好的短篇小说，也是他写爱情写得特别有意义的力作。

那么，《法尼娜·法尼尼》作为爱情小说所具有的特殊意义是什么呢？那就是作品中高昂的民主主义的理想和热情，使得这个爱情故事发出了异彩。

这里所说的异彩，并非说男女主人公达到了完满的结合，相反，倒恰巧是悲剧，是破裂；但这悲剧、这破裂却正显示出了一个民主主义革命家感人的形象，显示出一种把革命利益置于个人的爱情之上的崇高的精神境界。

这个革命家是男主人公米西芮里。他是意大利烧炭党中的一位英雄。他的故事发生在 1829 年，即法国波旁王朝复辟的后期。正是从波旁王朝 1814 年复辟时起，意大利又重新沦入神圣同盟的重要成员国奥地利的统治下，因此，这一时期意大利烧炭党人奋斗的目标就是谋求祖国从奥地利统治下得到解放。米西芮里是为这艰巨的任务而斗争不懈的战士。司汤达在写这个人物的时候，并不仅仅满足于从革命斗争生活来表现这个英雄的坚强，他让他经受一个更大的矛盾的考验，即爱情与革命的矛盾。整个故事一开始男主人公就被作者放在这一个矛盾之中，而且是多么尖锐的矛盾啊！他在受伤被追捕时几乎像传奇一样遇见了法尼娜·法尼尼，两人成了热恋的情人。就法尼娜·法尼尼的美貌来说，它似乎足以"倾国倾城"，完全可以把米西芮里永远完全吸引在她身旁；就她的地位和财富来说，她是高贵的郡主，拥有的家财不可数计，完全可以为米西芮里提供享受不尽的荣华富贵，安逸欢乐；特别重要的是她对米西芮里的一片热烈的感情，这种感情使她对他体贴照顾得无微不至，使她可以为他做出最大的牺牲，包括抛弃自己的财富、地位和名誉，可以使她不畏任何艰难险阻，这种真挚的热爱在米西芮里的周围织成了一层厚厚的温馨、舒适、甜美的氛围，足以使他心畅意醑地在其中待上一辈子。总之，作者安排了一个十全十美的爱情的"天堂"来考验他的主人公的革命意志，唯其如此，这爱情的"天堂"愈是十全十美，令人"乐不思蜀"，它与米西芮里立志从事的解放斗争的矛盾就愈是尖锐，米西芮里所面临的考验就愈是严酷。

然而，这美好的"天堂"却没有使米西芮里忘却了充满了血和污泥的"尘世"，他不仅没有忘却，而且毅然决然地走出了这令人心醉的温柔乡，又回到了崎岖险阻的革命道路上。矛盾还有进一步发展：他落进了监狱，法尼娜·法尼尼进行了营救，他本来可以获得特赦出狱，但他得知了法尼娜·法尼尼为了永远得到他而曾损害烧炭党的革命事业时，他并没有因为法尼娜·法尼尼毕竟是为了他这样做而丝毫加以原谅，他坚决与法尼娜·法尼尼做了最彻底的决裂，宁可牺牲在监狱里。至此，司汤达通过男女主人公的相遇与相爱，他们的热恋和矛盾，最后一直到他们的决裂，写出了一个很不平凡的爱情故事。

裴多菲有诗曰："生命诚可贵，爱情价更高；若为自由故，两者皆可抛。"在传统的文学里，表现爱情价更高、为了爱情而牺牲生命的作品数量很多，不胜枚举。因此，看来在作品里表现出这样一个主题，并不是作家精神境界特别超拔的标志。但裴多菲的诗更重要的还是后两句，而在传统的文学中，能表现出后两句名诗那样的主题的，则为数极少了。这里所说的"自由"，如果一定要扩大一些加以理解的话，那么，不外有"个人自由"与正义的自由事业两种含义。最突出地表现了为个性的自由而宁可牺牲生命与爱情的，莫过于梅里美笔下的嘉尔曼这个形象了，这使得《嘉尔曼》这个中篇成为了一篇不同凡俗的爱情小说。那么，为了正义的自由事业而牺牲爱情、献出生命的作品有哪些呢？也许是因为我孤陋寡闻，在19世纪资产阶级文学里，我所知道的，的确只有司汤达的这一篇。

裴多菲的那首诗是名篇，因为它以最简练的语言完美地、典型地表现了一个民主主义作家的人生观，表现了一种高昂的民主主义热情。司汤达的这篇小说所表现的，也正是这种思想内容，高昂的民主主义的热情，就是这篇小说的基调。而且，这种充满革命精神的思想内容，是通过传奇性的爱情事件、色彩鲜明的人物形象、引人入胜的故事情节、巧妙有致的艺术结构来表现的，既有现实主义的细节描写，也有浪漫主义理想的光彩。基于这些原因，我想，把《法尼娜·法尼尼》称为资产阶级爱情小说中的一块瑰宝，也许并不过分。

不自由毋宁死的爱情形象

——〔法国〕普罗斯佩·梅里美：《嘉尔曼》

当你要在梅里美的爱情小说中选一篇的时候，你会感到有某种困难，梅里美的小说都写得那样精致，每篇又各具特色，究竟选哪一篇好呢？

《古花瓶》在一片资产阶级上流社会逢场作戏、把爱情当作游乐的放纵淫靡之风的背景上，突出了一对感情比较认真、比较严肃的情人的悲剧，对那个社会普遍的空虚无聊和伤风败俗的讽嘲与对少数人真情实感的同情和惋惜，在这里结合得自然而又具有一种特别的情致；《双重误会》写的是一个美丽端庄的少妇被损害和被践踏的故事，成功地表现了卑鄙龌龊的社会现实对于真正的爱、天真的追求和温馨的柔情的敌对，那个像一朵白色荏弱小花的女主人公的不幸遭遇，在很大的程度上加深了这篇小说的社会批判性；《阿尔赛娜·吉约》是一篇极为感人的哀歌，那个卑贱可怜的少女在这个世界上从没有得到过半点幸福的身世以及她唯一可以安慰自己的那次恋爱所具有的苦涩和悲怆，都是一种强烈的控诉，对社会、对资产者的控诉……这些作品都有很深刻的揭露现实的意义，而其艺术风格又都是那么具有动人的魅力，几乎都可以算得上是短篇小说中的力作。

虽然这些作品皆可入选，但是，当我们最后要做决定时，还是不得不选上《嘉尔曼》这一篇。这篇小说的重要性和名声实在太大了，它以不长的篇幅竟能跻身于世界文学名著之列而毫无愧色，这是令人惊奇的，不，它不仅属于文学名著的行列，而且，在某种意义上，比很多文学巨著更为家喻户晓、脍炙人口，特别是在法国作曲家比才把它改编成歌剧之后，嘉尔曼那光艳的形象更是伴随着热烈的旋律和出色的乐章而几乎走遍了整个世界。

故事的女主人公是个吉卜赛人。流浪的吉卜赛人在 19 世纪经常激起作家的诗情，他们在作家的笔下，往往是以豪放不羁、热爱自由的形象出现的，当然，文学作品中的吉卜赛女性同时又少不了妖艳、热情、放荡的特点。在梅里美的《嘉尔曼》之前，普希金也有过相似的一篇作品《茨冈》。和普希金其他爱情描写的著名篇章《欧根·奥涅金》比较起来，我觉得《茨冈》别具特点，它把吉卜赛女性那种在爱情上的野性和自由不羁与贵族资产阶级"文明社会"的习俗和规范对立起来，最后以吉卜赛老人斥责那位根据贵族资产阶级"文明社会"的法规杀死了自己别有所爱的情妇的"来客"为结束，表现了某种厌弃贵族资产阶级"文明社会"的主题。我们很可惜《茨冈》这篇作品并未最后完工定稿。我们不妨这样说，如果写于 1824 年的《茨冈》这篇作品完成了的话，它就将成为欧洲文学中以野性和粗犷的性格来对照贵族资产阶级"文明社会"这一传统的主题的一个源头。

后来居上，在某种意义上，这是精神文明发展的一个带有普遍性的规律。梅里美在《茨冈》之后 20 多年写成的《嘉尔曼》，则把上述这一个传统的主题表现到了最高的水平，塑造了嘉尔曼这样一个不平凡的艺术形象。

说她是"艺术形象"，就意味着"她"不仅有着作为一个吉卜赛人所具有的她自己的东西，而且还有着塑造她的那位艺术家的东西，艺术家的意图，艺术家的理想，艺术家进行塑造的方法和技巧。如果把《嘉尔曼》的人物和故事还原为现实生活的话，那么，嘉尔曼不过是一个杀人越货、放荡邪恶的女人，而她的故事则是一桩混合着罪恶的情杀案。正因为如此，所以我们读到这篇小说某些段落的时候，其中的人和事很难使我们产生"美感"，很难使我们得到与"爱情"经常联系在一起的那些"温柔""优美""愉悦"的感受，有时，我们甚至会有看一幅猫头鹰画像的感觉，虽然这幅画像可能画得很成功。尽管如此，嘉尔曼这个人物和她的爱情故事，却一直强烈地震撼着100多年来的各国读者。

奥妙何在？根本的原因就在于，梅里美赋予这个形象以某种闪光的东西：她与一般的杀人越货的盗匪不同，既不是贪图钱财，也不是残酷成性，而是自觉地站在那个"商人的国家"的对立面，以反抗和触犯它为乐事，这就使她成为了一个叛逆者的形象。正因为她的本质如此，所以，她与自己的情人唐·若瑟必然发生矛盾冲突。这一对情人本来分属两个对立的社会营垒，一个是秩序的维护者，一个是秩序的破坏者，两人有不同的生活理想、生活态度和是非标准。这种矛盾必然导致他们爱情的破裂，何况，嘉尔曼这种吉卜赛女人的感情本来就像一只飞鸟，只爱自由自在地飞翔，而不能忍受任何束缚的牢笼。当然，如果换其他两个人，也许这种破裂不至于激化到二人同归于尽，但在《嘉尔曼》中，一个是血性刚强的西班牙男子，为实现自己的意志，任何暴烈的事都干得出来，另一个是忠于自己的个性、为维护自己的独立和自由而不惜任何牺牲的吉卜赛女人，于是，这一对情人之间的感情风暴，就以历来爱情小说中都少见的惊心动魄的程度发生了，而最后，嘉尔曼竟然以她勇敢的死，来忠于自己的个性，来坚持自己的独立与自由。因此，不自由，毋宁死，就成为了嘉尔曼这个人物身上最突出的标志。当梅里美在这个女人身上添加了这一笔时，他就完成了爱情小说中一个独特的闪闪发光的艺术形象。

《嘉尔曼》这篇作品在细节描写上，虽然完全是写实的，但在女主人公身上，无疑表现了作者的浪漫主义精神。梅里美的作品，往往有这样一个特点：喜爱从较少受资本主义文明侵蚀、具有几分野性和强悍泼辣性格的人物身上，发掘某些不平凡的动人的东西，来对照虚伪、苍白、卑劣的资产阶级"文明社会"。他在《嘉尔曼》中就是这样做的，他以女主人公这样一个具有某种精神力量的人物，表现了上述的主题思想，从而使这篇似乎是写情杀案的爱情小说，具有了更深一层的思想内容。

爱情、遗憾、感伤与距离美

——〔德国〕特奥多尔·史托姆:《茵梦湖》

这篇小说的魅力在于它的轻淡美，也在于它的距离美。

它的轻淡美主要寓于它感伤的情调中。

谁也不怀疑，这是一个十足的感伤的爱情故事，甚至有的评论者认为，不是一般的感伤，而是"浓重的感伤"，自然，它被很多人视为感伤爱情的典范名篇，在"五四"以来的小说作品中，我们就可以常在带有感伤情调的人物手里，看到《茵梦湖》的译本，如果不是巴金译的，就是郭沫若译的。

"感伤的"一词的字根是"感情"，在欧洲，它最初出现于英语之中，《牛津大词典》1749 年版中第一次收录了这个词，后来它由于被斯泰因用于他著名小说《感伤的旅行》（1761）的标题中而大为流行，因为这部小说实在颇有影响，它对欧洲范围里掀起的一股眼泪汪汪的文学潮流是起过作用的，而这一股眼泪之流，直到 19 世纪还明显地润湿着浪漫主义文学。

从心理学来说，感伤具有感情至上的含意，在爱情领域里，它往往是指那种与追求肉体享乐的情欲相对的一种感情表现，带有柏拉图式恋爱的成分与纯洁端正的品格，在这里，精神的、感情的引力，要比肉体的诱惑更起重要的作用。

史托姆在《茵梦湖》中，正是致力于这种爱情描写。在这里，儿时的青梅竹马当然充满了纯真，就是青年时期的相恋，也似乎只是一种心心相印、不见言表的情愫，既没有狂热的山盟海誓，也没有心醉神迷的情话喁喁，也许会使一部分读者失望，连一个吻也没有出现！作者看重的、欣赏的，正是这种天真、纯朴而又甘甜的情愫，也正是这种情愫提供了一种轻淡而非浓烈的美。

小说的感伤情调很大部分来自它的怀旧角度，如果没有怀旧的角度，几乎就不会有什么感伤了，当老人来因哈德在每天习惯的散步后回到自己那个条件舒适但气氛凄清的家里，看见自己青年时的女友挂在墙上的那张照片，就情不自禁轻声叫了一声"伊丽莎白"，这时，我们知道，下面等待着我们的，将是一片感伤。

感伤最忌过头，感伤也最容易过头，因为它本来就有多愁善感的成分与含义，试想，感情一激动，眼泪鼻涕全来了怎么办？如果感伤到了极端，简直就会像顾八奶奶的台词那样叫人恶心。

《茵梦湖》写感伤之成功，首先就在于它的轻淡。伊丽莎白婚后与来因哈德在田庄上的相见，是小说的主体部分，也是小说感伤情调表现的主要场所，在这里，伊丽莎白不由自主的婚姻的原委，是通过两句民歌来暗示的，伊丽莎白心里的隐痛，只表现在她起身离座的那个不大显眼的动作，来因哈德的感伤也只表现在他孤独一人的散步与在房中的静坐。他在田庄上做客的几天中，与伊丽莎白朝夕相处，而两人之间带有明显感情色彩的话语竟是那么的少，没有冲动，没有欲情，没有骚怨，没有断肠的痛苦，一切言行都是那么淡泊、含蓄、有节制，而且，史托姆又很留意把这一切淡泊的言行描写得十分轻淡，甚至不着痕迹。但与此同时，他却花了那么多笔墨把茵梦湖田庄内外的美景描写得那么精细、那么鲜明，是为了以这一大片动人的自然景色来陪衬人物心底的幽思？还是要让人物缕缕情愫在湖光山色之中更加缥缈？虽然这情思是如此轻淡，然而竟是那样悠长，直到来因哈德的晚年，只要他一回到自己的房间，看见她的照片，他就会轻声唤叫她的名字。

这就是我所见到过的层次最高的感伤，写得最美的感伤。

来因哈德的感伤在世上可谓一种典型，一种类型代表，有此经历、有此终生遗憾者，实大有人在，来因哈德式的感伤之所以如此悠长，原因就在于未实现的婚姻与未得到的少女始终就是这种人心里最美、最高的理想。

想象中的事物比实际的事物更美，没有实现的东西比实现了东西更美，来因哈德身上那种遗憾、感伤，正来自自己与想象中的对象、未实现的对象之间的可望而不可即的距离，就像他在茵梦湖畔看睡莲的一幕那样：

> 他看见一朵睡莲开在离岸不十分远的地方……他动着手脚游泳起来，不久又看到那朵莲花了，它孤单地躺在那些闪光的大叶子中间，他慢慢地游过去……可是他同那朵花之间的距离好像一点儿也没有缩短似的，只有湖岸却被罩在愈来愈模糊的香雾中了。他还不肯放弃这件事，便打起精神朝花游去。最后，他毕竟游到离花很近的地方，他可以借着月光看清楚那些银白的花瓣；可是同时他觉得自己好像陷进一个网里面了，一片茫茫的水黑黑地横在他的四周，他在水里忽然觉得非常不安，便用力挣断水草的网急急游回岸上来。

这一游去又游回，似乎有点像围城，一时要冲进城去，一时又要突围而出，作者要用这朵睡莲来象征爱情？而"水草"则意味着婚姻？这纯系猜测，即使有这种象征意味，也是朦胧而含糊的，但不论怎样，这样一种美感常情是存在的：正因为少女与爱情离来因哈德始终有一段距离，她们也就像月光下湖心中的睡莲一样朦胧而美妙，使他始终对她们保持着一种向往，而在这向往之中又不可分离地带有失落的憾然之感。这样，爱情对他也就形成了一种以欠缺为前提的距离美；而对我们读者来说，我们所看到的，只是人物与爱情、睡莲的距离与对爱情、睡莲的向往，而没有看到将来他是如何在得到"睡莲"的同时难免要卷入"水草"的罗网之中，于是，我们也就只看到了有距离美的感伤故事，我们所获得的，也就是一种夹杂着憾然的距离美感了。

两种不同的幽会

　　——〔俄国〕伊·谢·屠格涅夫：《阿霞》

　　屠格涅夫这篇小说里的爱情幽会，也许要算是外国文学中最没有出息的一次幽会了，它不禁使人联想起《红与黑》第二部第十六章，那一章写的是幽会中勇敢的法国佬，而这篇小说所写的则是幽会中窝囊的俄罗斯人。

　　在《红与黑》里，于连收到了他的东家德·拉摩尔侯爵的千金玛蒂尔德小姐的幽会信，约他半夜到她卧室里相会，于连生活在封建等级制度门第观念又复活的波旁王朝复辟的时期，他作为贵族府上一个被雇佣的平民，亲身感受过贵族少爷小姐们的偏见与傲慢，自然怀疑这幽会信后面是否设了一个恶作剧的陷阱，若果真设有陷阱，他一旦落入，自己的处境、生计、前途都不堪设想，看来还是不赴约为妥，而他也的确产生了这种念头。但是，他同时又意识到，如果确系陷阱，他的不赴约将被设置者视为示弱服输与临阵脱逃；如果不是陷阱，而是贵族小姐真正动了感情，他的不赴约则就更是十足的懦弱胆怯了。而他，少有壮志，以拿破仑为理想，自信自己的勇气与才智都高于周围的贵族男女，岂能在精神上输此一仗？不论是否陷阱，都必须赴约，这是他得出的结论。于是，他像一个上阵的将军一样，做好了一切战斗准备，针对各种可能性，包括最坏的可能性，安排好了退路，然后就勇敢地赴约了。

　　爱情好像悬崖边上的一朵花，只属于敢于去摘取的人。贵族小姐玛蒂尔德在这次幽会中成为于连的情妇。这是一次勇气与毅力的检验，这个法国青年以他的行动，树立了爱情需要勇气的典范。

屠格涅夫这篇小说的高潮也是一次约会，主动提出这次约会的也是一位少女。毫无疑问，阿霞是文学中一个非常动人的女性形象，在屠格涅夫高超的画笔下，她光彩夺目，跻身于俄罗斯文学最显著的人物画廊中而毫不失色。她聪慧灵敏，纯洁天真，娇艳可爱，对她，似乎可用贾宝玉赞芙蓉女儿的话来加以比喻，"其为质则金玉不足喻其贵，其为体则冰雪不足喻其洁，其为神则星日不足喻其精，其为貌则花月不足喻其色"，只不过，需加补充说明的是，她并非那种冰清玉洁的类型，而是一个内心丰富、感情强烈、行动果敢的少女，当爱情"像狂风暴雨那样突如其来，不可抵挡地在她身上发作的时候"，当她感觉到自己也为对方所爱的时候，她就让自己的爱情倾泻而出，并见诸勇敢的行动，主动提出了约会。

约会地点的更改更是表明了她爱情的炽烈程度与她追求幸福的胆量和勇气。原来的约会地点是小教堂，两人之间的一切言行必将符合教堂这样一个公共场所所容许的规范，但她在约会前又临时把地点改在城里一间密室里，这样一改，任何规范就都被取消了，这样一改，表露爱情的任何直露的、热烈的方式都可能脱羁而出，获得广阔的空间，虽然从具体容积来说，密室要比教堂小得多。屠格涅夫以他婉约的风格，通过这一细节，含蓄地表现了浓烈度大大上升的爱的意味。不难看出，这样一个改变，对于贵族之家一个有教养的少女来说，是有点儿像一次小小的自我革命，因为，按照她那个社会阶层的观点看来，她此举"要付出极高的代价"，正是这一可能使她丧名辱节的举动，表现出了她鲜明的个性。然而，她以自己全部强烈的爱与微妙的柔情以及非凡的勇气所安排的约会，将是一个多么难堪、多么尴尬、多么窝囊的约会啊！

她不幸的根源有一丁点儿像晴雯，"心比天高，身为下贱"。她是贵族之家的私生女，她没有名正言顺的地位与身份，在本阶级内部，她是谈情说爱的对象，而不是结婚的对象，而她本人又偏偏把爱情看得很严肃认真，并且，她在爱情上"需要一个英雄，一个不平凡的人"，这种人在她所属于的那个社会阶层中显然是找不到的，她所遇上的 H 就证明了这点。

小说的男主人公 H 在他那个时代社会里，也许要算是一个优秀的人，他有财产、有知识、有文化教养，为人也正派诚实，我们找不到他有什么个人的恶德与品行上的污点，但就是这个人使得阿霞安排的约会一塌糊涂，就是这个人造成了阿霞的痛苦与不幸，也叫自己抱恨终生。

应该承认，他对阿霞的爱情也是热烈而真挚的，他甚至还相信两人的爱情会使他们"长出翅膀来"，他相信"有一些感情会把我们从大地上高高举起"。他的问题显然不是出在感情上，他的问题出在勇气上。首先，他没有勇气超脱本阶级的习俗与偏见去与一个私生女结婚，而当他做出了不与阿霞结婚的决定去赴约时，这次约会糟糕的结局就已经注定了。我们不妨设想，如果在这次约会中，由于两人的相爱而出现了"互相爱悦的欢乐"，哪怕只出现一点，那也未尝不会成为克服偏见习俗与鼓起勇气的因素，但偏偏这位 H 先生又正派诚实得出奇，他既然下不了与阿霞结合的决心，他也就决不去饮那杯等着他去享用的爱之美酒，哪怕只轻微地碰一下自己的嘴唇。于是，我们就看到了一个在社会生活中丧失了勇气的人，是如何在幽会的密室里，在爱之欢乐面前也丧失了活力，他竟然像一个禁欲主义者一样，把爱视为罪恶的深渊，避之唯恐不及。

事情还有比这更糟的。也许是不自觉地为了要掩盖自己的软弱、怯懦与不近人情，为了要维持对自己诚实正派的幻想，这位 H 先生竟然冷酷而自私地对阿霞进行了责备，"这都怪您，都怪您一个人"，竟把造成对方不幸与痛苦的责任推到对方的身上。这时，我们就看到阿霞又羞又害怕得掩面痛哭，在他的面前跪了下去的那一幕。仅仅由于阿霞这一痛苦到了极点的举动，我们就永远不能原谅这位 H 先生，这位会用德文朗诵歌德的长篇叙事诗的窝囊自私的俄罗斯人。

这个俄罗斯人并不是一个孤立的个体。在屠格涅夫的小说里，他还有一个亲兄长，那就是长篇小说《罗亭》中的同名主人公，而罗亭又是俄罗斯 19 世纪文学中名叫"多余的人"这个族类中的一员。这个族类的名称得自该世纪的大思想家赫尔岑，它的成员包括了普希金笔下的叶甫盖尼·奥涅金、莱蒙托夫笔下的皮乔林等这样一些著名的人物形象。他们都是一些在教养上超过周围人们的贵族阶级的精英，但他们无所事事，几乎对任何人、任何事都毫无用处。关于这个族类的特点与形成的社会现实根由，从赫尔岑到苏联的文学批评再到我国的俄苏文学研究界，已经有了不少论说，不用重复，我要指出的只是，H 这个多余的人要算是一个感情上的巨人，行动上的矮子。他在无忧无虑、优哉游哉的闲适生活中，早已失去了行动的习惯与行动的能力，他在约会前虽然有振翅飞翔的要求，约会之后也有看来是真挚的深深悔恨以及种种要弥补过错的善良愿望，他相信自己只要再见到阿霞，他一定会表白自己强烈的爱情，但是，他这样一个缺乏勇气，甚至连享受欢乐的勇气也没有的人，会与阿霞结婚吗？即使结了婚，他能承受阶级习俗的潜在压力而始终忠于他们的爱情与婚姻吗？对此，人们有理由表示怀疑。

让我们再回到阿霞身上来，也许有人会认为，阿霞敏感、孤僻、任性、情绪不稳、悲喜无常、自尊心过分，并不是一个理想的爱情对象，H 先生就是这样想的："同一个像她那样性格的少女结婚，这怎么可能？"然而，阿霞的命运，她实际上所遭受的一切，正说明了她性格中那些成分是合乎情理的，是值得理解与同情的，它们正是她那种高洁纯真的心地在不光彩的身世条件下的变态，是她尴尬的社会地位所带来的结果，正如林黛玉的多愁善感是她寄人篱下时对自己的爱情幸福、终身大事毫无把握、忧心忡忡的自然流露，能理解林黛玉，当能理解阿霞。

屠格涅夫是俄罗斯文学中一位风格柔和的作家，这篇小说里的一切都是柔和的，即使是令人心碎肠断的痛苦，也不是以锐利的方式表现出来的。屠格涅夫还是俄罗斯文学中一位写景的圣手，他在这篇小说里把莱茵河畔的自然景物、小城风光描写得充满了魅力，他让这个爱情悲剧在宁静的异国风光中自然地徐徐展开，并把自己全部的温情深深地渗透在其中，使这个短篇具有了忧伤的诗的格调。

文学中殉情的美学意义

——〔瑞士〕高特弗利特·凯勒:《乡村里的罗密欧与朱丽叶》

罗密欧与朱丽叶这两个名字意味着什么?

在莎士比亚的原著里,罗密欧是一个忧愁、痛苦、在爱情中"遗失了我自己"的形象,正如他一上场时所宣称的那样?朱丽叶是一个怀春过早的少女,正如她一出现,"她现在还不满 14 岁"的话题就占据了整整一场戏的三分之一?当然,按照一般人的理解,他们可以说是文学中青春活力与热烈爱情的代表,正如他俩在月夜阳台对话中所充分显示的那样,而在具有社会历史学观点的读者看来,则是一对反对封建恶习、封建压迫的恋人形象。所有这一切都有道理。但我想,这一对形象的核心含义却应是"殉情"二字。青年恋人如果不殉情,显然是不能被比喻为罗密欧与朱丽叶的。

殉情,在人类生活中实不少见,它往往被文学家们格外看重,如果他们要在一个爱情故事里达到最强的悲剧效果,就往往动用殉情,把它作为作品中情节的主件、故事的高潮、催人泪下的手段,于是,殉情在文学中也就成为一个特定的美学范畴。

文学中的殉情何以具有美学意义?具有些什么美学意义?我想,至少可以从以下这样三个方面来理解。

首先,它往往具有社会意义上的抗恶之美。文学中相爱的恋人之所以殉情,其根源如果不是某种社会恶势力的打击与迫害,不是某种不合理的社会制度的扼害与束缚,就是某种不合理的习俗、道德、规范的包围与窒息，正是这些因素使得热烈恋爱着的情人陷于困境，他们要么向这些丑恶、荒悖、不合理的东西低头投降，放弃自己爱的权利，要么进行抗争，而他们的抗争往往又导致自己的毁灭，当他们采取了殉情这一种绝望的行动时，他们的抗议与反抗也就达到了最大无畏的高度，还有什么行为比敢于舍弃自己生命的行为更无畏的呢？而这种行为对自己的"生"来说固然是一种牺牲与失败，然而它在更深一层的意义上，却又是一种胜利，因为它以一种不容争辩的道义的力量，不容抗拒的人道主义的力量，把那种导致这一绝望反抗行为的恶势力以及不合理的制度与习俗，永远钉在耻辱柱上，永远把它们打入被人类、被历史诅咒的万劫不复的地狱之中，从这个意义上来说，文学中的殉情具有一种悲壮的、高昂的抗恶之美。

其次，殉情往往具有人格意义上的勇气之美、感情意义上的忠贞之美。对于比自己不知强大多少倍的难以抗拒的恶势力，对于像严密罗网一样难以冲破的恶劣环境，敢于以自己柔弱的力量进行拼死的抗争，这在芸芸众生一片怯懦的生存状态中，本身就显出了一种人格的力量，一种无比的勇气，而且，这种拼死，这种舍弃掉对自己来说唯有一次的宝贵生命的行为，仅仅只是为了忠于自己的感情、忠于自己所爱的对象，因而它在感情上所显示出来的忠诚、坚毅、贞洁，无疑是至为宝贵而崇高的。

此外，殉情还往往具有信仰意义上的向往之美。它经常是以某种形式的宗教信仰或"准宗教信仰"为前提的，殉情者在舍弃今世的生命与生活的时候，总寄希望于来世与彼岸，寄希望于与人间地狱相对立的幸福天国，怀着今世虽生离死别但却将聚首结合于来世的信念而弃世的，这种信念虽然幼稚而虚妄，但却不失其天真与向往之美，因为，谁都知道，幻想本身经常比现实更美。

正因为文学中的殉情具有这样多方面的美学价值，文学家们也就乐于在自己的作品中描写它、表现它、歌唱它了，这就形成了文学题材中的殉情系列。中外古今属于这个系列的作品着实不在少数，自然，殉情故事也就有各式各样。而莎士比亚的《罗密欧与朱丽叶》，无疑要算这类作品中最为经典的一例。莎翁此作之所以是经典型的，不仅因为它把殉情的社会现实根由表现得再清楚不过，对两个封建家族的仇恨对立造成一对青年人的爱情悲剧进行了明确的、毫不含糊的严厉谴责，具有鲜明的反封建的社会意义；而且，还因为它基本上是在殉情上做文章，使殉情一事在整个剧本中占有了很大的比重，从第三幕第五场起，殉情这个幽灵通过朱丽叶这句不祥的台词，"请您把我的新床安放在提伯尔特长眠的幽暗的坟墓里吧"，便悄然登场了，以后整整两幕几乎全都是它的戏，情节都围着它转，罗密欧与朱丽叶两人阴差阳错的戏剧性也是由它而来。

瑞士作家凯勒毫不掩饰自己这篇作品灵感的来源，他在题名上就标明了这点。罗密欧与朱丽叶，每个国家都可能有，凯勒笔下的这一对则是乡村中的农民，尽管他们的身份与衣装、国籍都有了不同，但也未脱离原来的罗密欧与朱丽叶的典型性与核心含义。凯勒从两个方面来表现这一对青年农民的"罗密欧与朱丽叶"性，一是家庭仇恨对两人爱情的阻碍，二是他们的殉情。

"讲起这个故事，假如它不是根据一件真实的事情，证明以往的伟大作品所依据的情节，个个都在人生中扎了多么深的根的话，那将是一个无聊的模拟。"凯勒在小说一开头所讲的这一段话表明，他的小说将避免成为"无聊的模拟"，而将致力于挖掘"扎在人生中"的那"多么深"的根。他这种努力表现在他对家庭仇恨的阻碍这个方面的描写。

他这方面的描写远比莎翁写蒙太古与凯普莱特两个家族势不两立的世仇细致得多。他几乎是以"史诗式"的笔法来描述两个家族的"仇恨沧桑"，也就是说，以详尽的、"慢慢道来"的叙述表现出这两个家庭由矛盾的产生、发展、激化到势不两立的根由与过程。这样一种详尽的、细致入微的叙述，看来部分是由作品的农村题材所决定的，在这里，人们"见识都短得像干草截儿似的""每个人心里都充满了世界上最褊狭的正义感"，最细小的一点现实利害、最轻微的一点不和与龃龉，就可以在内心里点起锐利而无法扑灭的仇恨火星，这火星在褊狭、鄙陋的生活环境中还会不断得到新的燃料而成为一场熊熊的仇恨大火，爆发起一场双方都自认为是要伸张正义的经年累月的战争，而人又在这充满了"鸡零狗碎"的战斗的长期对抗中不断沉沦堕落。凯勒很成功地表现了农村的这种现实生活与人心状态。他小说中马蒂与曼茨两家最初围绕一小块田地而产生的矛盾，就是这样愈演愈烈，最后把他们双方都拖向了灾难的地狱。这两个家庭里的一对青年男女萨利与芙兰琴，是这场"战争"的直接受害者，他们从小青梅竹马，感情笃深，却被两个家庭、双方家长之间剪不断的仇恨丝缕紧紧绑住，被这场战争所造成的悲惨现实条件深深困住，不得自由，最后不得不走上了双双殉情的绝路。在这个故事里，凯勒既作为一个风俗画家真实地再现了 19 世纪瑞士资本主义初期农村生活的风貌，又作为一个人道主义者对扼杀青春与爱情的不合理的现实生活做了明确的谴责。

小说最主要的内容是殉情，它的过程占据了整个小说将近二分之一的篇幅，是我所见到的写殉情的具体过程最为细致的作品。

这是一次自然而然的殉情，没有预谋但势所必然的殉情。

由于两个家庭的争斗而家破人亡的芙兰琴不得不外出谋生，临行之前，与萨利相约到庙会去尽情欢快一天，他们要在这一天有限的时间里尝遍人间有情人的爱之欢乐与幸福心情。这是一种奢望？他们不过是按照乡村的水平来品尝各种愉悦而已：在树林里自由自在地漫步，像"名正言顺"的情人一样公开在咖啡店里喝一杯咖啡，在镇上的饭店里就一次餐，像幸福的新婚夫妇一样接受周围纯朴乡人的祝福，在乡村舞会上狂欢到深夜，被一小群流浪人当作新郎新娘举行了一次象征性的结婚仪式，等等。而且，他们所有这些朴素的欢乐还是在长别离的阴影下进行的，随着这些欢乐的进行，随着第二天清晨离别时刻的将要来到，他们心头的阴影也愈来愈浓、愈来愈扩大，他们也愈来愈不能忍受即将来到的分离，愈来愈不能忍受他们在人世间任何可能的前景，于是，他们决定了殉情弃世。没有预定的计划，没有固有的成见，没有关于"活下去"还是"不活下去"的思想斗争，一切顺乎自然的感情，一切都跟着自己的感情走。在小说表现的范围里，他们的殉情意识完全是乡土式的，他们只能想象按照传统的方式在本乡本土来建立他们幸福的生活，而不敢想象自己像流浪人一样到他乡去追求"异域"的幸福，既然在本乡本土没有幸福的可能，那么在他们看来，就只有离开人世到天国去追寻幸福了。从这里，可以看出他们精神世界里的那种乡村青年的纯朴性，这种纯朴性既是他们作为人的一种宝贵的精神财富，也是他们作为现实世界上爱情幸福追求者的一个悲剧根由，即使只能算是一个小小的悲剧根由。

凯勒是怀着深厚的温爱的人道主义感情来细细描写这次殉情的过程的，他笔下的殉情，并不像莎翁的罗密欧与朱丽叶的殉情那样凄凄惨惨，阴森可怕，他以光亮欢快的笔一直跟随芙兰琴与萨利到他们生命的终点，似乎是为了保持自己的心理平衡，为了对这一对不幸者施一些慈爱与温暖，也似乎是为了弥补读者的强烈的遗憾，他让这一对情人在自尽之前一直在品尝着相处在一块的欢乐。应该说，从文学描写的角度来看，芙兰琴与萨利的殉情是很美的。这种美首先是来自两个不幸情人在精神上的纯真向往。怀着这种向往，他们要把整个一生的幸福都浓缩在他们最后的一点时光里：象征性地交换结婚戒指、在集市上买了玩具房子把它想象成他们的家……也是怀着这种纯真的向往，他们最后选定在结合的时刻双双投入河水，想象着"到了深水那里，就再没有人能把我们分开了"，为此，他们满怀着幸福的陶醉把自己的殉情作为永久结合的仪式来精心加以安排：在河里，找到一只木船作为他们的婚床，又有月色夜空作为他们的篷帐，他们像嬉戏的儿童一样上了船，最后互相紧抱着沉入了深水。

还有什么比这更天真、更美的殉情？凯勒在这里致力于殉情在信念上的向往美之发掘，也是对青春的纯真与勇气唱出了赞歌。

> 青年男子谁个不善钟情？
> 妙龄女人谁个不善怀春？
> 这是我们人性中的至圣至神：
> 啊，怎么从此会有惨痛飞迸？
>
> 可爱的读者哟，你哭他，你爱他，
> 谁从非毁之前救起他的名声；
> 你看呀，他出穴的精魂正在向你目语：
> 请做个堂堂男子哟，不要步我后尘。

德国大作家歌德在他写殉情的著名小说《少年维特之烦恼》的第二版前面，附加了这样一首短诗，针对一些青年读者仿效维特殉情自杀之举，其结语明显道出告诫之意。既然歌德老人已经负责任地这样做了，那么，当我们论说了文学中殉情的美学意义，欣赏了凯勒笔下殉情的浪漫情调之后，就有必要指出，文学中的殉情毕竟只是一个美学范畴，尽管作家可以加以美化与歌唱，但显然不宜往现实生活中搬用，特别在现代生活中，殉情已是一种不合时代潮流之举，道理很明显：人活着毕竟不光是为了爱情，仅仅因为爱情而舍弃其他丰富广阔的生活内容，在 20 世纪就显得精神天地失之于褊狭了。

在临界线上位移的爱情

——〔俄国〕费·米·陀思妥耶夫斯基：《白夜》

　　心中郁积着的东西太多，一遇到适当的对象就会倾泻而出，这倾泻之流，以不可阻挡之势冲垮了人与人之间的樊篱、日常生活的规范与习惯的框格，迅速地达到了心与心的坦诚相见，这就是我们在这篇小说的"第一个夜晚"中所见到的一对男女的情状。

　　这种突发于某个固定时间的感情，既是某种已持续多时的存在状态的产物，也是对某种存在状态的逆反。这一对男女无一不是孤独者，他们都过着孤独的生活，他们又无一不是竭力要冲破这种状况，突围而出，正是在此时刻，他们萍水相逢。

　　关于他们各自的孤独状况，说来实在有点凄厉，对此我们不能一笔带过，应该具体加以指明。

　　男主人公这样形容自己的孤独生活："他多半居住在某个难以接近的角落里，仿佛藏身其中，甚至躲避着阳光。只要一钻回去，就根生在自己的角落里，像一只蜗牛，起码也相当近似被叫作乌龟的那种人走家搬的饶有趣味的动物。"而他这种生存状态的形成，则是因为他一方面怀着热烈的理想，另一方面所见到的却是一片灰暗陈腐和平淡无奇，而且还要受尽这种生活的煎熬。当娜丝金卡问他：您难道没有和谁说过话吗？他的回答是：严格地说，和谁也没有说过话。这样，他当然老早就在寻找一个能说得上话的人，他的话要像河水一样奔流出来，要不会憋死。

少女的孤独倒不是人身方面的，而是精神与感情方面的。她被关在家里，就像一只小鸟被关在笼子里，而且，还有叫她寸步难离老祖母的那枚可笑而又可恨的别针。她为了冲出这个笼子，与青年房客私订终身，她在孤独中期待着他前来携她出走竟达一年之久，这时，她正面临着人生的关键时刻，她焦急地在等待着这一天自己情人的出现。

这样两个同是要冲出孤独的人相遇在一起，只要有具体的氛围条件、偶然的契机与适当的话头，他们就会相识并很容易成为互吐衷肠的朋友，何况他们又是一对男女青年，这样，他们之间很快就产生了一种我们可以名之为爱情的东西，这种东西，由于两人刚刚相识、由于两人不同的处境与心情、由于相识后事情变化的迅速以及两人关系的依存性，而变得非常微妙、含混与复杂。

从男主人公方面来说，他一直在孤独中渴望着爱情，他对这样一个令人怜爱而又可爱的少女产生爱情是很自然的。然而，这只是他内心深处的情感，他的情人身份是在最深里层的，由于以上所提到的那些原因，他外层的身份只是一个萍水相逢的路人，然后，再深一层，他主要是充当与扮演一个兄长式的保护人的角色，他的情人身份正是藏在这个保护人身份的背后。这样，他的语言、语调与表态中自然就有了三种不同的身份所带来的三种不同的成分。有时是路人身份所带来的仿格体，即仿照日常生活与日常交往规范的外层面上的语言与表态，有时是保护人身份所带来的亲近体贴、关怀照顾、高尚、自我克制的风度，而当对方由原来的被保护人的地位移向施爱者的地位时，他那本来不敢轻易逾越一步的恋人身份就破门而出，带来了一种天真的、欢乐的爱之情态。在整篇小说里，他的情态就是如此游移在三个临界线上，当然，随着事情的发展，逐渐居于主导地位的只剩下两个身份，即兄长式的保护人身份与恋人的身份，而他这两个不同的身份则使他的感情愈来愈明显地二元化，也可以说，在他的意识深处，愈来愈显露出兄长式的利他与恋人式的利己两种不同的倾向，形成了这两种倾向潜在的对立与不止一次的互相转化，而每转化一次，两种倾向、并存的二元之间的界限就愈加淡化、模糊，最后形成了一种既像是具有高尚友谊风格的爱情，又像是充满了爱心的深挚友情之微妙混合体，一种近乎柏拉图式的爱情。

从女主人公方面来说，她身上也存在着一系列对立的范畴。首先，是她昔日的爱情与眼前的爱情的对立，对昔日的爱情，她不由自主地游移于对立的二元之间，即由深沉执着、忠诚不渝变为失望抱怨、愤然逆反，最后又由失望抱怨、愤然逆反复归为深沉执着、忠诚不渝。对眼前的邂逅，她更是在二元对立之中游移，她游移于回避与接受之间，游移于被保护者的地位与施爱者的地位之间。她在认清了并面对着男主人公作为保护人与恋人的两重性时，她的态度也是两重性的，她的反应也是"复调的"。对于一个保护人与兄长，她是欣然接受的，对于一个恋人，她却是小心回避的；然而，在欣然接受一个兄长与保护人的时候，她又不自觉地乐于看到兄长的背后有一个恋人，在这个意义上，她那句"可千万别爱上我"，既可说是对对方的告诫，也可说是对于两人之间已有的爱情成分的明确化。另一方面，她在乐于看到兄长背后有一个恋人的同时，又相当强烈地希望这个恋人始终穿着友情的衣装，因此，她那句"可千万别爱上我"则又另具意味，它既是对明确存在的爱情事实这一前提的确认，也是对这种爱情的回避。她语言中的复调、语言中的明确意义与含混意味、表层意识与深层意识，正是她在特定状态下两重性的反映，这种特定状态就是她的等待。她正在焦急地等待着决定自己命运的那个结果，而随着这个结果愈来愈不妙的前景，随着她所长期等待的情人迟迟不来，随着她失望的情绪迅速增长，她身上对立的二元也就发生了戏剧性的位移，她眼前的爱情取代了昔日爱情的优胜地位，她从回避这一爱情的立场变成接受的立场，从一个被保护人的地位转化到施爱者的地位，她顺应他们交往的自然逻辑，开始谈论他们即将开始的共同生活，她的谈论，既像是对眼前等待的绝望痛苦的麻醉，又像是对未来可能幸福的向往。

事情还没有结束，最后还有更戏剧性的变化。当女主人公长期等待的那个情人出现时，她又从刚才绝望时反常的"异化"急速地复归，立即投入了昔日情人的怀抱，与他携手而去。这一变化表明了她昔日的爱情在她内心里牢固的地位，表明了她只要是对昔日的爱情抱有信心，她就会忠诚不渝，只不过，最后她面前又多了一个问题，那就是她在自己"异化"的那一时刻，主动接受了眼前这个恋人的爱情，真可谓覆水难收。因此，当她从"异化"而复归到她原来的被保护人的立场时，她本来那友情与爱意相混的内心中，又发生了新的变化，那就增添了一份沉重的对对方的歉愧之情与负罪感，而所有这一切最后又升华并明确为一种特殊的爱情，即柏拉图式的爱情，正如她最后那封信所表明的那样。

这就是我们所看到的否定之否定、呈螺旋形上升的心灵运行的轨迹，"你"中有"我"、"我"中有"你"的复杂含混的内心情态。在这里，到处都有两重色调、两种成分、两种声音、两种意味、两种表情，它们不断运转，不断转移，不断化合，如此丰富多变的爱情形态、如此层层深化的爱情心理、如此出色的爱情心灵辩证法，正显示出了作者陀思妥耶夫斯基的复调小说艺术的高超。

"复调小说"论，是俄国著名学者、批评家巴赫金在对陀思妥耶夫斯基的研究的基础上所提出的一个理论，它不仅概括了陀思妥耶夫斯基小说中的艺术特征，而且也作为一种小说研究方法、批评方法而在 20 世纪文艺理论中占有重要地位。在巴赫金看来，陀思妥耶夫斯基的小说之所以是"复调小说"，不仅因为他小说中的思想内容是"复调的"，即有多种思想的并存，而且还因为他小说中的人物形象也是"复调的"，即这些人物形象都有独立的思想生命，不是作者思想的扮演者与傀儡，而在这些人物形象身上，又存在着"复调"，存在着"深刻的双重性与多重含义"。我以上只不过借用巴氏的方法对人物的感情心理略作解析而已。这种解析是必要的，如果不经这一番解析，我们对人物身上的双重性与多重含义就不可能有深入的理解，而双重性与多重含义，正是我们这个选集所要证明的人类爱情心理的一种重要形态。

这种形态的爱情心理，我们不妨称之为"临界的爱情"，它游移于男女之爱与接近男女之爱的其他情感的临界线上，含蓄、含混是它的态势，深沉真挚的感情与理性的潜在制约是它兼而有之的两大成分，这两种基本成分的结合，又派生出高尚、理解、体贴、克己、谦逊与慷慨。这种临界之爱往往产生于非绝对自由的男女之间，其中总有一方不具有纯粹自由的权利而要受某种义务的约束，或者是在家庭婚姻上所承担的义务的约束，或者是道德、心理上的义务的约束，它两大组成部分之一的理性成分，往往就是来自这种义务。这种在人类两性感情生活中具有一定普遍性的爱情，以自己的魅力与风致，也曾给历来的文学家带来创作的灵感，使文学中多有了些别具一格的爱情篇章，在欧洲文学中，福楼拜的长篇小说《情感教育》中毛漏与阿尔鲁夫人的温情脉脉，易卜生的剧本《娜拉》中娜拉与阮克大夫之间的缕缕情丝，就是两个著名的先例。

也许正是为了写出这种对人类来说具有某种普遍意义的爱情心理，写属于人而不仅属于某一个人的爱情心理，陀思妥耶夫斯基在这篇小说里采取了淡化某些具体规定性的方法，他没有赋予男主人公以姓名，没有指明他的身世、经历与职业；而女主人公，也只有一个爱称，而没有姓氏，从而使两个人物都具有某种程度的概括性。显然也是为了集中写出人的这种感情，作者把一切都集中在彼得堡的四个白夜，集中在女主人公人生道路上的关键时刻，集中在人物的精神处于高度紧张状态的一瞬间，让所有的过程、所有的关系、所有的矛盾、所有的变化发展，都集中于一个共时之中。而且，作者采取了戏剧化的形式，让相当大的篇幅全都以人物的对话组成，几乎完全摒弃了本人的分析与描述，而这些对话又具有极大的表面张力，它们呈示出了人物独立的思想生命与情感生命，是陀氏复调小说艺术的重要手段，同时，它们又集中表现了处于共时之中的一切成分，不失为陀氏共时艺术的一个范例。

典范的爱情

——〔俄国〕列夫·托尔斯泰:《舞会以后》

这是外国古典文学中一篇典范的爱情故事，说它典范是指以下两方面的意义而言的。

第一方面的意义是，它显示出对爱情的一种传统理解，即产生于中世纪的骑士爱情观。

骑士爱情，恩格斯曾经把它称为"第一个在历史上出现的性爱形式，作为热情，作为每个人所能有的热情，作为性爱的最高形式"[1]。这里我们且不去谈它经常是"力求破坏夫妇贞操"的阶级生活内容，我们只讲它的表现形式与行为规范。由于骑士在封建阶级中取得他特定的地位与称号，并非靠血统与世袭的特权，倒往往要靠自己的武艺本领与勇气胆略，这样就产生了骑士的荣誉观，由这种荣誉观又派生出对品德的重视，而这种荣誉观与对品德的追求，在封建贵族讲究礼仪的宫廷府第的华贵环境里，自然又发展为一种对风雅高华的行为格调的讲究。所有这一切表现于两性关系中，表现在骑士对贵妇、对名媛的关系里，就有了一系列相当动人的行为准则与风度：尊重妇女、忠诚不渝、彬彬有礼、风度翩翩、谈吐文雅等等。真没有想到人类中这种文明的男人习性竟产生于落后的中世纪之时，它一旦产生，就像任何风习与格调一样，脱离了它原来的阶级生活内容而具有独立的生命，越过时空的界限而延续传播，于是，我们在那以后的人类社会生

---

① 恩格斯:《家庭、私有制和国家的起源》,《马克思恩格斯选集》第四卷, 第66页。

活中，从男性对妇女的行为态度里，经常可以看到一种颇为可爱的东西：骑士风度。

这篇小说里的男主人公伊凡·瓦西里耶维奇，就属于骑士爱情观的传统，他在恋爱的方式上保持着一种典范的风格，即使处于热恋中，也彬彬有礼，其行为举止均符合礼仪规范；他在与对方单独相处时，绝口"没谈爱情"；他在舞会上搂抱着一个轻盈柔软的少女躯体起舞时，内心里也并未感到"肉体的存在"；与那些"眼里只有肉体"，总习惯于在想象中把妇女"剥得精光"的"现代青年"相反，他宣称"我爱得越强烈，就越是不注意她的肉体"。他这话说得颇为符合实际，在人身上，这种强烈情感占优势的时候，往往足以抑制任何肉体的骚动。至于他所信奉的法国作家阿尔封斯·卡尔的那句名言，"我的恋爱对象永远穿着一身铜打的衣服"，虽然表现了他骑士般的对所爱对象的仰慕尊敬与他感情真纯的程度，但却有点显得夸张过分，而当他表白自己在想象中"不是把她脱得精光，而是极力遮盖她赤裸的身体，像挪亚的好儿子一样"，这就有点从骑士风度走向禁欲主义了。而这，则与托尔斯泰本人衔接起来了。

作品中的人物或主人公并不等于作者本人，但人物或主人公的思想行为方式却往往有作者本人的成分。这篇小说是托尔斯泰晚年1903年写的，这时，他早已告别了青年时期的一段"放荡的岁月"，已经是一个充满了忏悔意识、要"实行道德上自我完成"的老人，他在这个短篇里对符合典雅规范的骑士风度之爱表示倾心、对"现代青年"所追求的肉体之爱表示反感也就是自然的了。

这个短篇之作为一个典范爱情故事的第二个方面的原因，则是它把爱情置于一种从属于社会正义感、道德良知感的地位，而没有把它置于一种至高无上、君临一切的地位。在这里，爱情的性质是符合规范的道德伦理思想的，它只在正常的条件下生存发展，一旦遇见社会的不正义、一旦遇见阶级的残暴与压迫、一旦遇见不人道的社会现象，它就枯萎了、凋谢了，小说的主人公正是在发现他所爱的小姐的父亲原来是一个凶暴残酷的行刑头目之后，埋葬了自己的爱情。通过这个故事，托尔斯泰既提出了一个高于爱情的社会正义、民主主义的准则，又使爱情具有了一种崇高的意境，它在这里被视为一种绝对纯洁的事物，不能容忍任何人间的残暴与不正义，不能与任何卑劣、虚假、丑恶并存，如果它碰上了这些，就会悄然离去。这种爱情观，正是托尔斯泰作为一个伟大作家的民主主义思想的表现之一。

小说所采用的基本艺术手法是对照，作者利用主人公叙述中旁观者的插话，把两种不同的爱情观对照地展出，而时间的对照、舞会前与舞会后的对照、场景上的对照即豪华热烈的舞会与野蛮残酷的鞭打两个场面的对照，则形成强烈的反差，在这种反差中，小说的主题以那么简洁有力的方式表现了出来，并且达到了极为鲜明醒目的程度。

痴情与单恋

——〔捷克〕扬·聂鲁达:《今年万灵节的花絮》

在人类的"爱情"观念里，热爱往往与痴情联系在一起，爱得发痴，几乎就等于是至情至感，人们对此一般都有一种同情之心。在外国文学中对"痴"是否有过明确的解释，一时我还说不清，在中国文学中，倒是有一段奇文，那是在《红楼梦》第二回贾雨村的一段议论里，按照这段议论，"情痴情种"，属于"千万人之上"的"聪俊灵秀之气"，不过它有"其乖僻邪谬不近人情之态"，至于它的本质，则是"清明灵秀，天地之正气"与"残忍乖邪，天地之邪气""两不相下""既不能消，又不能让"的结果。把人性视为正与邪、天使与魔鬼两方面因素的混合，这是中国文学与外国文学共有的一个传统的理解，对人性既有肯定也有否定。贾雨村这段话并没有超出这一基本理解，似乎还是中立客观的，不过，贾雨村这段议论中，列举了一系列这种具有"乖僻邪谬不近人情之态"的"聪俊灵秀之气"的具体表现。原来，照他看来，陶潜、阮籍、嵇康、秦少游、唐伯虎这些不流凡俗的文人学士都是这种人物，卓文君、红拂、崔莺莺这些反礼教、争取个性的爱情自由的女子也都归于此类。这与其说是贾雨村的高见，不如说是曹雪芹所做的分类，当然，他在《红楼梦》里所写的那个"情痴情种"贾宝玉也是属于这一行列。由此可见，"情痴情种"完全是作者肯定赞赏的人物，他们的"乖僻邪谬不近人情之态"，只不过是不符合正人君子的道德规范，多少有些离经叛道；是感情用事，不计较现实的利害；是忠于自己的个性，不事矫饰伪装；是本性天真善良，不善于筹划计算。

不管外国文学中是否有像曹雪芹这样明确的对"痴情"的阐释，但不少外国作家在自己的作品中表现了这个主题，却是文学史上一个明显的事实。

文学中的"痴情"故事，就题材和内容来说，不妨可以说有两类。一类是写男女两方的痴情，这种故事在阶级社会里，一般都是以悲剧而告终的。因为，阶级社会中的爱情婚姻一般来说都是阶级的结合，利益的结合，如果只是从情感出发，而且是情感至上以至脱离了阶级、社会的规范，总要与社会习俗、道德羁绊格格不入，发生矛盾，为社会所不容。另一类是写一方对另一方的痴情，这当然更是悲剧，因为，痴情者的对立面，不仅可能有社会习俗、道德观念，而且，还肯定有一个对这种痴情或不理解、或不接受、或冷漠无所感觉、或轻侮加以玩弄的负情者，唯其因为如此，这种故事一般都格外惨。这一类痴情的故事还有一个值得注意的特点，那就是其中的痴情者往往多是妇女而较少是男人。且让我们举两个例子。

一个是莫泊桑的短篇《修理椅子靠垫的女人》。主人公是一个到处流浪靠修理椅子靠垫为生的妇女，她穷苦褴褛得几乎就像叫花子，所不同的只是她自食其力而不是靠乞讨度日。她从少年时代就爱上了一个资产阶级家庭的子弟，每次，她只有把自己的积蓄通通给了他，才能获得他的默许，可以向他表示温存和拥抱他。她的积蓄是多么来之不易！有的部分是靠别人的施舍一个子儿一个子儿地长期攒下来的，有的部分是她从父母操劳的代价中一个子儿一个子儿地刮下来的，有的部分则是她自己辛苦劳动的所得，她从赤贫中省吃俭用，有时还要挨饿，只是为了把零钱攒下来，一年一度经过那个镇子的时候，用它们来换取可以向她爱慕的对象小叔皆表示温存的权利。当小叔皆还是一个少年的时候，他们还可以玩这种虽然不平等但多少还有点稚气的游戏，一到小叔皆成了一个体面的中学生，他们两人之间就开始出现了鸿沟，而在小叔皆结了婚成为了药铺掌柜之后，他们两人就无异于生活在两个星球上。于是，这个痴情的妇女，就像仰望着星星一样，在自己的流浪和辛劳的生活中远远地注视着自己爱慕的对象，一直到死，这种感情竟持续了55年之久，"其间没有一天间断过"。最后，她把一生辛苦劳作的积蓄2227个法郎通通送给了这个药店老板，只求他"至少会有一次对她有所思念"。在这篇小说里，莫泊桑的确把这个低贱、贫苦的劳动妇女的爱情故事写得非常感人，或者更确切地说，他是以这个妇女身上那种极为纯真的、极为可贵的感情来打动读者的。这个妇女与小叔皆之间，并没有发生相爱的事，而只是她这方面的单恋，作者偏偏就是要写她的单恋，她的痴情，写她那种淳朴的深邃的温厚的真挚的爱。正因为她这种爱是在长期艰难困苦的生活中坚持下来的，是付出了她最大的代价的，所以，它在作家的笔下，就成为了一种人世间罕见的伟大的感情，虽然，她所爱慕的只不过是一个冷酷的资产阶级混蛋。

这种单方面的爱，或者再扩大一些，这类单方面的感情，在一些作家看来，往往正是从"纯朴的心"中自然流露出来的一种"天性"。关于这种"天性"，在福楼拜的《一颗纯朴的心》中，有着非常出色的描写。这个中篇的女主人公也是一个社会下层的妇女，一个女仆，她首先是把自己的爱情献给了一个有钱人家的子弟，失恋以后，她又把自己的温暖倾注在东家太太的两个孩子身上，两个孩子走了，她又钟爱着她的"外甥"，外甥病死在海外，一头绿色的鹦鹉就成了她心爱的对象，鹦鹉死了，她又把自己的感情寄托在鹦鹉的遗体上。这个中篇，虽然讲的并不是男女之爱的爱情故事，但它很成功地表现了爱的感情，表现一颗纯朴的心中所蕴藏的无限的爱，虽然她在现实生活中并没碰上真正值得她爱的对象——情人、东家少爷小姐、外甥、鹦鹉，无一对她有真挚的感情。在这里，作家的意图很明显，他并不是要写这个女仆对那些对象的爱值不值得，而是要从这个女仆的爱，从她那深厚的感情中展示出她心地性格的纯朴。

莫泊桑的《修理椅子靠垫的女人》正是在这一点上与《一颗纯朴的心》类似。那个修理椅子靠垫的女人所爱的小叔皆自私而卑劣，当他听说这个可怜而深情的劳动妇女爱了他一辈子时，竟然认为这是对"他的名誉、正派人的身份、私人的荣誉"的一种侮辱，只是当他知道这个女人遗赠给了他数千法郎时，他才见钱眼开，转怒为喜。在这篇小说里，作者不仅是要揭露一个资产者自私冷酷的嘴脸，而且更主要的是要表现一个社会地位卑微的妇女在感情上的高贵和纯朴，写出了这样的爱之情的小说，不就是动人的爱情小说么？

捷克作家扬·聂鲁达的《今年万灵节的花絮》显然属于《修理椅子靠垫的女人》这一类作品，属于写痴情单恋，而且是写妇女的痴情单恋的这一类作品。它的女主人公玛丽小姐虽然不像莫泊桑那篇作品的主人公一样是出身于社会下层的劳动妇女，但也是小资产阶级的一个善良的小人物，她虽然不像那个修理椅子靠垫的女人那样老实憨厚，悲惨可怜，但很安分守己，其身世也颇值得同情。她与莫泊桑、福楼拜笔下的那两个妇女相同之处是具有"爱的性格"，心中充满了爱，并渴望着爱情，在这一方面她也就不免天真而轻信，因而，很容易遭遇到不幸的事情。如果说，莫泊桑的女主人公只是爱上了一个自私自利、冷酷无情的资产者的话，扬·聂鲁达的女主人公则是碰见了两个恶劣透顶的流氓无赖。我们很难说，谁的遭遇更坏，只是有一点区别，莫泊桑的女主人公是从自己这方面爱着，而扬·聂鲁达的女主人公是被人恶作剧地玩弄了一场，这个骗局始终未被揭破，她竟在这骗局里过了十几年，一直生活在幻想里。在这一点上，她那种痴情的结果似乎比那个修理椅子靠垫的女人更惨，那个劳动妇女悲剧性的恋爱中还透露出一种人格纯净的崇高，而这个小资产阶级妇女的轻信和被愚弄，则多少带有一点喜剧的色彩。不过，两个作者所肯定和赞赏的，都是各自的主人公那种深厚的真挚的爱情，他们所要表现的，都是恋爱着的妇女感情的纯朴、天真和持久。

痴情妇女的爱白白被浪费、白白被玩弄甚至白白被糟蹋的主题在传统文学中的反复出现，当然与妇女在阶级社会中的不幸的命运是分不开的，它正是这一阶级社会现实的反映，是阶级社会中人与人关系的一个侧面，这样的主题无疑具有积极的思想意义，在这种作品中，明显的社会批判性是经常可见的。莫泊桑在他的短篇里，描写出这样一个具有感情力量的下层妇女的形象，正是为了批判上流社会中资产阶级男女那种认为只有"高雅出众的人"才有伟大的爱情、才可能有爱情悲剧的看法。与此同时，他勾画出了小叔皆这一对资产者夫妇卑劣的嘴脸来和女主人公感人的形象相对照，更表现他自己强烈的爱憎。扬·聂鲁达的这个短篇也是如此，他在着力写女主人公感情的真挚和性格的天真时，又以一种巨大的忍心不怕使这样一个善良的女性难堪、出丑，毫不回避地去写她如何生活在自己的幻想里，这样一种冷静的、严酷的现实主义的态度，不是由于对玛丽缺乏同情，而完全是为了表现出现实生活的冷酷、人世间的诡诈。

扬·聂鲁达在世界文学中的地位与重要性，当然不能与莫泊桑、福楼拜相比，他的短篇在艺术性上，与这两位大师的作品一比，也是相形见绌，不过，他与这两位大师一样，也以相似的方式处理了痴情的主题，这又说明了他具有与两位大师略同的慧眼之识，说明了他也像他们一样善于从一个有意义的角度去观察生活和发掘其中的意义。这构成了这个短篇的主要价值。

扬·聂鲁达主要是一个诗人，而不是一个小说家，他在文学史上的地位是靠他的抒情诗来奠定的。这篇小说选自他的短篇小说集《小城故事》，它带有风俗画的某种轻淡的性质，而其叙述，有时又流露出作者的抒情，因而，多少又有一点诗意。

纯净的情操之爱

——〔法国〕阿尔封斯·都德:《繁星》

　　我第一次读到都德的《繁星》是多年前的事了。那时还在大学里，刚学会从原文去领略巴尔扎克、雨果、司汤达这些人精神上的丰采，当时感到都德的小说有一种特别的吸引力，它的文体是那么简约明澈，优美自然，有如一泓清水。在这点上他可与莫泊桑媲美，但他优于莫泊桑的是，笔端有浓烈的感情，在那平易轻淡的描述里，有着一种由深沉的感情而产生的柔和的诗意。特别是《繁星》，似乎更集中了都德在风格上的优美，它是那么纯朴动人，就像一首散文诗一样。它既不是那种以巨大的艺术力量提出了重大社会问题的杰作，也不是提供了生动广阔的社会画面的名篇，它只是一个牧童的自述，短短的，翻译成中文，还不到4000字！

　　它是一篇爱情小说。古往今来，以爱情为题材的小说难以数计，留下来的名著名篇也不在少数。把《繁星》和这些作品放在一起，当然它的社会意义显得薄弱一些。但是，文学作品并不是政治论文，不能仅仅要求它说明某种阶级政治关系，还应看它是否提供了美的艺术形象。当然，这种"美"是和"真""善"不能分开的。既然《繁星》所写的是一个很健康、很纯净的爱情故事，作者已经把它写得这样美了，我们还能要求它对政治学、对经济学考虑得那么全面？

　　事实上，作为一篇爱情小说，《繁星》与历来世界上的爱情小说相比，并不那么黯然失色。既然是爱情小说，那么，首先就应该把爱情写得动人、写得深刻才行。如果爱情本身写得不动人，即使思想社会意义再鲜明、再强烈，那也"白搭"，至少不能算是一篇好的爱情小说。《繁星》似乎很懂得自己的使命，它力图充分展现自己的本质，力图在这一点上取胜，这就使它有可能作为一篇爱情小说而具有艺术珍品的意义。它怎么能和《罗密欧与朱丽叶》相比？天上有蔚为壮观的彩虹，难道地上就不可能有奇美的小花？

《繁星》的美从何而来呢？"因为它像一首牧歌。"在人们的印象中，牧歌往往是以优美的大自然、宁静的田园生活、纯朴的劳动者和动人的恋爱故事为内容而构成一种美的风格。但历史上真正牧歌主题的佳作并不多，在更多时候，这类作品的格调倒是相当低劣。17 世纪有名的牧歌小说《阿丝特莱》细致地描写了一对牧童牧女悲欢离合的爱情故事和缠绵悱恻的感情纠葛，曾经在整整 30 年间使上流社会为它流泪、叹息，其实它写的并不是真正的牧人，而只是披着田园外衣的贵族上流社会的生活。到 18 世纪，牧歌主题又在绘画中风行一时，但画幅中那些谈情说爱的牧童牧女忸怩作态，卖弄风情，叫人一看便知是贵族男女换上了村民的服装。总之，这类作品的毛病就在于假。都德写的似乎也是一首牧歌，他保存了牧歌的框架：优美的大自然中的田园生活和爱情。但他一反过去牧歌作品的假，而致力于表现"真"，特别是感情的"真"。

在这里，自然美色和山野生活是以轻淡的笔法表现出来的，并没有大量渲染性的描绘，照顾了牧童自述时自然而然的口气。对于一个牧童来说，有什么必要像狄更斯描写伦敦的大雾那样细致地去描绘他所习以为常的大自然景色呢？爱情故事也很简单，既无悲欢离合，也无缠绵悱恻，没有什么情节，更没有很多作家所喜欢描写的那种爱情上的"进展"，在这里，所有的一切都非常简单、非常单纯，但却非常动人。动人的力量来自什么？来自那个纯朴的主人公真挚的感情和洁净的情操，它就像一滴含英集萃的香精使一池清水发出了芬芳，像一笔翰墨使整个画面充溢着一种色调。

　　这种真挚之情，滋生于爱情的幼苗之中，可称为发轫阶段的爱慕，它可以说是文学中最动人的一种感情了。是它，使罗密欧在第一幕第五场中发出了"啊，火炬远不及她的明亮"的一大段赞美诗，接着又向朱丽叶那么谦恭地表白，"要是我这俗手上的尘污，亵渎了你的神圣的庙宇……"；是它，使维特面对夏绿蒂简直像面对神明；同样也是它，使浮士德对玛甘蕾充满了一片真诚的柔情，而还没有给她带来种种不幸和苦难。它是整个爱情过程中的感情形式之一，它的纯净没有被杂质搅混，世俗的考虑和利害的打算也还没有来得及把它歪曲，它还只是一种向往、一种愿望、一种理想，还保持着某种超逸、灵致的风度，对对方是仰望和尊重，对自己则是自觉与自律。都德在《繁星》中所选取的、所描绘的，就是这样一种感情，他用最自然的最散文化的形式把它加以诗化，体现出了对一种美好情操的追求，因而，也就必然使它的短篇具有了一种情操的力量。

负情故事种种

——〔法国〕爱弥尔·左拉:《娜薏·米枯伦》

爱情小说大多是写男女双方互相的爱恋，但也有不少是写负情故事，即一方真诚地爱着，而另一方则并不是那么一回事，而这种故事又有各种各样的格局。

常见的一种格局是，双方也热爱过一阵子，但一方的感情并不深挚，时过境迁，最后抛弃了对方。我国唐代传奇小说中，就有两篇写这种故事的名作：《霍小玉传》与《西厢记》的"前身"《莺莺传》。在前一篇作品里，书生李益与歌伎霍小玉相恋，并立下了婚誓，但李益做了官，地位有了变化，就另娶了一个"甲族"小姐；在后一篇作品里，张生遇见了大家小姐莺莺，为其美貌所动，大胆追求，但得到了她的爱情后，又一走了事，"始乱之，终弃之"。在外国爱情小说中，属于这种情况的，最著名的恐怕要算法国 19 世纪作家龚斯当的《阿道尔夫》了。小说的主人公阿道尔夫只是由于自己的"感情需要恋爱"和自己的"虚荣心渴望成功"，就去追求一个有夫之妇爱蕾诺尔，他用尽了种种办法，终于攻破了她的坚贞，而一旦他点燃了爱蕾诺尔火一般的热情，他又把它视为一种负担，力求从中解脱，想方设法要将对方抛弃，只不过，他还没有来得及这样做，爱蕾诺尔就看出了这点而痛苦致死了。

负情故事还有一种格局：双方也曾相当真挚地爱过一阵，但在现实生活中遇到了某种矛盾或困难，其中的一方就变了心，甚至变得相当卑劣。英国作家科珀德的《五十英镑》也许是最出色的一例。这个短篇写的是这样一个故事：新闻记者瑞普顿在少女尤拉丽拉生活困难的时候收下了她，和她同居后并没有把她抛弃。但瑞普顿才能平庸，运气又不好，靠卖文度日已难维持生活，眼见即将分手，尤拉丽拉却意外地从去世的一个亲戚那里得到了遗赠的一笔款项。她匿名地把赠款大部分寄给了瑞普顿，回家后却见他若无其事，忠厚老实的少女一直以为钱款已经寄丢，瑞普顿并未收到，但最后她终于发现了此款原来已被瑞普顿不声不响地独吞，而这时已经到了他们分手的时候了。这个短篇写得紧凑、富有戏剧性，通过起伏曲折的情节，一方面把那姑娘温存的爱恋、单纯的心地描写得很感人，另一方面又把那资产阶级文人的虚伪、刻薄、寡情、吝鄙的性格揭露得很深刻。

不论是哪一种格局，都是以悲剧而告终，受害者一般都是女性。这类故事，封建时代、资本主义时代的文学作品中屡见不鲜，这正是阶级社会中男女不平等的现实和男子主义的冷酷在文学中的反映。比起上述两种结果更为悲惨的，还有一种格局，那就是女方的痴情，男方无情的玩弄。这种爱情故事当然更反映了阶级社会中剥削阶级的性质和内容，左拉的《娜薏·米枯伦》就是这样的一篇。

小说写的是东家少爷对佃户女儿的糟蹋。他们两人倒的确是从小就认识、从小就在一起玩耍的童年时代的朋友，但一个始终在乡下过劳动的生活，童年时代的印象在她纯朴的心灵里自然而然地发展成为一种亲密的柔情，另一个则娇生惯养在城市里生活，富裕的家庭条件逐渐养成了他怠惰、荒唐、放纵的恶习。这样两个阶级地位完全对立、性格人品截然相反的青年的结合，其后果当然可想而知，必然是这个少女娜薏·米枯伦的悲剧。

左拉描写爱情的小说不少，但一般都缺乏诗意，他既不写诗意的爱，也不去挖掘两性爱中的诗意。他的着眼点与着笔处都不在这方面。他的着笔处往往是情欲之爱、男女之间强烈的热情、充满肉感气息的互相吸引和狂暴的争斗；他的着眼点则是人的生理本能以及由此而来的性心理。举其一短篇为例：《南丹与奈侬夫人》写的完全是资产阶级近乎残酷的爱情，一对男女在意志力上的较量，产生爱的过程就是较量的过程，结果是"强者"制服了"弱者"，使"弱者"投入了怀抱。

左拉的爱情描写不属于超逸的格调并非偶然，这和他的自然主义的文艺思想紧密相连。左拉的自然主义文艺理论除了强调要对客观事物或现实环境、具体场景做出完全真实的，也就是最具体、最琐细的写照外，还主张从实验科学的角度，特别是从生理学的角度去观察人和描写人，这样，他笔下的爱情故事往往就带有某种生理方面的动因。这种生理的动因当然是不应该完全被无视的。但人毕竟是社会的人，如果把生理的动因写得居于主导地位，那就不能不说是一种缺陷。

《娜薏·米枯伦》并非完全没有这种特点，其中对这个少女的描绘上就是如此。这个健壮漂亮的姑娘充满了青春的活力和对爱情的渴求，她本身有火一样的热情，一直被父亲管制着、压抑着，随时都会像火山一样喷发出来，因此，仅仅凭着童年时邈远的印象，她就完全被冲动推动着，几乎是盲目地投入了那个满身恶少脾气的佛雷岱列克的怀里。不过，这篇作品的主旨显然并不是描写女主人公盲目的冲动，而是要表现富家子弟的自私、卑劣、放荡、淫邪，表现不同社会地位的两个人物对爱情截然相反的态度以及他们结合的必然的悲剧结果。作者对娜薏那种纯朴深挚、热烈而原始的爱，那种几乎倾注了自己全部生命力的热情是深为同情的，而他全部的描写最后又都落实在对纨绔子弟的谴责上，特别是小说的最后一句话，把那资产阶级少爷肮脏的灵魂、卑鄙的品性揭露得再好不过，这是这篇小说值得肯定的价值。

婚姻生理学与自然主义爱情

——〔法国〕爱弥尔·左拉:《夏布尔先生的贝壳》

这是一篇带有婚姻生理学色彩的自然主义爱情小说。

事情慢慢地在海面上、在岩石间、在墓园里、在沙滩上进行，一个年轻貌美、生机勃勃的少妇与一个健壮魁梧然而又鲜嫩得像个少女的青年，由相识最后发展到在岩洞里一次颇有野趣的性爱结合。左拉慢慢悠悠地写他们在这些场所的观光漫游，写这些场所的风物景色，花费了如此多的笔墨，是为了满足自己那自然主义繁详描写的癖好？不，这与左拉作为一个自然主义大师喜爱琐细描写的特点关系不大。事情得慢慢进行。丈夫始终在旁边，几乎形影不离，事情不可能进行得很快；而且，那时那地毕竟还不是 20 世纪性开放的海滨旅游胜地；何况，这个青年、这个少妇从小深受宗教的熏陶，都是文质彬彬、规规矩矩的正派人。左拉得留下充分的时间与空间，让这个青年自然而然地去克服他大孩子般的羞涩，让这个少妇情不自禁地慢慢移步走出妇道规范的界线，当然，也为了让严肃的读者逐渐认可这一对男女的那一次"野合"。

海阔天空的自然环境，在这篇小说里占有重要地位，它不仅是这一对男女作为旅游伴侣能见面的唯一场合，而且是他们的精神、意趣、情感的会合点。正是在蓝色的海水里、在野生植物遍地的幽静墓园、在沙滩与海藻地带、在涨潮的海湾、在巨大的岩石之间，他们找到了共同的爱好、情趣与愉快，形成了默契。他们的游泳、远足、捕虾、海上冒险等等这些充满了青春健康气息、生气勃勃的活动，与大自然完全契合一致、融为一体，得到了大自然的认同与鼓励。何止如此！大自然还是他们爱情的诱发者、撮合者，它以原始的生命力与"繁殖的气息"刺激着他们，逐渐涤除了他们身心中的羁绊，让他们的自然属性运作起来，而它的海水、潮汐、岩洞又给他们提供了时机与场所，让他们"成其好事"，大自然简直就是他们的同谋！相形之下，那个与大自然一片生机格格不入的老气横秋、死气沉沉的商人丈夫，就成了一个多余的人，就被大自然排除出局了。

除了近因，还有远因，除了外在的环境影响，还有内在的根源。在大自然这个直接背景之外，还有一条遥远但却再清晰不过的"地平线"，婚姻生理学的"地平线"，构成这个地平线远景的就是这样一个事实：夏布尔先生与他年轻的夫人年龄不相当，而且他已经失去了生育的能力。于是，这个远景就像命定性一样，决定了这位少妇婚外的性爱。

这种婚姻生理学的内容，在以往的古典文学中，往往是隐而不露的。生理学中可以直言不讳的东西，到了文学中就会被视为"猥亵不洁""低级下流"，这也许是历来作家忌讳的原因。左拉把人的血肉之躯引入文学，把生理机制的因素引入对人的情感行为的描绘，这是他的自然主义的一个重要的内容，这个短篇的标题与夏布尔先生对贝壳的热衷，就嘲讽地把生理学的内因指点得明明白白。所幸，左拉只把婚姻生理学的原因当作遥远的地平线，它在作品中虽然清晰，但却简约含蓄，这样，他就避免了有伤大雅的危险，人们也少了一点"扫黄"的麻烦。

月夜对禁欲主义的批判

——〔法国〕居伊·德·莫泊桑:《月色》

　　莫泊桑对爱情题材，或者更确切、更广泛地说，对男女关系题材很有兴趣，甚至可以说，兴趣很浓。就以他的六部长篇来说，其中就有不少这方面的描写；他的短篇小说有三百篇之多，其中也有相当一部分是写男女关系的，比例也并不小。

　　对于法国小说与德国小说的区别，恩格斯曾经做过一段精辟而又风趣的论述："法国小说是天主教婚姻的镜子，德国小说是新教婚姻的镜子。在两种场合，'他都有所得'，在德国小说中是青年得到了少女；在法国小说中是丈夫得到了绿帽子，两者之中究竟谁的处境更坏，不是常常都可以弄清楚的。因此，法国资产者害怕德国小说的枯燥，正如德国的庸人害怕法国小说的'不道德'一样。"[1]

　　如果我们要找恩格斯所说的这种法国小说的话，我以为，莫泊桑的作品堪称典型。他的六部长篇，几乎没有一部不写通奸与淫婚，而且，多数是直接进行描写，只有《皮埃尔与让》有点例外，但故事也是在皮埃尔与让这两兄弟的母亲早年与人通奸这一事件的基础上进行的。因此，他的这些小说，的确是天主教婚姻的一面真实的镜子，映照出了法国资本主义社会现实中这一腐朽、糜烂的方面。他的短篇小说，往往也偏重于反映这方面的生活现实，虽然不及他的长篇那样敷陈、细致，但也把这种社会现实表现得非常鲜明、突出、尖锐。如果

---

[1]　恩格斯:《家庭、私有制和国家的起源》,《马克思恩格斯选集》第四卷，第67页。

说莫泊桑以男女关系为题材的作品有什么特点的话，它们所反映资本主义现实生活的腐朽性，它们对于资本主义社会男女关系的揭露与讽刺，就是一个突出的特点。这是从故事情节、题材内容而言。

再从作者的描写态度来看，莫泊桑被认为是一个自然主义作家，至少，是一个深受自然主义影响的作家。所谓自然主义的标志之一，就是从生理的角度去理解人和描写人，莫泊桑对男女关系的描绘，颇有点这种味道。他似乎很看重两性关系中那种生理方面的原因、生理方面的需要和冲动，往往把笔墨放在由于这种需要和原因而发生的事件和情节上。也就是说，他总是把人看作一种情欲的负荷者，把情欲看作是人的一种必然的本性，因而，在他的描绘中总是发散出"欲"的气息，而少一种"情"的灵性。不仅如此，他自己似乎还对这种"欲"颇感兴趣，一写到这里，笔就容易围着它打转，去烘托"欲"的氛围，"欲"的情节，"欲"的动作。虽然有些时候，笔端也流露了作者的讽嘲，甚至也流露出作者那种深感世风日下的感慨以及像"造物主"俯视着自己的造物堕落犯罪时的某种悲悯的感情，但在相当多的时候，作者是采取"客观展示"的态度，而有的时候，又不免忘乎所以，津津乐道，不知不觉中泄露了自己的"人性的弱点"。

由于以上两方面的原因，我们可以说莫泊桑写男女关系的作品的确很多，但写情至深、富有诗意、感人肺腑的却相形见绌。不过，在人类生活中，毕竟还是有不少可贵的"情"而并非都充满了"欲"，只要是一个善于反映生活的杰出的作家，他当然不可能视而不见，当然不可能把这种"情"摈拒在他的作品之外，因此在莫泊桑的作品中，真正称得上"爱情小说"的作品，也还不乏其例。例如，在《幸福》中，他讲述了一个"令人赞叹的爱情之例"：一个上流社会家庭的美貌而年轻的小姐，爱上了一个出身于农家的普通士兵，她为了爱情，抛弃了荣华富贵，成为一个农妇，和自己的情人在蛮荒的海岛上过了几十年简陋艰苦的生活而始终感到很幸福。在《铃子大妈》中，他写了一个为爱情而做出了崇高牺牲的少女，这个少女为使自己的爱人脱离窘境，毅然采取勇敢的行动，以致自己成了残废，并且一生不贰地忠于她的初恋，她被作者赞颂为"完成了最壮烈的英雄行为的女英雄""一个伟大的心灵""一个至高无上的忠实女神"。在另一篇很别致的爱情小说里，莫泊桑描写了一对鸳鸯，雌的被猎人击落以后，雄的不顾生命危险，仍在猎人的头顶上盘旋悲鸣，不忍离去，结果也同归于尽。值得注意的是，莫泊桑把这个短篇就题名为《爱情》，并且，借小说中的人物、那个目击者之口，这样形容那一对鸟的故事："那次，爱情如同天堂中的十字架对最初时期的基督信徒显圣一般，对我显过一次灵。"这些小说无疑展示了莫泊桑另一个方面，即他对男女关系中高尚的情操、深挚的情意、不同凡俗的人格力量的重视，如果缺少了这一个方面，莫泊桑就会丧失他的格调，也正因为莫泊桑具有这一个方面，所以，他这类题材的小说也就具有了可贵的价值。

在这方面，我们不能不格外看重《月色》这一篇。这篇小说既具有深刻的哲理，又充满了浓郁的诗意，它以爱情为主题，却又写得那么独特，既没有对青年人的爱情故事的叙述，也没有对恋人们情感和心理的描绘，而只有一个教士，一个清心寡欲、生活枯涩、诚心诚意信仰宗教禁欲主义的长老，在月色下的感受和心绪，然而，通篇又把人类的爱情描写得那么出色，那么动人，那么诗意盎然，以至在世界文学作品中，我们很难找到这样美的对爱情的赞颂。

这是一篇反禁欲主义的杰作，"爱情"在这里正是作禁欲主义的对立面而受到歌颂的。禁欲主义的代表，马理尼央长老，并不是《十日谈》中那种假禁欲、真纵欲的教士，而是一个有理论体系、有固定观念、有坚定信仰的禁欲主义者，总之，他充满了主观真诚，而且是衷心地信奉。当他知道自己的外甥女有了情人而且每晚外出幽会时，他的震怒是可想而知的，于是，他拿起一根粗棍准备去打散这一对情人，然而，结果呢，大出读者所料，不是他去打散了这一对情人，而是他羞愧地在情人们的面前逃跑了。那么，是什么事件，是什么情节，是什么言辞动摇了他那多年的根深蒂固的禁欲主义呢？在这里，既不是那一对情人采取了什么行动，也不是生活突然发生什么变化，而只是，他在那片迷人的月夜里，突然醒悟到了人类的爱情之美，认识到了人类爱情的自然合理性。

从来文学作品反对和批判禁欲主义，不外是这样几种方式。一种是通过揭露禁欲主义者虚伪丑恶的面目来达到反对教会、反对宗教、反对禁欲主义的目的，狄德罗有部名叫《修女》的小说，就属于此类。这部小说不仅描写了教会当权派对修女种种"刻毒的虐待"，而且还揭示出宗教禁欲主义的背面就是荒淫无耻，其中有个修道院长就是一个淫邪放荡、心理变态的色情狂，另一个充当"精神导师"的神父却蓄意拐骗、奸淫修女。第二种作品是通过颂欲来反对禁欲，我们已经说过，这类短篇在《十日谈》中为数不少，最典型的一篇就是"第二天故事第十"，这里一个年老体弱的法官总是用种种禁欲主义的戒律去管束他年轻美貌的妻子，这妇人后来落到了海盗的手里，只因为那海盗根本不讲禁欲主义的那些规矩，所以，最后这个少妇宁可留在海盗的身边过日子而不愿跟丈夫回去当太太，她这样回绝了丈夫，"这里既没有圣徒的节日，也没有那彻夜的祈祷，所以我高兴住在这里"，"那些圣徒的节日、赦免、斋戒，等我到了老年时再来遵守吧"。她的话有些讲得比这还要露骨，当然是作者从享乐主义出发对禁欲主义所作的揶揄和嘲笑。还有一种作品则是以人的正常本性、人的自然要求的名义去反对和批判禁欲主义，这类作品为数也不少，如果要在短篇小说中选出比较有趣的一篇，那么美国作家辛格的《市场街上的斯宾诺莎》是算得上的。主人公菲谢尔森博士过了几十年的独身生活，眼见身体日渐衰弱，生命力似乎马上就要枯竭，但他一结婚，而且是和一个又黑又丑的老姑娘刚一结婚，他马上就感到过去身上的那些病痛全部消失，自己"好像又是个小伙子"了。这三种批判和反对禁欲主义的作品虽然各有不同，但归根结底都没有超脱出这样一个传统的理解和前提：禁欲主义是违反人的本性和自然要求的，就人性来说，"欲"是一种自然的、合理的要求。

当我们对文学中反禁欲主义的传统做了一个哪怕是很粗略的回顾后，自然就会惊叹莫泊桑在《月色》中处理这个主题时所显示的手段的高超。他不是以人正常的"欲"去批判"禁欲主义"，而是以人的"爱"去批判"禁欲主义"。应该看到，马理尼央长老身上的禁欲主义要比上述那些修道院长、神父、法官和学者的禁欲主义顽强得多，这个人物本身就是一种信仰，就是一种主观虔诚，一种观念体系，如果不是从更高的精神境界出发，如何能调遣最有威势的力量去动摇这"正直不阿""坚定不移"的教长？在这里，莫泊桑上升到他从未有过的空灵逸净的高度，竟然既不动用富有戏剧效果的情节，也不动用势不可挡的雄辩，而是动用了令人想不到的月色，去改变这位教长数十年间一直坚持着的顽固观念！

月色在人类的文学中受到歌咏何止千百次，但它被用来反对禁欲主义，似乎还是第一遭，这正是莫泊桑这个短篇构思奇妙的所在。他让这位教长在月色中感受到美、宁静、温柔和清朗，又让他从这一系列美感体验到生活的奇妙、万物的协调，而远处出现的那一对情人又和眼前这一片奇美的景色浑然一体，水乳交融，于是，这位教长产生了一种——请允许我们用一个文艺心理学的术语——"通感"，他第一次感到了爱情原来是那么美、宁静、温柔和清朗，像那迷人的月夜一样。既然他是一个笃信宗教的教士，他自然也就第一次认定了"爱"这一美好的事物也可能是出于上帝的奇妙安排，他长期以来坚持的思想观念就这样彻底崩溃了，他竟然在月色和爱情的场景之前感到了惭愧。

这是对禁欲主义多么令人拍案叫绝的批判！这是对爱情多么富有诗意的描写！在这个短篇里，莫泊桑几乎显示出了一种诗人的气质，虽然人们往往并不把"诗意"和莫泊桑联系在一起，但正如任何人都有复杂的性格一样，一个作家在作品中当然会展示出他精神世界的不同方面，而且，只有这样，也许才是他成熟的标志。

如此一个主题，通过像《月色》这样一个构思来加以表现，无疑具有绝大的难度，何况作者给自己规定的篇幅是如此精练短小。在这里，至少有两个问题必须解决：一个是保持马理尼央这个人物性格的完整性，既要写出他的发展变化，又要使这种发展变化合乎逻辑，令人信服；另一个是必须描绘出一幅极为出色的月光图景，而且这种描绘又必须与人物的感情水乳交融。在第一个问题上，莫泊桑处理得很细致，他一方面把教长描写为一个忠于信仰、身体力行的人物，因而，只要他得到了生活的新启示，他也就可能改变旧的观念；另一方面，他虽然着力写了这个人物观念的褊狭、处世态度的严酷与刻板，但同时又赋予他以敏感、"古代圣哲即梦想派的诗人所具有的聪敏"的特点。如果没有音乐的耳朵，当然听不懂音乐，正因为教长具有某些诗人的敏感，他才能感受那美丽的夜景。这两个方面就构成了他转变的合理的性格基础。

和第一个问题比较起来，第二个问题要解决得好更不容易。首先，作品的标题就是《月色》；其次，那月景是动摇那顽固的禁欲主义的唯一的力量，作者能把月光描写得那么美、那么感动人吗？既能感动教长，又使得读者在这景色描写的面前深信教长一定会被感动吗？莫泊桑成功地做到了这一点，他的确为世界文库提供了一幅极为杰出的月景画。将来的文学史是否会证明他短篇中这一段对月光的描绘，在散文领域里将会享有贝多芬的《月光曲》在音乐领域里所享有的那种经典性的地位？

我相信，这是可能的。

轻佻之爱

—— 〔法国〕居伊·德·莫泊桑:《莫兰那只公猪》

　　小说家经常把自己的精神特点与自我成分带进小说，这已经是不胜枚举的常情。莫泊桑——一生在女性堆里打滚，他这种习性与癖好必然会渗透进自己的小说中去，他的长篇代表作《漂亮朋友》中那个在情场上无往而不胜的主人公，实际上就是他自己的化身，当然，在短篇里，他也不免情不自禁要让自己的习性有所表露，《莫兰那只公猪》就是一例。

　　这是一个写轻佻之爱的短篇。轻佻之爱，正是莫泊桑一生与众多女性的关系的基本性质，现在把这个短篇选入本书，倒不是由于它与作者精神特点的渊源关系，而是因为轻佻之爱毕竟是人类性爱中的一种，而且在现实生活中相当常见。

　　从其发生来说，轻佻之爱不是来自双方长期深入的互相了解与感情的逐渐培养，不是建立在思想、志趣的契合基础上，而往往是仅由外貌的相悦而迅速引发出来的。从双方的投入来说，在轻佻之爱中，根本不存在任何严肃的思想与认真的考虑对情感躁动或本能运作的约束，也不存在对任何后果（不论是社会道德的还是个人生活的）的顾忌，双方都似乎只把眼前的情事当作一场愉快的游戏，但求尽兴而已。尽兴之后，则往往是并无牵挂地分离，而且，这种分离早在双方投入的时候就已经作为潜意识而存在着的了。从事态的进展与结果来说，轻佻之爱的实现与完成，其速度总是格外迅快的，当然，在它的顺利进展中，缺少了必要的聪明与机巧是不行的，正像一艘轮船要进入暗礁密布的港口就需要有巧妙的领航术一样，因为，作家在描写轻佻之爱时，往往就非得表现出"领港员"的那种"坏透了"与"诡极了"的劲头不可。

这篇小说正是以莫泊桑惯有的那种流畅叙述，把一次轻佻之爱的全过程与整个情境表现得再精彩不过，可说是给人类的这种性爱提供了一个形象的标本，其中"领港员"的那股"诡劲"与"坏劲"更是令人称奇。由于莫泊桑本人的脾性喜好，字里行间难免会流露出某种轻薄，但总算比较含蓄，"读最精彩的小说"这一比喻，其风雅并不下于中国古典小说中的"巫山云雨""露滴牡丹"之类的文辞。而且，莫泊桑很懂得保持距离的艺术，他设置了两个叙述者，采用了叙述中的叙述，似乎就是为了更远地躲在幕后。他还赋予短篇以嘲讽的基调，为人所不齿的"莫兰那只公猪"与情场得手的叙述者我，追求的是同一个对象，要达到的是同一个目的，结果却一个倒了大霉，一个艳福不浅。相距天壤，原因何在？除外貌这一因素外，只不过是手段高低不同而已。这时作者似乎有点儿什么感慨与"哲理"，虽然这感慨、这"哲理"没有超出轻佻的范围，但却接近对世态的嘲讽。

小说的结尾又是莫泊桑式的，它具有绝妙的戏剧性与余音，你万没有想到那轻佻一夜的爱火竟然在那个女子身上没有熄灭达十几年之久，而且被她带进自己的合法婚姻中加以缅怀。这一对男女的重逢又将发生什么？这里散发着俊友与德·马雷尔夫人的气味，他们的轻佻之爱时断时续，藕断丝连，似乎还颇有点韧性。

莫泊桑毕竟是莫泊桑。

阶级思想冲突下的爱情悲剧

—— 〔俄国〕安·巴·契诃夫：《带阁楼的房子》

　　这是契诃夫的名篇之一，它作为爱情小说所具有的特殊价值就在于强烈鲜明的社会批判性与忧郁动人的抒情性的结合。

　　契诃夫是短篇小说中一种类型的代表，按我个人的理解，不妨把短篇小说分为两种类型：一种是莫泊桑式的，以严谨的结构，集中地表现现实生活中的一段插曲，注意纵的发展，故事性强，情节往往带有某些戏剧性；另一种是契诃夫式的，故事性不一定很强，意想不到的戏剧性更是少有，写生活的横断面似乎居多，结构比较灵活自由，不追求严谨集中，有散文的风格，善于挖掘现实生活中蕴藉的含义和表现作家提炼浓缩的"诗情"。这种划分并不绝对，绝不是说，莫泊桑的作品中就完全没有契诃夫式的，而契诃夫的作品就完全没有莫泊桑式的，《带阁楼的房子》这篇，就兼有二者之长。

　　首先，这是一个动人的故事，就其情节来说，也是吸引人的，它表现出了一桩爱情悲剧。

　　这个悲剧像大多数有思想意义的爱情悲剧故事一样，不是心理性的，而是社会性的。青年画家与贵族小姐任尼雅的恋爱被她的姐姐莉达破坏，这对相爱的情人被活生生地拆开，正是一场尖锐的社会思想冲突的结果。画家与莉达的那一场辩论，在小说中是情节发展的关键，也是作品特别富有深刻社会意义的所在。就这位画家的思想和地位来说，他显然与沃尔恰尼一家不属于一个阶级，这个家庭的家长曾在莫斯科居显要地位，曾任高级三品文官，他去世后给妻女留下了两千俄亩的产业，在黑暗的农奴制的沙皇俄国，这是一个属于统治阶级的家庭。而画家则是一个游离于这个阶级之外的自由主义知识分子，他具有某些民主主义的思想，对沙皇俄国的社会现实不满、厌倦。不合理的社会使他的心情蒙上了灰暗，使他的精神得不到激奋，只在闲散中打发日子，因而，也就浪费了自己的才能。这是一个与社会不协调的"多余人"的形象，正是19世纪俄国文学中常见的那种人物类型中的一个。他却爱上了上流阶级沃尔恰尼家的小姐任尼雅。他对任尼雅产生爱情，并不是因为她是贵族之家一员，恰巧相反，他喜欢的正是她身上那种与沃尔恰尼家的气息颇不相同的某些气质：纯洁、天真以及对书籍、艺术的爱好，当然，还有她的娇美和苗条，她的稚气和温情。而任尼雅爱上他，则因为他是一个有才能的画家。在阶级社会里，男女的接近和爱情仅仅由于个人的兴趣和爱好而不是由于社会阶级地位相同或相近，一般总是以悲剧而告终的，青年画家与任尼雅的爱情结局就是如此。

不过，这篇小说的格局颇不一般化的是，代表着上流家庭的利益扼杀了青年人爱情的，既不是老官僚家长，也不是养尊处优的阔太太，而是同样苗条、俊俏而年轻的姐姐莉达。这个人物是19世纪俄国文学中一个别具一格的形象，她具有上流社会家庭人物的阶级属性，而又不脸谱化，另有自己不同的特点。她虽然拥有巨额的家产，但她偏偏要在自己所在的谢尔科夫卡村的地方学校里做教员，每月只花她那25卢布的薪水，以自食其力而骄傲。她也不像其他的贵族阶级人物一样闲散怠惰，无所事事，而是忙于各种"慈善公益事业"。参加地方自治会的活动，为遭了火灾的乡民募捐，给村里的病人看病，向村里分发书籍，等等，她从事这些事业充满了热情、信仰和主观真诚，凡是对她所认为的这些严肃的事不感兴趣的人，她都要加以批评。这是贵族阶级中的一个积极成员，她的毛病不在于她个人的私德，而在于她那根本的阶级局限：她把黑暗的农奴制当作合理的、不容怀疑的前提，而以自己的活动为这罪恶的制度佩上花束。她这样一个人物，当然会要和那个对农奴制俄国充满了反感，并认识到了一切罪恶的根由都在于不合理的社会制度的年轻画家发生尖锐的冲突，这种冲突也就必然给画家与任尼雅的爱情带来灾难性的结果。

值得注意的是，在这篇爱情小说里，作者并没有用主要的笔墨去描写这一对男女青年感情上的发展和情状，他的眼界超出于这之上，他更着力于在一种社会背景、社会现实、社会氛围中去展示一个爱情的悲剧，因而，他特别注意对环境、氛围的描写。他通过平淡无奇的生活场景和在这环境中的人们那些日常的情绪，成功地表现出了那个停滞的、令人窒息的社会现实。读者从小说中看到的是，年轻地主别洛康罗夫如何用喝啤酒、抱怨、发牢骚、自怜自艾来打发他寄生生活的时光，有才能的画家在那种生活中多么难以获得激情和灵感，只是到处徘徊游荡，或是眺望着远方的天空发呆。这里的景致也都打上了衰老的烙印：老宅子在风暴中颤摇；"荒凉而古老"的林荫路上，"树叶在我脚底下悲伤地沙沙响"；"金莺用微弱的声音勉强唱着，它大概老了"；"坍倒的篱墙"，"几百里长的荒凉的、单调的、烧光的草原"……正是在这片土地上，千千万万的农民"从一清早到天黑弯着腰操劳"，他们"生活得比动物还糟"，而且，"这种情形已经有好几百年"，而贵族地主则在地方自治会中进行争权夺利的宗派斗争，莉达这种开明的贵族人物则以她的"善行"给那些受苦受罪的农民灌入麻醉药，向他们散布对这黑暗衰败的生活方式的迷信。在作者这一系列描绘和展示中，特别起了画龙点睛作用的是画家与莉达的那一场辩论，契诃夫通过画家之口揭露了农奴制的罪恶，指出了人民的不幸，谴责了整个沙皇俄国不合理的现实，批判了贵族改良派的伪善与欺骗。以那么明确的语言阐明了那么一些重大的、尖锐的政治社会问题，这在契诃夫的作品中几乎是绝无仅有的；而在一篇爱情故事里，竟容纳了如此强烈、鲜明、尖锐的政治社会批判，这在世界文学中也属少见。

虽然作者并没有把主要笔墨放在描写这一对男女的接近和感情上的发展，但对那古老衰败的生活方式和对人物日常情绪的表现，无疑都是为了烘托这一爱情故事的悲剧性，而这些又是以一种轻淡的风格表现出来的。这个悲剧本来就是不合理的社会现实的一个组成部分，当契诃夫以他那特有的柔和而忧郁的笔调来表现这种生活方式和人物的精神状态时，他就给这爱情故事定下了忧郁的基调，这个画家好容易在那腐朽发霉的现实生活中看见了美——一个纯真美丽的少女，得到了新鲜的生活感受，但马上就失去了它，剩下来的只是原来像死水一样的生活和他只能在等待中忍受的惆怅。

"希望迟迟不来，苦死了等待的人"，这是当代戏剧杰作《等待戈多》中的名句。"等待"这一主题，在文学中似乎有它的普遍性，它往往能给人的感情以深深的、持续的触动。《带阁楼的房子》这个短篇，最终表现的还是"等待"的主题，而这"等待"是双重性的：当画家怀着对俄国生活的不满，一连好几个钟头眺望窗外的天空时，他该是在等待和眼前的现实完全不同的生活；当他怀念着那带阁楼的房子时，他是在等待着和任尼雅的重逢。然而，这两者都是那样遥远、渺茫，"米修司，你在哪儿啊"，这就是发自他灵魂深处的痛苦的呼号，其凄厉的程度，与《等待戈多》的结局相仿，只不过一个是以荒诞的形式，一个是带着强烈的抒情。

非常规的夫妻之爱

——〔意大利〕萨尔瓦多列·狄·贾科莫:《阿松达·史彼纳》

这是一篇别具一格的爱情小说，不论从它所表现的思想内容、情感类别来说，还是从它的艺术表现方法来说，都是如此。

它所表现的情感类别，显然很不一般，它在爱情这种感情之中，可以说是很特殊的一种，是一种非常复杂、极不一般的情感，甚至可以说是一种不合乎爱情之常态的感情。

按照正常的情况，夫妻之间的爱首先是以互相忠于对方为前提的，忠贞不贰就是夫妻间爱情的基本内容。这篇意大利小说却提供了一个反常例子。

妻子阿松达·史彼纳已经六次不忠于自己的丈夫泥瓦匠费迪南多了，而费迪南多呢？当他知道了自己妻子的第六次私情，特别是妻子的情夫裁缝贝皮诺已经把她扔了时，他虽然气昏了头，但这"气"却甚为复杂，正像他打向贝皮诺的三拳一样复杂。第一拳"为我"，这是好理解的，因为贝皮诺偷了他的妻子，他为了报仇，为了泄恨，为了恢复他作为丈夫的尊严与荣誉；第二拳为"索卡沃的新娘"，这也好理解，这新娘就是贝皮诺扔了史彼纳之后所娶的妻子，这新娘既然是嫁给了贝皮诺这样一个浪荡子，当然是受了欺骗，吃了亏，于是，费迪南多这个充满了义愤的男人就出来维护正义了，而且，有谁比他更有资格出来维护这"正义"呢，既然，他自己就是一个被贝皮诺偷了的人，被贝皮诺戴上绿帽子而加以损害了的人。

第三拳"为阿松达"，这就不容易理解了。他的妻子阿松达已经多次对他不忠，按照历来的惯例，对奸夫淫妇一对同伙，一般都是一齐处置，毫不留情的。在希腊悲剧里，俄瑞斯忒斯在杀奸夫的时候，对那淫妇，他自己的亲生母亲，也不客气。在中国的小说里，《水浒传》中的英雄石秀对潘巧云和海阇黎和尚，处置得一点也不含糊，让他们同归阴曹。这种惯例是父权社会、夫权社会里的惯例，对夫权进行了玷污，当然罪该同罚。而这个费迪南多却有些不同，他听到自己妻子的私情时，先是"用巴掌狠狠地打自己两三记耳光，双手揪住头发"，表现了极度的痛苦，而后，他并没有把这两个使自己蒙受耻辱的男女同时加以惩罚，而是扑向了妻子的情夫，报以老拳，其第三拳"为阿松达"，这显然是一种与惯例完全不同的表态，它惩罚其中的一个而维护其中的另一个，它不仅仅包括了一种受了侮辱的夫权的感情，它的出发点也不仅仅是夫妻之间的忠诚的准则。当然，细心的读者一定会发现，阿松达是被情人抛弃了，在这一点上，她是被玩弄、被损害者，也许就是因为这一点，费迪南多才打出"为阿松达"的那一拳，不过，按照夫妻之爱的原则，她犯了不忠贞之罪，而又被情人扔了，不正是罪咎所得、受到一次惩罚吗？为什么要打出为了她的那一拳呢，看来这一拳是体现着一种复杂的感情，这种感情不完全是一般的夫妻之爱的准则所能解释的。

在外国文学作品中，以忠诚为原则的爱情故事固然不多，爱情不是建立在忠诚基础的故事也不乏其例。最为人所知的是 18 世纪著名的小说《曼侬·莱斯戈》，其中那个女主人公是一个荡妇淫娃，就是为了她，男主人公格里厄骑士牺牲了前程，走上了堕落的道路。特别令人奇怪的是，这个坏女人曼侬·莱斯戈屡次对他不忠，但他仍是离不开她，正像恩格斯所讽刺的那样："格里厄骑士也有热爱和占有曼侬·莱斯戈的情感上的需要，虽然后者不止一次出卖过她自己和他；

为了她的缘故，他做了骗子和王八。"①格里厄这种"情感上的需要"，恩格斯当然是很不赞赏的，虽然有人曾把这两个人的爱情说成是"具有排山倒海的力量"。费迪南多对他妻子的爱，在不是以忠诚为至高无上原则的这一点上，似乎与《曼侬·莱斯戈》属于一类，但是，细加分析，区别还是很大。在《曼侬·莱斯戈》中，格里厄是一个意志薄弱、耽于情欲的贵族青年，他之所以屡遭屈辱而离不开曼侬·莱斯戈，只能以他的意志薄弱和耽于情欲不能自拔来解释，在眼前的这篇小说里，男主人公却是一个憨厚老实的劳动者泥瓦匠，他显然是重视夫妻之间的忠诚与家庭的荣誉的，因此，当这种忠诚与荣誉被阿松达破坏时，他感到极度的痛苦，只不过，对阿松达的这种破坏，他不是采取夫权式的惩罚，而是采取一种仁至义尽的挽救，总是伸手去拉阿松达，并且像上帝一样宽恕她。于是，这个人物一方面就表现出与格里厄完全不同的本质，他与格里厄那种为了曼侬·莱斯戈而不惜与她同流合污甚至当她的"外室"的堕落行径相反，显示了严肃的道德情操；另一方面，他又超出了狭隘的夫权主义者的严厉无情，而对自己缺德的妻子显示了一种宽厚与大度。

正因为费迪南多身上显示了这两种似乎不合乎常态但实际上比常态更高的情操，因而，一旦生活中发生严重的事件，费迪南多与阿松达之间似乎从无夫妻之爱的状态就突然消失了，而出现了夫妻之爱的奇迹。这里我所指的就是小说的结局。

这个结局虽然出人意料，很有戏剧性的效果，但是完全合乎逻辑。阿松达·史彼纳看来还是有真实感情的妇女，她不忠于丈夫，屡犯错误，这是事实；但她不像曼侬·莱斯戈那样把出卖自己和欺骗情人当作自己合理的权利而任意加以运用。她身上还有着没有泯灭的"善"的因素，她还不是一个邪恶的形象。看来，她是一个感情不稳、意志不坚的女人，她为什么犯不贞之罪，当她的邻居问她是否

---

① 恩格斯：《自然辩证法》，《马克思恩格斯选集》第三卷，第530页。

别人对她施了什么"魔法"时，她怒不可遏，用手指戳着自己的心口说："法术在这里"，意思是说，使她不由自己的是她的感情，因而，她的情夫把她抛弃以后，她竟感到非常痛苦，以至"我只剩下一把骨头了"。在夫妻关系问题上，她虽然犯了不贞之罪，但还没有把是非观念和道德观念完全抛到九霄云外，而总是对费迪南多怀着一种内疚，她承认"我对我的费迪南多做出那样的事情，我应当被用一桶汽油活活地烧死在这广场上"，她还对费迪南多的宽厚心存感激，"他饶恕了我五次，就跟这手指头一般多"，她甚至希望"圣母把我的灵魂收去，费迪南多可以另娶"。正因为阿松达·史彼纳是这样一个身上既戴罪又带有严肃情操火种的妻子，所以，当费迪南多刺死了她那个负心的情人时，她就挺身而出，勇敢地承担了杀人的责任。于是，这样一个戴罪的女人最后显示了一次她高大的身影。

这篇小说所描写的这两个人物性格，无疑都是复杂而非单一的。他们两人之间的夫妻关系也是特别而非一般的，说它不是一般，是因为它和惯常的忠诚原则格格不入，不属于那种合乎常态的典型的夫妻之爱，然而，这里却并非没有感情，甚至并非没有爱情。这两个人物之间的感情显然很复杂，它既包括了两人之间的矛盾对立，也包括了互相之间的爱，还有一种仅仅用爱情还不能完全加以解释的互相之间的"义气"。因此，从这种关系中既出现了风暴，又出现了奇迹。一篇爱情小说表现出了这样一个不平凡的故事，这样一种不平常的感情，这样一种不平凡的夫妻之爱，的确是别具一格。

当然，这是一个悲剧，混杂着矛盾、罪过与崇高的悲剧，它绝非一种理想的正面的爱情，但如果作家都只去写理想正面的爱情故事，而没有人去写复杂的爱情故事，人类文学中爱情题材的小说也许就会贫乏得多。一个作家能跳出一般的常规，写出不同常态而终归又有积极意义的爱情故事，毕竟是一种既具有严肃的感情又具有创新才能的表现，这说明他理解现实生活的复杂性、人的复杂性和爱情的复杂性，说明他善于从一个特殊的角度去发掘爱情主题的另一个方面。

以上是就短篇的思想内容和情感类别而言。再从艺术表现方法来说，我们从这篇小说里也可以欣赏到不一般的艺术手法。

这一个有复杂过程、复杂背景的故事，总共只有三个场景：一个场景是颓丧痛苦的阿松达·史彼纳与邻居的简短对话，从这对话中，读者可以得知阿松达屡犯错误的过去，与她目前失恋的焦急情绪；第二个场景是她与送信的小姑娘的对话，小姑娘带给了她情人已抛弃她的确切消息；第三个场景，是她与丈夫的对话以及她丈夫杀死了贝皮诺后她挺身而出承担杀人之罪。每一场景都极为简练，节奏明快，跳跃性强，整个短篇不像是一般的小说，而像是电影剧本。描绘当然很少，分析和议论更是没有，都由对白和动作组成。对白又都是短句，动作也极为短促。然而，这些简短的对白与快速的动作，却又担负着交代事件的历史背景、表现故事情节的发展变化和刻画人物的性格与心理状态等几个方面的任务，而且，把这些任务都出色地完成了。可以想见，这里的每一对话、每一动作都是作家不断提炼的结果，如果要说这篇小说在艺术上有什么突出的特点的话，那么，高度的简练就是它的特点。你见过毕加索的《和平鸽》那幅画吗？它只有简单的几个线条，却勾画出和平鸽那动人的形象，这几个线条完全是白描式的，但它显示出高度洗练所需要的深厚的功力。这篇小说的情况与此颇为相像。

反封建主义的爱情

——〔印度〕泰戈尔:《弃绝》

欧洲资产阶级反封建主义的斗争，使文学史上留下不少爱情题材的名篇。由于这一斗争从封建主义占统治地位、资本主义关系开始萌芽的时候就已经开始，反封建的爱情题材作品也就早在文艺复兴时期已经有了它卓越的代表作，最为人们熟知的有莎士比亚的《罗密欧与朱丽叶》以及薄伽丘的《十日谈》中一些短篇。当资产阶级反封建的斗争在 18、19 世纪进一步发展的时期，这一类作品就更多了：卢梭的《新爱洛绮丝》，歌德的《少年维特之烦恼》，斯达尔夫人的《黛菲妮》与《柯丽娜》，等等。这些都是描写爱情故事的作品，至于涉及爱情而具有反封建意义的作品，那就更难以数计。

一般来说，资产阶级反封建的爱情小说，都以描写青年人的恋爱婚姻与封建家族观念、封建等级制度的矛盾冲突居多，这样一个主题在文学发展过程中反复出现，其原因就在于恋爱婚姻是人类最基本的一个生活内容，爱情自由则是人类最自然的一种要求，而像大山一样横亘在人类历史上的那种封建关系则必然成为这种要求的障碍和束缚。于是，虽然时期不同，只要是同处于封建主义占统治地位的历史阶段，文学中就层出不穷地出现一出出大体相似的爱情的悲剧。在文艺复兴时期出现了罗密欧与朱丽叶的悲剧，他们热烈相爱，却没法跨过两个对立的封建家族的鸿沟。到 18 世纪，出现了朱丽亚与圣·普乐的悲剧、少年维特与夏绿蒂的悲剧。朱丽亚与圣·普乐是一对感情深挚的恋人，因为家庭出身、阶级地位的差距而无法结合；维特热爱着夏绿蒂，但这种爱情在封建鄙俗的环境里根本没有前途，他最后只落得自杀的结局。而到19世纪上半叶，虽然资产阶级民主革命在欧洲的主要国家基本上已经完成，但封建性的残余影响的存在，还曾造成了斯达尔夫人笔下的柯丽娜的悲剧，这个才华横溢美貌动人的女性，只不过是因为未能投合她的情人的古老家庭的既定规范，而遭到悲惨的结果。

在同一国度、同一地区的不同时期，固然会出现相似的反封建的爱情题材的文学作品，即使是在不同的国度，远离的地区，只要是在相似的社会形态之中，也会出现类似的文学现象。中国远离欧洲，但这里早就有了《孔雀东南飞》的悲剧，当然最著名的还是《红楼梦》中贾宝玉与林黛玉的故事，不论是前一篇长诗还是后一部长篇小说，其中的男女主人公，和他们在欧洲的同类一样，也完全是封建家族利益的牺牲品。类似的还远远不止于此，正如最近有的研究者指出的那样，在清代就有一则私情案件的笔记，其中青年情人的命运与故事，就与《罗密欧与朱丽叶》很有些相似。

我们这里所选的泰戈尔的小说《弃绝》，从大的范围来说，属于上述反封建的爱情题材的小说之列，如果再进行细致的比较，则它与中国的《孔雀东南飞》更为相似。一个产生于4世纪封建专制主义统治下的中国，一个产生于20世纪还有封建残余的印度，同样都反映了封建家长制专横跋扈和它对青年一代爱情幸福的干预和破坏。在中外文学史上，爱情题材的小说、戏剧作品，一般都是写封建主义如何阻碍了自由恋爱的情人结合为夫妻，以致使得恋爱着的双方感到如果丧失了他们的爱情，就无异于丧失了全部继续生活下去的必要，因而最后导致悲剧性的结果。至于写青年人已经结合后在封建主义的干预下而遭到破坏的却比较少一些，《孔雀东南飞》与《弃绝》则是这类为数不多的作品中的两篇优秀之作。

　　《孔雀东南飞》是我国读者所熟悉的一篇哀婉动人的诗篇，一对恩爱的夫妻活生生被那个专制家长婆婆拆开来了，在她的逼迫下，儿子焦仲卿不得不休了自己的妻子，被休的刘兰芝回到娘家，父兄又逼她再嫁，她为了忠于自己的丈夫，最后"举身赴清池"而死，那个钟情而又软弱的焦仲卿也追随自己的妻子"自挂东南枝"。在这个故事里，产生悲剧的并不是某些戏剧性的事件和因素，只是那个封建家长的蛮横无理，但在日常的婆媳矛盾的后面，却是封建社会中那强大的、专制的习惯势力、传统力量和暴虐精神，这种传统和精神的代表者并不一定就是青面獠牙，当悲剧开始出现的时候，那个逼走了兰芝的阿母，也曾"零泪应声落"，最后，悲剧发生后，又是"两家求合葬"。

　　比较起来，泰戈尔这篇作品，故事情节和矛盾冲突就复杂一些，更充满了戏剧性。这里，首先明显地存在着爱情自由与封建等级制的矛盾，小说中高贵的种姓与低贱的种姓之间的鸿沟，就是森严的封建等级的差距，而代表这种封建传统和制度的，是那个暴虐可怕的父亲。他不仅是专制的一家之长，而且还是一个作威作福的族长，"社区的领袖"，他不仅要在家庭的范围里施展他的淫威，而且还要在村子里、社区里充当秩序的代表，主宰和决定别人的命运。他先逼迫和他属于同一等级的波阿利·山克尔弃绝他唯一的女儿，然后又破坏了波阿利·山克尔侄子的婚姻。这就引起了受害者的报复。在波阿利·山克尔一手安排下，这个专制家长的儿子赫门达被蒙在鼓里，娶了一个出身低贱而且有过不幸经历的女人库松。真相一经暴露，代表了封建传统和等级观念的专横的父亲当然就要逼迫儿子休妻。在这里，婚姻的真实情况与封建传统的冲突显然要比在《孔雀东南飞》中更加严峻、更加水火不容。《孔雀东南飞》中的刘兰芝贤淑勤劳、知书达理，本身并无疵瑕和差错。如果说，焦仲卿被迫休妻的根据在叙事诗中描写得并不充分的话，那么，赫门达面对的现实就严峻得多：他所爱着的妻子的确出身低下，还有过曲折的历史。这样，泰戈尔就把自己的人物放在一种尖锐的矛盾中，让他在激烈的冲突中证实他爱情的勇气和力量。

在文学史上，描写爱情自由与封建主义矛盾的作品大都是以悲剧为结局，追求爱情的青年人对那强大得可怕的传统势力，往往不敢进行反抗，或者只进行了消极的反抗。在《新爱洛绮丝》中，男女主人公根本没有勇气出逃到美洲去建立自己的生活，朱丽亚服从父亲的新安排，牺牲了自己的爱情，圣·普乐也遵从了当时封建的道德规范；在《少年维特之烦恼》中，主人公也只能以离弃那个社会的方式表示一种消极的抗议；而在和泰戈尔这个短篇同一类题材的《孔雀东南飞》中，焦仲卿几乎没有进行什么反抗，他在专制家长面前是驯服柔弱的。《弃绝》这个短篇则不同，它描写了青年人积极勇敢的反抗，主人公在他心爱的妻子和家长的命令之间进行了选择，他选择了妻子而公然违抗了家长，也就是维护了他的爱情，而与传统的观念、封建的等级、家族的体面进行了决裂。他最后一句话是坚定而有力的，表示了一种积极的叛逆的精神。这两篇作品、这两个主人公的差异，当然不是偶然的，那叙事诗是产生于中国封建社会远望不到头的漫漫黑夜，这短篇小说则产生于 20 世纪残留着封建关系的印度；焦仲卿是一个天地狭小、见识有限的孝子贤孙，而赫门达则是一个在资产阶级文明化的大都市里念过大学的现代知识青年。

这篇小说篇幅不长，容量却不小，有对爱情之夜动人情景细致的描绘，有对历史故事的倒叙，有对不同人物心理活动的深入刻画，有对整个事件发展过程完整的再现，为此，作者必须运用高度浓缩而富有表现力的语言，他还必须把故事情节安排得高度集中而又精练，这里的确没有多余的话，也没有不必要的情节和场景，显示出作者把他作为诗人的才能运用到短篇小说创作上的本领。

爱情与自我牺牲

——〔美国〕欧·亨利:《爱的牺牲》

欧·亨利是一位具有鲜明风格的短篇小说家。所谓风格，只不过是作家整个作品总的情致和面貌，并非每一篇作品都毫不例外地带上的戳记。如果可以这样理解的话，我们不妨这样来概括这位作家的风格：他往往是以幽默讽刺甚至玩世不恭的语调，叙述一个引人入胜而其结局又大出读者所料的故事，以揭示现实世界的不合理，表现小人物的辛酸和他们的品格精神中闪光的东西。你看——

在《警察和赞美诗》中，他以这样幽默的笔调写主人公冬天那种饥寒交迫的辛酸："苏贝对于冬令蛰居方面并没有什么奢望。他根本没有想到地中海的游弋，或者南方催人欲眠的天气，更没有想到维苏威海湾的游泳。他衷心企求的只是到勃莱克卫尔岛上去住三个月。三个月不愁食宿，既能摆脱玻瑞阿斯和巡警的干扰，又有意气相投的朋友共处，在苏贝的心目中，再没有比这更美满的事了。多年来，好客的勃莱克卫尔监狱成了他的寓所。"而在小说的最后，他又安排了一个出人意料的情节：苏贝为了被抓进监狱得以过冬，在街上肇事胡闹，但总被警察放过，达不到目的，而当他流落在教堂外，听到宗教赞美诗，产生了一种神圣的感情，决心重新做人时，却被警察当作不法分子抓进了监狱。还有什么比这充满讽刺意味的结局更能揭示资本主义现实对积极向上的道德精神的敌对与扼杀？

在《最后的藤叶》中，他用明显讽刺揶揄的口吻介绍那个一生不得意的老画家："他耍了 40 年的画笔，还是和艺术女神隔着相当的距离，连她的长袍的边缘都没有摸到。"然而，小说的最后，作家却让读者看到了出自这个画家手笔的杰作：那片栩栩如生的藤叶，一片以画家的生命为代价并凝现了这个"暴躁的老头"舍己为人高尚品德的藤叶。你怎么会想到，从欧·亨利对这个老头的才能和脾性所做的讽刺性的描写中，竟会突然闪现出一个有着高尚心灵的艺术家？而这描写还深深地掩藏着作者对这个人物的崇敬与挚爱？

从以上所讲的来概括，欧·亨利的作品一般都具有两个明显的优点：一是语言和故事富于情趣，二是作者对资本主义社会中善良的普通人怀着热爱与同情。

《爱的牺牲》也是典型的欧·亨利式的。通篇都带着讽刺、嘲笑和揶揄的口气，在这一点上，它比作者其他的短篇更为明显。短篇的开头就机智而幽默，以调侃的语调提出了一个问题，似乎是有关艺术家对艺术的态度的问题，造成了读者的悬念，接着就是对一对青年艺术家贫困生活的描述了。你看，艰难的生活被作者描述得多么轻松，"他背井离乡到了纽约，束着一条飘垂的领带，带着一个更为飘垂的荷包"；年轻夫妇居住条件的恶劣被描写得多么豁达，"家庭只要幸福，房间小又有何妨——让梳妆台坍下来作为弹子桌；让写字台充作临时的卧榻，洗脸架充当竖式钢琴；如果可能的话，让四堵墙壁挤拢来，你和你的德丽雅仍旧在里面"。

在这种生活中，当然就产生了贫困和艺术的矛盾。这种矛盾是以辩证的方法层层展示的：即使这对青年对献身艺术有很大的决心，但是，贫困生活的冷酷却比他们的决心更为顽强，于是，"没多久，艺术动摇了"；虽然有了"动摇"，不过看来"动摇"得很有限，女方为了"以免断炊"，不去学琴了，而去"教音乐"，但这区别似乎又并不大——"我一面教授，一面也能学一些"，不仍是"永远跟我的音乐在一起吗"？而且，这样做也是为了使自己的爱人能继续献身艺术；当然，这实际上还是一种"了不起的牺牲"，但作者不是一再提醒读者，"当你爱好艺术的时候，就觉得没有什么是难以忍受的吗"。这样，他就把这个年轻女子那种为艺术而献身的精神突出出来了。男方也是如此。他也不愿意牺牲妻子的艺术生命，眼见妻子放弃了学习去挣钱而自己"却在艺术领域里追逐"，于是，他也做了分担：再不到绘画名师那里去学艺了，而到"中央公园去画速写"，以便制作成品出售，这比他原来的献身艺术当然倒退了一步，但是，似乎毕竟还是没有放弃绘画艺术，这样，他那种热爱艺术的精神也突出出来了。

艺术与贫困的矛盾不是得到了调和吗？看来他们两人都没有放弃艺术，而又维持了生计，生活似乎还相当美满。然而，最后的真相由于偶然的事故暴露了出来，原来，年轻的妻子为了使丈夫不完全放弃艺术、仍然能够"到中央公园去速写"，自己却完全放弃了艺术，到一家洗衣作坊里去烫衬衣；而年轻的丈夫呢，他为了使妻子不完全放弃艺术，仍然能去"教音乐"，自己却完全放弃了艺术，到洗衣作坊里去当烧火工。双方都生活在各自的想象中，以为自己的牺牲使对方的艺术生涯多少保存了一些，冷酷的现实却是，他们谁也没有保存住对方的艺术生涯，不过，他们那种自我牺牲的热情却在那冷酷的现实之上放射出了人性美的异彩。至此，读者才看到，原来作者所要表现的并非男女主人公对艺术的热情，而是这一对男女那种令人感动的爱情，那种没有什么牺牲是难以忍受的爱情。

"爱情"的含义从来都是极为丰富的，在那些丰富的含义中，"自我牺牲"往往是其中之一，有不少的事便表明：如果缺少那种为获得和保持爱情而付出的艰巨的努力，爱情就显得分量轻了一些。于是，在作家们的笔下，"爱情"与"牺牲"往往是形影不离的。例如，在中世纪以爱情为题材的骑士文学中，骑士们不仅要以自己"典雅的风度""高贵的品德"去赢得贵妇人的青睐，而且，追求并获得对方欢心的过程就是接受严酷考验、做出自我牺牲、履行"爱情的服役"的过程，不少骑士都去进行战争冒险，出生入死地建立武功，以此作为爱情的"献礼"。其中法国圆桌骑士诗中，有两个堪称崇尚自我牺牲的骑士之爱精神的理想典型：伊万与朗罗斯。为了自己心爱的贵妇，前者历尽艰难险阻，后者甘愿坐在牛车上当众受辱。这类例子是男子的"自我牺牲"。女子的"自我牺牲"似乎更不在少数。比较早，在《十日谈》里，薄伽丘写了一个青年少妇爱上了家里一个青年仆人，这个聪明而谨慎的仆人为了考验少妇的诚意，竟给她出了三个难题，虽然她牺牲了丈夫的利益，但自己也把尊严、身份、人格完全抛弃，简直是以对于一个主妇来说是极为屈辱的方式，才获得了对方的信任。当然，为了爱情而勇于做出自我牺牲的女性，莫过于法国19世纪作家龚斯当的小说《阿道尔夫》中的爱蕾诺尔和司汤达的小说《红与黑》中那一对女主人公：德·瑞那夫人与玛蒂尔德小姐了。爱蕾诺尔本身就是一团感情，为了爱，她什么都可以不顾，什么都可以牺牲。她先是把自己的一切都献给了一个处于逆境的贵族，不仅分担过他的灾难与贫困，为他生育了两个孩子，而且，长期忍受这个贵族并不与她正式结婚因而始终没有合法身份的屈辱，而后，她在阿道尔夫的爱情中又做出了巨大的牺牲，牺牲了自己的家庭和孩子，遭受了社会的鄙视与指责，最后付出了生命的代价。《红与黑》中那个德·瑞那夫人与此也有点相仿，当于连进了监狱、眼见性命难保时，她摆脱了社会偏见和习俗加在自己身上的羁绊，公开到监狱里去与于连相会，牺牲了家庭的体面、个人的名誉，只求与情人共度那最后的时光，情人被处死了，她自己也在抱吻了孩子之后离开了那个世界。玛蒂尔德的"自我牺牲"更是轰轰烈烈，她不怕丢了自己的老子、那个法兰西大臣德·拉摩尔侯爵的脸，不怕有损自己"家族的光荣"，竟公开去替情人收尸，坐着马车，带着20个教士，举行了一次奇特的豪华的葬礼，向聚观的群众投掷了数千枚银币……

例子当然不胜枚举，这只不过是为了说明，欧·亨利的这篇小说所提出的"爱的牺牲"这个问题，原来是文学中爱情主题的一个极为重要的方面，也是人类"爱情"观念中一个很感人的内容。

当然，在"爱的牺牲"这一点上，热爱着的情人虽然都有相同的表现，但在"爱的牺牲"的内容方面，却还是有些不同。就以以上的例子而言，贵族骑士为了爱情所做的自我牺牲可谓毅勇之至，真有些英雄气概，但略加分析，它实际上是对骑士风度的一种标榜，是构成这种骑士风度、骑士荣誉的一个组成部分，而这种风度又是获得贵妇人欢心的一种必不可少的条件和手段。在表现市民意识的文学作品里，那种牺牲精神则是一种欲情推动的急不可待、奋不顾身，在禁欲主义统治的时代里，文学作品中这种反其道而行之的纵欲倾向是很自然的。到了浪漫主义的作品里，"爱的牺牲"的热情显然是作为一种难得的感情而被理想化了。本来嘛，浪漫主义者喜欢搞理想化，这样，"爱的牺牲"在他们的作品里就表现得格外感人，并能引起一种令人心肠欲断的悲剧效果，爱蕾诺尔就是这样一个形象。也正因为司汤达本身有些浪漫主义气质，所以，他笔下的德·瑞那夫人的"爱的牺牲"，也就具有一些浪漫主义色彩。至于玛蒂尔德，她作为一个贵族小姐，为了自我表现，更是自觉地追求那种为了爱而牺牲的浪漫情调了。

在回顾了"爱的牺牲"这个主题在文学史上的表现后，我们就不难发现，欧·亨利以现实主义的描绘把这个观念表现得再集中、再明确不过了，他通过幽默的叙述，对这个观念几乎是做了最确切、最"经典性"的概括："当你爱的时候，就觉得没有什么牺牲是难以忍受的。"他讲的不是一个浪漫的故事，而是资本主义社会中现实的日常生活，因而，这种人间难能可贵的感情，就被他表现得平易近人，令人感到亲切，感到它就在周围，就在身边，而不是在浪漫主义的云端里。而且，这里既不是贵族也不是资产者的故事，而是资本主义现实生活中两个普通的小人物的相爱，因而，他们那种出于"爱"而做出的"牺牲"，也就格外真挚、无私、纯净。这也许可以说就是欧·亨利处理这个古老主题时别开生面的所在吧。

苟且之爱

—— 〔奥地利〕阿图尔·施尼茨勒：《死人不说话》

死人不说话，这是常识。

在这里，一个女人把自己全部的希望寄托在这一常识上，但求自己的秘密因情人已经死去，而死去了的人是不会说话的这一事实而永不泄露。然而，泄露秘密的恰巧是她自己，导致她泄露秘密的，正是她对死人不说话这个常识全心全意的信赖，正是由于她把自己内心中这一绝对的信赖转化成为了明确而具体的语言。

这是一个带有思辨性意趣、辩证法意趣的构思，它使一个爱情故事别具一格。

按照这个构思，从起点到终点，有相当长的一段路程要走，从死人不说话、秘密肯定得以严守到最后由当事人从嘴里道出了这一常识而使秘密泄露无余，这中间的一段路程，与其说是故事发展的过程，不如说是当事人心理变化的过程，因为它必须靠当事人的心理活动才得以完成，当事人内心中的一种隐形的信赖，凝结为具体的、有声的语言脱口而出，只可能是内心中复杂感情变化演绎的结果。于是，这篇小说就必然是以心理描写为主要内容，甚至可以说就是一篇心理小说了。

当然，它描写的不是正常情况下男女双方健康的爱情心理，而是一种怯懦的、没有出息、没有志气、"苟且偷生"的爱情心理。男女主人公在合法的婚姻与家庭之外偷情了多年。对于他们这种情况，人们往往可以用非此即彼的道德来加以要求：如果不是以婚姻家庭的道德来要求他们中止通奸的过错、痛改前非、重新做人的话，就是以爱情的诚实准则要求他们敢于公开自己的私情，并且正大光明地去创造共同的生活。但他们的行动既不符合前一种道德，又不符合后一种准则。在世界上，这种类型的男女关系实不少见，甚至也可以说是男女情爱常态中的一种。然而，这种情爱进入文学，则成为一种不折不扣的庸人之爱，因为对于传统文学来说，作为一个爱情主人公至少应该有一种不计功利的激情，一种不顾后果的勇气。在这篇小说里，女主人公怕失去的东西实在太多了，家庭、孩子、财富、面子……这使她在长期的通奸中得过且过。男主人公似乎有点勇士的气味，他倒准备按非此即彼的道德准则办事，如果不能公开地与情妇生活在一起，那就只与情妇做"最后一次幽会"，然而，在最后一次幽会中，他却遇车祸不幸身亡，只留下了他的勇士愿望。

准英雄主义的男主人公既死，剩下来的就是看女主人公斤斤计较、患得患失的爱情心理如何在受到意外打击的异常情况下变化演绎了。这本是一种灰溜溜的爱情，是资产阶级庸人利己主义的爱情，缺乏激情与勇气，它总是以"自己有孩子、有丈夫，让人发现和情人在一起，她就完了"这一恐惧为轴心而变化演绎的，这种恐惧使她弃身亡的情人不顾，逃离现场，竭力掩盖事实真相，等等。然而，自私的利己主义又不断受到一些具有韧性与持久力的东西的强烈冲击，那就是对情人的感情与自己良心上的不安，而她内心这种真挚之情与自私的利己主义反复的激烈斗争，终于把她的身心推到了即将崩溃的边缘，她在这边缘上难以自控的一句话，又把她在现实生活中的处境推到了退路已断、义无反顾、只有"背水一战"的地步——丈夫看出了一切！这倒好了，这个糟糕的地步反而使她全部的身心得到了解脱，使她的内心世界里恢复了勇气与坚强，至少是结束了欺骗，恢复了诚实。于是，我们在小说的最后，就看到了一点不同于资产阶级庸人，不同于利己主义的清亮的闪光，从这个意义上来说，小说的副标题似可拟为：《爱情，不由自主的胜利》。

奥地利在世界上不是一个"文学大国"，施尼茨勒在世界文学中也不是一个重要的大作家，他也许只够得上三四流的地位，但是，他是一个颇有独特性的作家：他是西方文学中最早运用意识流方法的一人，他 1900 年的小说《古斯特少尉》与法国作家杜雅尔丹 1887 年的《月桂树已被砍尽》，可说是西方意识流小说中的第一、二只"燕子"。他的所长，显然是在心理描写这个领域，在这篇小说里，我们就可以欣赏到他的这一种技艺。他很善于在动态的现实发展中描写动态的心理变化，反过来，又让心理变化投射在并作用于现实生活中，而心理变化本身又经常是层层深入、反反复复的。这无疑是一种心灵的辩证法。当人们欣赏到了他这种技艺以后，谁又会说心灵辩证法的技艺是俄国作家托尔斯泰所专有的？

"本土之爱"战胜"异域之爱"

——〔英国〕约翰·高尔斯华绥:《苹果树》

    作者在这个近乎中篇的短篇小说里，写出了一个极为动人的三角爱情的悲剧，处于中心地位的是男主人公阿瑟斯特，他的一边是纯朴美丽的乡村姑娘曼吉，一边是端庄清丽的闺秀斯姐拉，而这个爱情悲剧的根由，似乎就在阿瑟斯特的性格之中。

    阿瑟斯特这个人物，是我在世界中短篇小说里所见到的描绘得最为成功的爱情人物形象之一，在他的身上，高尔斯华绥以精湛的古典现实主义方法成功地表现了一种诗人气质、唯美倾向，特别是那种"跟着感觉走"的性格。

    感觉者，对外界事物最直接、最原始、最自然的精神反应也，跟着感觉走的性格最主要的特点，也许要算是接受与契合外界影响的迅速性与无保留性，即对外界事物的影响感受特别敏锐，反应特别自发，没有理性的制约，任原始感受之所至，与外界的影响同向同步，几乎浑然一体，就像整个身心轻松悠闲地躺在水面之上，随波逐流。对于这种情状，我再用更多的语言也说明不具体，且看高尔斯华绥那极为出色的描写，那是在阿瑟斯特来到了风景如画的英格兰乡间，遇见了一个纯朴美丽的村姑之后，坐在微风荡漾、鸟啼不断的草地前的感受:

    他想到威俄里托斯，想到戚威尔河，想到月亮，想到眼睛像晨露一样的姑娘，他想的东西太多了，等于什么都没有想，他只感到快活得出奇。

妙！"他想到的东西太多了，等于什么都没有想"！在这里，人物的思绪就像是一丝云彩，在他面前阵阵微风的吹拂下，随意飘荡。当高尔斯华绥用一系列如此传神的文笔，使读者认识了这个爱好诗歌、喜欢幻想的大学毕业生在美的面前怡然自得、尽情尽兴的脾性之后，他也就解决了这篇小说的关键，剩下的问题就是让人看见他是如何情不自禁地被两种不同的美所吸引、陶然忘机的情景了。

曼吉是一种天真、纯洁、自然、浓烈、浪漫的美，就像野生的山花一样发出醉人的芬芳，陪衬着她的是英格兰淳朴的乡情与优美的大自然。不！她与这乡情、与这大自然是浑然一体，构成了一首无比清新动人的田园牧歌。我在文学作品里很少见到描绘得如此成功的田园牧歌式的情景，即使是以写田园小说著称的乔治·桑，也似乎稍逊一筹，因为高尔斯华绥的描绘是如此的真实而又不缺浪漫的色彩。你看，他笔下的乡野风光是多么明媚，他的苹果园夜景又是多么像仙境一样朦胧而又披上了神秘的轻纱，当此美景良辰，面对着一个美丽得"像自然美的化身""春夜的化身"而又野性未泯的少女，这位青年唯美主义者怎么会不像饮了浓烈的美酒一样沉醉？请原谅他那第一个骑士风度的吻吧，请原谅他在幽会之夜里热烈的拥抱吧，理解万岁！

斯妲拉则是另一种类型的美，她姿容秀丽，又经过了城市文明与有产阶级家庭教养的熏陶，具有娴静的风度，雅致的情趣，良好的文化修养，是形貌美与文明美的结合，一出现在这位青年唯美主义者面前，就成为他心目中的月亮女神狄安娜。烘托着斯妲拉的美的，是英国的文明生活与中产阶级家庭的正常、和谐、愉快的气氛，为了这种生活与气氛，高尔斯华绥同样也用了不少笔墨，这是这个小说篇幅拉长了的一个重要的原因，他写得也相当成功，相当动人，虽然我们在这个家庭里，在这种气氛中觉得时间过得不像在英格兰田庄上那样快，可是，高尔斯华绥却告诉我们，"对阿瑟斯特这样一个有美感的人来说，在这里时间是过得很快的"，正是在他觉得"过得很快"的时间里，他越来越被斯妲拉所吸引，愈来愈远离曼吉，最后形成了曼吉的悲剧。

这样一个结局是不难预料得到的，斯妲拉对阿瑟斯特之所以更具有决定性的吸引力，就在于她是一个与他自己同一个社会层次、同一个文化教养层次的女子，是他这样一个大学教授的独生子、拥有财产与事业前途的青年男子的理想婚姻对象。而曼吉则不是这样一个婚姻对象，即使阿瑟斯特与曼吉由恋爱而终成眷属，两人之间的差异、不协调与矛盾必将扩大而酿成另一种悲剧。对于阿瑟斯特而言，与斯妲拉的爱情是一种正常的、本土的爱，而与曼吉的爱情则是一种非常的、"异域"的爱，人可以在异域中悠游忘我一阵子，但终究还是需要在本土上定居安命的。

在现实生活中，经常是务实的爱情取得胜利发展为合法的婚姻，然而，在人的回忆里，浪漫的爱情，则往往又格外得宠，总要取得某种补偿，阿瑟斯特在银婚纪念时那种浓浓的惆怅与强烈的欠缺感，就是人类这样的爱情婚姻心理的一例。而在阶级社会中，虽然务实之爱总是得到了实惠，高唱凯歌，但在文学表现中，却毫无例外的都是带浪漫情调的、失败了的爱获得同情与胜利。高尔斯华绥的《苹果树》只不过是人类这种文艺心理学的一例而已。

露水之情，风尘之爱

——〔俄国〕伊·阿·蒲宁：《三个卢布》

  在蒲宁的短篇小说中，被欧美评论家以及苏联评论家认为乃优秀之作的，几乎全是爱情小说：《米佳的爱情》《中暑》《幽暗的林间小径》《乌鸦》《在巴黎》《三个卢布》等。

  蒲宁笔下的爱情大致上可以说都是邂逅之情、"露水"之情，它往往是在生活的某一时期一瞬而逝而永不复归的：《幽暗的林间小径》写一个贵族少爷和一个农奴少女曾有过一段短暂的私情，而后，就像那个时代经常有的那样，少爷"告别了"，永远"告别了"；《乌鸦》写一个少年和他父亲雇用的一个少女恋爱，刚一开始，就被父亲发觉制止，并被打发离开了家庭，永远失去了他的初恋；《在巴黎》写一个流亡者的一段艳遇，但他的幸福没有持续多久，他就暴病而亡，永远离开了他那么心爱的妇人。在写这些爱情故事的时候，蒲宁似乎不打算表现任何主题思想，如果有所表现的话，这些故事看来有一个共同的主题，即爱情与幸福的短暂。

  与此同时，蒲宁似乎也并不打算对人物的情感和行为加以任何道德的评判，他只致力于描写人物思想情感的情状，因而，感情描写的细腻构成了他爱情小说的一个明显的特点，而他小说中人物的思想感情，又像那爱情故事一样，也是过眼烟云，留下来的只是一种感情上的陈迹。作者如同描写一件精美的、体现着动人回忆的古物一样，去写这已经逝去的爱情故事和已成陈迹的爱恋之情，这又使他的小说中回荡着一种对往昔的略带哀愁的怀念、一种凄清的情调、一种对幸福生活的虚妄感。在《中暑》中，那个刚与情妇分了手的中尉，突然从欢乐的情欲中掉进了难挨的寂寞，"感觉自己一下子就衰老了10年"；在《幽暗的林间小径》中，贵族少爷与农奴姑娘的充满诗意的私情早已成为古老的过去，剩下来的是女方的哀怨和男方混合着怀念、羞愧和无情的复杂心情；在《乌鸦》中，一对青年人动人的初恋像梦一样逝去了，代替它的是那么丑恶的现实——那少女竟嫁给了青年人的父亲，那个像一头乌鸦的老官僚，而她居然还"轻松自若""兴致勃勃"；在《在巴黎》中，男女主人公的幸福生活很快就成了泡影，最后是女主人公莫大的悲痛。

蒲宁的小说，就是这样描写爱情上、感情上的"沧桑"，他小说的戏剧性就是建立在这种"沧桑"的变化上，并且，从这些小说的结局来说，这些"沧桑"的变化几乎都是悲剧性的，总充满了一种凄凉的味道，传达出作者那种人生变幻无常的感受，这是蒲宁爱情小说所共有的一个基调。

为什么总是响着这个基调呢？这似乎与作者本人的身世并非无关：他出身于一个破落的贵族家庭，早年又有过清贫而不安定的生活经历，他成为一个名作家后，对革命又不理解，十月革命天翻地覆的变化使他感到惊慌失措，以致走上了流亡的道路，从此，过着精神上空虚孤独的生活。他从自己的生活经历中最易于体验到的，当然就是那种人生多蹇、命运无常的感受，他把这种感受带进自己后期的创作爱情小说里，因而形成了多少有些消沉、凄切、颓唐的情调。而且，既然他致力于写爱情上的"沧海桑田"，因而，他往往只追求人物在这种"沧海桑田"前后的变化和对比，而不着意于表现他们感情的社会内容和道德意义，更是很少表现自己评判的态度，肯定或否定，赞赏或批贬，因而，蒲宁的爱情小说思想性往往不高。

《三个卢布》与作者的其他小说有某些相同之处。出人意料的变化，是这篇小说首先吸引人的地方。故事一开始，似乎将是一个妓女的登场，然而出现的是一个奇特的女学生；本来，读者以为只是一桩少女卖笑的故事，结果却大出意料——从那个时代社会常见的出卖肉体与购买肉体的卑劣的交易中，却产生了真正的纯洁的爱情，而正当读者为男女主人公的真挚结合而松了一口气时，却又是女主人公的死亡。所有这些，都多少传达出了作者惯有的那种人生变幻无常的感受。不过，《三个卢布》也有自己的特点：在这里，作者并没有放弃他作为作家的社会意识和道德感，而表现了自己对事件的感情和态度。他通过小说中的"我"那种开始是轻松自在，而后是严肃沉重的语调，叙述了一个双重的悲剧：一个父母双亡、无依无靠、流落街头的少女如何被迫出卖自己肉体的悲剧和一对在奇特的情境中相识后产生真挚爱情的情侣，最后仍未能白头偕老的悲剧。如果说后一重意义上的悲剧还有一点蒲宁的爱情小说所常有的那种色调的话，那么，前一重意义上的悲剧，则接触到了蒲宁所生活过的旧俄时代黑暗的社会现实，这个女学生为了不至于饿死，仅仅只要三个卢布就出卖自己的青春，该是一件多么悲惨的事！它正反映了那个时代千万因衣食无着而被迫沦落的妇女的辛酸和不幸，只不过，这个可怜的女孩子一次就幸运地碰上了一个好人，而没有陷入被践踏的污泥里而已。作者满怀着同情写出这个少女的遭遇，写出"我"基于一种人道的感情、一种怜悯、一种柔情，而与这个"风尘女子"建立了深厚爱情的故事，所有这一切，又都表现了作家本人纯正的感情与良知。

生活伴侣之爱

——〔美国〕西奥多·德莱塞:《失去的菲苾》

他不是触景生情地思念，也不是经常不断地思念，他对妻子的思念已经成为他每天每天生活的唯一内容；他不是止于思念，也不是偶尔采取行动，而是每天每天都外出寻找他那失去的菲苾；他不是在某一个月这样做，也不是在某一年里这样做，而是在长达 7 年的时间里都不停地在寻找。

他怀着绵绵无尽期的思念，以坚毅的精神在乡村、在田野、在树林里过着风餐露宿的艰苦生活，整整漂泊了 7 年，进行这种无望的寻找。这种思念、这种感情、这种意志、这种努力，成为他整个晚年生活的全部追求，成为他作为一个人还拥有的一切，成为他漫长一辈子最后唯有的剩余，成为他仍在进行的生存活动——继续在感觉、继续在沉思、继续在行走、继续在作息——的唯一的支撑点。

这是一种多么有分量的感情，一种多么深厚执着、沉甸甸的爱！

谁读这个故事，都会泪眼模糊，特别是经过人生沧桑的人，更会怆然涕下！而这个故事是发生在一个枯瘦的老农人的身上，他衣服褴褛，满脸皱纹，须发蓬松，他所寻找的对象则是一个矮小难看的老妇，她穿一身寒碜的黑衣服，戴一顶可笑的黑帽子，她是老亨利心目中的贝雅特丽齐！

在一般人的观念里，爱情是青春所专有的领域，而文学中的爱情故事，似乎都是由郎才女貌的年轻人来扮演才行。德莱塞用这篇小说打破了这种误解，他为人类文库提供了一篇写老年夫妇之爱的典范杰作，一篇既不是以优美的形象又不是以诗的意趣，而只是以质朴深挚的人情人性（这就足矣）来催人泪下的杰作。

曾经有这样一种对人生真谛似已大彻大悟的高见："婚姻、家庭是爱情的坟墓。"对某些人来说，事情的确如此，但这绝不是人类感情生活中一个普遍的、绝对的规律。执这种高见的人、有此种经历的人，大都是一些浪漫主义爱情与诗意爱情的追求者，婚姻与家庭所带来的平凡的日常生活、家务琐事，自然被他们视为爱情之大敌、爱情之坟场。这种观点造成了爱情似乎只与罗曼蒂克联系在一起的偏见，爱情天生就姓罗的神话。

的确，随着婚姻的缔结与家庭的建立而来的日常生活，不会再有什么浪漫主义的诗意，特别是普通人的生活更充塞着使任何罗曼蒂克因素荡然无存的"柴米油盐"。然而，如果在婚姻与家庭中，浪漫主义的爱情关系可能消失的话，那么，经常倒总有另一种感情关系来取代它，那就是伙伴关系的感情。在浪漫主义的爱情关系中，精神上、内心中的愉悦感往往是占有主导地位的，而在婚姻家庭的伴侣关系中，则是共存感占统治地位了，而这种共存感是与共同的存在方式紧密结合在一起的，是共同存在的需要所直接滋生出来的，它作为维系双方关系的感情纽带，往往是深厚的、牢固的，虽然它的表现形式往往并没有诗意，没有光彩，毫不起眼。

我们所看到的老亨利与老菲苾的关系和感情就是如此。他们不仅共同生活了一辈子，而且是在一个相当特殊的条件下共同生活了一辈子。那是一个人烟稀少的地区，每隔一二英里路才有一座房子，对他们来说，世上的一切都像幻景一样遥远。在这个孤零零的田舍里，他们终生相依为命，似乎天地之间只存在他们两人，只由他们两人"平分了这个简单的世界"。这种存在状态，就是他们深厚牢固感情的基础，而他们劳动朴实的生活，则培养了他们那种纯朴的感情，他们老两口的那种对话与拌嘴，是多么具有孩子般的单纯与意趣！

德莱塞的短篇，在提供了人类情爱的一种典范标本的同时，还为短篇小说的创作提供了概述艺术的典范。作者在叙述老亨利整个晚年的生活与感情时，既展现了漫长时序中的总体状态，又突出了某些鲜明典型的细节，其大刀阔斧的取材、其概略的勾画与细致描写的协调配合，几乎达到了最完美的程度。

爱情在情感生活中的正常比例

—— 〔德国〕黑尔曼·黑塞:《美丽的青春》

当你读完这篇小说的时候，你会发现它与其他很多爱情小说有些不一样，如果你也把它视为一篇爱情小说的话。

在一般爱情小说里，特别是在短篇爱情小说里，往往爱情就是中心，就是主旋律，是作家着笔用墨的主要目标，有时甚至是唯一的目标。于是，我们在这些小说里，就看到爱情居于君临一切的地位，它主宰着、盘踞着、扩张着，它无比强烈，无比昂扬，它排斥其他的内容，它占据了主人公全部的心思，充塞着他（她）的几乎全部的生活，控制了他（她）全部的情感，似乎他（她）在那个空间、在那段时间里的整个存在内涵，只有爱情这一桩事！这客观上就造成了一种结果，即爱情小说与生活真实的距离。也就是说，爱情在爱情小说中的地位，比起爱情在现实生活中的地位，实际上是大大地被夸大了。

面对这样一种结果，不是一个应该归咎于体裁与作家的问题，而倒是更应该由读者拿出理解力来的问题。

对于体裁来说，既然是短篇小说，当然就需要高度的集中与必要的剪裁，而既然是短篇爱情小说，当然就需要突出爱情的主题与线索。于是，愈是集中，爱情就愈占有重要地位，以至写得最集中因而也是写得最成功的短篇爱情小说里，那种强烈的爱情往往在现实生活中极为罕见，甚至是"千载难逢"的，它们总是深得读者的欢迎，因为，读者乐于到小说里去追求的，正是这种在现实生活里罕见的东西。

对于作者来说，这里存在着一个全部视野与具体焦点的关系问题。在全视野中，他也许看到了主人公全部的生活内容以及他的爱情经历在全部生活中所占的局部位置；在全悟性里，他也许很了解主人公的各种情感与心态以及爱情在所有这些内心活动中所占的比例，也就是说，在他的观察与思考中，全部与局部的关系、整体与细部的关系，很可能是明确的、符合客观实际的，但当他把他的视觉的焦点集中在人物的爱情这个局部时，周围的一切就会变得模糊起来，而当他愈来愈把视觉的"镜头"推向这一个局部、扩大它的比例、集中地把一个个细节加以放大的时候，周围的一切就都消失了，只剩下了这一个局部，甚至只剩下这一局部的某一些最突出、最入微的细节，于是，读者在小说里所见到的，就只有爱情故事与爱情心态了。

黑塞的《美丽的青春》作为一篇爱情小说的不同处就在于，它如实地、恰如其分地表现出了爱情经历在整个生活经历中所占的局部地位，爱情心态在整个内心活动中所占的合乎情理的比例，它使读者又恢复了在现实生活中一个简单的常识：人不是一天到晚都在谈情说爱，人也不是整个心思都扑在一个爱字上，人毕竟要生活，有很多其他的事要做，有很多其他的事要想，全身心地浸在爱情之中，那只是纸面上的人物所经常享有的特权与幸福。

要把爱情在整个生活中的局部性表现出来，并非要把爱情写得像微弱的闪烁的星光一样，让它埋没在沉闷晦暗如黑夜的平庸生活的繁琐描写之中。黑塞选取了一个青年人回家乡度假期的一段时光，表现出了他这一段充满了青春活力的生活以及生活中的爱情内容。他乡情的苏醒，他从家庭成员那里感到的温馨，他在乡间的散步，他酣畅的游泳，他与小兄弟未脱顽皮之气的游戏，他的文学阅读与音乐娱乐活动……所有这一切与他的爱情同时并存，相得益彰，和谐地融为一片，构成了一幅青春生活充满朝气、健康洒脱、轻快自如的画面。当然，你也许会指出，与他的爱情并存着的，正是一些乡间琐事与家庭生活中微不足道的细节。然而，这些琐事写得如此充满了感受，如此富有色彩，如此蕴含着微妙的意味，写得如此轻快而灵性十足，它们之于小说的爱情内容，也就不像是一片晦暗埋没着点点星光，而像是包括了无数细小星星的银河衬托着一个光亮的星座。

这里，青年主人公身上与青春的活力结合在一起的爱情，与有些爱情小说中的主人公的爱情有所不同，它具有一种轻快的风致：他的爱意来得很快，他一旦失恋，痛苦消除得也快。在短短一个假期里，他恋爱了两次，失恋了两次，他不像有的爱情小说的主人公那样，恋爱起来，狂热沉醉，失恋起来，要死不活。也许正是因为他是处于一种"关系的制约"下，因为他的爱情处于与日常生活的其他内容、内心世界的其他内容的协和状态之中，平衡还没有被打破。他身上还没有爱情亢进的症状，或者说，作者全视野的观察与全方位的着笔，还没有使他的人物患上爱情亢进的症状。在主人公轻快的爱情之中，无疑，爱情来得快是最关键的一面，他似乎时刻都准备恋爱，美貌动人的海伦娜固然能使他重新燃起热情，容貌平平但和善亲切的安娜也能使他滋生爱意，他似乎有着丰富的美感，善于从几乎所有少女身上发现可爱之处，他似乎还有着无限深厚而敏锐的温情，可以迅速施及他所遇见的女性对象。他对女性的丰富美感与灵敏的温情与他身上犹存的少年人的纯真又结合在一起，使他恋爱的时候只不过多几分愉悦与遐想，而失恋的时候只不过有那么几天的烦恼与忧郁，来得自然，去得也自然，就像是一阵阵的和风，在他内心里吹拂而来，飘荡而去。

请不要以为这是一种轻浮，每个人的一生中，曾经在内心里吹荡而过的这种和风何止两三阵？也许是旅途上从车窗里看到的月台上一个陌生少女的身影引起的，也许是一次晚会上见过一两面的新交所引起的，也许是共事过一阵的朋友所引起的，也许是一次表演中几个动人的镜头所引起的，它们往往只是一些遐想，一些思念，一些倾慕，一些朦胧的不切实际的愿望，持续的时间不会很长，有的一两个星期，有的一两天，有的甚至只有一两个钟头，这种感情和风在内心中吹来荡去，就像新陈代谢一样显示出精神的生机与活力。从这个意义来说，黑塞笔下的这个青年人的情态是可以理解的，这便是我所看到的《美丽的青春》所具有的爱情心理学上的意义。

邂逅之爱

——〔英国〕艾·埃·科珀德：《黑发的露丝》

　　邂逅之爱，在人生中经常是一大幸事：它突如其来，意想不到，令人喜出望外；它进展迅速，有如神助，在极短的时间就达到了顶峰，令人神迷心醉；它常转瞬即逝，只来得及展示它浪漫的内容与绚丽的色彩，而没有来得及带来可能有的矛盾、烦恼、难堪、平庸与尴尬，给人留下了如身入奇境的美妙回忆；它出于偶然，巧夺天工，早一分钟迟一分钟都不行，换一个地点不行，另是一种心情也不行，一切都配合得如此巧妙，似乎有上天的精心安排。它如此罕见，如此难以成活，千万个人中也难得有一人一生得遇一次。"物以稀为贵"，它在人类爱情科目中之珍奇，犹如熊猫在动物中的地位，自然，它在文学中往往是格外得宠的。写邂逅之爱的短篇小说很多，不胜枚举，《黑发的露丝》在我看来是颇有特色的一篇。

　　要把邂逅之爱写得叫人看得下去，首要的就是要取信于人，使读的人对那突如其来的爱情感到真实自然，试想，两个素不相识的男女，在短短的时间里，竟然一拍即合，如果不是有"充分的理由"，岂不有点不堪，何能进入小说的"大雅之堂"？

　　究竟是什么动力、是什么气氛、是什么情绪使两个陌生人之间蹿起了爱的火苗，使得男女双方迅速越过了分隔的间距与社会规范的障碍，抛弃了种种现实利害的考虑，缩短了身份、职业的差距以及心理上的隔阂而结合为一体？莫泊桑在他的《郊游》里很"直率"，在他笔下，那两个资产者母女与那两个水手，在短短几小时的邂逅相遇中有了性爱关系，干脆就是由于双方的性感吸引与肉欲冲动，只不过他把这赤裸裸的真相写得非常巧妙，显示出他在短篇小说藏与露的艺术上高超的才能。与他不同，科珀德在《黑发的露丝》中，从另一个不同的角度处理这个题材，处理得比莫泊桑更富有诗意、更有心理深度。

他让这个男主人公从远处一步步慢慢地走进即将产生爱情的那个场所，也许，你觉得人物行程中那种环境描写颇为多余，不，它们的作用至关重要，这男人先是进入了一个罕见人迹的山区，这就意味着远离了他原来那个纷纷攘攘的现实社会，然后是这个山区里一个荒凉的小镇，小镇上一个僻静的小旅店，小旅店里空荡荡的店堂，那里几乎只有黑发的露丝一个人。这样，这个男人就等于来到了一个与世隔绝的孤岛。随着他来到这个孤岛现场，作者也就把他身上一切现实社会关系的羁绊剥得一干二净，让他的身心从一切约束中解脱了出来，让他面前只剩一个"现实关系对象"，只剩一个人的对象，那就是一个黑发的少女。这种封闭式的孤立的境况，正是亚当与夏娃最难以抗拒的危险陷阱，在这种境况里，总难免要发生点什么事，不论男女双方的距离有多么远，甚至原来的关系有多么敌对。

重要的还有人的心情。人在羁旅行役中之容易动感情，早已在中国的古典诗词里被证明千万次了，看来，外国人有时也免不了有"异乡风物，忍萧索"的情怀，这个短篇中的这个旅人身上，就有那么一点落寞空寂的情调。这情调在一片宁谧的氛围中，与面前那个少女身上的抑郁、忧伤、凄清一下就融为了一片，且不说她那一头披肩的黑发正符合他青年时期以来对爱神的想象。

至于那个少女，也许她女招待的职业使她早已对男人内心里的骚动与隐秘的企图习以为常，何况，这次她所碰见的是异性的柔情，而不是粗俗的肉欲，因而，她所回答的，除浓烈的爱意外，还有充满了辛酸的悄声哭泣。

　　正因为有了这种不落凡俗的触媒与化合，才有了最后那一场咸津津的泪水冲走了旅人的情欲，出现了一个"天真无邪"的场面。邂逅露水之爱，经常是不缺肉体结合这一成分的，但这一次却偏偏没有！于是，小说就由邂逅情上升为异性之间诚挚的同情与怜爱，因而具有了新的不平凡的格调。

忠诚不渝的爱慕

——〔法国〕安德烈·莫洛亚：《星期三的紫罗兰》

曾经有过这样一幅画，一大片绿色的原野里，有那么一个红艳艳的小点，这一点所占的比例很小很小，但它是那么鲜明、突出、醒目，构成了图画的中心。法国作家安德烈·莫洛亚的小说《星期三的紫罗兰》，与此有些相仿，它让读者看到了宴会上的一片热闹，听到主客之间的闲谈与对女演员早年色艺俱佳、红极一时的回忆，以及对她被一个不知名的大学生爱慕的追述。它写了不同的人对这一桩故事的态度和议论以及最后的真相大白，却一直没有写那个男主人公的出场，对于见过他的人、对于与他有关的人，这里都一一有所描写，偏偏对于这个人物只有几处轻淡的笔墨，其所占的比例实在很小。即使对于他那种热恋的情状，也只是通过旁人的叙述，读者才略知一二。整篇小说大部分篇幅似乎都是在写那外围的一大片"绿"，而只点出了那一点"红"：那青年人送来的那束紫罗兰。这一束紫罗兰是那么鲜明、突出、醒目，它构成了故事的中心，是它把整个故事前后贯串了起来，先是每星期三痴情的大学生向女演员送紫罗兰，后来，又是女演员每星期三到大学生的坟上去送紫罗兰，前后映照，有机地构成了一个动人的爱情故事。

当然，这一束紫罗兰并不只是作者用来安排故事的道具，而是他笔下的一种感人的爱情的象征。它意味着一种热烈的爱慕，一种以谦恭的态度和持久的恒心所表现出来的爱慕。

　　这个大学生的爱慕仅仅从看了一场演出而来，是不是太轻浮了一点呢？作者告诉我们，此君的确带点罗曼蒂克的气息。"罗曼蒂克"这个词，在我们看来，似乎贬义的时候居多，近乎"想入非非""不切实际""感情用事"之类。然而，应该看到，自从资产阶级建立了自己的秩序、专注于积累财富和自由竞争以来，利害打算和得失计较就开始成为社会的风习，相形之下，罗曼蒂克的激情和天真，倒开始有了几分可爱。像司汤达、梅里美这样杰出的作家，早在 19 世纪上半叶就以赞赏的态度描写过某种具有罗曼蒂克光彩的鲜明的形象，用他们来和庸俗的、充满了功利的现实对照。这篇小说中的这个大学生，在精于打算的人看来，不可谓不有点"痴"，但他那份真诚在那个凡俗的现实中不是也甚为难得吗？他的爱慕首先是产生于对艺术的狂热，那时谢妮正以她醉人的姿色、高贵的教养、天才的演技征服了巴黎，使这个青年大学生着迷的，正是谢妮在舞台"那娇羞的情怀表现得多细腻，诗一般的情调表演得多动人"。既然最苛刻的评论家都认为"她高傲的仪态、抑扬顿挫的语调，简直能把鳄鱼迷住"，那么，这一个敏感、热情的青年对她产生狂热的崇拜，又有什么奇怪呢？但他又并不是一个庸俗的专和女演员纠缠的戏迷，他的爱慕是那么脱俗、那么诚心、那么持续经久、那么具有一种美的情操，的确如他父亲所说的那样，"没有任何失敬或轻佻的成分"，是一种"伟大的爱"。这一爱情在小说里并没有其他表现，而只表现于每星期三送来的那一小束紫罗兰上，这一小束紫罗兰是只值两个子儿的便宜货，与那些大亨、公子哥儿送来的鲜花相比，显得简陋而低廉，然而，它却体现了一种罕有的价值，一种用金钱所不能兑换的价值。

　　小说如果只写了这个青年送紫罗兰的故事，那它的韵味还是不充分的，还必须写谢妮。谢妮在舞台上所创造的艺术美的形象是一回事，她实际上过的脂粉浓艳的生活则是另一回事。她身边有一大群有身份、有财富的追求者，她生活在奢华与奉承之中，而且在情场中的经历也并不单纯。然而，她在得知了那个死去的学生曾定期向她送紫罗兰的真情后，特别是在知道了那个青年是为了逃避对她的无望的痴恋而到战场上送了命的时候，她似乎受到某种震动，似乎在闻到一股沁人心脾的气息后，从那长期由于浓艳的生活而头脑昏昏的状态中醒了过来。她感到了这种忠诚、这种深情、这种隐衷的分量，因此，从她还相当年轻的这个时候起一直到她老年，每逢星期三都到这个青年坟上送一束紫罗兰，此举固然说明了谢妮在那脂粉的生活中并没有丧失纯正的价值观念，但不是更表现出了穷学生那束紫罗兰的清香所具有的不可思议的感人力量吗？这种感人力量在这样一个始终在浮华与虚荣之中打滚的谢妮身上产生的结果，竟是一种那么持久，丝毫没有被长期的日常生活销蚀、磨损的珍视和怀念。当安德烈·莫洛亚写到这里的时候，我们就很难判断他究竟是对穷学生那束紫罗兰还是对谢妮这束紫罗兰更为赞赏、更为感动。但，不论是哪束紫罗兰，也许我们可以这样说，作者所看重的，终归还是人与人关系中感情的真诚不渝。

高雅风度之爱

——〔法国〕安德烈·莫洛亚：《在中途换飞机的时候》

作者在小说的一开头，就通过人物之口指明了这是一件"最离奇的事"，读者乍看之下，对这种离奇性简直有点难以理解：一个飞渡大西洋前往美国去和一个银行家结婚的法国少妇，在伦敦换飞机的时候，短短不到 12 个小时，就对在机场遇到的一个英国男子发生了感情，两个人度过了一些难忘的时刻，而她竟决然改变了去美国的计划，毁了原来的婚约。

过去曾经有人说过，18 世纪著名的中篇爱情小说《曼侬·莱斯戈》表现了男女主人公的爱情具有"排山倒海的力量"。这部小说写一个贵族子弟对一个荡妇淫娃的难分难舍，此"情"在多大的意义上可算得上纯正的爱情，它又具有多高的道德美的价值，我们暂且不去评论，只以"排山倒海"而言，也当然是形容夸大之词。如果比起"排山倒海"，中途换飞机的故事也许并不稀奇，在这里，短暂时刻所发生的感情变化虽然使法国少妇做出了生活中甚为难得的抉择，但无论如何还是人力之所能为，并没有达到那种超自然的力量。不过，爱情小说总要表现某种不平凡的东西，或感人的故事，或热烈优美的情操，或深刻的社会意义，或隽永的哲理。这篇小说，如果我们没有理解错的话，显然是要表现某种人生的哲理。

哲理之一：人的生活，特别是爱情，是不能由外表上具有价值的那些东西来决定的。这个法国少妇在婚姻爱情上一直陷于某种盲目性，第一门婚事是为了讨父母的高兴。孀居后，从"编班成排"的追求者中看上了一个美国人贾克，和他订下了婚约，其出发点，一是因为他"有钱""实在""要明媒正娶""为他生几个漂漂亮亮的孩子"；二是为了逃避和父母的矛盾，一走了事到美国去。总之，不是从婚姻爱情所要求的那些真正的条件出发，而是从只具有表面价值的东西出发，又一次陷入了盲目性。但是，和那个英国男子的邂逅，在一种特定条件下的对坐晤谈，却使她第一次看清楚了自己和贾克没有爱情、没有共同兴趣、没有相近性格作为基础的婚姻，将是一件多么危险的事，其后果必然是资产阶级家庭常见的那种悲剧。在这篇小说里，从盲目性中自拔，正是作者所着意宣传的主题之一。

哲理之二：人的生活，特别是爱情生活，是不能听之任之、为客观情势所推动的，而必须有自己的决断，一旦发现了自己的盲目性，那就必须毅然决然，急流勇退。这个哲理的宣扬者也是那个英国人，而这个哲理的实践者就是这个法国少妇，她一旦发觉了她和贾克的婚姻并无爱情的基础，她就决然地折回了法国，而这就构成了小说的主要情节，也是安德烈·莫洛亚用赞赏的笔调加以肯定的人生中一件难得的奇事。虽然作者不无讽刺意味地写出，这个法国少妇后来又不断地陷入了盲目性，"人的禀性真是难移"！但小说以最后一句话"人总是可以变好一点吧"，仍然清楚地试图说明：人生道路上的某一次觉悟和自主性，总是有着积极意义的。

在所有这一切之上，安德烈·莫洛亚似乎要说明的，还是爱情的广义性。他通过彼德·邓纳这个英国人之口，道出了这样一种广阔的理解："伟大的爱，不是对某个女人的爱……还存在着某种非常美的事物，值得我们为之而活着。"照他说来，这种爱"像宝石一样晶莹纯净"。当这个法国少妇直觉地感到他"身上有点什么"使她可以信任和依赖时，他做了解释，"你说的'有点什么'，'就是不存私心'"，接着就是下面那句作者用来点明整篇小说主旨的警句："一个人只有不再为自己谋求通常所说的幸福，或许才能恰如其分地去爱别人，才能获得另一种方式的幸福。"彼德·邓纳本人就是这一系列闪光的思想的体现者。他赤诚的热情和富有诗意的风度很快就使那位最容易任性之所致、随感情之波而逐流的法国少妇对他产生了感情，而那些鞭辟入里的人生见解则又打开了少妇的眼睛，使她决定中途毁了自己与贾克的婚约，并且表示愿意和他建立新生活。然而，彼德·邓纳并不是《包法利夫人》中罗道尔夫式的"哲学家"，罗道尔夫在农展会上用喃喃的细语、忧郁的情调向爱玛讲的那一套"人生哲理"，只不过是为他的占有和奸淫开路的武器，而彼德·邓纳的哲理虽然比罗道尔夫的"哲理"更迅速地引起了戏剧性的效果，他却谢绝了这位俏丽聪明的少妇的一番柔情美意，他充满了理智和善意，十分友爱地和她一起度过了伦敦的深夜，第二天早晨就离开了她飘然而去，用什么来形容在她生活中留下来的那种东西呢？也许是像菊花一样沁人心脾的清香吧。

在现代资本主义社会中，由于家庭婚姻生活稳定性的解体倾向、道德观念的淡薄、交往的自由化、旅游休假的生活方式的发展，旅途上偶然相遇中男女的临时结合，已经是不鲜见的社会现象，在文学中也得到相当多的描写。蒲宁的一个短篇就写了一个中尉与一个避暑后返家的有夫之妇在船上的邂逅，他们相识还只有三个钟头就成了情人，当第二天早晨分手时，互相还不知道彼此的姓名和身份。比起这类只写出了一时的疯狂和放纵的作品，安德烈·莫洛亚的这篇在格调上显然要高出许多，它具有一种精神向上的高尚的韵味，而不是一种偶然遇合后低廉的惆怅和感伤。它写出了一个真正的人的人格和一个真正意义上的爱情故事。也许是因为在那个社会里，像这样的人和像这样的事是很少有、很难得的吧，所以才显得"有些离奇"。

初恋的力量

——〔日本〕武者小路实笃:《初恋》

    每个人几乎都有自己的初恋，不论是成功的，还是不成功的，有结局的，还是不了了之的。而且，在每个人的生活历程中，初恋往往总给人以动人的回忆。正像"一个大人是不能再变成一个小孩……但是，难道小孩的天真不令他高兴吗"[①]一样，当一个成人回顾自己生涯的时候，早年的初恋往往仍能强烈地撩动自己的心弦。这不仅因为初恋是人的第一次爱情经历或爱情体验，不可避免地要以最深刻最鲜明的线条刻印在人的心灵上，而且，因为在初恋里既爆发着年青的热情，又保持了少年的稚气、天真和纯洁。如果只说初恋在以后的岁月还不时撩动着人的心弦，也许还是不够的，它的力量往往比这大得多：它可以使一个人终生感念不忘，对它保持清新动人的回忆，在荒漠的人生中，把它当作一块令人心旷神怡的绿洲；它可以成为一种持续多年的精神动力，给人以积极向上的情操力量；它也可以成为一个终生难以磨灭的烙印，在整个生涯中无处不像幽灵一样地出现着、影响着、笼罩着人的行为和思想；它还可以是一块礁石，使人的命运在这里被决定了。例子当然不胜枚举，这已经成为了一种人生的常识，用不着再去做社会的、心理的统计。不过，历史上有的著名的例子也还值得一提，因为这类例子已经成为具有历史意义的事件，如像意大利伟大的诗人但丁的初恋就是。但丁青年时代在佛罗伦萨遇见了一

------

① 马克思:《〈政治经济学批判〉导言》。

位美貌的少女贝雅特丽齐，对她产生了热烈的爱慕，这种爱慕经久不衰，在她死后又转化为一种持久的怀念，不仅使他写出了献给这个女子的抒情诗集《新生》，而且，使他在他划时代的诗歌巨著《神曲》中，把贝雅特丽齐写成一个崇高、纯洁、幸福的象征：但丁游地狱是罗马诗人魏吉尔带的路，而他来到净界，则是贝雅特丽齐来当引导，是她带着但丁游历了天堂，一直到了上帝的面前。请看，这是一次创造了多么了不起奇迹的初恋。在人类历史上，有了但丁这一初恋的范例，那么，怎么估计初恋所具有的神奇力量，也许都是不过分的了。

文学是现实生活的反映。"初恋"在人类感情生活中所占的地位，必然使它在文学中成为一种永恒的主题，使它给文学带来好些清婉动人的篇章。不知为什么，文学中的初恋故事往往都不是以美满的结局告终，似乎皆大欢喜、有情人皆成眷属与初恋是格格不入的，那些初恋故事的结局，或为悲剧，或像昙花一现，流星一闪，留下来的是空寂，是清淡的哀愁，是像轻絮一样飘忽而又永远连绵不断的思念。在表现初恋的清新、悲凉以及忧郁的方面，最著名的例子，大概要算德国19世纪作家史托姆的《茵梦湖》了。这是一篇充满了哀愁的爱情小说，一对从小青梅竹马互相热爱的情人，由于现实和家庭的原因，竟未能结合，不幸的结局，给他们双方都留下了终生的遗恨，他们那初恋时淳朴、真挚、深情的动人场景，是通过男主人公老年时的回忆呈现出来的，其中又流露着老人对他失去了的整个青春的深情怀恋，弥漫着感伤悲凉的情调，渗透着优美而带忧郁的诗情，所有这一切构成了一种不可思议的魅力，使这个故事成为了感人的名篇。除了《茵梦湖》外，陀思妥耶夫斯基的《白夜》，也是这方面出色的一篇，主人公与那个等待着的少女，相逢邂逅的5个夜晚，他们萍水相逢的互相同情、互相信任，他们在这基础上产生的真挚的友情，以及这个青年人第一次恋爱时所感受到的那种孩子般的欢乐和极为天真的对幸福的憧憬，这一切都成为他数十年寒微灰暗生活中闪闪发光的美好的东西、支撑着他忍受那冷酷而沉重的生活的唯一精神力量，他的慰藉，他的欢乐，他值得怀念的东西，都来源于他这初恋的 5 个夜晚，5 个像白天一样光明、没有半点晦暗和阴私的夜晚，这该是一次多么感人的初恋，虽然这一次初恋是以他个人的悲剧而告终的。《茵梦湖》和《白夜》这两个例子之所以特别著名、突出，原因就在于它们都出色地表现了深深扎根于心灵深处的初恋所具有的那种不可思议的持久性的感人力量。

其实，写初恋的作品何止这种类型，应该看到，在爱情题材的作品里，几乎有很大一部分实际上写的都是初恋。在世界文学的爱情巨著中，罗密欧与朱丽叶、圣·普乐与朱丽亚、维特与夏绿蒂、柯丽娜与奥斯华尔德这些人物的恋爱，无一不是初恋。就以我们所评论过的外国短篇小说而言，其中那些男女主人公不是绝大部分是第一次恋爱因而都表现了热烈而纯朴、天真而持久的感情吗？只不过，那些小说的着笔点，不在于这种感情是不是第一次，而在于其他方面而已。我们眼前的这篇小说如果说有什么特点的话，那么，首先就是它在"初"字上下功夫，要表现出"初恋"的特点，表现出初恋之所以是初恋的那种情感的情态，总而言之，正像它的篇名所表明的一样，它给自己所规定的任务，就是要表现出作为第一次爱情的初恋。

我们说过，每个人都有自己的初恋。看来，这个短篇所写的很多就是作者本人初恋时的真情实感。在这里，我们看到了典型的初恋的感情，这种感情如果说在过去的文学中都有所表现的话，那么，在这个短篇里则得到了某种明确的表述。例如，小说一开头就这样说，"我初恋的女子，我称她为'第二个母亲'"，把一个初恋的对象比喻为"母亲"是否过分？这里当然是一种夸张形容，不外是用来表述很多作家都表现过的初恋所具有的那种神奇的力量。事实上，在这篇小说里，如作者自己所承认的，正是这次初恋把他"造成了一个新人，赋予了新的人格"。他原来只是一个毫不出色的青年，在学业上平庸而又不努力上进，只是在这次初恋之后，他似乎得到了启迪，才开始致力于文学。而且像任何初恋都给人打下了深刻的烙印一样，这次初恋也长期地影响了这篇小说的主人公，他初恋时的感情是那样的持久，那样经得起时间的磨损而始终贯穿于他的一生，并且深深影响着他的文艺创作，这个女子的情影一直萦绕着他的形象思维，他把她当作了美的象征、美的源泉，往往在不同的作品中，把她化为不同的美的形象，而同时又把当年初恋时的那种感受作为人物的情感写进了作品。正因为这一篇小说的主人公是作家，初恋对他的持久影响主要表现于他的艺术创作中，所以，这个短篇就提供了类似但丁的初恋与他的创作之间关系的生动的例证，但丁虽然只在佛罗伦萨的街上遇见贝雅特丽齐几次，但他却把她加以美化和诗化，使她成为自己诗的灵感的一个源泉。这篇小说所表现的，正是初恋这种美的力量，初恋所能创造的奇迹。

　　这个短篇的优点，除了出色地表现了初恋的持久性外，再就是细致地描述了一个少年人初恋时那种朴实的情愫。我们说它是情愫，因为它是那样轻淡，而且是从平凡的生活细节中像溪水一样潺潺流出，甚至只是像山泉一样令人难以察觉地渗透而出，这里，既无什么吸引人的爱情场面，也没有什么互相的爱的表示、爱的语言，一切都像生活那样平淡无奇，那样自然、真切，构成故事内容的只不过是青年人如何想和他爱慕的贞子多讲几句话，而且是几句极为普通的话；如何想和贞子多见几次面，哪怕只是远远地见到了她，或者只是感到她就在自己的隔壁；如何怀着要"不愧为贞子的朋友"而力求上进；如何因贞子对他稍有亲切的表示就由衷感到欣喜；等等。总之，这里都是日常生活中的情感活动，它们几乎像白水一样清淡、纯净，这种情感状态正是典型的少年人的初恋，它还保持着天真、稚气的本色，给读者带来一种清新欣悦之感。

　　一个大人是不能再变成小孩的，但小孩的天真难道不使他高兴？这就是这篇只写了一些平淡无奇的生活细节和轻微的感情波动的小说具有感人力量的根本原因。

天真纯朴之爱

——〔英国〕凯瑟琳·曼斯菲尔德：《相册的一页》

　　这篇小说只是写一个爱情故事的开端，在小说的结尾，男女主人公才第一次见了面，说上了一句话，结果是什么呢？我们虽然可以猜测、预料，但作者已无意向读者再讲下去了，甚至未留下任何有关后话的伏笔。

　　为什么要写这样一个没有爱情行动和爱情发展的故事呢？它是否称得上一篇爱情小说？如果以故事情节而言，似乎作者根本没有写的必要。因此，只从故事性的角度，显然是无法理解这篇小说的价值的。其实，作者要写的，也的确不是一个爱情故事，而是要写作为一种纯真感情的爱情，要写出爱情的纯洁、天真，写它的超功利性，它的"一尘不染"。

　　这篇小说的主人公伊恩·弗伦奇，使人想起法国作家阿尔封斯·都德著名的爱情小说《萨福》。都德这个作家颇为复杂，既写过否定巴黎公社的作品，也写过爱国主义的名篇（如《最后的一课》等），既写过《繁星》那样纯净灵致的爱情故事，也写过《萨福》这样充满了浓艳和感官之乐的长篇。这个长篇讲的是一个入世不久的文艺青年遇上一个风韵犹存的半老徐娘——萨福，得到了她的宠爱和供养，享受着她所提供的舒适生活和爱情乐趣。当然，他们之间也有一些感情的纠葛，由于年龄上、心理上的差距而产生的感情纠葛。此书出版之日受到很大的欢迎，当即抢售一空。后来，批评家拉法格相当中肯地指出，此书畅销是因为它所写的情事正投合了资产阶级青年对于情妇的理想，即像萨福那样既热情地献出了自己的感情和肉体，又不要他们破费分文，更不会给他们带来任何麻烦的妇女，他就曾经碰到一个年轻的艺术家对他这样说过："我希望能得到一个萨福，趁我还没有到 30 岁。"

这个短篇中的主人公和《萨福》的主人公有一些相似之处：他也是文艺青年，一个年轻的画家；他们的相貌神态都长得令人怜爱；他们的生活都不富有，除了聪明和年轻外，别无任何其他的财富；他们又都同样招致了资产阶级妇女的喜爱。但是，这个青年画家与《萨福》的主人公却有一个重大的区别，他从没有接受资产阶级妇女呈送到他面前来的"艳福"。做过尝试的妇女倒不止一个，有的"像母亲那样温情地关怀他"，有的"让他能闻到她头发上迷人的香味"，有的用灯红酒绿的生活来引诱他，但他都一一拒之门外，简直叫这些妇女"毫无办法"。按照那个社会现实中的常情，他未免显得有些"怪僻"，而且，他似乎还只是一个情窦未开的少年，从来还不知道爱情为何物。你看，他的生活虽然贫寒，然而整齐清洁、井井有条，他那些律己的誓言，流露了他那种十足的孩子气，他那有规律的生活，表明他除了勤奋作画以外，并无其他的追求，从这样一个人的生活和精神状态来看，似乎他还远远没有到产生爱情之类感情的时候。

但是，伊恩·弗伦奇又并不是天真纯朴到了幼稚无知的程度，对于那些有所企图的资产阶级妇女，他可心中有数，从不迷糊，而且，他也并非情窦未开，与爱情绝缘，他拒绝了那么多可以带给他这种那种现实利益的妇女，却几乎是一见倾心地就单恋上一个贫寒的少女。她瘦得出奇，与卧病不起的母亲相依为命，每天要为生计而操劳，在她身上，没有少女的欢乐，也没有少女的情致与诗意，而他偏偏一见到她就爱上了。他的爱情被作者写得非常简练而又充满了情趣，请看，只有着墨不多但表现力极强的三处：他头一次从楼上看见对面的房子里有这个衣着寒酸、瘦弱可怜的少女，"他的心就从画室侧面窗上掉了出来，落在对面房子的阳台上"；然后，我们又读到这样一小段描写，"现在，当他在桌边坐下，他必须写下完全不同的誓言——不准在规定时间之前走到侧面窗口去。签字：伊恩·弗伦奇。在把一天的画具放下以前不准想她。签字：伊恩·弗伦奇"；再就是他追在她身后的时候，"他抓起帽子就跑下楼梯。一种可爱的粉红色光亮笼罩着每一样东西，他看见河面上闪着粉红色，向他走来的人们有着粉红色的脸和粉红色的手"。

为什么对不同的异性有如此相反的态度，这是一种什么性格？作者以出色的描写，做了令人信服的交代：年轻的画家把这个孤苦瘦弱的少女视为自己的同类，与那些对他有所企图的人完全不同、毫不相干的同类，他并不稀罕那些资产阶级妇女献给他的享受，而宁可想象着他和这个少女将来如何过着一种并不是充满了欢乐和光彩，既有恬静的愉快也有矛盾和忧虑的家常生活，正像卖火柴的小女孩所梦想的最美好的事物只是取暖的火炉和充饥的晚餐一样，伊恩·弗伦奇的理想不过是与那个少女去过清寒的日子而已，因此，他就以能认识她为自己眼前最大的幸福。当然，作家的精彩之笔是在最后，当他通过最后那个情节和人物最后那句话，使这个年轻人那种情急、憨厚、腼腆、可笑的神态跃然纸上的时候，他也就完成了对一个纯真的性格和一种纯真的感情的描绘，对于一篇爱情小说来说，这已经足够了，他还有什么必要再添一个字而不戛然而止呢？

人性、阶级性及其他

——〔苏联〕包·拉甫列涅夫：《第四十一个》

在这个集子所选的作品中，这篇小说是"红色的"。

它产生于人类第一个无产阶级专政的国家，孕育于社会主义的意识形态，以严酷革命战争中的爱情故事为题材，显示出对无产阶级伦理道德观的忠诚，然而，它所提出的问题却又是震撼人心的。

这里，有好几个层次需要分析。第一个层次当然是作品中的形象表现。

故事发生在苏联"十月革命"后艰难严峻的国内战争时期。一支突围的红军小分队逃进了沙漠地带，在途中意外地俘虏了一个白军中尉戈沃鲁赫·奥特洛克，他身负重任，在红军政委看来是一名"要犯"，他被交给女战士玛琉特卡专门看管。小分队历经艰辛，终于走出了沙漠地带，抵达海滨。玛琉特卡与另外两个战士奉命押解戈沃鲁赫·奥特洛克从海路前往红军大本营，但他们在海上遇风暴沉船，两个战士葬身海底，玛琉特卡与戈沃鲁赫·奥特洛克漂流到荒岛上。他们像鲁滨逊那样进行了为生存的艰苦奋斗。他们成了情人。若干天后，海面上出现了一艘船只，在他们的呼救下，船驶向荒岛，原来船上全是白军，中尉狂喜地向船奔去，玛琉特卡持起了枪，从背后结果了这个红军的"要犯"的性命。

这故事够浪漫！够强烈！战火横飞中的相遇，你死我活的敌对营垒，海上的惊涛骇浪，荒岛上的原始生活，从敌人变成情人，最后情人死于情人之手……难怪这篇小说在苏联不止一次被搬上银幕，20世纪30年代初拍摄成黑白片，50年代又被拍摄成彩色片！难怪彩色片《第四十一个》在中国放映后，曾引起了热烈的欢迎，也引起了深深的思考。

这样一个故事，在社会主义国家里，也是够敏感、够尖锐的！一个红军女战士竟然爱上了一个白军军官，一个革命者竟然爱上了一个反革命分子、一个专政对象，这算是一种什么爱情？人们根据最普遍、最现成的社会主义伦理道德观，自然会提出这样的疑问。

从作品的形象表现来说，玛琉特卡的爱情是可信的，也是可以理解的，在这里，既存在戈沃鲁赫·奥特洛克可以被接受、可以被爱的条件，也存在着玛琉特卡可以接受、可以去爱的可能。从戈沃鲁赫·奥特洛克这方面来说，他作为一个俘虏，沿途顺从，毫无敌对的表现，而且，他文质彬彬，知识分子气味十足，这就在玛琉特卡那方面自然引起那种面对敌人阵营的成员所经常有的紧张感与敌视态度之松弛与淡化，在这个红军女战士面前，戈沃鲁赫·奥特洛克作为白军敌人的身份逐渐隐退了，而作为一个既听从摆布又需加照顾的人的身份却突现了出来，这就形成最外层的可被接受与接受之契合。

再深一层的是，戈沃鲁赫·奥特洛克有文化，懂得诗歌，而玛琉特卡正好是一个酷爱写诗的"业余诗人"，除了关心无产阶级革命的胜利外，她最大的心愿恐怕就是写出一本诗集能够出版了，因此，在这个方面，双方的"条件"就形成了又深一层的可被接受与可接受之契合。

更深一层的契合是，戈沃鲁赫·奥特洛克有英俊的面貌与一双蓝得出奇的眼睛，中国读者可不要小看蓝色的眼睛，它在欧洲人的两性关系里，几乎就是异性美与性感的象征，我们可以在不少西方文学作品里看到，它往往是使得有幸拥有它的主人对异性不战而胜的武器。对于它的美，玛琉特卡肯定是强烈感受到了，她后来对中尉的爱情就凝聚了她的这种审美感，至于它的性感，这个在粗重的劳动中长大起来的、有点愣头愣脑的姑娘可能并没有明确意识到，但是，她女性的本能实际上却是感受到了，正如她后来所承认的，"真是撩人的眼睛"，"女人一见就钻到心里去了"，"对女人可真危险"。因此，对这一层契合，我们可以称之为两性的契合。

最后，促成他们不平凡爱情故事的，就是在荒岛上共同生活的契合了。荒岛，只有他们两个人，与外世都隔绝，与现实生活中的政治营垒、利害冲突都彻底脱离，他们被还原成亚当与夏娃的状态，在这种状态中，原来起作用的社会政治的法则都隐退了，自然的法则占据了支配一切的地位，这样，这一对青年男女之间还有什么事不能发生？何况他们要共同为生存奋斗，互相依靠，而在原始的生活条件下，他们再也无法保持社会生活中的习惯与规范，势必亲密无间，不分彼此。

随着玛琉特卡与戈沃鲁赫·奥特洛克契合的不断深化，玛琉特卡的情感轨迹从敌视、警惕到亲近、关心、恋爱最后发展为结合，对于她的主观条件来说，这是从具体的阵营性、政治性向一般人性的转化，是她原来那种只知道持枪射击的限定性的开拓与扩张，是一种广阔的自然人性的完成，显而易见，自然人性的确在她身上高唱了凯歌。

这就危险了！这样一种性质的人物，在社会主义文学里能否站得住脚、能否被容许、能否被通过，就将大成问题了。幸亏，她的"阶级出身好"，是一个渔家女，从小就干剖鱼的粗活，是一个合格的工农分子；而且她参加革命后的"现实表现好"，一直忠于部队，勇敢善战，枪无虚发，死在她枪口之下的阶级敌人已有 40 名之多；重要的是，她在与戈沃鲁赫·奥特洛克在荒岛上结合以后，有一次当戈沃鲁赫·奥特洛克言谈中颇有"阶级偏见""消极颓废情绪"的时候，她也进行了"论战"，"划清了思想界限"，表现出了自己"原则性的思想立场"；更重要的是，当最后戈沃鲁赫·奥特洛克要跑回自己原来的阵营时，她对准他放了一枪，叫他成了她枪下的第 41 名死鬼。这一枪可谓"大义灭亲"的一枪，它标志着她身上革命性、政治性、阶级性的复归，标志着她动摇性的终结，标志着她感情上迷惘状态的结束，而且，她放这一枪的时候，耳畔是响起了红军政委的命令与嘱咐，她毕竟没有忘记党的领导！她最终还是听了党的话！因此，她这样一枪就足以使她在苏联社会主义文学中保有了红军战士的军籍，使她进入了苏联社会主义文学的正面人物的画廊，虽然她放了这一枪后，又曾在海滩上把被击毙的情人抱了起来。本来嘛，比起关键时刻的大节，这就只是一个指头与九个指头的关系了。

关于这篇小说，需做分析的第二个层次，是作者的思想立场与创作意图以及对爱情主题的理解。

拉甫列涅夫在成为一个作家之前，先是一个革命家，一个战士，他在苏联国内革命战争中，曾是红军的炮兵指挥员、政治工作者。毫无疑问，他是革命阵营中坚定的一员。但是，在这篇作品里，他又明显地表现出一种超脱意识、一种超越意图，他只企图表现出某种比阵营意识、派别感情、政治态度更为广阔的人性内容，他相信不同阵营、不同政派的人并非没有共同之点、相通之处，"人与人总是可以了解的"，他让自己的人物道出了这样的认识；他相信人与人也是可以相爱的，只要他们之间有契合的条件，他让自己的两个主人公扮演的，就是这样一个爱情故事。这样，他就提出了一个在人类生活充满不同阶级、不同集团、不同派别的矛盾、冲突、敌对与隔绝的条件下带有普遍意义的问题，即爱情与人性、爱情与阶级性的关系问题。从他作品的形象表现来看，他对此可能是这样认识的：以人性为生长土壤的爱情，既可以超越人与人之间政治的、阵营的界线，又往往可能与阵营意识、政治态度、派别精神发生尖锐的矛盾，这种矛盾，实质上是限定的阵营意识、政治态度、派别利害与自然人性的矛盾。在这个故事里，两个主人公的爱情，对自然人性而言，完全是合情合理的，但对阵营意识、政治态度、派别立场来说，则是不符合规范的、不应该的、越轨的；反之，最后女主人公打死自己情人这一悲剧结果，对于自然人性来说是严酷无情的，但对于阶级性、政治性来说却是完全正确的、理所应当的。作者受了两个方面的制约，一方面是自然人性的制约，另一方面是阶级政治意识的制约。他在这两个方面之间走钢丝，玩平衡木。他基本上做了赞同政治阶级性的处理，让女主人公放了大义灭亲的一枪，但他这样处理的时候，又回头对自然人性投射了留恋、惋惜的一瞥，让他的女主人公最后发出了那凄厉的呼号。他如此反复兼顾两个方面，可能对哪一个方面都未能彻底讨好。但不论怎样，他提出了一个尖锐的问题，而且，也许他的妙处正在这里。也正因为他与两个方面都没有彻底决裂，对两个方面都做了照顾，在爱情的发生发展中，他照顾了人性与感情的原则，在最后的关键时刻，他照顾了阶级性与政治原则，因此，他的小说取得了成功，他却把一个尖锐的问题留给了我们。

对这篇作品，我们可做评说的第三个层次，是其中的一切，包括其中的形象表现、作者的思想意图以及他处理题材的方式，作为社会阶级集团意识的反映所具有的意义。

小说的故事看起来很不平常、很浪漫，作者一正一反、一反一正、绝处逢生的处理也很不同凡响。然而，这样一种爱情格局、这样一个爱情悲剧结果以及作者本人处理这一爱情题材的方式，在新旧制度交替的时期、在社会主义社会的某个阶段，却是经见不鲜的，再平常不过。只要是在社会主义国家，人们都可以经常见到现实生活中与文学作品中的"第四十一"式的"不相称的"爱情与婚姻，"革命者"与"非革命者"等之间的"不相称的"爱情与婚姻。这种婚姻或爱情之所以往往被认为是"不相称的"，是因为按照在全社会占支配地位、辖制地位的阶级思想意识的观点看来，它模糊了革命阶级与剥削阶级之间的阶级界线，它可能对革命一方带来消极的影响。此外，当然阶级出身还有优劣之分，因此，这种"不相称的"爱情或婚姻在现实生活中往往是不被提倡的，甚至有些时候是不被允许的。如果这种爱情或婚姻成为既成事实、无法改变的话，那么，根据上述的意识形态、流行观念，就有了对这种爱情或婚姻的要求与规范，如"坚持思想原则"，等等。这种要求与规范一旦到了非常的时刻，就更具有绝大的威严与不可抗拒性。于是，这时，在这种爱情或婚姻中，往往就出现了革命一方对另一方的"处决"，或者是揭发批判，或者是离婚，或者是断绝关系，这就是我们经常看到"第四十一"方式曾经在现实生活中、文学作品中再现的原因。在这个意义上，小说《第四十一个》具有社会典型性，不论是它的形象内容、它的女主人公最后行事的方式，还是作者本人处理的方式，都服从了阶级政治的意识形态的要求，服从了阶级政治化的伦理规范。如果说，当女主人公玛琉特卡眼见自己的情人朝白军的船奔去时，她把枪口对准他的背影是因为想起了红军政委对她的命令的话，那么，当作者拉甫列涅夫处理这个爱情题材、写作这篇小说的时候，他耳畔何尝没有响起某种命令与要求？

　　关于这篇作品，还有最后一层值得思考的问题，那就是它所启示的有关人性与阶级性，人的自然感情与政治原则、集团利害的关系问题。小说的故事发生在半个世纪前革命年代中两个阶级、两个阵营你死我活的斗争里，我们曾经在现实生活中常见的"第四十一"式的爱情或婚姻悲剧，也更多的是发生在过去阶级对抗、"阶级斗争的弦绷得紧紧的"的年代。随着时代的发展，那些岁月里紧张的阶级关系已经缓和了、松弛了，与此有关的阶级意识形态也大大淡化了，这使人们有可能对以上这些问题进行比较实事求是的科学探讨，但这却是我们评析这篇小说的范围以外的事了。

灵与肉相结合的性爱理想

——〔意大利〕朱·托·迪·兰佩杜萨：《莉海娅》

这篇作品作为爱情小说，有点特殊，它写的不是一个现实的爱情故事，而是一个爱情寓言，不是真实的爱情心理，而是一种爱情向往。

美人鱼莉海娅的故事，是一则现代神话，她本身是一种爱情象征，一种爱情理想。

任何象征、任何理想，都是从一定的历史文化、一定的观念形态、思想体系中脱胎而出的，至少都存在着与一定历史文化、观念形态的血肉联系，发散着这种文化与意识形态的气息。那么，莉海娅作为一种象征代表着什么样的品格？发散出何种文化的气息？体现了什么样的理想？

莉海娅神话，出现在 20 世纪意大利一个希腊学者的生活中：某年的暑假，他在海边一所幽静的房子里过着与世隔绝、离群索居的生活，一条美人鱼从深海里爬上了他的小船，她名叫莉海娅，是希腊神话中司诗歌与雄辩的女神卡利奥佩之女，这位青年学者拉·丘拉与莉海娅共同生活了三个星期，美人鱼在同类的召唤下终于又回到海里去了。几十年后，拉·丘拉在学术上已经功成名就，誉满全球，最后，他怀着对丑恶的尘世的厌恶与对莉海娅的怀念，投身于大海之中，去与美人鱼永恒结合。

希腊神话中的神明之女，希腊学者生活中的奇迹，这已经就标明了莉海娅属于何种文化，体现了何种理想。她是希腊文化的结晶，是希腊文化的象征。

在人类历史上，希腊文化作为"人性展开得最美好的社会幼年时期"的硕果，"显示着不朽的魅力"（马克思语），它曾经被当作一种理想，成为欧洲文艺复兴的巨大源泉而与中世纪的禁欲主义形成强烈的对照。在小说里，莉海娅是以自由、活泼、充满了生命力与野性以及天真的情趣的形象出现在拉·丘拉的生活中的，而当时这位青年学子的生活正有点苦修者的禁欲主义的味道，他为了达到严酷的学院生涯对他的苛刻要求，整天把自己埋在故纸堆中，拼命读书，成了一个蛀书的学究，丧失了青年人活泼轻快的日子，更丧失了青年人那种朝气蓬勃的活力，在那种日常需要（甚至饮食）降低到了最低程度、实在不符合正常人性的生活中，他几乎"被逼得快要发疯了"。正是莉海娅给他的生活带来了清新的、正常的、健康的气息，使他恢复了活力。莉海娅虽然是神话中的仙女，但作为一种爱情的象征，首先是人的、入世的、现实的，与自然的、血肉的、本能的要求契合一致，没有那种出世的、不食人间烟火的、超凡虚缈的"天国之气"。小说里有一个微妙的细节，带有寓意地显示出了莉海娅爱情的这一方面的性质，自然的、野性的、有血有肉的性质，那是拉·丘拉关于生吃海胆的一番话，他赞美海胆"肉红色的筋腱，模样很像女人的某种器官，带有海水与海藻的香味，滋味真鲜美，模样真神圣"，而他这种对"海水与海藻的香味"的带有野性的兴趣，正是来自当初莉海娅生吃海鲜的情景。在这一隐喻联想中，莉海娅无疑象征着自然的、野性的、肉体的、符合本能需要的那种爱情，如果按照某些人类学家的观点，古代民族生活中的石柱与石塔也带有象征男性器官的隐晦含义，那么，在这篇小说里，新鲜的海胆就毫无疑义具有一种性图腾、性器官崇拜的性质，而它正是与海的女儿莉海娅属于同一个天地。

莉海娅是否就只象征着一种自然的、野性的肉体之爱？果真如此，这篇小说关于爱情的理念倒很单纯、很简单了，事实上，莉海娅正好还有另一个方面的象征意义，甚至可以说是更占主导地位的象征意义。

莉海娅神话是由年老的拉·丘拉叙述出来的，是小说的作者在哄骗我们，编造出拉·丘拉生活中的一则神话？还是拉·丘拉在哄骗小说中的"我"科尔贝拉，编造出他自己生活中的一则神话？不论是哪种情况，反正拉·丘拉这个智慧高超、学识渊博、意境高远的老人，充满了对行尸走肉的芸芸众生的藐视，对丑恶现实的愤慨，在他的谈吐里，我们可以听到对生活中那些追求低级肉体享乐、深深陷入淫欲泥潭的男男女女的尖刻的讽刺与无情的嘲笑，而在他的叙述回忆里，莉海娅却闪耀着精神的、灵性的光辉，正与现实生活中的两性关系形成强烈的对照。

她是一切丑恶与虚伪的对立面："没有阴谋与罪行，没有干预，没有污言秽语，没有争夺，没有无病呻吟的叹息，也没有虚情假意的推却。"

她体现着文化修养与艺术美："她讲起话来感人肺腑，我只发现为数极少的几位大诗人讲话能有这样的水平。"

她代表人类的文明："她是各种文明、各种知识、各种伦理观念的源泉的一部分。"

她代表着万物与生命，正如她自己所说的："我是生命之河，没有意外事件的生命之河，我是不朽的，从鳕鱼到宙斯的宇宙万物逝世后都汇集到我身上。"

她代表着创造与再生："死亡在我身上聚合重新变成生命，一个不再是属于个体的、特殊的生命，属于万物的因而也是自由的生命。"

她能使人恢复活力，变得健康强壮："从她不朽的躯体中，我汲取了强大的生命力，我亏损的元气立即得到补偿，甚至还有所增加。"

这就是拉·丘拉所描述出来的莉海娅的形象，也是他心目中美好爱情的象征，"最高形式的精神爱"与"不受任何社会影响的纯真的爱"的象征。当然，莉海娅所体现出来的这一切，其实也就是作者所认定、所表述的理想爱情的各种内涵。在这篇小说里，虽然作者并没有充分地描述拉·丘拉与莉海娅的爱情故事的过程和细节，但却把他关于理想爱情的哲理浓缩在拉·丘拉的回忆中，这就是为什么我把它划为爱情小说的原因。

但这里还存在着一个需要考究的问题，拉·丘拉在他对莉海娅的回忆中曾经这样说："她向我指出一条既通向真正的永恒的安逸，也通向禁欲主义的道路。"既然莉海娅的确代表着与基督教相对立的多神教文化，她身上体现着与中世纪的反人性相对立的希腊文明的精神，她怎么"通向禁欲主义的道路"？当然，拉·丘拉马上就做了解释："这种禁欲主义并非摒弃所有的欲念，而是不能接受比她的爱情逊色的其他欢悦。"看来，拉·丘拉这一解释又体现了作者对爱情、对肉体爱的更深一层的思想，这种思想似乎与中国文学中的"登徒子好色"之说有相通之处，"欲"与"色"，人难免好，但有个讲究的问题，有个口味高低的问题，倘若像登徒子那样好而不择，难免受宋玉反唇一击，意大利人拉·丘拉此说，不过是宋玉式雅士的择食论而已。

在谋篇布局上，这篇小说颇有它的特色。它花了不少笔墨写"我"与他的女友们的龃龉，写拉·丘拉的性格与高谈阔论，篇幅超过莉海娅爱情故事本身。这似乎有点比例失调，但其中有作者的用意。写"我"的故事，写老学者的愤世嫉俗，都是为了表现出现实的丑恶；表现现实的丑恶则是为了反衬出莉海娅神话的光辉，反衬出理想爱情的美好。为此，写"我"那些尴尬事的玩世不恭的笔调，转述老学者的议论所用冷峻的语言，一到回忆莉海娅故事的时候，就变为了一种礼赞的风格，在艺术上也体现了作者对照的匠心。如果我们再注意到这篇小说是以第二次世界大战时期法西斯统治下的意大利社会为背景，就更能感到作者批判揭露现实生活的意图的可贵了。

正孵化而出的爱

——〔日本〕川端康成:《伊豆的舞女》

　　我在想，如果把少年人初次滋生出来的爱意比喻为正在孵化而出的小鸡，是否会亵渎圣洁的感情，有污大雅之堂?

　　这小鸡刚刚出壳，它打开自己的眼睛，天真地看着这个陌生而有吸引力的世界，它探头探脑，一副怯生生的神情，它还不敢起步，甚至不知如何起步，其"自我选择"的意识还是茫然的一片空白，它娇嫩柔弱，似乎一阵微风就可以把它吹倒，且不说它遭到了阻力、障碍以及意外的打击会是怎样了。

　　很对不起《伊豆的舞女》这一日本文学史上的名篇，当我读它的时候，脑子里不由得浮现出这样一幅形象。

　　这个青年学生在徒步旅行中遇见了几个江湖流浪艺人，其中一个小舞女特别引起了他的注意，他在途中的行止，总不自觉地与他们不约而同。从这里，我们知道他产生了通常意义上的爱情，同样，我们从小舞女第一次向他送茶时的娇羞之态，也看出了她内心中滋生出了爱悦之情。

　　但是，这是一种刚刚出世的爱情，一种雏形的爱情，它具有新生儿形态尚不完备的特点，它还没有完全从其他相近的感情中完全分离、完全独立出来，还与欣喜、友好、亲切、好感这些感情混在一起。作为一种独立的爱情，它还有点混沌、有点朦胧，你看，这个青年学生似乎只感受着一种结伴而行的欣喜与愉快，而这个小舞女对他的感情似乎也只止于她所说的那句评语，"他是个好人哪"。

这种爱情是怯生生的，它朴素、天真、幼稚，它只会在日常生活最平凡不过的细节中，在人与人接触关系最程式化的形式上自然而然、情不自禁地渗透而出：在结伴而行的路上照着面说两句普普通通的话，或者表示一点点善意与关心，似乎是这种爱情唯一知道攀附与寄寓的主要形式。除此而外，它还不懂得如何越雷池一步，如何进一步温情脉脉、眉目传情、表示爱意，如何采取爱的行动，可以说，它是一种无能造就一个爱情故事的爱情，就像刚孵出的小鸡还不会迈出像样的几步。

这是一种在现实生活中还缺乏生存能力的爱情，由于它的新生稚弱，由于它的混沌朦胧，它更不知道如何延续自己的存在，如何绕过现实生活中的障碍，如何发展壮大自己，你看，四天的结伴而行到了尽头，青年学生必须回学校去了，他们也就自然而然地分手了，在两人的关系中只留下了隐隐约约的若干情愫。

这就是我们所看到的少男少女纯真初恋的情态，它就像一株刚破土的幼苗，鲜绿得沁人心脾，它就像刚出生的小鸡，稚气得令人怜爱。

在一篇写这种情态的小说里，自然人们不会见到值得一提的情节，而只见旅途生活的一些细节与琐事，整个小说就像是一篇朴实的散文，但是，人物那纯真之爱的缕缕纤细情思，却无时不缭绕在这些琐事细节上，就像春雨一样"润物细无声"。这场静悄悄的朦胧一片，似有似无的春雨的力量可谓大矣，青年学子经它一沐浴，整个身心似乎就洗涤一新，原来单独来伊豆旅行的孤寂感、忧郁感消除了，最后，心里充满了柔情，头脑里像盛着一泓清水，陶然忘机，只感受到"甜蜜的愉快"，以至在他眼里"所有一切都融合在一起了"，正是在这种和谐向上的精神状态中，他爽快地在返校的旅途上承担了照顾几个孤苦老小的义务。

　　小说是以作者 19 岁时亲身的一段经历感受为基础写成的，朴实无华的形式完美表现了纯真清新的感情，难怪被日本人视为文学史上的名篇。

剽悍之爱

—— 〔法国〕玛格丽特·尤瑟纳尔:《寡妇阿芙罗狄西亚》

在司汤达举世闻名的长篇小说《红与黑》里，两个女主人公最后的爱情结局，恐怕凡是读过这部杰作的人都是不会忘的。

于连被处决后，他的一个情妇玛蒂尔德小姐来到停尸的地方，"以超人的勇气"把于连的头放在她面前一张大理石小桌上，吻着他的额头，接着，在马车里把她曾经如此深深爱过的那个男人的脑袋抱在自己的膝上，陪送着棺材去到墓地，最后，由她亲手埋葬了情人的头颅，还叫人向旁观的人群抛撒了数千枚银币。

另一个情妇德·瑞那夫人则表现得很简单，她没有去找任何方法自寻短见，但在于连死后三天，她抱吻着她的孩子们离开了人世。

司汤达笔下的玛蒂尔德小姐的情态是旁若无人，豪放外露，有声有色，根本不在乎贵族上流社会对于连这个平民"小野心家"的憎恶与蔑视，也不顾及自己作为侯爵小姐、作为朝廷大臣之千金的身份，带有明显的对立性与反抗性，而其勇气之中又掺杂着有意标榜的虚荣心成分。

司汤达以短短一个句子写出来的德·瑞那夫人的情状，虽然简单得多，但是更为深沉执着，她痛苦而死，就像一朵被摘下来的花，由于断了生命的来源而很快枯萎了。

尤瑟纳尔笔下的这个希腊寡妇，则既有玛蒂尔德那种出于爱的超人勇气，也有德·瑞那夫人那种同生共死的决心，她冒着生命危险亲手埋葬了被处决的强盗情人的尸体，然后，抱着他的头颅从悬岩上跳进了万丈深渊。

作为一篇爱情小说，这个短篇对阿芙罗狄西亚与情人的爱情，几乎没有作什么直接的描写，主要只见抢劫、凶杀、村民的复仇、强盗身首异处的尸体暴晒于烈日之下等等似乎无关的情节，但所有这一切都集中导致阿芙罗狄西亚抱着情人头颅的纵身一跳，正是从这一跳里，一种强烈、执着、勇敢的逆抗性的爱情突现了出来，在这里，主题表现显示出了最大的力度。

这完全不是文明社会里柔和和优美的爱情故事，它发生在落后、野蛮的山区，它充满了剽悍暴烈的力与残忍血腥的罪恶。为什么一个具有极高的文化修养与精致的艺术趣味的女性作家，会对一个如此带有野味与腥气的故事感兴趣？也许，她特别看重的，是这个凶狠的强人一爱起来就把情妇的名字刻在自己胳臂上的那种傻劲，这个背离了妇道的女人一爱起来就情愿为这男人赴汤蹈火的勇气，也许，在她看来，这种强烈、粗犷、充满了力度的感情表现，由于在温文尔雅、苍白纤细的现代文明人身上愈来愈少见，反而显得更为宝贵，更值得被引入艺术表现的领域。

虚妄之爱

————〔法国〕玛格丽特·尤瑟纳尔：《源氏亲王最后一
　　次爱情》

尤瑟纳尔是当代法国的一位学者型的文学家，以其广博精微的学识、凝练雅美的文笔、深邃隽永的意味著称于世。她于 1980 年当选为法兰西学院有史以来的第一位女院士，成为法国当代文化奥林匹斯山上的 40 个"不朽者"之一，就此一事，即可见她文学声誉之高。

这是西方人笔下的东方爱情故事，对于一个毫无古代东方生活经验的现代西方女性来说，这个异域题材能写出什么名堂？且看这位有深厚文化修养、有高超智慧的作家是如何出手不凡。

在这个短篇里，尤瑟纳尔固然表现了典型的古代东方的爱情形态，即男权至上观、男性唯我主义、男子中心主义与女性的奴婢地位、妇女的封建义务，但她更感兴趣的是要深入探测与揭示这种爱情中某种喜剧性的悲剧矛盾。

对源氏亲王来说，他双目失明后自以为在邂逅中得到了"两个情妇"，其实这不过是他从前一个婢妾的两次化装；他对这"两个情妇"都充满了美妙的回忆与深厚的感情，但这"两个情妇"的同一本体花散里夫人过去一直被他视为粪土。这里，虚妄的、不可靠的感觉与客观现实之间存在着喜剧性的矛盾，这种矛盾反证出东方王爷的爱的虚妄、不可靠的性质。

对于花散里夫人来说，她虽然实实在在承受了王爷的两次挚爱，但却因为王爷根本不记得她作为被冷落时的婢妾的名字而痛不欲生，在这里，"名"与"实"之间同样也存在着喜剧性的矛盾，存在着对自我"实"的一种异化。

作者的描写无疑带有一种辨析性的讽嘲，可以说是对东方封建爱情心理、异化的爱情心理所作的一次绝妙的形象性的批判考察。

性爱中的占有观

——〔英国〕格雷厄姆·格林：《永远占有》

　　这篇小说的标题是意译而不是直译，但很切合故事的内容：搞文学创作的卡特和一个从事服装设计的女人若瑟芬同居了 10 年，这 10 年中不断出现感情的纠葛和风暴，卡特最后下定决心离开了若瑟芬，与另一个女子茱莉亚结了婚。若瑟芬似乎对他的婚姻采取了赞助的态度，并且对新婚夫妇关怀得无微不至，以至他们的蜜月生活中到处都有若瑟芬的影子。于是，这种关怀很快就显露出它实际上的目的和性质，它并非真正的关怀，而是一种特殊的手段，就像游击战一样出没无常，扰乱了这一对新婚夫妇的幸福。若瑟芬正是用这种手段，顽强地不退出阵地，她要在新婚夫妇中打下楔子，她要像幽灵一样无处不在，她要继续控制和影响卡特的精神和感情，她要"永远占有"。

　　我们把这个短篇收入这个选集，并非认为它所描写的故事在今天仍具有道德伦理上的积极意义，而是认为它比较集中地表现了一种阶级的爱情观念，即资产阶级的"占有"观念。这个观念具有一些历史的内容和阶级意识形态的根由，值得我们加以探究。

　　在两性关系中，"占有"这个观念是资产阶级时代的产物，在资产阶级文学中才经见不鲜。从历史的范畴来说，它与中世纪文学中的"骑士之爱"似乎是相对的，当然，它更不是无产阶级所提倡的两性爱的观念。

　　中世纪的"骑士之爱"当时被贵族阶级美称为"典雅爱情"，这种爱情崇尚男方对女方的唯命是从和无保留的献身，由此观念而来，男子就必须具备"英雄的行为""高贵的品德""文明的风度""典雅的谈吐"，总之，爱情被蒙上了一层温情脉脉、诗意盎然的文明化的外衣，把那些实质性的东西都掩盖起来了。

其实，根据恩格斯在他的经典著作《家庭、私有制和国家的起源》中的论述，自从原始共产主义社会解体、私有制和阶级开始出现的时候起，男女之间的关系就是粗暴的不平等的关系。在奴隶制社会，女奴之从属奴隶主并任其处置摆布自不待说，即使对合法的妻子，"在雅典人看来，妻子除生育子女以外，不过是一个婢女的头领而已"[①]。到了封建专制主义统治的中世纪，这种不平等的关系并没有改变，封建主可以任意糟蹋农奴或佃户的妻女，可以行使"初夜权"，对此，封建主的老婆是无可奈何、必须加以容忍的，在这里起作用的是男子在家庭中的统治地位和他所拥有的暴力，这怎么会产生骑士之爱呢？问题在于骑士之爱是一种特殊条件下的产物，它与宫廷生活紧密相关。贵族骑士在非战争时期，空虚无聊，经常麇集于王宫和大贵族的宫廷，过逸乐享受的生活，其中的一个乐趣就是追求那种"根本不是夫妇之爱"而是"极力要破坏夫妻的忠实"的骑士之爱。因为这种"爱"是在贵族阶级内部进行的，一个贵族骑士为了要得到不从属自己而是从属别人并受到本阶级合法婚姻保护的贵妇人的欢心，暴力对他是无济于事的，他只能求助于"品格""风度""谈吐"以及至关紧要的"献身精神"了。这种宫廷的生活方式和爱情观念一旦形成，就难免在一定的范围里成为了社会风气，而且在文学史上留下了不少讴歌这种标榜文明、教养、尊重、百依百顺以及献身精神的"骑士之爱"的作品，因此，一到资产阶级文学中出现了"占有"这样不客气、这样赤裸裸的概念，人们就很容易产生一个色调分明不同的强烈的印象。

---

① 恩格斯：《家庭、私有制和国家的起源》，《马克思恩格斯选集》第四卷，第60页。

　　当然，对于"占有"这一观念，不能割断它与过去历史的联系，应该承认，这个观念从根本上与奴隶制以后阶级社会中不合理的两性关系实际上是一脉相承的，它的含义之中就包含了从属的、不平等的关系，包含着两个对立着的矛盾面，当产生骑士之爱的社会生活条件已经丧失，而这种"爱"已成为过去的时候，阶级社会中不平等的两性关系就失去了那一层纱幕而露出了它赤裸裸的本质，这种本质与"占有"观念根本上是一致的，不过，这个观念的大量出现毕竟是在资本主义时代、是在资产阶级文学中，那么，如何解释这一情况呢？

　　我们知道，资本主义因素、资产阶级关系的出现，带来了与它相适应的阶级意识形态资产阶级人道主义人性论。与以神为本的封建宗教思想体系相对抗，这种新的思想体系以人为本，肯定和赞扬个体人的一切自然的要求，其中也包括爱情的要求以至情欲的要求。既然两性关系并不只是一方的事而要涉及另一方，于是，在这种以个体人为中心的思想体系看来，另一方也就成为此一方实现自己的情感和目的的对象，这自然就导致产生了"占有"这一类爱的观念。而且，既然个体人的要求都被认为是合理的、正当的，而人人在这个原则的面前又都具有平等的权利，因此，就必然存在着个体人与个体人在思想情感状态、要求、愿望、意志等等的各方面的差异而产生的人与人之间的矛盾。如何解决这个问题呢？资本主义的原则是残酷、粗暴、无情的，那就是要按自由竞争、弱肉强食的办法去解决，而在两性关系上，固然有不少双方互相吸引、互相爱慕、情投意合的情况，但双方的愿望和要求并不一致，有这种矛盾那种矛盾（例如社会阶级思想感情的矛盾、经济地位的矛盾、个性特点的矛盾等等）的情况，实际上也许更多，于是，就存在某一方去克服阻力和障碍去实现自己的愿望和目的的问题，特别是资产阶级把两性关系视为一种个人享乐和游戏，在一夫一妻制外衣的掩盖下，大肆实行实际上是多夫多妻制的淫婚，因此，在资本主义时代两性关系中，自然就出现了"追逐""征服”“占有”这一类赤裸裸的粗暴的观念，这些观念正反映了资产阶级思想的本质。

这些观念的粗鄙的性质，对资产阶级作家来说是无关紧要的，他们毫不在意，往往把它们当作自然而正常的观念去加以理解，他们乐于描写两性关系中那种“追逐”与“逃避”、“征服”与“反征服”、“占有”与“反占有”的激烈的“战斗”，并且从这类观念的角度去发掘这种“战斗”之中的意味和戏剧性。因此，我们就在资本主义时代的文学中看到了大量“占有”观念的表现。最早最明显的例子当然是《十日谈》，在这里的两性关系中，充满着实际上完全是按自由竞争、不择手段的原则而进行的争夺，里边很多故事都是写情人如何进行“征服”和“占有”的，作者经常像描写商人如何通过自由竞争攫取一笔财富那样，描写情人如何通过手段和策略得到了一个情妇，并且对他们的胜利表示了不加掩饰的赞扬。在这里，“占有”就是胜利的标志、光荣的标志，其中那些聪明透顶的人物，几乎都以“占有”为最大的满足。特别有一个名叫柴巴的“家道殷实”的青年，为了对他的朋友占有了自己的妻子进行报复，不仅占有了朋友的妻子，而且几乎是当着朋友的面进行了这种占有，这才满足了他那种自得感，最后，这一对朋友总算按照资产阶级所认为的公平合理的原则即等价交换的原则，解决了他们之间的矛盾。“占有”观念在资产阶级文学中描写得最有心理深度的，恐怕要算《红与黑》中于连在花园里握市长夫人的手那一场景了。那时，于连显然也是按“占有”观念行事的，他要通过握市长夫人的手这个动作来证实自己的“占有”，而且是在市长先生眼皮下所进行的“占有”，但他的这种“占有”心理并不是一种粗俗的情欲和低级趣味所致，而是一种小资产阶级对立情绪的结果。他憎恶那个对他居高临下的市长，他自信自己的聪明才智超过了眼前的这个俗物，他为了要证实自己的优越、要证实自己的勇气，要在精神上取得一种胜利、得到一种对抗的满足、对权贵者进行报复的满足，他命令自己去抓市长夫人的手，把这当作自己对自己必须完成的职责，而且，他采取这个行动时，甚至还以拿破仑进行征战的那种进取精神来激励自己。作者是从"占有"观念来写这一场景的，但他填进了深刻的社会阶级内容，使它成为文学史上有名的章节。

至于格林这篇小说，它是一幅资产阶级式的爱情生活的写照，也是一种资产阶级式的爱情心理的描写，特别是"占有"观念的专题描写，只不过，这个观念的代表不是一个男性而是一个女性。小说成功地表现了一个"占有欲"极为强烈的资产阶级女性（虽然她并未出场），特别是成功地表现了在妇女的眼泪、善意的关怀、友情的表示的后面所进行的斗争和争夺的实质，揭示了温情脉脉纱幕之下两性关系中那种尖锐的矛盾、无情的真相。值得肯定的是作者的态度，他并没有降低到他人物的水平，卷入他们的是非，在两者之间进行选择和褒贬，而是站在一定的高处，以幽默的眼光看着这两个人物之间"占有"与"反占有"的斗争，从而使短篇保持了一种超脱的讽刺的基调。

自我身份异化的爱情

——〔美国〕艾·巴·辛格：《泰贝利和魔鬼》

这个短篇的故事内容读来颇为荒诞不经，有点滑稽的味道，实际上却相当悲惨。

辛格是犹太血统的美籍作家，但使他成为一个作家的灵感和素材，基本上都来自他早年在波兰犹太人居住的小镇上的生活。从他的小说里可以看出，那是一个落后的、迷信的地方，和当时整个的波兰一样，也处于沙皇俄国的统治之下，其色调是阴暗的，其气氛是压抑的，只有首先不忽略这个短篇的时代社会背景，才能确定这个故事的悲剧性质。

在旧时代旧社会，由于社会阶级的原因，人们对爱情自由的追求遇到阻碍的悲剧、相爱的情人们的幸福遭到破坏的悲剧或者普通人只求正常的爱情和婚姻生活而不可得的悲剧何止千万，各个国度、各个时代都有，但同为爱情悲剧，在形式上和思想内容上又各具特点，有所不同。

那么，辛格笔下的爱情故事有什么特点呢？辛格的短篇小说我当然看得不全，仅就所看到的一些来说，似乎有这样的特点：往往以表现古老的传统的习俗、落后的宗教迷信对人的正常爱情生活的压抑和破坏为作品的思想主题。《短暂的礼拜五》是一个突出的例子，在这篇小说里，那对和睦的夫妻施穆尔－莱贝尔与苏雪都是虔诚的教徒，他们整个的身心都被宗教的教义、戒条、禁律紧紧地箍住而犹不自觉，他们的生活里充满了宗教的仪式、教规、祷词和颂诗，以致正常的夫妻生活被挤到了一个微不足道的角落，当安息日那天，他们把全部的时间贡献给了宇宙之主、用来感谢天恩之后，他们已经几乎没有时间来过夫妻的爱情生活了，并且很快就由于忙于宗教的礼仪和习俗而中了煤气毒，被上帝"引进了天堂"。整篇小说似乎是以诗意的笔法来描写那些宗教仪式带给人们的"纯洁""温馨""优美""动人"的生活，表现男女主人公在那种生活中"宁静"而"满足"的心境，其实是通过生活的真实深刻地揭示了宗教生活、禁欲主义对人的愚弄和奴役，揭示了在这种生活中人的自然本性的异化。对这种宗教禁欲主义在人身上所造成的异化，另一个短篇《市场街上的斯宾诺莎》也有绝妙的讽刺。小说的主人公菲谢尔森博士显然是古老的宗教传统的信仰者和维护者，凡是"在《圣经》中或是在犹太教义中都找不到根源"的事物，他一概排斥拒绝，加以否定，他的身心也处于宗教和哲学的统治和奴役之下，他一直过着独身的生活，死气沉沉，百病丛生，但他刚一结婚，就马上恢复了生气，百病消除，似乎"又是一个小伙子了"，而作者派给他的那位新娘，只不过是一个奇丑无比的老姑娘，对禁欲主义的如此讽刺真是令人叫绝！当然，作者揭露讽刺的矛头并不是指向那些受宗教生活、禁欲主义奴役的受害者，而是指向宗教与禁欲主义作为一种社会传统和习俗的可憎。在《傻瓜吉姆佩尔》中，这种讽刺就达到了更大的揭露的力量，原来，宗教生活的戒条、禁欲主义的清规只是束缚吉姆佩尔这种忠厚老实、善良温驯的"傻瓜"的，对他那个淫邪凶恶的妻子和她那一大班情夫并无丝毫的约束力量，而他妻子的那些放荡的丑行，客观上又正是在宗教神职人员的庇护下进行的，于是，我们就看到那块在沙俄的统治下宗教迷信、传统势力、禁欲主义泛滥着的地方，就是一片毫无人间的公正、人的自然本性遭到歪曲而秽行恶德肆虐的处所。

《泰贝利和魔鬼》的故事就是发生在这一社会现实环境中，它对宗教迷信、封建传统势力统治下人的生活的异化的揭示，似乎比其他的短篇更充实、更深刻。它的笔调虽然轻松幽默，但却表现出了宗教和传统所带来的反常性把人的生活压得透不过气来。泰贝利的丈夫首先是一个受害者，他遭到了丧儿失女的不幸后，就到宗教那里乞求出路，祈祷和求符念咒都不能弥补他的儿女，他就变成了一个与世隔绝的禁欲主义者，不仅不吃肉，而且晚上也不宿在家里，睡到教堂的长板凳上去了，最后，干脆带了祈祷经和经文匣离家云游，从此杳无音信，而泰贝利则成为一个没法再结婚的弃妇和寡妇。这时，她遇上了一个教师的仆人阿尔乔农，可以设想，如果社会习俗、宗教传统没有在人与人之间设立了那些障碍和栏杆的话，泰贝利本应再婚，阿尔乔农丧了妻子，当然也可以再娶。然而，宗教和习俗以及社会地位和经济状况的差异，使他们两人之间存在着鸿沟，于是，这才有了泰贝利和"魔鬼"恋爱的异化的故事。阿尔乔农作为人，他在那个社会现实的条件下，是不可能得到泰贝利的，但他假装成魔鬼倒占有了她。这个情节有点像《十日谈》中那个爱上了王后的马夫只有冒充国王才能占有王后。在《十日谈》的那个故事中，这个马夫作为一个人，在各个方面实际上都超过了国王，但他只有异化为比自己逊色的国王才能亲近王后；同样，阿尔乔农是一个聪明有趣、善良温驯的小人物，他也只有异化为凶恶的魔鬼才得到了泰贝利。在这两个故事里，这两个人物之所以都不得不朝自己的对立面异化，原因都在于社会阶级、传统习俗的篱障。在我国明代短篇小说《蒋兴哥重会珍珠衫》中，也有类似的情节，但比较起来，上述两个乔装的故事显然要比陈商假装成老婆子上了蒋兴哥家的床的艳情情节更有社会意义。

在辛格的这个短篇里，魔鬼上了床确是一个主要的情节，但辛格并不想把短篇写成一个滑稽的艳情故事，他力图写出泰贝利与"魔鬼"的那种结合的悲剧，写出它的异化的性质，并且在这个基础上进行了更深入的辩证的挖掘。从泰贝利那一方面来说，她以为自己失身于魔鬼，但这"魔鬼"身上偏偏是那么充满了人性，亲密的关系使她爱上这个她并不认识其真相的对象，她爱的其实是人，而以为自己爱的是魔鬼；她在人世间没有得到爱，而自以为在魔界得到了爱，以致她为了怕失去这种魔界的爱而向上帝祈祷，请求他宽容她现在所爱的这个"魔鬼"。这种她所经历的现实与她所以为的现实之间的矛盾，这种在异化结合的基础上所产生的异化的心理状态，被作者挖掘得多么深刻！由此，整篇小说才充满了辩证的层次：阿尔乔农只能以魔鬼的名义去亲近泰贝利，他竭力使对方相信自己就是魔鬼，这本身就是一个深刻的矛盾；然而，泰贝利从自己的感受中所爱的却是这个"魔鬼"的人性，这种爱本身对他们那种异化的结合来说，又是一种异化，一种否定之否定，这是又深一层的矛盾；奇特的是，阿尔乔农作为人，却并不期望泰贝利把他自己视为人，甚至唯恐泰贝利发现他就是一个人而不是一个魔鬼，他竭力在她的面前掩饰自己作为人的真相，而制造作为魔鬼的假象，他没有信心作为一个人能把和对方的那种亲密关系维持下去，而事实上，他一时作为社会的人去和泰贝利亲近，其结果必然是为社会所不容，必然是悲剧性的；当然，他即使作为魔鬼也不可能长期保持他所得到的幸福，终于还是把这人世间的一个秘密带进坟墓，教师的仆人阿尔乔农死了，泰贝利直到最后并不知道他就是自己所爱的那个魔鬼！所有这些矛盾就这样一层又一层辩证地展示了泰贝利与阿尔乔农所生活的那个社会现实的不合理。

当一篇作品把现实生活中人与人关系的异化揭示到如此深刻的程度时，我们不能不承认它确是一篇力作。

一种验证爱情幸福的需要

——〔意大利〕马·索尔达蒂:《弗洛里昂咖啡馆的椅子》

独身的老小姐,是英国 19 世纪以来文学作品中常见的一种特别有意思的人物类型,很多作家都喜欢描写这种人物,她们大都属于中小资产阶级,个别也有属于富裕的资产阶级的,终身未婚,是她们共同的特点,至于其具体原因,则各有各的不同,然而不同之中,却往往又有一个不可忽视的相同点,那就是她们在自己的娘家缺乏强有力的经济地位与优越的条件,这在女子须有陪嫁的婚姻市场上几乎可说是一个致命的弱点了。这种嫁不出去的命运所带来的长期独身生活,在她们身上总要打下深深的烙印,使她们不论在生活方式、行事处世方式以及思维方式上,往往形成一些古怪、特异、孤僻的脾性,人物有这种脾性,正可以给文学作品提供幽默的色彩,而这些老小姐由于青年时期都受过良好的教育,一般都有相当高的文化知识水平、绝不贫乏的内心生活以及堪称敏锐的生活感受,这也使她们成为大可描写一番的人物,这就是一些作家喜欢描写这种人物的原因。

英国作家喜欢描写他们的独身老小姐,这是很自然的事,但一个意大利作家也对英国的独身老小姐感兴趣,也把这样的人物当作自己作品的主人公,这就有点令人惊奇了,而更特别使人惊奇的是,这个意大利人居然把英国的老小姐描写得这样出色,其传神之技艺甚至超过英国同行。当然,这种文化现象终究并非不可理解。我们知道,在 20 世纪,最出色的一部美国史是出自法国作家之手,而法国伟人拿破仑的一部重要传记，倒是英国学者所作。

《弗洛里昂咖啡馆的椅子》，首先使我不能释手的，就是它对英国独身老小姐的描写。11 个当代的英国老小姐，组成一个旅游团来到了意大利的威尼斯，作者在小说开始不久对这个小小的群体有两段概略的描写，就把英国老小姐那种矜持可笑的劲头写得再精彩不过：如她们当中每个人如何"遵循英格兰人的品格行事"，"深信自尊自重是一种美德"，在这个廉价的旅行团里，"从不吐露怨气"，"从不提出异议"；如她们在意大利导游那口发音生硬的英语面前，如何感到自己的民族感情被伤害了。她们如何在疲劳中硬支撑着听导游讲解的情景更是有趣：

> 这 11 位身穿苏格兰呢套裙的老姑娘，高傲地挺直身子，用手杖或小洋伞支撑着。尽管她们已经累得摇摇晃晃，随时随地都会倒下来，但是她们决意不流露出一丝一毫疲倦的样子。她们那尖尖的、玫瑰色的鼻子不知疲劳地向上翘着，她们那淡蓝的、碧绿的、铁灰的、银白的或北海海水般蔚蓝色的眼睛，固执地圆睁着，凝视教堂屋檐下的精致建筑和鸽子巢，而当她们垂下目光时，又不禁相互斜睨一眼，期望发现对方疲劳的神情，但最终她们又相互交换祝贺的眼色，因为她们看到了对方是那样顽强地克制着。她们的嘴唇微微嚅动，喃喃低语地互相勉励，眼睛紧紧盯住同伴的瞳孔。
>
> "您怎么样，亲爱的？"或者说："您这样坚强，真叫人钦佩，我的朋友。"

当然，从这个群体中特别突现出来的，是小说的主人公弗兰齐丝·布尔凯，在整个这一天旅游参观的过程中，她一直心不在焉，不停地打着小算盘，策划着夜晚将采取的行动，并且几乎每走一步都在为这一夜她将采取的行动埋下伏笔，做好准备。从作者所设置的关于何种预谋的悬念中，读者见识到了一个英国老小姐那种精细而又繁琐、得体而又蹊跷、周到而又偏颇的行事方式与思维方式，从中就已经感到有点古怪的气味，及至读者知道她预谋的行动，就是要在深夜到弗洛里昂咖啡馆偷走一把普通的椅子，并把它运回英国的时候，就对一个英国老小姐可以古怪到什么程度不会有任何怀疑了。回过头来再看她事前一系列周密的策划与这样一个荒唐目的的对立，她那矜持的风度与这样一个出格行为的对立，又不禁会要深叹这位英国老小姐天真到了幼稚、偏执到了愚蠢的地步。

然而，几乎与此同时，我们知道了她要偷咖啡馆里一把椅子的原委：那是 29 年前一个深夜，她在这家咖啡馆的一把椅子上有过一次浪漫的私情，她一生中唯有的一次私情。当知道了这个原委之后，我们对这位英国老小姐原有的看法，就受到了根本性震撼，她原来是为了缅怀、为了追忆、为了纪念，更重要的是为了确认她的那一次恋爱，而这正是一种人类最正常不过的感情。

一个人故地重游，在当年与恋人喁喁情话的树下，摘取一片树叶带回去，这是一种最简单、最普通的纪念方式，当然还有其他不同凡响的方式。法国 19 世纪浪漫主义诗人拉马丁为缅怀他前一年与情人朱丽·查理夫人月夜泛舟于萨瓦湖上的幸福，在他的《湖》一诗里，呼唤"湖呀，沉默的岩石、山洞、阴郁的森林"以及"飘飘而去的微风""以淡淡银辉铺洒湖面的月轮""叹息哽噎的芦苇"所有这一切当时的风物，都来"记住我们的良宵"，"铭记当时的情景"，都来证实"他们曾经相爱"，这种纪念确认的方式就比较高级了，此诗也成为文学史上的绝唱。法国 20 世纪诗人阿波利奈尔，为了不让"流走的岁月"把他与少女玛丽·罗朗在米拉波桥上"面对面手相握"的幸福情景也带走，用《米拉波桥》一诗将它塑铸成型，该诗也成为脍炙人口的名作。所有这些例子，不论是初级形式的还是高级形式的，都不过是对过去爱情幸福的一种缅怀，一种要把那种爱情幸福再一次确认下来、证实下来的努力，似乎唯恐无情的岁月会把它冲得无影无踪，也似乎是害怕总有一天自己的错觉会把那场幸福当作并未存在过的幻景。

拉马丁有他的湖光月色作为见证，阿波利奈尔也有他的米拉波桥作为他回忆的支撑点，但，弗兰齐丝·布尔凯既没有她的湖，也没有她的桥，她只有威尼斯一家咖啡馆里的普通椅子；拉马丁与阿波利奈尔可以把他们的湖上景色与桥头风光铸造永恒的诗歌形式，而弗兰齐丝·布尔凯只有一个办法：想方设法把那把并非故物、仅仅相似的一把椅子偷回家去！多么惨的一个故事。不过，她那把椅子，的的确确就是她的诗，多么感人的一个故事！

爱情幸福对人的吸引力是如此强大，即使事过境迁，人为了抗拒时光的侵蚀与记忆的无情，缅怀、纪念、确认与再证实这种幸福并非虚幻而作出的努力，又是如此强拗、执着，这都已经是现实生活中的常情了。但是，弗兰齐丝·布尔凯29年前的那一次爱情幸福究竟是怎样的一次爱情幸福呢？客观地说来，实在有点可怜，只是在夜深人静的时候，躲在咖啡馆的一个阴暗的角落里，在一张椅子上过了几个钟头，而其对象，只是刚认识不几天的咖啡馆里的一个堂倌！而且是一个不知姓名的堂倌！这样一次爱情在她心里能有这么顽强的生命力？能有这样大的影响？值得她如此缅怀纪念？值得她竭其心智、做出如此顽强的努力、做出如此大的牺牲去再加以证实、去再搜集"物证"，以致她宁可放弃了她民族自尊自重的特性——矜持，而像小偷一样去偷一把椅子？

这正是问题的所在，或者说，正是作者企图向读者提出来的问题。对此，如果他自己不做解答，他笔下的弗兰齐丝·布尔凯在读者看来几乎就会像是一个有偷窃癖的怪人。他作出了解答。

他的解答其实是对现实生活更深一层的挖掘，他的解答方式是以简练的描述向读者展示出可怜的弗兰齐丝·布尔凯那像沙漠一样的人生，像一块灰布一样晦暗的生活：清寒的家境，沉重的负担，先是要照顾年迈的母亲，而后又要照顾长期有病的弟弟。正是在这样的沙漠人生中，她对弗洛里昂咖啡馆里的那张椅子，就产生了这样一种拜物教的感情，"它犹如茫茫沙漠中一根高高耸立的飘荡着彩旗的旗杆，她为此而感到骄傲"；也正是在这人生荒漠的一片灰暗的压力与包围下，她产生了一种需要确认与证实自己确曾有过幸福的强烈冲动：

> 她自己也曾获得过幸福，但只有一次，如今，她需要一种证明，一件标志，一样具体的东西，需要某种能够看得见、摸得着的东西，以这种或那种方式，把她和遥远的时刻联系起来。否则，随着岁月的流逝，记忆的衰退，她将逐步逐步地对自己发生怀疑，怀疑自己只是向往过幸福，而不曾亲身享受过幸福；她担心，这样长此以往，她也将慢慢地变成疯人。

小说以不长的篇幅，容纳了丰富深刻的民族性格、人物心理、人生意义与现实生活的多方面内容，还有作者溢于言表之外的意蕴，所有这些，水乳交融，浑然一体，具有幽默柔和的色彩与亲切的温情的感人力量，多情的读者掩卷之后，亦当"江州司马青衫湿"。

坚毅之爱

——〔美国〕伯纳德·马拉默德:《头七年》

作为一篇爱情小说,《头七年》极为独特,似乎根本就不具有一般爱情小说通常所具有的那些"成分"和"要素"。

其一,这里既无男女主人公之间温情脉脉的眉来眼去,又无山盟海誓的情话绵绵,当然,更没有人们感兴趣的爱的情节,甚至小说里根本就没有写两个恋人在一起的场面和两个人之间的对话,简直就可以说是看不见"爱情"!

其二,这里没有"理想的爱情主人公",男主人公不是英俊的"骑士",也不是翩翩的少年,他是鞋匠,卑微,寒酸,外貌不漂亮,体格不魁梧,风度更谈不上,甚至有点难看,矮壮、头秃,显得有点未老先衰,哪里是爱情的坯子呢?

其三,这里也没有爱情的氛围,没有动人爱情故事所需要的诗意的环境:田野、山林、月光、海滨,或者是雅致的客厅、幽静的处所……而是一个狭小、拥挤、零乱、肮脏的修鞋铺!

的确,当代西方文学艺术,在风格上与西方古典文学艺术有一个很明显的不同,那就是一反古典文学艺术中对美、抒情和雅趣的追求,而经常在作品中展示平凡的、不完整的,甚至难堪、低贱和畸形的形象与图景。再也很难看到维纳斯那样漂亮的人体美了,再也很难看到达·芬奇、拉斐尔、达维特、德拉克洛瓦画幅中那些鲜艳丰腴、魁梧健美的形象;雨果那种高昂充沛的激情的基调已经成为过去,并被视为浮夸；屠格涅夫式的抒情和优雅也不为作家所取，似乎觉得那样有点幼稚。如果画人，形体不一定匀称，五官也不一定端正，多少有些缺点；如果描写环境，你也遇不到或很难遇到风光明媚、景色迷人以及作者自己陶醉于其中的笔调；如果写爱情，主人公的身份、地位、形貌、风度、教养并不见得都令人觉得可爱。再也没有少年维特那样火一样的热情，再也没有朱丽那样的感伤，也没有连斯基那样忧郁的"咏叹调"。如果作者发了诗兴，要写一种带有抒情性的爱情，赋予他的主人公以年轻、漂亮、有教养、懂音乐、会美术等等可爱的条件，那也要写他们在恋爱中如何骂骂咧咧、口吐粗词以冲淡这种故事所可能有的"诗意"。受到尼克松肯定过的《爱情故事》就是如此，似乎不这样写就不足以表现现代人的复杂和作家对人的复杂性的深刻理解。

这种倾向，似乎在美国当代文学里相当突出，以至形成了一种力戒热情、理想、崇高、优美的冷静的内向的风格。这当然不简单是一个风格问题，问题的实质、最深刻的内因还是对人、对社会现实的观念的改变，对现实不再抱任何理想，对生活不再有那种由衷的热情，对任何事物也不再认真地赋予严肃的意义，似乎把一切、把生活和人都看透了，毫不存任何幻想。

在文学中，把这种态度发展到极端，最典型的就是荒诞派戏剧。在那里，人和生活不仅是平凡的、不美好的、不完整的，而且是难堪的、低劣的，已经丧失了全部的价值。在它的图景中，已经完全杜绝了高尚的、美的、优雅的形象，如果描写爱情，不，根本谈不上是爱情，既然在这种戏剧里，人已经不成其为人，人的生活已经不成其为人的生活，那又怎么会有真正意义上的爱情呢？在尤涅斯库的《椅子》里，男女主人公关于他们的青春的回忆是那么语无伦次，而女主人公与不显形的雕刻家之间的表演，又是那么令人恶心；在贝克特的《最后一局》里，两个已经进了垃圾箱的老夫老妇亲昵的动作也是那么可笑、难看。荒诞派戏剧的这种图景，显然深深渗透着作家本人对人的极为悲观的思想，作为人的高级感情活动的爱情已经是无影无踪了。

马拉默德的《头七年》，虽然与古典的爱情作品颇不相同，属于现代风格，但是在这里，作者却不像一些现代派作家那样悲观，他对人、对生活还保持着乐观的态度，认为人的善、人的价值并没有泯灭，他力图从平凡的生活中发掘不平凡的东西，从普通人、卑贱者的身上发掘真正的价值。

作者的这种意图是通过新颖独特的构思表现出来的。小说根本没有正面写男女主人公的爱情，作者把爱情藏在幕后，只是从一个事件的后果和影响来加以揭示：鞋匠费尔德要为女儿物色一个称心如意的对象，他看中了一个大学生，竭力为他们撮合，却没有料想到他的助手索贝尔得知以后竟一怒而去，由此，才发现了这个 5 年以来在他铺子里含辛茹苦、从不计较工钱的助手，一直爱着他的女儿。索贝尔是一个从波兰逃出了希特勒魔掌的犹太流亡者，年龄已经不小了，来的时候已经 30 岁，忧患的经历在他的年龄之上还加上形貌的老相，这个逃到了美国、举目无亲的知识分子，却爱上了他雇主的女儿。这是多么艰巨的爱情！少女比他年轻了一半，年龄的差距以及道德感和责任感使他不能表白这种感情，他只有拼命地干活来等待少女的成长，为此，他把内心的热情深藏在辛勤的劳动里，不是一天两天，一月两月，而是整整 5 个年头，5 年还没有完，最后费尔德虽然不得不同意了他对自己女儿的爱情，但提出了还要他等两年、等少女到 21 岁以后这一条件，这样，一共就是 7 个艰巨的年头了。这 7 年是无言地爱着的 7 年，是完全靠情操、理想支撑着的 7 年，因而也是充满了坚毅品格的 7 年，在这漫长的 7 年的岁月中，蕴藏着一种多么有分量的感情啊！

马拉默德是一个犹太作家，他经常以美国社会中平凡的小人物，特别是经受过苦难的卑微的犹太小人物为描写对象，力图在他们身上表现出一种内在的、深沉的品格：人道、善良、富有同情心、自我克制等等。《头七年》特别显示了他的这种思想特点：在那个普通的修鞋铺里，却发生了一个如此感人、如此深沉的爱情故事，在索贝尔这个其貌不扬的平凡的修鞋匠的身上，却有着如何超凡的精神力量和情感力量！

爱情小说的生命力不在于把爱情故事的情节写得叫人爱看，更不在于赋予男女主人公以某些外在的价值，如美貌动人等等，而在于写出了人的感情、人的精神。著名的爱情小说，或者文学作品中著名的爱情篇章，都无不如此。《红与黑》中于连用梯子爬上了玛蒂尔德小姐的窗口那一章之所以有意义，并不是由于情节的惊险，而是由于写出了于连那种平民的感情以及他身居贵族公馆之中那种对立的警戒的心情，在这里，司汤达把不同阶级、不同社会地位的一对情人在心理上的差距表现得再好不过了；同样，《嘉尔曼》的爱情故事情节不可谓不曲折，但梅里美并不是为了写故事，而是为了写出嘉尔曼这种独立不羁的个性和她追求自由的激情，因而，使作品成为世界文学的名篇。反过来说，即使一篇爱情小说并没有特别吸引人的情节，但写出了真挚动人的感情，那也不失为一篇佳作。《头七年》就是这样。

这种例子，在西方古典文学中还有不少。易卜生的《玩偶之家》中关于阮克大夫的描写就是其中之一。阮克大夫这个人物，一般评论者都不太注意，其实，这是一个颇有意味的形象。他的动人之处不仅在于他这样一个有教养、有风度的人却是自己腐朽的家庭的受害者，荒唐的父亲把病根留在他身上，使他眼见着死亡一天天逼近自己，他的动人还在于他那种带着忧郁色彩的自我解嘲和他那种比较深沉的感情生活。正像娜拉是那个"玩偶之家"的玩偶一样，他也是这个体面家庭的陪衬。他是海尔茂的朋友，然而更是娜拉的爱慕者。他把这种感情长期地埋在正常的友谊之中，绝不让它轻易越出道德的、友谊的规范，它是那样隐隐约约，不可名状，偶尔才从他和娜拉的对话中渗透出一丝韵味，他就这样一直与娜拉保持着纯洁的友谊，只是在他知道了自己来日不多的时候，才作了一些表白，但马上又恢复了常态，因而，这种表白只不过是他走进坟墓之前为了永别的一种纪念。在易卜生的这些描写里，既没有爱情的情节，又没有爱情的动作，但通过人物那平常的言谈举止，却表现了一种深沉的情愫。

当然，阮克大夫这样一个被命运宣布了死刑的人，风度、举止、言谈、感情都不免带着一种灰丧的颜色。他并不是一个令人精神焕发的人物，他的故事与索贝尔的经历也相距甚远，但他们都是在不惹人注意的故事和外形之中，深藏着内向的性格、内向的感情，特别是有分量的情操，因而都有一定的感人的力量，而他们作为艺术形象则又凝结着艺术家共同的经验。

“包法利夫人化”之又一例

——〔法国〕玛格丽特·杜拉斯:《琴声如诉》

自从福楼拜在他的长篇小说里创造出包法利夫人这个著名的典型的妇女形象后，在文学中就出现了“包法利夫人化”“包法利夫人式”“包法利夫人情调”之类的用语，其含意不外是指已婚妇女向往婚外爱情的心态以及她为获得这种爱情而做的种种尝试与努力。婚外爱情在人类现实生活中是常见的现象，在文学中也不胜枚举，以福楼拜的《包法利夫人》中的事例最为有名。

《琴声如诉》就属于这一个大的文学题材类别。女主人公安娜·戴巴莱斯特似乎什么也不缺，舒适的家庭、有钱有地位的丈夫、自己所钟爱的孩子、悠闲的生活、上层社会的朋友……但她把眼光与注意力越出了自己的生活圈子，在企望着什么，在等待着什么。如果没有咖啡馆里所发生的那个惨案——一个男人在与自己热烈相爱的情妇的要求下开枪结束了她的生命，也许，什么也不会表露出来，什么事也不会发生，但这个惨案提供了一个机遇，正是在这个惨案的地点环境中，她认识了蓝眼睛的青年肖万；这个惨案也给他们提供了一个共同的话题，一个精神会见所，一个感情交流点。于是，它也就像一面镜子映照出他们内心深处的某些东西以及由于这些东西他们将会走向何处的预兆。从这里，我们很快就发现安娜·戴巴莱斯特不自觉地在企望与等待婚外的爱情，就像 19 世纪那个外省妇女包法利夫人，等待着她的生活中出现一个情人一样。

　　然而，安娜·戴巴莱斯特与包法利夫人有一个很大的区别，如果说，包法利夫人所企望的是一种浪漫、风流、享乐主义的婚外恋的话，那么，安娜·戴巴莱斯特所等待的却绝非逢场作戏、肉体享乐，而是一种认真的、深刻的、强烈的、揪心的、要死要活的爱情，一种惊心动魄得像那个惨案一样的爱情，在那个惨案里，那一对相爱的情人在现实社会的条件下不可能实现他们之间绝对的爱情，其中一人竟要求死于对方之手，这种绝对的狂热的爱，正是安娜·戴巴莱斯特所属于的那个社会阶层与生活圈子里所没有的。她遇见了肖万，他们之间那种震撼内腑的情感与他们所处的环境，看来必将使他们走上咖啡馆里那一对情人的道路，于是，这惨案在小说里，也就成为一面名副其实的镜子，它照出了安娜与肖万的未来，就像《红楼梦》里的太虚幻境预示着一些人物将来的命运。

　　在现实生活中，认真的爱情，几乎倾注了整个生命的爱情，总远远比逢场作戏的爱情、满足于一夕之欢的爱情难以存活，在各种各样现实条件的束缚与制约下，认真的爱情往往是绝望的。安娜与肖万面前的道路，就是一条绝望的路。

　　首先，是社会环境的压力。法国外省环境的褊狭性，从来就是很有名的。对此，司汤达在一篇文章里讲得很形象："每一个女人都在监视她的女邻人，世上是不是还有比这更完备的警察制度，那只有天知道了，一个男人上某家去六次，只要这家有个姿色稍微过得去的女人，肯定会在左邻右舍引起纷纷议论，而且这种警觉的监视制度给人的惩罚是可怕的……它带来了普遍的蔑视，而法国人的性格是什么都能忍受，唯独不能忍受当众表示出来的蔑视，这些在女邻居们眼里稍微受到爱情连累的不幸女人，每一年我们都能看到她们中间有人用自杀来结束从此以后无法忍受的生活。"包法利夫人就是死于这种环境，而且，福楼拜还曾强调指出，正是在这样的外省环境中，还有好些包法利夫人在"忍受苦难，伤心饮泣"。当然，杜拉斯写的不是过去的 19 世纪而是 20 世纪的外省滨海小城，然而在这里，那种褊狭性的遗风似乎还健然犹存。安娜与肖万接近的消息在整个小城里早已不胫而走，咖啡馆里，有一双双毫无顾忌地盯着他们的眼睛，有当场低声的议论，甚至在安娜家的晚宴上，客人们也怀着明显的恶意，观察着她的一切，等待丑闻的出现。

除了这种社会环境的压力外，一个是工厂的老板娘，一个是厂里的青年工人，地位悬殊，而且，安娜还有一个舍不得的小孩，这一切使她与肖万认真的爱情将是绝望的爱情、不可能的爱情，使她下不了决心进入那一场要死要活、后果不堪设想的爱情，而他们双方，似乎又都没有逢场作戏的兴趣，于是，就有了小说最后那像葬礼仪式一般的告别之吻。

玛格丽特·杜拉斯可说是当代法国文学中的写情圣手，她的作品往往都以爱情为题材，她很喜欢写这种认真的、难以存活的爱情，也很善于写这种绝望的爱。在她风靡全球的电影作品《广岛之恋》里，一个法国少女与一个单纯的德国士兵相爱，这种爱情既不合法存在于战争时期，也不能见容于战争即将结束、和平生活即将来到之际，她只能趴在中了冷枪的情人身边，眼见着他在那里慢慢咽气。在另一个著名的剧作《长别离》里，妻子怀着深厚的柔情与怜爱，以千方百计的提示启发，甚至近乎发狂的呼唤，力求唤起自己丈夫的回忆，他在战争中因头部被法西斯毒打而丧失了全部的记忆，妻子那么坚毅的努力却无济于事，她仍然陷于亲人近在咫尺而又无法相认的"长别离"的境地。杜拉斯总是致力于表现人物撕肝裂肺的痛苦，这使她的爱情作品带有浓厚的悲剧色彩。然而，她又总是把痛苦维持在她的人物所能承受的限度之内而不至于使他们活不下去，伴随着岁月，痛苦犹存，创伤仍隐隐可感，这就构成了杜拉斯爱情作品中常有的哀伤惆怅、缠绵不尽的基调。

杜拉斯是一个在艺术上具有强烈创新意识的作家，她在小说艺术方面的创新努力之一，就是把电影手法引入了小说创作。在《琴声如诉》的第七节里，描述之笔不断往返于客厅里的晚宴与外面的海滩之间，往返于分隔在两个不同空间的男女主人公的形象与表情之间，就是明显地借用了电影的蒙太奇手法，这不仅象征性地表现了这场不可能的爱情中的间隔与鸿沟，而且表现了男女主人公异地相思之苦，其简明对比的形象描绘与排比式的语句结构所带来的高度的抒情效果，是传统的小说技巧所不具有的。

清纯情爱对浓艳欲爱的胜利

——〔法国〕埃马纽埃尔·罗布莱斯：《四月的人》

在当代西方作家的笔下，我很少见到有像《四月的人》这样富有意识形态色彩的爱情小说。在这里，爱情问题与生活方式问题、社会现实问题联系在一起，或者说，爱情问题被视为生活方式与社会现实的一部分并被当作一个人生存性质与生活意义的标志。作者显然是要通过他那些用意很明确的形象，来传达出他的这种爱情观与生活观。

在小说男主人公伽凡的面前，作者安排了两个不同的女性形象，也就是两个不同的爱情对象。这两个形象是对立的，也是对照的，一个是玛德莱因，一个是礼子。玛德莱因是美艳肉感的法国女人，热衷于纯粹的官能享乐，她与男性的交往与结合，丝毫不涉及"爱"或"恋"的情感，仅仅在短期的观光旅行中，她就与两个刚结识的男子先后有了露水姻缘，并且还随时准备与伽凡进行性爱游戏，她是巴黎奢华轻靡生活的典型产物，给人以浓烈的迷醉。礼子则是纯洁美丽、娴静聪慧的日本少女，一出现就发散出清新动人的光泽。

这两个不同的女性形象，在作者的笔下，代表着两种不同的生活方式、两个不同的世界。

在玛德莱因这一边，聚集着为了见识各地的春宫而来旅游的苏格兰青年、为了摆脱孤独而追求性刺激的荷兰人、为了解决商业上的疲劳而在旅行中猎艳的日本船主等等一组象征着性开放、性混乱的生活方式的形象，再加上她这个一心要在旅途中多增添几次做爱经历的法国巴黎女子，几乎就是一个西方世界的缩影了。显然，罗布莱斯是以鄙视批判的眼光来看这个世界的，在他眼里，这个世界是一片淫逸、放荡、奢侈、浪费、冷酷、自私、谎言、欺骗，这是感情的沙漠，这是玩世不恭的天地，因此，作为故事的高潮，这里险而发生了争风情杀的丑闻，最后，确实发生了那个荷兰人范·盖达斯因孤独绝望而自杀的惨剧。

礼子则代表着另一种生活方式，另一个世界。她是一个努力工作、积极进取的新型职业妇女的形象，她的身上有朝气蓬勃的精神、贤淑端庄的性格、温柔深挚的感情、聪明干练的素质，她过着一种诚实的劳动生活，其中又不乏充实的内容与清雅的文化气息。聚集在她这一边的人群，有慈祥的、富于人情味的父母，有伽凡在路上的那个重视夫妻感情的工人——更重要的是，烘托着她的是一片古色古香、幽雅动人的东方文化氛围，是一片清新秀丽的日本风光，于是，在这篇小说里，礼子就成为东方文明的土壤中长出来的一朵花，她体现着、象征着作者心目中的东方生活方式、东方文明的清香与魅力，作者用它来使那种浓烈的醇酒美人的西方生活方式、西方文明相形见绌，格调低人一头。

既然有了这两个"世界"，伽凡乘坐"星座"客机从巴黎一飞降到东京，注定了就要开始从一种生活方式转到另一种生活方式、从一个"世界"走进另一个"世界"的"旅行"，他的这个历程是与他的新爱情故事结合在一起的，也就是说，他是在他的贝雅特丽齐的引导下来完成自己这个历程的。

他已经是个在西方生活方式中混得烂熟的人，一个"历经欲海的人"，难得他一发现自己对礼子萌生出真挚的爱情时，就有了"我总算还没有烂到骨子里"的感慨，而他与礼子的爱情发展过程，也就成为他脱胎换骨的过程了。这一次精神上、感情上的"大换血"尽管是一次灵魂的大手术，然而，它却是在不知不觉之中静悄悄地完成的，不，准确地说，是在愉悦欢欣中完成的。在这个过程里，礼子本人的美貌、体态、温情、妩媚、朝气、教养、能力，就像明灯与磁石一样，起着招引的作用，使他"奋勇前行"，而日本的山川景物的秀丽与东方文化的独特魅力，则在潜移默化的美感之中给他提供了有益的精神营养，使他涤荡了西方生活方式带给他的身心中的空虚、萎靡、烦躁、苦闷、腻味以及玩世不恭的习性，使得朝气、毅力、健康的精神状态、真挚热烈的感情又回到了他的身上，也许这些东西只是他少年时期拥有过而后来却长久阔别了，这样，他又恢复了他真正的青春的力量，重新进入了他生命的初春时期，成为一个"四月的人"。

因此，这篇小说阐释学的副标题应该是：《爱情及其造就新人的力量》。显然作者在小说中为了表现某些意识形态的内容而有时用笔不够自然，但对与环境、氛围结合为一体因而具有诗情画意的爱情，却写得充满了魅力，这样，一个四月的春天在身心中降临的故事，也就格外动人了。

其实，从更广泛的人性范围来说，这篇小说中的情事，就是清纯之情爱战胜了浓艳之欲爱。这两种爱情在人类生活中、在文学作品中，往往是多有交锋的，至于胜负，很难说哪一种就绝对居于上风，清纯之情吃败仗的事也屡见不鲜，如屠格涅夫著名的中篇爱情小说《春潮》中的故事就是一例，在那里，青年主人公与一个纯洁秀美的少女经过了一阵深情的恋爱并订下了终身，但不久后，他却经不起一个艳丽贵妇的诱惑而拜倒在她的石榴裙下，背叛了、抛弃了他原来的爱人，以致造成了他的终生之恨。如果要概括这两种爱情胜负的规律，似乎境况问题是一个重要的因素，凡在清纯之情爱的状态境况中久待的青年，一遇到强烈浓艳的欲爱，往往就难以自持，就像从不饮酒的人一沾烈性的美醇就容易沉醉一样，而在浓艳的欲海中沉浮日久者，往往就不免向往清雅恬静的情爱绿洲了。境况之所以能起这种作用，看来其根源还在于人具有灵与肉两个方面，俄国作家冈察洛夫说得不错："我们不是神，也不是野兽。"人在两点间常失去平衡。

罗布莱斯先生对人性中这样一个古老的、由来已久的倾斜与抉择，做了他现代化的理解，并把它提升到东西方两种对立的生活方式的高度，对其中的一种做了否定，对另一种表示了向往，尽管东西方的概念在这里不是地缘政治学的概念，而是一种文明与精神的概念，但他在意识形态上的倾向性已经是很明显的了，而他这种倾向性，正是中国读者所习惯的、所容易理解的。

伤痕对爱的窒息

——〔日本〕野间宏：《脸上的红月亮》

在中国的旧小说里，相悦的男女似乎特别"爽快"，见面仅只一两次，即可"私订终身""山盟海誓"，或"成其好事""巫山云雨"。对此，我一直有点疑惑，在封建礼教占统治地位的社会里，在男女交往极不充分并有种种规范的现实条件下，两性之爱竟能如此轻易成全，如"入无人之境"？如果我这疑惑是有根据的、可以成立的，那么旧小说戏曲中这样的性爱描写，就只能归之于写作这些篇章的那些才子们的性情似乎太"爽快"了。他们总急于见到笔下的男女成其好事，也就顾不得爱情发展过程中的曲折反复以及性爱双方情爱心理的细致变化了，他们只顾得上写出爱情故事线索的顺当流畅，正像在中国传统的人物肖像画里，画家只满足于线条轮廓的勾画。

其实，作为人类高级心理活动的爱情，其成分是复杂的，意识与潜意识、理性与非理性等成分与因素，在其中杂然相混，而这些成分的化合、运动、演绎，又造成了极其微妙曲折的心理过程，它在现实生活条件的制约、影响与作用下，又产生了种种难以预料的变化，因此，在实际生活中，由好感、相悦、钟情到结出爱情之果，实需通过漫长曲折的心灵幽径。爱情是一种相当娇气的感情，它需要有正常的精神气质、思想情感、心灵状态等先备条件，也需要有适合的土壤、环境、气候等后备条件，只有在这些方面具备了必要的条件，它才能够茁壮成长。

野间宏的《脸上的红月亮》就提供了这样一个证明，虽然这一对男女彼此早已属意，心心相印，但他们之间的爱意却在过去心灵创伤阴影的干扰下，在战后日本凄凄惨惨生活的压抑与窒息下，不久就枯萎而死，甚至没有来得及绽出一片绿芽。

小说的重点是写心灵创伤的阴影对爱意的扼杀。在北山年夫这一方面，战争期间一次行军中，他对同伴见死不救，这事成了他耿耿于怀的一块心病，这种心病使他在丈夫死于战争的堀川仓子面前有了难言的隐私。他难以想象这一心病、这一隐私可以见容于与仓子的爱情生活中，这一隐私能向有战争造成的心灵创伤的仓子披露吗？如果不能披露，那不就成为需要坦诚真挚的爱情生活中的一块暗瘤？那还如何能以自己爱情的力量把沉溺在忧伤与消沉中的她托起来、使她得到幸福？于是，这种心理障碍就使他裹足不前，并且由裹足不前进而把他心里对仓子的柔情活活地窒息死。

在仓子这方面，她女性的柔弱使她在丧夫的哀痛中不能自拔，不论她自己是否自觉，她所需要的是一种能够把她从郁郁寡欢的心境中、从战后暗淡萧条的生活阴影中拽出来的爱情，她等待着这种爱情，但北山年夫并不试图向她提供这种爱情，也没有能力提供这种爱情，于是，正像最后一场所暗示的，她从他的身边走开了。

作者野间宏中学时期就受过法国象征主义诗人的影响，在大学里，他学的又是法文专业。毫无疑问，他创作个性里流动着法兰西文化的血液。《脸上的红月亮》是他战后 1947 年的作品，从这里，我们可以看出有着某些与法国存在主义文学大师萨特著名哲理剧《间隔》相似的东西。在《间隔》里，三个男女人物都有自己的隐私，这种隐私还成为他们互相间隔、互相戒备的根由，使他们之间直露的性爱关系也难以建立起来，甚至发展到别人的存在对自己来说无异于地狱的程度。萨特的《间隔》于 1943 年上演，1945 年出版，我有理由相信，在此之后的《脸上的红月亮》是野间宏受了《间隔》影响后的产物。在这篇小说的男主人公北山年夫身上，我们就可以认出有《间隔》中加尔森这个人物淡淡的身影，即使是淡淡的身影，但只要沾上一点点"别人就是地狱"这一哲理的气味，只要有一点点对别人封闭自己内心的倾向，爱在这种人身上就难以成活。

自我性格异化的爱情

——〔美国〕库·冯尼格:《这次我演什么角色》

这篇小说写的是一种奇特的爱情心理,一种很有深度而非浅显的爱情心理,一种并非奇特得不可解释而是有着深刻社会根由的爱情心理,一种只有在当代文学中才能见到的爱情心理。

男主人公哈里·纳什似乎很怪。他在实际生活中很腼腆,总是躲避着别人,在人们的面前感到拘束,不自在,但他却是一个天才的业余演员,他在舞台上扮任何角色都演得惟妙惟肖,有声有色,极为真实自然。他在生活中是孤独的,从来没有女朋友,甚至连要好的男朋友也没有。漂亮的姑娘海伦爱上了他,他总是回避,甚至视为一种苦刑。然而,他显然并非不懂爱情,他可以在舞台上扮演各种爱情的角色,而且都演得充满激情。

女主人公是一个电话公司的职员,似乎也有点怪。她是一个漂亮的少女,可一直过着孤独的生活,好像还不懂得爱情为何物,即使要她排演爱情的剧本,也引不起她的任何激情,她总是表现出"那个摆着同一副笑脸、应酬任何一个查询电话费的顾客的女孩子"的本色,但是,在排演中她一旦遇上了那个只在舞台上才有爱情生活的男主人公,就热烈地爱上了他。

在这两个人物身上,都存在着很有心理深度的矛盾。一个并非不懂得爱情的青年,却害怕现实生活中的爱情,甚至千方百计逃避这种爱情,逃避真正属于他自己的爱情,他不习惯也不愿意以他自己哈里·纳什的身份去过爱情生活，而只在舞台上、在剧本中以角色的身份去过爱情生活，去过别人的爱情生活。这是因为艺术作品更强烈、更集中，艺术作品中的爱情更动人、更有吸引力吗？我们不能完全排斥这个因素，但这显然并不是全部的原因。这个哈里·纳什不是遇上了海伦这样一个美貌的姑娘么？那他为什么要像逃避灾难一样逃避她的爱情呢？这种情况无疑是一种很典型的异化，正常人性的一种异化。同样的情况也存在于海伦身上，她本来就是一个正常的姑娘，年轻、漂亮、自然而然地有正常的爱情要求，然而，她从来不知道爱情是什么，她唯一的对爱情的体验就是幻想与电影里的男明星结婚，所以，她心目中的"爱情"，其实只是一种对爱情的幻觉，这无疑也是一个少女的正常状态的异化。

人物身上的矛盾是现实生活中矛盾的反映，人物身上的异化是社会条件所造成的结果。海伦身上的异化，其原因是很明显的：她是一个公司的职员，她根据公司业务的需要，"总是从一个地方跑到另一个地方，在哪个地方也待不长"，即使她在学校里念书的时候，她又总是跟着她的父亲——一个建筑工"随着工地转"，因而，"从来没有认识几个没有结过婚的人"，从来没有机会体验过恋爱的爱情。于是，她个人的正常生活就完全被资本主义社会性的生活吞没了，她自己就像现代化机器中的一个小部件，完全丧失了自己的个性内容，以致她"老是那个摆着同一副笑脸、应酬任何一个查询电话费的顾客的女孩子"。她那种异化的对爱情的无知和近乎麻木，正是她所过的机械人的不合理的社会生活的反映。不过，她这个矛盾还算比较容易解决，一旦她在北克劳弗尔德待了下来，参加了这个小镇上的团体生活，在其中又遇见了在舞台上那么充满了爱的激情的哈里·纳什，她那异化的外壳就被打破了，而呈现出了她那温柔多情的少女的本性，并且由她担任主角即主动者，缔结了她和哈里·纳什的一段既美满又不美满、既带有喜剧性又具有某种悲凉意味的爱情和婚姻。

比较起来，社会条件在哈里·纳什身上所造成的异化就比较深刻、比较严重，因而，在他身上，本性的复归也就不那么容易。他为什么不能在现实生活中过自己的爱情生活而只能在剧本里、在舞台上过别人的爱情生活呢？原因就在于现实生活对他来说，几乎是冷酷无情的：他根本不知道自己的父母是谁，他在襁褓里就被扔在教堂门口，对于这样一个人来说，世间的温暖从一开始就是不存在的，他怎么会相信有爱并敢于去指望和追求爱呢？而且，他是一个微不足道的、庸碌平凡的小职员，周薪只有 50 元，在现实生活里微不足道，即使有人爱上了他在舞台上的形象，但一回到现实，就会记起来他不过是五金行里的一个小雇员。于是，在这样一个对他来说没有爱、温暖和尊重的社会环境中，他总是"找一个隐蔽的地方躲起来——他听得到别人叫他，别人却看不见他。在公共图书馆考试的时候，他一般总是躲在工具书阅览室里，翻看字典前面的各国国旗消磨时间"。他精神感情的寄托是什么呢？是戏剧，是舞台，这样就形成了他逃避现实而酷爱过角色的生活的那种异化的性格。

当然，这种生活本身就是出于一种不得已，哈里·纳什自己对其中的苦味是有深切体验的，因此，每当演一出戏分配角色时，他那句常用语"这次我演什么角色"总带有一些"凄苦的味道"。最后，他毕竟在和自己同类的小人物之中、平凡普通的人之中，得到了真正的爱情，遇到了那么一个温情的少女。但是，现实生活在他性格中打下的烙印是那么深刻，他只有借助于文学戏剧作品中角色的身份，才和海伦过着幸福的生活，他在妻子的面前，一时是奥赛罗，一时是浮士德，一时是巴里斯，而从来也不是他自己哈里·纳什，所以他们两人的关系"好像蛮幸福，尽管有时候表现得有些奇怪：这就要看这一时期他们一起朗读的是什么剧本了"。这种爱情婚姻可以说既美满又不美满，既有喜剧性又有某种悲凉的意味，它的不美满、它的悲凉，就在于它始终没有摆脱现实生活所造成的异化的阴影。

在短短的篇幅里，以幽默的笔调写出这样一个有心理深度、有社会意义的爱情故事，的确显示了作者令人赞赏的才能。

逃避孤独的爱

——〔英国〕苏姗·希尔：《来点儿歌舞》

在著名的科幻小说《格兰特船长的儿女》的结尾，邓肯船长把那个十恶不赦的罪犯抛弃在一个荒岛上，还给他留下足够的粮食与生活用品，不是要夺去他的生命，而只是要让他长期去过孤独的生活，以作为对他的惩罚。

凡看过这部小说的人都不会怀疑，在现代人的观念里，孤独是一个多么可怕的东西。

由此，在现实生活里，在文学作品中，就有了种种对孤独这个阴影的排遣、抵御与摈拒。我在美国认识一位朋友，他母亲孤身一人住在乡下，家里就养着10多只猫。她给每只猫都取了一个人名，为它们忙乎一日三餐，就是她每天主要的工作与乐趣。如果身边没有共同思想感情、共同语言的人为伴，那么，为什么不与对自己有某种依存性、与自己也不乏某种"信息交流"、有时似乎也稍解人意的畜类为伴？在西方社会里，养狗养猫成风，正是人的孤独这种存在状态到处可见、人在这种状态中力求做些排遣的反映。

当我们了解了西方社会生活的这个特点后，就不难理解为什么范肖小姐这么快就接受了一个初次上门、来历不明的男人做她的房客，为什么这么快由只按照惯例供应早餐到主动邀请他每天共进主餐，为什么这么快每晚同他一同坐在客厅里消磨时光，就像一家人一样，为什么即使发现了他原来是一个在街头卖唱讨钱的低级艺人之后，仍然维持现状，不改变已经建立起来的亲近关系。而当我们见她经历了这一考验、越过了这个障碍后，谁都会这样想："嗯，范肖小姐肯定要嫁给这个男人！"

在这个故事里，存在着一种强大的动力与急迫感，一种催促着她与她所遇见的人建立起某种纽带以免失之交臂的动力，一种要打破她那所房子里一片空虚与寂寞的急迫感。啊，孤独，可怕的孤独，它使你对任何一张在你门口出现的面孔都感到亲切、温暖。这就是这个短篇小说的心理基础。

这能算是爱情？爱情似乎是年轻人的专利与特权，范肖小姐已经年过半百了，她还想来点歌舞？短篇的标题虚夸了她的幸福，她只不过是在寻找一种抵御孤独的方法而已。她所得到的，也不过是上了年纪的人那种"伴侣之爱"，那种光为了有人在一起说说话的爱情，有人在跟前填充那一大片空寂的爱情。远没有歌舞那么强烈、旖旎、浪漫，没有捎带着一丁点儿奢侈，只是一种最简单、最平常不过的生活需要，在现实生活里，是一种"低档的"爱情形式，就像北京冬天的大白菜一样廉价而必需。

尽管作者的标题与行文都有点幽默俏皮，对范肖小姐似略带讽嘲，但如果她不是怀着深挚强烈的人道主义感情，她是不会落眼在抗拒孤独这个主题上的，是不会选取这种值得怜悯的小人物的生活悲欢作为素材的。

性 态 篇

司汤达的现代性与人物性格的断裂

——〔法国〕司汤达：《卡斯特罗修道院女院长》

  你读这篇小说，首先会感到它的故事曲折多变，而且时间跨度很长，其叙述艺术颇为难得，而后，终于会发现小说的艺术价值还在于写出了人物强烈鲜明的性格，特别是写出了女主人公性格的剧变与断裂。

  从故事性的角度来说，这是一个爱情悲剧，它与封建时代大多数的爱情故事一样，也是一对相爱的青年男女由于门第与社会地位的差异而难成眷属，不仅是门第而已，还由于更复杂的原因而有了血仇大恨：男主人公于勒在自卫还击中杀死了女主人公爱伦娜的哥哥，这一血案就成了于勒与爱伦娜的关系中一座难以逾越的大山，除非爱伦娜原谅了这件事，除非爱伦娜家族中所有的成员都忘记了这一深仇大恨。爱伦娜原谅自己的情人，这终究还有可能，但要她家族中所有的成员都忘记这深仇大恨，放弃报仇雪恨，则绝无可能，特别是她的父母。于是，这一对情人就面临着比罗密欧与朱丽叶严峻得多的局面。不难预见，其结局将会是很惨的，比罗密欧与朱丽叶的更惨，因为，莎士比亚剧中的这一对情人最后是互相忠诚地殉情而死，死得洁白无瑕，留下玉洁冰清的爱情佳话；而司汤达这篇小说中的这对情人的关系，却在欺骗的迷雾里被搅得一团糟，女主人公竟落得一个耻辱的下场，最后含恨而死。如果他们终有一天在上帝面前相见，他们会连罗密欧与朱丽叶可能有的那点彼岸的欣慰，也得不到。

  结局这么惨，是否有坏人在其中作祟？司汤达自己出来声明说：

“在我看来，似乎无法归之于哪一个人，我看到的是一些不幸的人，然而，说老实话，我找不到罪人。”

与其说作者找不到罪人、坏人，还不如说作者根本不想丑化、罪化任何一个人物，甚至还力图把酿成这悲剧的人都表现成“不幸的人”。

此真乃艺高人胆大之举。在一个悲剧里、惨剧中安排一个坏蛋或一个罪人，把一切矛盾与罪责都加在他身上，让他不仅成为足以解释作品中所有一切坏事的恶之源，而且让他成为作者笔下任何夸张失真的情节的“替罪羊”，那确不失为一个简便的艺术法门，但要使人人都在一场悲剧里负责而又不是罪人，那写起来就得费些气力，也得非具备一些功力不可了。这气力就是性格描写的气力，这功力就是性格刻画的功力。在这篇小说里，司汤达正以此见长。

人物的性格形成于一定的现实生活之中而又在现实生活中运作，并留下这种那种痕迹，发生这种那种影响，人际关系的复杂变化与这种那种后果，往往很大一部分即由此而来。也许，你会觉得这篇小说前两节的叙说有点啰唆，但作者有他的用心所在，他是要把意大利16 世纪这个特定历史环境介绍得清清楚楚，只有清楚了当时的历史环境，才能理解那时的意大利人何以那样直率、粗暴、骄傲、强悍，充满了激情，崇尚荣誉，爱得发痴，恨得酷烈。正是这种意大利性格使得于勒这个穷小子最初游荡于富家小姐爱伦娜的窗下这么一个小小的“源头”，逐渐发展成波及意大利一大片地方的“惊涛骇浪”，最后的结果是，爱伦娜把锐利的匕首插进自己的胸膛。在这个进程里，有关的每一个人物都从自己的立场与处境出发，任自己的性格在事件中运作，将自己的意愿、要求与利益，最意大利式地，也就是说以最强烈、最尖锐的方式表现出来，推波助澜，横生枝节，使得“雪团”愈滚愈大，线团愈缠愈乱，仇事并没有被长达数年的时间这一本来是最好最自然的消释剂所化解，终归仍成为一出惨剧。在这个惨剧里，每个人都起了作用，都有应承担的责任，但都情有可原。爱伦娜的父亲为维护家声，持枪把于勒从爱伦娜的窗下赶走，哥哥在战场上碰上于勒分外眼红，于勒不堪侮辱而出手还击，爱伦娜的父母誓报杀子之仇，康皮雷阿利夫人因无力复仇而挖空心思策划种种离间手段，卡斯特罗主教奇塔第尼的凡心与追求，爱伦娜的消极与沉沦……哪一桩不出于人之常情？正是这些常情，一旦以"意大利性格"的方式表达出来，又一旦在有关人物对象身上引起"意大利性格"式的反应，那么，就不可避免地走向那最后的结局。

如此写来，这篇小说也就成为了性格推动故事发展、性格造成悲剧的杰作，这正是司汤达的艺术具有现代性的一例。

在这篇小说里，性格造成悲剧的最主要的决定性关键还在于爱伦娜这个人物。如果她也像《奥德赛》中的潘奈洛佩、拉辛悲剧中的安德洛玛克那样，即使是在绝望的处境中也忠于自己的夫君，那么，她最后的结局就不会是这么样的惨了，甚至她与于勒的爱情也可能会以大团圆告终。问题在于她"变了"，她从一个纯洁善良的少女变成了一个虚荣心十足、报复心强烈、追求权力、虐待他人、行事不公正的女修道院院长；从一个真挚忠实的情人变成了一个利用自己的职权进行偷情并有了私生子的不贞之妇，她倚仗在教会中的权势为所欲为，而这种权势又导致了她的私情遭到了严厉的惩罚，以致当过去的恋人重新出现在她面前时，她感到没有脸面再活在世上。

这是一个性格断裂的主人公。我们这里所说的性格断裂，与通常所说的性格分裂是不同的两个概念，它们都是性格复杂性的表现，但性格分裂是指性格构成中存在着对立成分的复合状态而言，是同一时间、同一空间中性格的差异，是一种横断面的审视，而性格断裂则是指性格变化中前后截然对立的异象而言，是不同时间、不同空间中性格的反差，是一种纵深的比较。如果说，在西方古典文学中，性格复合、性格分裂还往往有不少作家致力于去加以表现的话，那么性格断裂却往往是作家相对较少涉足的领域，特别是在古典主义以前，情况更是如此，即使莎士比亚、塞万提斯也不例外，哈姆雷特始终是忧郁犹疑的王子，堂·吉诃德始终是一个怀着美好理想但陷于妄想的骑士。当然，在那些大师的笔下，人物性格总不是完全静止不动的，总有这种或那种的变化与发展：犹疑成性的哈姆雷特终于采取了复仇的行动；被骑士精神搞得疯疯癫癫的堂·吉诃德，临终时也醒悟了过来，并立下遗嘱，不许自己唯一的侄女嫁给骑士。不过，这种变化与其说是性格上的变化，不如说是思想认识上的变化以及由此而来的态度行为上的变化，与性格断裂更是相距甚远。那么，何谓性格断裂？即性格中前后发生了根本性质上的变化也，如，由善到恶，由恶到善，等等，按照这个理解，当然只有像《卡斯特罗修道院女院长》这样的作品，方能称得上写出了性格断裂。

这一类写性格断裂的作品虽然为数不多，但从 19 世纪现实主义小说艺术日益发展以后，也愈来愈不罕见了。以法国文学而言，就有两部经典性的作品属于这一类别，一是巴尔扎克的名作《高老头》，一是雨果的巨著《悲惨世界》。前一部作品中的拉斯蒂涅与后一部长篇中的冉·阿让，就都是性格断裂的人物。拉斯蒂涅贯穿在巴尔扎克整个《人间喜剧》之中，当他最初在《高老头》中上场时，还只是一个从外省来到巴黎的朴素、善良、有同情心、有良知的青年，后来，在巴黎这个大染缸里耳濡目染，渐渐就变成了上层社会里一个手段卑鄙、靠引诱女人往上爬的大骗子、大野心家。《悲惨世界》的主人公冉·阿让，最初是一个老实本分的贫苦工人，迫于饥寒与沉重的家庭负担，偷了一块面包，因此在监狱里关了 19 年，出狱后，他成了一头具有"凶狠残暴的为害欲"的"猛兽"，而后，他又深受感化，良心发现，本性复归，变成了一个舍己为人、处处行善、道德高尚的人。《高老头》问世于 1834 年，《卡斯特罗修道院女院长》的问世基本上是在这个时期，这两位有相同创作倾向的作家不约而同地在人物性格塑造上都迈出了这一步，使人不能不认为写人物的性格断裂正是成熟的现实主义在创作上的一个标志。雨果虽然是公认的浪漫主义作家，但他的《悲惨世界》问世于 1862 年，那时现实主义潮流早已在法国蔚为大观，而雨果也已经从这潮流中汲取了不少营养。

"性格断裂"之所以是现实主义在人物塑造上成熟的标志，就在于它不仅要求写出人物性态前后反差的真实，而且要求写出人物性态变异的过程与根由。在《高老头》中，对拉斯蒂涅性格断裂发生了关键性影响的鲍赛昂夫人那一番"教诲"与伏脱冷那一堂"巴黎哲学"课，写得极为精彩，堪称 19 世纪文学中最出色的章节；《悲惨世界》中，卞福汝主教的感化使冉·阿让性格发生根本转变的描写也很动人；同样，《卡斯特罗修道院女院长》中爱伦娜性格断裂的过程与根由，也写得很是真实自然。如果说，司汤达的描写还有什么自己的特色的话，那就是他的解释与描写更较倾向内心。在小说里，亲王的冷漠、母亲所安排的各种离间手段，使她陷入绝望的境地，在绝望之中，首先是她的意志大大地被消磨，而已经衰退的意志又被谎言围攻了 12 年之久，这种谎言对一个人的理性、良知、善良、美好感情的干扰、毒害、腐蚀与破坏，要远比《奥德赛》中潘奈洛佩所受到的那些逼婚者的围攻险毒厉害许多倍。于是，她性格中原来那些"善"的成分逐渐消失了，而"恶"的成分开始出现了，先是空虚无聊之中萌发了虚荣的念头，在冷酷的恶意与中伤的流言面前产生了报复心理，而当上了修道院院长之后，她所掌握的巨大财富、没有约束的权力与为所欲为的环境，又为她灵魂堕落、纵欲行恶提供了温床，一旦产生了虐待他人、放纵情欲的念头，她就一直沉沦下去了。

小说最大的成功处就在于爱伦娜性格断裂的上述真实性，而小说的这种真实性似乎还启示着这样一个理解：人的性格中本有善与恶两种基因，在正常的家庭关系、正常的人际格局、正常的环境氛围下，人的性格可以充分呈现善美的一面，但当环境、条件、格局、氛围有了恶性变化后，人性中的善则可能被消磨、损伤以致泯灭，而恶则可能滋长、肆虐、占统治地位，文学中表现出来的这一消长过程，就是人物的性格断裂。

正是以这种对性态真实的深刻理解与出色描写，司汤达成为古典作家中具有现代性的一人。

资产阶级演进性与现代化的一种情态

——〔法国〕奥诺雷·巴尔扎克:《高利贷者》

　　这是世界文库中又一经典名作，熟悉巴尔扎克作品的人不难发现，它要算是长篇小说《高老头》的续篇。

　　在《高老头》里，面粉商高里奥老头苦心培育两个女儿长大成人，两人皆风姿绰约，都攀附上流社会人家，成了贵妇人，一个嫁给银行家纽辛根，一个嫁给了雷斯托伯爵。她们到了富贵天地，就忘恩负义，抛弃了老父，耻于跟他来往，只是在因奢侈享乐、偷人养奸而负债累累时才来到他的身边，把他的积蓄一点点榨干掠走，最后，高老头死于贫困凄凉之中，两个女儿没有一个到场送终送葬。

　　作为《高老头》的续篇，《高利贷者》讲的是高家大女儿雷斯托伯爵夫人家的故事，这位夫人与巴黎一个挥金如土、嗜赌成瘾的花花公子长期通奸，并有了两个私生子，逐渐蚕食自己丈夫的家产，于是，雷斯托伯爵为了维护自己亲生儿子的利益，与妻子展开了一场争夺财产的斗争。

　　如果说，《高老头》把家庭亲情关系如何销蚀在金钱冰水之中描写得惨绝人寰的话，那么，《高利贷者》则是把家庭关系中围绕经济利益的隐秘而酷烈的争夺表现得极为惊心动魄。这两部作品，前者是巴尔扎克长篇小说的代表作，后者为巴尔扎克中短篇小说中的瑰宝，同在他的由90多部作品所构成的巨大整体《人间喜剧》里发出异彩，而它们在艺术上的一个共同的特点，就是都有极其出色的性格塑造、性态描写。《高老头》中的拉斯蒂涅、伏脱冷、高老头已成为 19 世纪文学人物画廊中色彩夺目的艺术形象，而《高利贷者》中的高布赛克，也是一个特别引人注意的典型人物。

人物的典型性，按我们的理解，有人性典型性、民族典型性、时代典型性与阶级典型性等等，在很多情形下，则往往是指阶级典型性而言。阶级与阶级性，现在很多人都不愿意谈了，似乎对它们颇为反感。难怪！甚至可以说这完全是很自然的事：人们在从历史中得知了斯大林那个关于在"社会主义改造时期"阶级斗争"愈来愈激烈"的论断究竟意味着什么之后，在从经历过的现实生活中尝到了以阶级斗争为纲、把阶级斗争的弦绷得紧紧的日子是什么味道之后，自然都不愿再提"阶级"二字，都不乐于再使用与这二字有关的那一系列概念了，似乎是要与那段灾难岁月彻底告别，似乎是要避免有斯大林主义之嫌。于是，阶级性、阶级分析、阶级关系、阶级矛盾等等这些术语，在我们的历史社会科学中都被搁置了起来，就像是后人把先人迷信的那些过时而不祥的灵符咒帙封存了起来一样。

其实，阶级分析的方法是一种科学的方法，它并非斯大林主义的特产，而是马克思主义的要法，其发明者是法国 19 世纪资产阶级历史学派中的史学家。在人类社会的任何时期、任何阶段，人总是以其在生产过程与分配过程（包括经济利益的分配与政治社会权益的分配）中的不同作用、不同地位、不同境况而群分的，这个"群"就是阶级。这是客观事实，它不以人的主观愿望为转移，只不过，一个社会的阶级如何划分是大有讲究的。占有统治地位的"群"、集团、阶层、阶级，如何划定阶级，如何制定阶级关系的准则与阶级间的规范，往往是以自己的利益为依据的，因而，它所划定的阶级界线、所排列的阶级品位、所制造的阶级舆论，是否符合社会生活中客观的阶级状况，往往大有问题，如果它还以这种划分、品位、舆论意识形态为依据，搞一些阶级斗争、兴 × 灭 × 之类的名堂，那么，社会中其他人群、阶层、阶级可就遭殃了。尽管如此，真正科学的、公正的阶级分析却仍不失为一种社会历史研究的重要方法，不能弃之若敝屣。"十日并出，焦禾稼，杀草木，而民无所食"（《淮南子·本经训》）固然要不得，如果后羿把 10 个炎炎烈日都射了下来，那显然也不可取。

以上的一段议论似乎是题外话，我之所以觉得这段话甚为必要，是因为面对着高布赛克这个人物的性格，实在不能不讲一点阶级分析。

高布赛克是一个"放印子钱"的家伙，在法国文学里，他这类人物可并不形影孤单，其同类有的是，而且都是在每个世纪的经典名著中出现的。16 世纪人文主义大作家拉伯雷的《巨人传》里的重要人物巴汝奇、17 世纪莫里哀的喜剧杰作《悭吝人》中主人公阿巴贡、18 世纪勒·萨日的现实主义名剧《杜卡莱先生》中的同名主人公，都是放高利贷的，他们堪称一"群"、一"集团"。他们体现了历史社会中那种人群的共性？是犹太人的共性？由于莎士比亚在他的《威尼斯商人》中所塑造出的犹太人高利贷者夏洛克特别广为人知，于是，在人们的印象里，似乎放高利贷的就都是犹太人，而犹太人的特征也就是放高利贷，并且刻毒无比。但就法国文学中这几个著名的高利贷者而言，其中只有高布赛克有一半犹太血统，其他并不是犹太人，看来，他们并非种族的典型代表，而是一定的经济方式、社会阶级地位的代表。熟悉法国历史的人都知道，在长达好几个世纪的原始资本积累、资本主义初期发展阶段，法国资本的主要形式就是高利贷，因此，我们可以说，文学中的高布赛克这一类人物，正是法国资产阶级的典型。

关于资产阶级的特性以及它所代表的资本主义，马克思主义的经济学与社会主义的文学作品，早已充满道德激情地不知向人们批判过、告诫过多少次了：资产阶级就是魔鬼，它集中了所有的恶，比如剥削、欺诈、残酷、野蛮、贪婪、吝啬、丧失人性等等，而资本主义的历史则是一部充满了火与血的罪恶史。的确，资产阶级从一诞生起，是有这些毛病特性的，《巨人传》中那个巴汝奇可说是世界文学中出现得最早的一个资产者形象，他的刁钻、凶狠与野蛮就很令人惊奇，他整治羊商的那段故事是颇为有名的，仅仅因为羊商不肯把一头羊卖给他，他就存心报复，故意把带头羊引到海里，害得整个羊群都跟着下海"泡了汤"，羊商与手下人急得跳进海里抢救，他又抢起橹桨将他们一个个打进水里淹死，这大概要算是对资产者凶狠性最早的描写之一了。莎士比亚笔下的夏洛克索取一磅肉的故事也是以残忍出名的，当借了他的印子钱的安东尼到期了还不还债时，他就非要从安东尼身上割下一磅肉作为惩罚不可，这无异于置人于死地。对于资产阶级的凶残性，巴尔扎克通过对葛朗台老头的描写，揭示得更是形象："他是只老虎，是条巨蟒：他会躺在那里，蹲在那里，把俘虏打量个半天再扑上去。"至于贪婪与吝啬，几乎所有资本主义初期的资产者都不在话下，莫里哀喜剧中的阿巴贡把他装钱的罐子看得比自己的生命更重，葛朗台老头在女儿过生日那天也只许多点一支蜡烛，来了客人，他不让添菜，只叫佃户打乌鸦来熬汤……

这篇小说里的高布赛克作为一个资产者，资产阶级的一般特性他都应有尽有。他放印子钱的生意经之狠，连巴黎著名的混世魔星、高级流氓玛克西姆·德·特拉意伯爵也逃不出他的手心，对一般的借债人，他就更像是"铁石心肠的执行惩罚的人"了。他贪婪好财，一见到钻石就激动得"像个小孩"，甚至产生了生理反应：从来不见血色的苍白两颊也顿时红润起来。他狡猾刁钻，其手段是"一个会议的全体外交人员出马也难以应付的"。他吝啬成性，任何物质财富在他那里"只进不出"，他死的时候，留下了一个食物财物成堆、发霉发臭的仓库。他身上的这些特点，我们在 19 世纪文学中的很多资产者形象身上经常可以看到，但他身上还另有其他特点，那就是在他以前的资产者形象中难以见到的，而且同样也具有典型性与表征性，对此，我们姑且先称之为"资产阶级的文明化"或"资产阶级的演进性"。

　　和平演进，可以说是人类社会亘古不变的定律。人，本来就是猴子演进而成的。如果人们想一想今日的文明人类，在远古时代曾经茹毛饮血，甚至残食同类，那么对资产阶级在资本主义初期的冷酷野蛮，也许就不会只斥之为"没有人性"、只对它进行道德化的谴责而缺乏历史的理解了。如果人们想一想人类历史上任何一个进步都无不充满血与火的话，想一想"一将功成万骨枯"这种常情的话，那么，就不会把资本主义的发展兴盛的历史简单地斥为"罪恶史"了。如果人们看到帝王将相们的征战即使导致血流成河、政治家的社会实验即使造成百业萧条，往往也仍然被肯定、甚至被歌颂的话，那么也许会觉得对资产阶级、资本主义发家发展的历史应该宽容公允一些的。

　　正像其他人群、其他阶级有其初级阶段的局限性一样，我们在古典文学中所见到的资产阶级那些常被谴责的特性，只不过是历史社会现实的产物。在事实上，随着历史社会的发展，资产阶级的特点也在发生变化，今天西方发达国家的资产阶级早已"鸟枪换炮"，今非昔比了。他们文质彬彬，出手阔绰，有文化教养，讲究商业信用，注意赞助公益事业……如果还有冷酷、狠厉、狡诈、阴险的话，那也不表现在日常生活与小节上，而是在关键性的大处。至于社会主义社会，如果也有资产者的话，则往往是以公职的身份在社会生产与社会分配的过程中处于特权的优越的地位，其占有形式与享用形式是隐而不露的，披着合法的、冠冕堂皇的外衣，因而往往还显得颇有道义力量与革命色彩，比资本主义社会中的资产者更高一筹，似乎在证实某种"优越性"。总之，当今的资产者，不论是西方的还是东方的，都已经文明化了，他们都已具备了必要的条件，可以多讲究些文明与风度，既可以附庸风雅，也可以在道义上以全民利益的代表出现。

　　把高布赛克放在这样一个社会历史发展的背景上，这个人物形象就显示出了他的新意：他不是靠资本主义发展初级阶段那种小欺诈与低劣的弄虚作假来聚攒他的财富，而是靠利用法律手段与倒腾经济票据、契约规定来生利发财的。如何才能在这种倒腾中、在他那特殊的借贷生意中有把握稳操胜券？他又靠的是知识、信息与对世情的透彻了解。他的知识是那么广博，"对整个地球他都有非常清楚的认识"；他对世情理解得如此之深，"能窥测到推动人类的种种动机"；他放债所必需的"商业信息"是如此之灵通，"哪一个人的家私都瞒不了我们，各个家庭的秘密我们都了如指掌"。他不像阿巴贡与葛朗台那样，只以金钱财宝为其生活的乐趣，而是以聚集财富这件事为其生活的乐趣。因此，他对自己的"事业"充满了自豪与诗情，"你以为出版诗集才是诗人么？"他就很不客气地告诉你，他"这个脑袋里面也有诗情"，既然如此，他当然也就大大高出于阿巴贡那种鬼鬼祟祟唯恐别人知道自己是个放债人的猥琐了。而且，也许是因为如他自己所说的"我们看生活，目光要比世人放得远些"，也许是因为他不仅仅是为了金钱本身，而是着眼于要表现自己在致力于一种事业，所以他也并不总是唯利是图，这篇小说中相关的两个主要情节就同时说明了这点，一个情节是他对青年律师德尔卫的帮助与培养，一个则是他对雷斯托伯爵的抢救。如果他唯利是图，他本可以在德尔卫身上敲一大笔，更可以轻而易举地利用雷斯托伯爵的家庭矛盾而侵吞他家的全部财产，但他却以优惠的条件与诚意帮助了德尔卫创建事业，对雷斯托伯爵家庭中的财产纠纷，他更表现出了令人赞赏的商业信誉与某种程度的侠义心肠。

他有点出乎你的意料吧？

巴尔扎克在 19 世纪中期就敏锐地发现了资产阶级现代性的萌芽，并以小说艺术将它表现在高布赛克这样一个资产者的个性中。巴尔扎克不愧是"巴尔扎克老人"。

人性古风的发掘

——〔法国〕普罗斯佩·梅里美：《马特奥·法尔科纳》

梅里美不仅是特具魅力的文学家，而且还是出色的考古学家，他对古代的语言与历史都有浓厚的兴趣与精深的研究，在"七月王朝"时期担任过历史文物总督察官之职，任期内，他使不少濒临泯灭的典籍与古迹得以保存下来，对发掘、整理与保护法国古代文物，也作出过一系列重大的贡献。

我之所以要讲梅里美对考古的兴趣与贡献，并非因为中国一般读者对此不甚了然，而是因为眼前的这篇小说在某种意义上也是梅里美的一种人性的"考古发掘"。

故事发生在法国南部地中海里的科西嘉岛上，此岛极为有名，是曾经称霸于欧洲的拿破仑皇帝的故乡。岛上的民情风习蛮荒而纯朴，剽悍而侠义，在这里，民匪一家，不法强人与良民百姓的界限实在难以划分，共同都以法律为敌，耻于与政府当局合作。

正是在这种民风中，梅里美安排了这样一个扣人心弦的故事：一个逃犯在遭追捕时，被牧人马特奥·法尔科纳的儿子、一个刚刚 10 岁的小孩所出卖，而马特奥·法尔科纳在当地正是以豪侠仗义、乐善好施闻名的，他把幼子一时的过失视为不可原谅的不义行径，深以为耻，便亲手将自己这个唯一的儿子处死了。

处死儿子的一场，是这篇小说的重点，老妻的哭泣与祈祷、幼子的哀求与忏悔都无济于事，突现出马特奥·法尔科纳的铁石心肠、倔强固执，而他处死儿子的方式与安排自己老两口晚年生活的决定，又流露出他内心中深沉的父爱与丧子的伤痛。从这样的一个故事中、从这样的一个场面里，一个侠义刚烈的硬汉形象树立起来了，梅里美在他身上着墨并不多，但他在 19 世纪法国文学人物画廊里，却能给人以深刻的印象。

马特奥·法尔科纳性格的核心，是豪义精神，它表现为崇尚义气、忠诚不渝、追求荣誉、讲究体面、乐善好施、不负他人等等。既然逃犯逃到他家门口请求庇护，那就应该不惜任何代价加以保护；既然逃亡者是在他家门口被出卖的，而且是被他的儿子出卖的，那就是他自己的莫大耻辱。按照他这种逻辑与他心目中那豪义的神圣原则以及人格荣誉观，他就必须把自己的儿子处死，即使这儿子是他的一根独苗，是他老年的全部希望，即使这儿子年幼无知，远远未到"可判罪的年龄"，有值得饶恕的理由。这就是马特奥·法尔科纳的"意识形态"。也正因为这儿子对他来说具有莫大的重要性，他身上那股刚烈义气、那条神圣的原则、那种荣誉观的分量、那种"意识形态"的纯洁性与坚定性，也就更显得突出、更难能可贵了。

那么，这种性格特征、"意识形态"来自何处？

虽然梅里美标明这个故事是发生在 19 世纪，而且，马特奥·法尔科纳是让自己的儿子在死前背诵经文，"像基督徒那样死去"，还要为死后的儿子"做一台弥撒"，看来时代界限与文明背景都是明确而具体的。但是，他这种侠义原则与不负他人的豪气，恰好与资本主义时代普遍的利己主义截然对立，他出于侠义之心所采取的灭亲义举，很不像是这个时代的行为。

在资本主义时代，亲属父子之间矛盾冲突、敌对伤害的事例是不胜枚举的，但你何曾见过是由与私利无关的神圣原则来调动起冲突的狂怒、对抗的决心与伤害的铁石心肠？当然，由于资本主义社会的文明化程度已有所提高，在这个时代里，父亲亲手处死自己儿子的事例是极少见了，父亲如果对儿子"怒其不争"，他有的是文明化的、不伤皮肉、不见鲜血的惩治手段，最要命的是取消其财产继承权。

在封建主义时代，父亲杀死儿子的事例，在中外历史上都屡见不鲜，文学艺术作品里也有反映，俄国艺术大师列宾的油画《伊凡雷帝杀子》就是著名的一例。此画给人的印象，在第一瞬间就像梅里美这篇小说这样鲜明、深刻。那是在一个空荡而阴森的宫廷大厅，伊凡雷帝的儿子倒在地上，奄奄一息，他头上中了致命的一击，伊凡雷帝则蹲在地上，怀抱着自己的儿子，旁边是他刚扔在地上的那把夺了儿子性命的长剑。他瘦削、衰老、难看的脸上，混合着惊慌、懊悔、痛苦、呼号的表情。他惊慌，是因为没有想到自己失手一击竟造成如此严重的后果；他懊悔，是因为自己刚才爆发了导致这一击的狂怒；他痛苦，是因为眼见唯一的儿子竟死在自己的剑下；他抬眼向上，则似乎是在向上苍呼救，祈求拯救儿子的性命。作为艺术品，伊凡雷帝杀子一幕及其表情是被描绘得十分出色的，而这一幕作为某种特定历史条件下一个历史人物的客观行为，则表现出农奴制俄国一个最高统治者那种暴烈、专制、冷酷、凶狠的特性与他亲手杀子时刻情不自禁的父性流露，反映了历史上一场父子争权的惨剧。面对着这样一个画面，我们在惊叹列宾那辉煌的现实主义绘画艺术的同时，又感受到一种对封建时代残酷性的厌恶，而在对伊凡雷帝那丑恶可怕的形象感到厌恶的同时，又不免对他那父性的伤痛有所怜悯。

马特奥·法尔科纳这个形象比伊凡雷帝要光辉得多，他摆脱了人可能有的一切利己的卑劣情感与欲望，他的杀子之举，当然与封建时代家庭内部酷烈的争斗相距极远，他重义的豪气，显然也不是封建主义时代的产物。

如果把眼光放得更远，那么，在远古初民风习中，倒可以找到马特奥·法尔科纳性格的某些渊源。我们在有关人类学的著作与有关原始部落及土人的文艺作品里，都可以看到不少属于崇豪气、重信守、讲仗义这个范畴的事例，如生死之交、血盟等等，恩格斯还曾经告诉我们，在澳洲的原始部落里，主人重义气、乐施好客的程度甚至到了可以让自己的妻子陪宾客过夜。这种初民习性在偏僻闭塞、尚不开化的地区，没有完全被时间岁月与社会变迁冲击掉，而在人性中留下了某种积淀，这是完全可以理解的。在这个意义上，我把梅里美的这篇小说称为初民人性的"考古发掘"。但是，梅里美却又有意让马特奥·法尔科纳要儿子在临死前背诵经文，"像基督徒那样死去"，并且要在儿子死后为他"做一台弥撒"，这样，也就给马特奥·法尔科纳涂上了一点基督教的色彩。也许，在梅里美看来，19 世纪的人性就是各种不同成分、不同积淀的杂然纷呈。他这一用意使我们在阅读中得到些许谐趣，就像看到长袍马褂之下露出了一截牛仔裤一样。

人性中粗野不文与优良素质的对照

——〔英国〕安东尼·特罗洛普:《马拉凯海岬》

　　这篇小说的主人公是一个贫苦粗野的劳动少女。贫苦粗野的劳动者成为文学作品中的主角、英雄，这在过去的文学作品中，是较少见的，至于成为文学作品中备受歌颂、备受赞赏的主人公，为数就更少了。这倒不是因为像我们所熟悉的那种文学观所认为的那样，文学家都有"阶级偏见"，主要的原因恐怕还在于文学家一般都出身于上层、中层与小资产者阶层，他们很少有社会下层人的生活经验，对低层的劳动人民不很熟悉，不很了解，缺乏写他们、讴歌他们的生活基础，而要把一种人作为主人公写进文学作品里，首先就得了解这种人才行，如果了解甚少，感受甚浅，恐怕连写他们的意念也不会产生，更用不着说把他们当主人公来塑造了。

　　"物以稀为贵"，这篇小说在这方面自有它独特的价值。而作者之所以能写出这样一篇有其独特价值的作品，则正是因为他长期作为邮局的一个基层工作者，比较接近、比较了解下层的劳动人民的缘故。

　　玛莉是一个既令人同情也招人喜爱的贫苦的野姑娘。她令人同情，不仅是因为她出身于海边的一个赤贫之家，与病弱的老祖父相依为命，还因为她小小的年纪就已经挑起了家庭的重担，负起了照顾与赡养老祖父的全部责任，每天都得勤苦劳动，经年不息；招人喜爱，则是因为她野气而又聪明，精灵而又健壮，粗鲁而又细心。这种状况与命运，无疑是最令读者肃然起敬、深感同情的。说到美貌，这是文学作品中女主人公的一个重要条件，如果一开始作者就宣告自己的女主人公是一个丑女，那我敢担保男性读者的兴趣将顿失百分之七八十，至少我个人是如此，因为读者虽然不能看见书中的颜如玉亭亭玉立在自己的面前以饱眼福，但大多会很不情愿花费时间与精力跟随着故事的进程去想象一个丑陋女主人公的一切。至于玛莉的美貌，作者没有使用"美貌"一词，但他告诉读者，连英俊的男主人公都称这个野姑娘为"美人鱼"，这就足够了。"美人鱼"，这可不是一般的美貌，肯定是一种独特的野性的美，让我们好好地去想象一番吧。

就小说女主人公的性态而言，最值得我们注意的是她身上的原始野气、粗鲁泼辣、恶狠的外表习性与善良、勇敢、纯朴的内在素质的鲜明对照。她身上这两个对照的方面，当然都是她那所在的自然环境、生活条件与存在状况所决定、所塑造出来的性态。风急浪高的海岬、荒僻的田野，自然使她的原始野气掩盖着她美人鱼的丽质；贫困简陋的生活又造成了她的粗野不文；艰苦的劳动使她既勇敢又泼辣；她靠在海岬捞水草为生，自然对旁人侵入她专有的那小小的地段，会恨得咬牙切齿、恶狠相待；她整天都在繁重的体力劳动中度过，自然不具有其微妙细致的感情，以致对小伙子常来海岬与她作对的潜在意图毫无察觉，对小伙子的母亲所说"今后你就是我的孩子"那句话的意味竟然毫不理解。她在一个几乎与人类社会隔绝的自然环境里长大，身上似乎还没有沾染人世染缸的任何东西，一旦见人落水，善良的天性就使她奋不顾身相救，而当自己有蒙杀人之嫌的危险时，其纯朴的本质又使她不知如何保护自己。虽然这篇小说主要是靠一个"灰姑娘"以其善良与勇敢赢得了她的"白马王子"之爱的故事支撑着，但就人物的塑造而言，真正具有戏剧性效果的，却是这个"灰姑娘"身上两方面性态的对照。

玛莉外表上粗野不文与内在品质的光亮的这种对照，我们经常可以从出身低微、处境贫困的下层劳动者身上看到。在文学名著中，这一类例子就不止一个，在巴尔扎克的小说《无神论者做弥撒》中，那个不起眼的、卑贱的挑水夫，却具有人世间少有的仁慈慷慨精神，在雨果的名著《巴黎圣母院》中，奇丑无比、粗野不堪的敲钟人却具有一颗金子般的心，雨果另一部名著《悲惨世界》里，流浪少年肮脏、褴褛、粗野、浪荡、捣乱的外貌下却闪烁着乐观、开朗、善良、博爱、慷慨、英勇的品质。由此，是否可以说，这种粗野不文与纯朴可贵的对照，往往就是地位卑贱、处境艰难的一种性格常态？

毫无疑问，对人性中这种性态对照备加赞赏并加以理想化与歌颂的人是有的，18 世纪的大思想家、大文学家卢梭就是最著名的一个。他在《论人类不平等的起源》里，曾把野蛮、粗野的原始人加以美化，认为原始人具有勇敢、强壮、勤劳、纯朴、真实、怜悯等等可贵的人性，而所有这些却在人类文明化的过程中逐渐失去了。雨果对原始人似乎美化得更没边际，且看他的描写："在原始时代，人过着田园的游牧生活，他自由自在，听其自然，他的思想如同他的生活一样，像天空的云彩，随着风向而变幻，而飘荡，他年轻，富有诗情。祈祷是他的全部的宗教，颂歌是他仅有的诗章。"[①]与此相对，不参与这种浪漫调合唱、不承认人性中这种对照，而把粗野原始的环境对人性可怕的作用加以着重指出的人也是有的，自然主义作家左拉恐怕就要算是一个。他在自己的著名小说《土地》里，就是写农民在简陋、低下、原始、贫苦的生活条件下一个个如何自私、贪婪、残酷、凶狠、野蛮而毫无美德与品行可言的，其中最骇人听闻的一个情节，就是一个农民为了抢夺财产，杀死了自己的父亲，而小说中的这一情节又正是以当时确有其事的一件惨案为蓝本的。

究竟哪一种倾向是对的？是否这两种倾向都有其合理的因素又有其偏颇？这是一个有待我们以唯物主义方法加以思考与分析的问题。

---

① 《雨果论文学》，第 23 页。

寄托型性态一例

——〔法国〕居斯塔夫·福楼拜:《一颗纯朴的心》

这是福楼拜的一篇名作,虽然只是短篇,但它闻名遐迩的程度几乎高于他的长篇小说《情感教育》与《萨朗波》,仅次于他举世公认的不朽名著《包法利夫人》。

它之所以广为人知,最明显、最简单的原因是,读过它的人无不受到感动。

为什么受感动?是因为它写的是一个普通的女仆?在中国的文艺批评中,人们倒的确特别看重"写劳动人民""歌颂劳动人民"的作品,何况这篇小说深深渗透着作者对一个平凡妇女真挚的同情与怜悯,且具有那么精湛的艺术性,在短短的篇幅里,就写出了这个女仆的一生,居然在好些地方还描写得相当细腻、相当精致,感染力甚强。

其实,这篇作品之特别感人,关键似乎并不在于它是"写劳动人民""歌颂劳动人民"的,而在于它写出了一种仁爱的性格,真正近乎基督精神的性格。小说中具有仁爱性格的这个妇女,在世间广施了一辈子的仁爱、对谁都抱有基督精神的这个妇女,偏偏自己并不富有,并不丰富,并无任何物质财富与实物可施予,她几近于一无所有,其衣食温饱全得取决于是否得到雇佣,而且是最低等的雇佣!然而,她却对自己周围每一个人不断地进行施予,施予她真挚的善意温情,施予她由衷的同情怜爱。她在这个世界上显然不是强者,并不充实有力,并不独立自主,相反,她的社会经济地位低下而脆弱,她的存在单薄可怜，没有自己的根，没有自己的族，没有自己的家园，没有自己的支撑点，风雨飘摇，似浮萍漂泊，然而，她在现实生活里却一直以她的体贴、忠心、勤劳、勇气，甚至有时几乎快要以生命为代价，照顾着、爱护着、支撑着、保护着他人。你只需回想一下她如何抵挡在大牯牛面前、冒了生命危险护卫着主人一家就够了。

她这种性格是劳动人民特有的品质？不见得，劳动人民中缺仁少义的也大有人在，我们在左拉的长篇小说《土地》中，就可以看到一大群与这位仁爱的女仆菲丽希特同时代同国度同民族的农民，他们是左拉以自然主义严格真实的手笔复写出来的，小私有者分散自主的小规模经营使得他们一个个小气自私、斤斤计较，相当低的生产水平与贫困的生活条件又使得他们粗俗而野蛮，而对土地的占有欲与围绕着土地所有权的争夺，更使得他们冷酷无情、不择手段，其中有一个年轻的农民为了争夺土地与钱财，不仅虐待自己的生父，而且把他置于死地。菲丽希特与她那批同胞相比，简直是个天使！

她如此克己尽责，如此温良仁爱，是出于仆人的"职业道德"？世间刁钻狡猾的仆人多的是，在文学中，既有刁钻得可恶的仆人，也有刁钻得可爱的仆人。仆人之可爱抑或可恶，似乎往往是以其主人的性质而定的，博马舍的《费加罗的婚礼》中的费加罗刁钻得令人同情，是因为他的主人想偷他的老婆，他为了保卫自己合法的权利，当然得使出损招；狄德罗的《定命论者雅克和他的主人》中的雅克，也是一个刁钻得可爱的仆人，因为他所捉弄的主人是一条贵族老爷寄生虫。福楼拜这篇小说中的菲丽希特所伺候的主子远没有那么坏，但也谈不上对菲丽希特有什么特别的恩德，而菲丽希特回报给主人一家人的那份温爱、那颗忠心却是旷世罕见的，由此更可见出这个"女仆"品性之善良淳厚。

如果一定要对这个善良、敦厚、仁爱的性格之根由做点"唯物主义"的分析，那么，似乎有两点颇值得一提：一是她的童年实在太辛苦了，几乎是在死亡的边缘上挣扎，她在这个对自己充满了敌意、强暴、虐待的世界上，从不敢想象会有自己的安身立命之地，因此，一旦得到了卑微女仆的这个位置，她也就在这个位置上兢兢业业地倾注了她全部的勤勉、忠诚与爱心，甚至比一个家庭成员更为执着；另一点是，她不识字，没有文化，在福楼拜的笔下，她这种状态似乎是一个优点，而不是缺点，且看，在福楼拜另一部著名小说的描写里，包法利夫人不正是因会读书识字，着了浪漫主义小说的迷才走上了放荡的道路？智慧与文化在《圣经》里本来就是和伊甸园里的那条蛇有关的，是天真与淳朴的对立面，没有文化，头脑简单一些，复杂的思维、透视的眼力、鬼点子、坏主意、花花肠子等自然也就少了，这似乎就是福楼拜下笔时的观点。若果真如此，我们暂不必对福楼拜加以驳斥，其实，古往今来那些身负社稷人伦重任的救世主，面对着世上人群，有此种潜意识、潜观点者何尝为少？何尝不宁愿良民百姓少开化一些、多愚昧一点？

看来，以上这两点还不足以解释菲丽希特那种特定的性态，这种如本能一般附着在一个人身上的性态，其根由如果不在根本的人性之中又能在什么地方找到呢？

人是有精神、有感情的动物，对于人来说，精神与感情要求，可说是最基本的温饱生存要求之外最必要的一种本能的需要了，而精神感情要求，则不外是实现自己与寄托自己这两个方面。实现自己的要求，经常表现为进取、扩展、捕获、占有、掌握、享用；而寄托自己，则往往表现为尽职、舍己、利他、施予、奉献、服务、效力、牺牲。这两种不同的精神感情要求，都是要使自己速朽的有限的生命，具有某种持久的意义。实现自己，是要使自己有限的生命扩充延长到更广大的空间与更持久的时间上，从而使自己的生命量倍增；寄托自己，则是附着于比自己更巨大、更持久、更有力、更美好的对象上以使自己随之而充实、升高、长存。芸芸众生在西西弗推石上山、周而复始、徒劳无益、永不停歇的那种方式中生活，虽然很少有人会悟出人生存的这种"西西弗状况""西西弗哲理"，很少有人会自觉地意识到上述两种精神感情的要求，然而，却无人能逃脱"西西弗铁律"，无人不是按上述两种精神要求的法则在行事。世人谁都不会经常去思考生存的意义，但谁都是自觉或不自觉地在为实现自己或寄托自己而在忙忙碌碌，以致成为一种本能的理性行为，每当在各自的轨迹上有所进展，每当实现了自己一次或寄托了自己一次的时候，就会感到舒畅或欣慰。

菲丽希特没有文化，不懂哲学，我们这里所谈的这番人生哲理她是不会明白的，但她就像没有知觉的月亮是在自己的轨道上运行一样，完全是按照寄托自己的那种法则在生活，她自然而然地用她的温爱泽润着她生活中的每一个人，她所伺候的主妇、小姐、少爷、自己的侄儿以及那头鹦鹉和鹦鹉的标本。她的这种温爱就像是一眼泉水，不断往外喷涌，永不枯竭，天生我泉必有用！不把它在滋润人世中用掉，又如何安置打发它？如果不用它来滋润人世，岂不是"没有找到自己应有的位置"？岂不是一种失落、一种阻塞？于是，以温爱滋润人世，也就成为了菲丽希特的自然需要。她自己的生命之流也只有在这种滋润活动中才顺畅，才有所寄托，才有所归宿；她的心境也只有在这种滋润活动中才如鱼得水，这就成为了她寄托式的人生，这就是她那种特定性态的内因与表征。

寄托，其实是人类大智大慧的一种表现，宗教就是寄托方式的一大发明。人是世界上唯一知道自己要死亡并因此而有精神痛苦的动物，如何缓解、摆脱、忘却这种痛苦与生存之空虚？寄托就是一法，而人类最高级、最哲理化、最具有体系与完备形式的寄托方式，就是宗教。在这个意义上来说，菲丽希特是一个不自觉的哲学家，不自觉的使徒、圣者。你看，她在贫困与孤独之中死得多么安详，多么满足，多么怡然自得，"她合上眼皮，她的双唇在微笑"，因为，在这弥留之际，她仍在寄托，而且寄托的对象只不过是她钟爱的那只鸟，"她恍惚看见天国之门半开，一只奇大无比的鹦鹉正在她头上盘旋"。比较起来，盖世英雄项羽自刎时那种"时不利兮"的悲愤、高老头临终时咒骂两个女儿忘恩负义的凄厉呼号，倒远不如菲丽希特的"双唇在微笑"来得有哲学家风度。

农民群体意识的调皮鬼性态

——〔法国〕阿尔封斯·都德：《雅尔雅依来到天主的家里》

这篇小说的副标题是"普罗旺斯省的民间传说"，它颇值得我们注意。

都德可以说是法国"普罗旺斯图景"的专家，他传世的著名小说散文集《磨坊文札》就是以普罗旺斯风情为题材的，这个南方省份浓郁的景色、质朴的民情，由于有了他，才在法国文学中格外引人注目。

但是，对于这篇小说来说，关键还不在于其普罗旺斯性，而在于其"民间传说"性。

民间传说无不由来已久，最初是流传于村野乡里、市井集镇的小故事，其性质因流传的范围以及参与其传播的群体而异，在中世纪市镇，则表现了市民精神，在乡里则反映了农民的趣味。普罗旺斯省是一个农业区，在 19 世纪的时候，还保持着封建时代宗法性质的关系与古老纯朴的乡风，因此，这篇故事实际上就是农民的民间传说，虽然作者都德肯定对它做了不少艺术加工，但其中必然深刻地打着农民特性的烙印，不论是在故事的情趣上、在对世界的态度上，还是在人物形象上，都必然深深地渗透着农民的倾向、农民的理想与农民的情趣，即使小说中的主人公雅尔雅依穿一身搬运工的外衣，但就其性格来说，实际上却是一个农民。

笑谑如果不是所有民间传说必有的一个特点，至少也是经常可见的特点之一。这构成了民间文学中的特定形式——笑话。这种形式具有很强的生命力，即使是在高层次的复杂的文学艺术作品也要靠人工的视听媒介才能更广泛更迅速传播的 20 世纪，我们仍能在世界范围里看到笑话这种原始文学形式中的一种——政治笑话的不胫而走、迅广流传。这是因为笑谑是群体的一种需要，是群体在精神上对抗某些现实压迫的一种手段，是群体用来宣泄心理中某些淤积的渠道，是群体用来缓解与消释某种现实在心理上所造成的重荷的一种方式。

在都德的这篇故事里，民间笑谑的矛头是指向了宗教。

宗教在不同的时代，对不同的人群有不同的作用。对于生活在劳苦、困顿、清贫之中的普通农民来说，它毫无任何实际好处可言，即使是关于天国的宗教神话，它也不会给人带来今世的任何实惠。由于教会的严格控制与农村环境文化的落后，农民阶层固然是宗教迷信最大的市场，但长期实际生活的经验，又使农民对宗教保持着清醒的、唯物的实感，在某种意义上来说，他们已进入了彻悟的状态，对天国神话不再存任何不切实际的幻想与具体的指望，甚至看透了它的虚妄性与哄骗性，明白了它就是那么一回事，因而也就不免经常带点玩世不恭的态度来对它玩点揶揄加以取笑。都德的这篇"民间传说"就正表现了这种群体意识、群体特性。

在这里，宗教中的"来生"或"来世"这个境界，被这样形容，"黑得像一团粘胶，深不可测"。"一团粘胶"这一比喻就是嘲弄味十足的。至于天堂，也不辉煌灿烂，它只露出一星亮光而已，还有一扇小里小气的大门，一个毫无仙气、像小厮一样既势利眼又有点愚蠢俗气的守门天使，而天堂本身，不过是一个有许多好看好听的东西的地方，似乎更像一个五花八门的市集，既不肃穆，也不宏伟，当然更没有神奇法力，即使是在对付雅尔雅依这个混进天堂的"无赖"，它也毫无"办事效率"，束手无策，最后只能求助于小小的骗术。这是对天堂的一幅绝妙的讽刺漫画。天主、天使、教义、宗教原则、宗教观念，在这里都被剥掉了神圣的外衣，而在民间的机智幽默的揶揄下，显得异常可笑。

这种农民的群体意识、群体特性，不仅渗透在整篇小说的叙述上，它更具体地凝现为雅尔雅依这个人物的性格。

雅尔雅依性格的第一要素，是不信宗教、不信神。他有一句名言："仁慈的主，谁又见过？死了就算死了。"此言宣告了、体现了一种最唯物、最现实不过的信仰，有了这种信仰，谁还会因为对地狱的恐惧而收敛自己？谁还会由于对天国的向往而兢兢业业做人？而且，宗教与神在现实生活中所造成的精神压力，反倒使他有了一股逆反的情绪，于是，在戒斋日他偏要吃荤，一有机会他就存心拿上天开玩笑，甚至"信口乱骂天主"。他这种逆反性格，与隐藏在这则宗教笑话后的群体意识完全一致，完全同一，是这种群体意识的强化与突现，两者在故事的叙述中水乳交融，使得对宗教的揶揄与取笑收到了完美的喜剧效果。

雅尔雅依的性格之第二要素，是调皮与小狡猾。在任何一个国家数量庞大的农村人口之中，天性聪明、禀能机智的人物是绝不在少数的，如果他们之中有人偶尔得以登上更广阔、更高层的舞台，也未尝不可以演出一场场有声有色的戏，但是，对绝大多数农民而言，上帝给他们的活动舞台实在是太小了，而他们的生活中又充满了鸡毛蒜皮的切身利益，于是，机敏只有可能在小天地里表现为调皮，才智只能在小事上演变成小心计，他们劳苦贫寒的处境又使他们讲究不起慷慨豪爽的高贵风度，小心计又往往变成了小狡猾。且看这个雅尔雅依，他内心里当然明白自己对天主是什么态度，明白他自己这种人是否有资格进入天堂，可是，既然事关进天堂这样一桩美事，他就毫不犹疑，丝毫没有我们经常在读书人身上所见到的那种忏悔意识与内疚不安以及由此而来的怯场退缩，而是"脸不红，心不跳"、理直气壮地前来叩天堂之门了。当他进天堂的资格被天堂守门人明确否定了之后，你看，他又使出了软磨硬蹭的那种惊人的韧性，居然能振振有词、连续地抛出了三个要进天堂的理由。诚实、羞耻心、风度、知趣，所有这些都与他无缘，既然事关如此重大的切身利益，那么，目的便是一切，不磨蹭到实现自己的目的就"决不收兵"，而他这三个理由倒也都能反映出他的机敏机智，只不过都是不成理由的"理由"，颇有厚皮赖脸的味道。当他这一手也不能奏效时，他也就进一步加码，由厚皮赖脸进到玩小骗术。这骗术妙不可言，居然当着守门天使的面就闪进了天堂之门。尽管他此举很像一个滑溜溜的小无赖的卑劣行径，但因为他对付的是在现实生活中统治着、压抑着人的精神的天主世界，人们反倒觉得有几分可爱。

雅尔雅依的第三个要素是贪图世俗的享乐。世俗享乐就是现实生活中的感官享乐，它是与虚无缥缈的天国幸福相对立的范畴与概念，在宗教统治的时代社会里，这两种幸福一直在争夺着世人，世人也在它们之间进行着痛苦的抉择，选择的结果，如果不是作为一种精神道德的虔诚，就是作为一种自然需要的享乐，二者必居其一。但实际上，世人总是或明或暗、或自觉或不自觉地选择了后者，而不是前者，即使一些专门侍奉天主的神职人员也不能例外，正如我们在薄伽丘的《十日谈》与不少其他文学作品里所看到的那样。在现实生活中，农民的世俗享乐已经是微乎其微的，他们的自然要求远未得到满足，又怎么会为了"见不到的"天主而舍弃现实的乐趣？这就是农民群体的特性。

雅尔雅依是这种特性的代表。当然，这里的世俗享乐，既不是口腹之乐也不是男欢女爱，只不过是看热闹的愉悦、观赏斗牛的乐趣而已，但这已经足以使雅尔雅依着迷得发狂了。正是他的这个"弱点"，使得守门天使轻易地就把他骗出了天堂。这个情节妙得很：天使也学小无赖之举，玩起了小骗术！对天使的诳语，雅尔雅依十分大度，满不在乎："要真是斗牛的话，我才不稀罕天堂呢。"他这话，既是他本人调皮贪玩的个性的流露，也正是农民群体意识的表现。

人性中对力的拜物教

——〔法国〕爱弥尔·左拉:《南塔斯》

"我爱力",这是司汤达的名言,在他看来,人,不论是男人还是女人都受力这种东西控制支配。

"我自己就是正在运作的力量",雨果在他划时代的浪漫剧《欧那尼》中让他的生龙活虎般的英雄主人公这样宣称。

"产生于我们的力的感情,必然是力度倍增的",凡·高也曾这样说过。

…………

对力的这种赞赏,在不同的文化名人那里不约而同地出现,看来是说明了人性中的确存在着对力的崇拜,人类社会中确存在着力的价值标准。

左拉的这篇小说,又一次验证了这种崇拜与价值标准。男主人公南塔斯不仅崇拜力,而且自己本人就是力的一种体现,这使得他在事业上、在爱情上都成为胜利者。女主人公弗拉维经过长期矜持的考察,最终向南塔斯这样服输说:"你是强者。"这表明了这个在高傲的坚持中显示出了性格力度的女性,原来也是"力"的崇拜者,这种崇拜导致她最后在"力"的面前屈服投降。

如果人性中确实存在着对力的崇拜,存在着力的拜物教,那是最自然不过的事。原因很简单:因为不论是个体的人、群体的人还是整个人类,既要生存、要延续、要防卫、要发展、要进取、要开拓,就必须进行西西弗推石上山式的劳作与奋斗，而劳作与奋斗，则无一不需要力，体能上的力、精神上的力、智慧上的力、感情上的力、意志上的力、肉欲中的力等等。

不言而喻，在人类历史社会发展的不同时期、不同阶段，力的拜物教之具体内容与对象，当然也有变化与发展。在原始社会，初民所崇拜的是开创生存局面的创造力、狩猎的本领与勇猛、克服种种求生困难的能耐，等等，总之，是与大自然进行抗争的力，而在他们的神话幻想里，开天辟地的盘古、无所不能的宙斯、善射的阿波罗、战胜任何艰难险阻的海格立斯等，就是这些力的体现者。在氏族社会、奴隶社会里，开疆辟土的本领、征战自卫的骁勇是人们向往与崇拜的东西，而在他们的史诗传说中，征服蛮族的黄帝、勇猛善战的阿喀琉斯与赫克托耳，就凝现着这种力崇拜的理想。在封建主义时代，对人性力的拜物教，往往表现于对忠君爱国、英勇征战、牺牲个人利益的精神力量的崇尚，而中世纪法国史诗《罗兰之歌》中的罗兰、西班牙史诗《熙德之歌》中的熙德、17 世纪古典主义悲剧《熙德》与《贺拉斯》中的主人公，就都是体现了这种精神力量的英雄，这也是整整一个时代的偶像与典范。

到了资本主义时代，对力的崇拜似乎有了崭新的内容，如果说过去一切时代所崇尚的力，几乎都无一例外地是以体能为其核心要素的话，那么，资本主义时代对力的崇拜则不再是以体能为其必不可少的要素了，而是以聚集财富、积累资本、发展交易、开拓实业的能力与本领为其主要内容，而体现了这种力的英雄，则要数巴尔扎克小说《高利贷者》中的高布赛克、左拉名著《金钱》中的萨加尔、德莱塞长篇《金融家》和《巨人》中的佛兰克以及中国作品《子夜》中的吴荪甫之流了。要成为具备这种力的英雄，并非像政治经济学道德化的评论所经常指出的那样，仅仅是靠难以餍足的贪欲、残酷无情的压榨、刁钻狠毒的剥削、厚颜无耻的欺诈。如果没有机敏的头脑、开阔的眼光、大胆的开创精神、充足的学识、灵通的信息、精明的谋略、丰富的经验等等这些素质与条件，那肯定是不成的。而且，凡是成点气候、有点"力度"者，都是在社会底层、在艰难险阻中经历过一番摔打与磨炼的。巴尔扎克告诉我们，高布赛克之所以具有"上帝般透视人心"的目光与洞察社会世情的精明，是由于"他挨过饥饿，爱情受过蹂躏，性命有过许多次陷于绝境"，同样，左拉笔下气吞牛斗的大金融家、大实业家萨加尔，原来也是口袋空空如也地来到巴黎，并且很是经历过几番人生的惊涛骇浪的。

这篇小说中的南塔斯，就是这种人物类型、这种形象系列中的一个。他出身贫寒，父母好不容易才能使他读到了中学毕业，然后，他"一无所有"地就投入了社会竞争的大海中，不止一次落到"山穷水尽"的地步，像一头野兽"受了重伤而奄奄待毙"，然而，他却拥有一笔最不枯竭的财富，那就是力。他的力之构成是什么？"要举起整个世界"的雄心壮志、"不怕任何艰难险阻"、"任何不幸都难以把他压垮的"值得称颂的坚强，还有"过人的智慧"、令人惊奇的冷静与自制力，这些就是构成他的力的要素。拥有这种力，他也就有理由宣称"我就是一种力量"了。正是凭着这种力，他从一个流落街头的穷光蛋成为一个大金融家、财政家，"整个巴黎都拜倒在他的权力之下"，"他只要大笔一挥，发出几封电报，就可以使欧洲市场要么欢腾雀跃，要么一片恐慌"，"他手一伸，就可以托住整个地球"。作为一种力，他运作起来，自然充分地实现了他自己。

与《金钱》中的主人公萨加尔一样，南塔斯也是拿破仑三世治下第二帝国时代的人。对于这个时期与这个帝国，马克思从掀起革命思潮的需要出发，曾经进行了不少道德的抨击，他把拿破仑三世的帝国的阶级基础，视为"随着时势浮沉流荡而被称作浪荡游民的那个五颜六色的不固定的人群"[1]，也就是那些"来历不明和生计可疑的破

---

[1]　马克思：《路易·波拿巴的雾月十八日》。

落放荡者”“可憎的败类中的冒险分子”“流氓、骗子、游民、赌棍、挑夫、拉琴卖唱的、捡破烂的、磨刀的、叫花子”等等。列宁更为激烈，他把欧洲 19 世纪下半叶以后的历史时期称为“腐朽、没落、反动、垂死的资本主义”，而这个时期，法国第二帝国治下得势得益的人，在他看来，则都是“社会渣滓、公开的小偷和骗子”[①]。生于其时的南塔斯最后当上了帝国的财政部长，深得皇帝的赏识，而其发迹又似乎不甚光彩，如果按马列的标准，他很有被打入“流氓团伙”另册的可能。但他在左拉的小说里，却是一个生龙活虎、活蹦乱跳的人物。考虑到他所生活的时代正是一个资本主义生产规模与水平大提高、金融事业大发展、经济生活空前活跃的时代，是一个需要与产生充满活力的人的时代，我们也许会觉得左拉对这个人物的描绘与评价倾向较为切实，也较为平易近人。

比起政治经济学的角度，爱情的角度更是主要。因为，这篇小说基本上是一篇爱情小说，而在这个角度中，人性的力度也就显得更为重要。这是一个从无“情”到有“情”的故事，在这个过程中，两力的较量构成了主要的内容，也造成了最后的结果。

在无“情”的阶段，南塔斯与弗拉维的关系，对双方来说，都只是一种现实利害所决定的契约关系，谈不上什么爱情。但在这个现实利益相结合的冰冷框架中，南塔斯却产生了“情”，这“情”所碰到的是弗拉维那充满力度的坚硬无比的墙壁：她不仅以其高贵的出身与巨额的财富而极为高傲，而且因为南塔斯最初出于赤裸裸的现实利益而接受了那冒名顶替的不光彩契约、进入了那冰冷的婚姻框架而对他充满了蔑视。这是南塔斯所遇到的最致命的礁石，他必须显示出无比的强力才能排除与逾越这一障碍。尽管他充满了力，甚至他本身就是力（他在事业上不断取得了辉煌的成功），但这还不足以解救他，不足以消除弗拉维对他的感情、人格与精神品质的轻蔑。在哪里失败，

---

① 列宁：《对目前时局的估计》。

就必须在哪里显示自己的力。只有在真挚的感情、坚挺的人格与超越功利的精神上表现出自己的力度时，才能在这次感情的对抗中获胜。南塔斯再一次在自己跌倒的地方重新获得了力量，弗拉维不得不承认他是"强者"而投入了他的怀抱。

在两性关系中，力的重要性大概是没有人怀疑的。人的性崇拜本身就是对力的崇拜，而在以男性为中心的时代社会里，女性对力的拜物教往往就是对男强人的拜物教，至于女性是看中了、选取了哪一种力，则又因人而异。中国古典小说中，窈窕淑女往往爱慕青年男子的才学，那是对才力的崇拜；《王贵与李香香》中李香香的唱词道得很明白，她是看中了王贵的劳动力；希腊史中，潘奈洛佩长期为奥德修斯守节，拉辛悲剧中，安德洛玛克对赫克托耳坚贞不移，则都是爱男性的英勇之力、忠烈精神之力。这些妇女对异性力的崇拜都是正常而又符合人类传统道德规范的，因而成为文学歌颂的题材。当然，女性对钱财之力的崇拜、对权势之力的崇拜、对门第虚荣之力的崇拜，在社会现实生活中则更是经见不鲜的，只不过因为不符合人类传统的道德与情操，因而从来没有在文学中获得过正面的地位，但像查泰莱夫人那样在异性强健的性能力面前完全献身，甚至于宁愿抛弃自己的门第与财力的犯禁的有夫之妇，倒成为文学赞赏的对象。

在这篇小说里，是什么力征服了女主人公弗拉维？既不是财富之力、门第地位之力，也不是南塔斯作为现代社会英雄的才干之力、事业上的开拓之力，而是男性真挚感情之力，因为她优越的生存境况使她对财富、权势、门第都并不在乎，而她过去曾经遭受男性虚情假意与无情无义损害的难堪的生活经历，却使她在南塔斯为了她宁可舍弃自己生命的深沉感情中彻底感化了。最后的一幕提高了弗拉维的格调，也更突现出南塔斯的感情力量。

贵族血统拜物教的性态标本

——〔英国〕托马斯·哈代：《彼特利克夫人》

　　这篇小说就像是一幅肖像漫画，它以讽刺夸张的笔法描绘出一个可笑可悲的人物形象，把他那种卑劣的贵族血统拜物教的心理表现得淋漓尽致，其讽刺是辛辣的，其夸张是漫画式的。自己的妻子找到了一个贵族情夫，这个人物竟认为她表现出了"高超的鉴赏力"，他骄傲地想道："她到底是一个生性高尚的女人，她选定了公爵血统的直系后代，真想得妙！"但最后，当他发现了儿子并非妻子与贵族所生，而就是自己的儿子时，他竟恼怒起来，咆哮出小说中那一句可笑又可耻的话来。

　　虽然辛辣夸张，但又不失为一幅有心理深度的人物画像，它将彼特利克那种崇拜贵族、向往贵族，甚至情愿让贵族来替自己传宗接代的卑劣心理描写得层层深入、细致入微。开始，这个人并不乏一般人的自然感情，当他听到自己的妻子曾与一侯爵有私情之说，认定儿子并非属于自己的血统时，他本能的反应就是取消儿子的财产继承权，对那个儿子不再关心，"骂自己是世界上最可笑的大傻瓜，发誓决不再接近那个小家伙"。然而，由于他生活孤寂，这个与他朝夕相处的孩子难免又成为了他生活中的"一种乐趣"。至此，他的心态与行为都与一般常人无异。突然，情况有了变化：他的弟弟娶了一个贵族女子而引以为荣，于是，高攀名门的观念就像奇特的霉菌一样，在他心里发起酵来，使他开始对自己名下这个儿子身上流的是贵族他人的血这件不光彩的事，竟感到骄傲起来，竟对他妻子曾委身于贵族一事暗地里颇为赞赏，甚至佩服妻子有高明的鉴赏力。这，他就有点"异化"了。

这种"异化"不断延伸、膨胀：他不仅因为妻子以"移花接木的艺术"改变了他自己家族血统的品种而感谢上帝，还冒篡改遗嘱之罪，让这个私生子获得了继承他家产的权利，这种延伸、膨胀离一般人性常态虽然愈来愈远，但却正是那种"异化"正常运作必然产生的后果。使人大感意外，现实偏偏又不让他沉醉在这种非常态人性的偏执感之中，真相大白了，事实证明，妻子委身于贵族一事纯系子虚乌有，眼前的这个孩子千真万确就是他本人的亲骨肉。使读者更感意外的是，此公竟然因真相大白而大失所望，产生了一种严重的失落感。作者这一具有极大讽刺性的一笔似乎非常非常漫画化，但却又是根据这位先生那种早已入魔的异化偏执而顺理成章的一笔，符合人物的异化精神状态的自然发展。这样一层一层剥开来，也就把人物那种贵族血统拜物教的猥琐与卑下揭示得淋漓尽致了。

这种贵族血统拜物教并非彼特利克先生个人特有的病态，它是常见的社会心理、贵族崇拜心理的一种表现形式，只要是在贵族阶级占统治地位的社会，甚至只要是在贵族阶级虽不再占统治地位但却保持着巨大社会影响的社会，这种贵族崇拜心理就会在相当一部分社会成员的心理中存在，不论是什么国度、什么民族，当然，存在的程度会有不同，存在的方式也会是各式各样。在不同民族的文学作品中，这种社会心理是有不少反映的：如法国 17 世纪大喜剧作家莫里哀就曾写过两个与此有关的著名剧本，即《乔治·唐丹》与《贵人迷》。前一个剧本的主人公乔治·唐丹就有些像这位彼特利克先生，他为了与贵族结亲，宁可眼见自己当上乌龟，任妻子与她的情夫愚弄；后一个剧本中的小市民主人公狂热崇拜贵族，处处模仿贵族，到了入魔着邪的地步，闹出了许多笑话。在中国文学名著《红楼梦》里，刘姥姥在大观园里出的好些洋相，其实也深深打着贵族崇拜心理的烙印。不过，贵族崇拜与贵族血统拜物教还有所不同，贵族崇拜是作为一种世态的相当普遍的社会心理现象，而贵族血统拜物教则是婚姻子嗣问题上的一种人性偏执。

在我们所见到的人类历史中，早已形成了这样一种普遍的传统观念：妻子委身于他人，是丈夫的耻辱，而妻子生出来的孩子如果是他人的血统，则更是丈夫的耻辱。这种传统观念由来已久，只是在远古母系社会与群婚制占统治地位的野蛮时期，才没有来得及产生这种观念。当然，在后来的时代里，有的残存着母系群婚遗迹的少数民族，仍然有以自己的妻子热情款待贵宾来客的习俗，但这样令人乐于一游的好去处已经是极为罕见了。为什么人类形成了上述传统观念？照恩格斯的解释，这是"建立在丈夫的统治之上的，其明显的目的就是生育确凿无疑的出自一定父亲的子女；而确定出自一定的父亲之所以必要，是因为子女将来要以亲生的继承人的资格继承他们父亲的财产"[1]，总之，一句话，这种观念传统来自私有财产的出现与父系社会财产继承权的出现。但这个解释也有令人费解之处，如果按此推理，那么，到私有财产以及财产继承权完全消灭了的社会，岂不人人都会不在乎自己是否有亲生骨肉，岂不人人都不会关心孩子究竟与自己有没有血缘关系而只会关心是否属于良种？如果以此推理，英国地主彼特利克先生岂不是一个超前性的先知先觉？他不仅不在乎孩子身上是否有自己的血统，而且欣赏孩子身上有别人的血统，并因此又把财产继承权给了这个孩子，这岂不有彻底与人类私有制历史决裂的大无畏气概？岂不有一种远大理想与宽广胸怀？看来，我们还不能先期进入世界大同社会，还不能对彼特利克先生做此超前性的如是观，因而也就有必要对上述传统观念的产生另作解释。

正如人类任何观念意识形态都打上了历史、时代、社会、阶级

---

[1] 《家庭、私有制和国家的起源》，《马克思恩格斯选集》第四卷，第57页。

的烙印而又都有其人性的内在根由一样，上述传统观念最内在的根由仍然是在人性之中。如果说，在某些动物身上也都有独占一块领地、独享一个配偶的自然倾向的话，那么，人忌讳自己的配偶为别人所占有、人关心孩子出自自己的血统，也就是自然的了，只不过，在野蛮时期、群婚时代，人的这点本性要求难以实现罢了，正像食不厌精的人类本性不可能在茹毛饮血的时代发展起来一样。

正是基于上述理解，我才说彼特利克先生的贵族血统拜物教有那么一点异化。

一个木匠的布列斯特和约与人的伸屈艺术

—— 〔法国〕居伊·德·莫泊桑:《萨波的忏悔》

这个标题可能会使人不大以为然。一个木匠，一个普通的木匠，哪能签订什么和约，而且是具有历史意义的和约？特别是像布列斯特和约这样曾在社会主义革命史上大书特书、与列宁的名字分不开的和约！

这只是一个比喻。任何比喻都是蹩脚的。我之所以打这个比喻，是因为这篇小说中的此位木匠师傅萨波的行为，虽然属于低层次，然而却实与人的高层次行为，甚至与人类的历史行为有相通之处；他的性态虽然只是一种原始、个别、低级的表现，然而它却像一个细胞或胚胎，显示出了人类某方面的一种特性。

达尔文学说强调指出了自然环境对物种的选择，发现了适者生存的规律，这种规律对人类与社会现实之间的关系，何尝没有意义？人在社会现实条件下，也有一个适者生存的问题，这种"适"的含义就是：人不能一味只按自己的主观意愿而不顾现实的可能去行事，而必须采取与现实条件相适应的行动，甚至是顺应将就客观现实情势的行动，才能免于碰壁，才能避免"鸡蛋碰石头"式的错误，才能达到保存自己、发展自己的目的，于是，在人类行为中，就有了伸伸屈屈、"退一步、进两步"等等这样一些艺术。掌握这类艺术殊非易事，首先就要克服自己的感情用事、主观激越、盲目冲动，当然更要对自己所严格信守的原则或教条，对自己千方百计所要维护的现实利益，对自己所格外珍视的尊严体面，也要舍得做点儿牺牲，总而言之，要能伸能屈。曾经忍受胯下之辱的一代名将韩信所奉行的正是这种大丈夫"能伸能屈"的哲学。由此可见，能掌握此种艺术者，唯大丈夫也，而掌握了、运用了此种艺术者，则无一非大丈夫矣！且看数例：

君不见，克伦威尔在查理一世被处死后，本可唾手而得英国的王冠，但他在关键时刻，却意识到了潜在的危险而从王冠之前退却；

君不见，伽利略为了能保存自己，不至于被从肉体上消灭掉，也曾向宗教法庭承认了他的科学名著《关于托勒密和哥白尼两大世界体系的对话》犯有"偏激的错误"；

君不见，"十月革命"的发动者列宁面对国内危急的局势与外国干涉的强大的压力，也不得不签订了向德国入侵者做出退让的布列斯特和约，又在无情的客观经济规律面前，不得不放弃了社会主义经济模式的某些规范，对资本主义经济做出让步，宣布了新经济政策。

领域不同，层次高低有别，行动原理都是共通的。且再来看看这篇小说里一个普通木匠的所作所为：

萨波是个不信神、没有宗教信仰的木匠，在信神、信宗教已经成为人的一种正规的意识形态表征、一种正派人所应有的操行的那个社会里，他这种倾向本身就带有一点不正经、不规矩的色彩，当然，不信神、不信宗教的木匠多得很，即使是这种神父也不在少数，那么，你就当你的木匠、不信你的神、不信你的教好了，只需不渎神就得了，但萨波偏不这么老实，他不仅要处处事事都标榜他的不信神、不信教，而且简直就把公开与宗教、与神父作对当作他的第二职业，只要有机会，他就要拿教会与神父来取笑挖苦、揶揄嘲弄：该戒斋的日子，他偏要宰猪吃肉，该做弥撒的时候，他偏要去干他的木匠活！总之，似乎只有这样对着干，才能满足他生活的需要与天性的乐趣。当然，也还有一个脾性爱好之外的世俗的原因，那就是因为他是村议会的议员，在村镇里代表了"激进派"，与教会互为政敌，他这种与教会作对的姿态，显然将有利于他竞选当地的村长。个性使然与"政治原则"两者都有，由此看来，他将认为有必要与教会、与神父作对到底。

事情忽然有了变化。教堂的木器全部得翻修，这是一大桩生意，但只能承包给有宗教信仰的木匠。眼见一笔很可观的收益有旁落的危险，萨波在新的形势、新的现实条件下，及时地采取了新的行动方针，就像一位将军在敌情变化面前改变了原来的战略战术一样。毫无疑问，他伸屈行动的艺术是极为高明的：他见机行事，不拘规则，先是去找他一贯加以嘲弄的神父，然后，又答应向神父行忏悔仪式，但在忏悔的地点上，他讨价还价，屈中有伸，总算获许不在教堂的忏悔室做正式忏悔，而改在神父的客厅里以非正式的形式进行。小说至此已极富有诙谐的趣味了，但更精彩的是在萨波进行忏悔的那种伸屈艺术。对于自己是否诚心诚意地敬神爱神，是否不亵渎神明，是否专心侍奉天主，是否不犯欺骗、说谎、色淫之罪这些问题，他回答得都妙不可言。从表面的语言语气来看，他"屈"得像是一个虔诚的信徒，但在回答的内容与实质上，他那"无神论者的心灵"、他那反宗教信仰，追求世俗享受的天性，却又偷偷地"伸"了出来，使他那些表面的语言显得滑稽而带有讽刺意味。最后，他的伸屈行动艺术达到了他所瞄准的那个主要目的——把翻修教堂的全部木匠活这笔生意承包了下来。虽然他多少放弃了自己的一点点"激进派"的"政治原则"，多少添增了一点点要给自己的世俗享乐生活披上宗教道德外衣的麻烦，但从他自己预定的目标而言，他获得了成功。

其实，他的对手玛里蒂姆神父也获得了胜利，同样，他的胜利也是通过伸屈行动艺术取得的。他原来的目的就在于要利用教堂的木器活来使萨波放弃与教会作对的姿态，这是他的"伸"；但为达到他的"伸"，他有时也有所"屈"。客厅根本不是正式忏悔的场所，他为了给萨波下台阶提供出路，就把忏悔改在他的客厅里举行；萨波的"忏悔"实在没有什么诚意，简直叫人啼笑皆非，他却毫不在意，对其中那些无神论话语宽容得难以想象，随和得极其可爱；他所要求的只是萨波跪在他面前履行一次忏悔手续。在他看来，只要萨波履行这个手续，他自己就获得了巨大的胜利！请注意，萨波一表示愿意忏悔时，在旁的两个虔诚的老姑娘不是"激动得脸色发了白"吗？至于萨波忏悔是否有诚意，玛里蒂姆神父可无意苛求，虽然这也事关他心目中神圣不可修正的教义与原则！因为他心里明白，几百法郎的收益固然可以叫萨波低头改变以往的对抗姿态，但却肯定改变不了萨波这种人追求世俗享乐生活的天性。

于是，小说里就有了两个胜利者，他俩都是相对的胜利者，而不是绝对的胜利者，是有所舍才有所得的胜利者，是掌握了伸屈艺术的胜利者。这两个人物相对立时那种伸伸屈屈的性格之态，既启示出人类足以影响历史进程的某种本能特性，也构成了这篇小说的情趣。

不可恶的"恶"

——〔法国〕居伊·德·莫泊桑:《一个诺曼底人》

如果说在法国文学中都德是"普罗旺斯图景"的专家的话,那么,莫泊桑则是"诺曼底图景"的专家。诺曼底位于法国西北部,面临大西洋,要算是法国的一个"偏远地区"了,在 19 世纪,这一片土地零星地散布着一些小规模的乡镇村落。

莫泊桑有二十来篇之多的作品都是描写这个滨海地区的,其中不乏脍炙人口的佳作,这些短篇从各个角度出色地再现了诺曼底的自然风光、人情世态、风俗习惯,使法国文学画廊里多了一种独具特色的图景。

《一个诺曼底人》的篇幅并不长,它通过诙谐有趣的叙述,在优美的田园风光背景上,勾画出了一个农村老油子的形象:他聪明能干、幽默风趣、好酒贪杯、玩世不恭、善于玩弄欺骗的手法。他身上既有浓厚的乡土气息,也带有原始资本主义式的狡猾。对这个人物,莫泊桑称之为"最典型的诺曼底人",说他最具有"诺曼底气味"。为什么呢?看来,就是因为他身上同时并存着乡土气息与初期资本主义的狡诈,这种"狡诈"反映了 19 世纪诺曼底这个僻野地区在经受着资本主义的侵蚀这一基本的现实。

关于这个人物的性格,作者所着重表现的是他"那种兵油子的吹牛习气与诺曼底人的狡猾奸诈",这两者显然都不是正面的品质,在人性的两大范畴中,它们都不属于"善"这个方面,倒是应该划归于

"恶"的那一边。然而，这个人物的这两个特点，却并不显得可恶，只是显得可笑，甚至在可笑之中还有些许可爱。这正是性态描写的情趣，是莫泊桑写这个人物写得成功的所在。

问题在于：为什么？

狡猾本来与机智只有一步之差，但两者都需要以一定的聪明为基础，都是主体用来对付某种客观现实的武器。在充满了人与人之间、人与物之间的矛盾冲突的现实生活中，狡猾自然要比愚呆对人远为有用有益，因此总是受到人类的重视，尽管它经常是被用来达到主体者一己私利的目的。在文学中，就存在着一个歌颂狡猾的传统：法国中世纪市民文学中有一个鼎鼎大名的人物，那就是狡猾的列那狐；意大利文艺复兴时期的名著《十日谈》里，充满了各种各样的狡猾人物，他们几乎无一不是作者赞赏的对象；18 世纪法国文学中那个代表了市民阶级向贵族阶级进行大胆挑战，简直就是正义化身的人物费加乐，其狡猾劲也很十足。

对狡猾作道德评判，人们往往不着眼于它抽象的性质，而往往是根据这样两点：一是看它用来对付什么对象以及这个对象的性质是善还是恶；二是看它达到利己目的的时候，损害他人到什么程度。这两点意味着，对它的评判是以它所处的关系与它所造成的后果为转移的。上述文学作品中那些狡猾人物之所以得到赞赏，正是因为他们的狡猾是针对专横强暴的封建主、侵犯人权的贵族、虚伪的教会人物以及丑恶善妒的丈夫等等，这些人物显然比愚弄他们的狡猾家伙更为差劲，更为可恶。

莫泊桑笔下这个诺曼底人的狡猾似乎更显得可爱，它的可爱首先在于它在人际关系中不是用于进攻，而仅仅是用于保护自己。在这里，莫泊桑的篇幅有限，他只能突出一个重点，那就是玛蒂厄老爹如何用狡猾的言辞来掩饰自己的好酒贪杯。玛蒂厄毫无疑问是一个酒鬼，世上的酒鬼有一个共同特点，那就是都不承认自己是酒鬼，酩酊大醉之时，也不承认自己已经喝醉。侯宝林的相声中那两个酒鬼用爬电筒的光柱一事来证明自己的清醒精明，就是最引人发笑的一例。

玛蒂厄是法国 19 世纪资本主义技术革命时期的人物，他的小狡猾也有时代的特征，他的掩饰手法妙不可言地披上了科学的外衣，他自称掌握了醉度计，对醉度的测定竟可以像温度计测定体温一样准确。但他的这个"醉度计"其实并无实物，只不过是全凭他随意估计、信口开河而已。当然，按照他的这个"醉度计"，他自己是从没有到过"真醉的度数"的。对此，你还能说什么呢？他的测定是完全合乎科学的！而他在做这种"科学的"诳言的时候，他那种开玩笑的态度又带有几分承认自己在进行诳骗的坦率性。于是，他这种用来掩饰自己缺点的狡猾也就残存着一点顽童式的天真，因而倒显得颇为可爱。

玛蒂厄的狡猾的更绝妙之处，是在他以圣物做买卖上。他这个特点绝不会引起明事理的读者的反感。谁都知道，世界上并无圣物，就像世界并无神一样；圣物都是人造出来的，就像神是人想象出来的、转世的活佛是人选出来的一样。世上的圣物之所以甚多，就是因为人群或集团在不同的时期、不同的国度从现实利益出发，不断有造神的需要。既然有人可以造神、造圣物、造神圣不可触犯的主义与教规，为什么人不可以贩神、贩圣物、贩神圣不可触犯的东西，从神圣的主义、教旨到神圣的旗帜与口号？在种种"贩神""贩圣"之下，都藏有各自非常具体的现实利益，只不过，这些现实利害的实质与"贩神""贩圣"的形式，在人类的活动中有高低不同的层次而已。玛蒂厄的贩卖圣像与祷词，显然属于低层次，其目的不过是为了糊口，与人类历史上那些在政治领域、思想领域、宗教领域里的造神造圣活动与贩神贩圣活动实不可同日而语。正是在这种悟性常情之中，他的圣物买卖得到了我们的谅解，我们不会责备他把圣物当作了商品！

虽然他能得到谅解，但是根据世俗的常情，他这种贩神贩圣活动也有点小小的可恶之处，对此，我们难以名之，权且称之为贩神贩圣中不正规的商业习气或曰贩神商业上的"不道德"。众所周知，人类的神与圣物固然有各种各类，但人类的造神贩神与造圣贩圣的活动，都有一个基本的共同点，那就是都极力要保持着与神、与圣物相称的虔诚、激情与狂热，以致虔诚与狂热已经成为这类活动中最崇高、最被歌颂的精神境界，凡具有这样的精神境界者，则都被供奉为使徒、圣者、楷模、样板、典范。玛蒂厄的出格之处，就在于他毫不要求自己保持与圣物相称的虔诚与敬意，恰巧相反，他居然极尽嘲讽与揶揄之能事，甚至达到恶作剧的地步。有例为证：与基督教神圣的传说大唱反调，他竟然把矛头指向了基督的母亲——圣母玛利亚，专门跟这位圣洁的童贞女为难作对，且不说给她取了一个"大肚子圣母"的外号，还以她隐私的知情者自命，趁酒疯大肆散布"流言蜚语"，往圣母头上泼脏水，而且，还在公开散发的祈祷文中戳圣母老人家的痛处。他这种行径对神圣的宗教来说，比意识形态上的无神论更为可恶，因为它比无神论的纯理论批判多了几分下流气，简直就是人身攻击、揭人隐私了。

在这里，莫泊桑成功地表现了这个人物的流氓无产者的低格调与油滑劲，但是，在他笔下，玛蒂厄对宗教神话这种甚为刁钻的攻击角度，却又一次赢得了读者的谅解，他那种刁钻角度与其说是出于玛蒂厄"品格低下"的过错，不如说是基督教神话本身的疏漏给他提供了可能。任何宗教神话总要小心翼翼地避开使自己招致攻击或引起世人不良联想的构思与形象，基督教关于童贞女玛利亚不婚而孕、生下圣子基督这个构思，显然是犯了此忌，它与世人所知道的人间常情太相悖了，而且，它刺激着凡人身上那种根深蒂固、不可救药的性想象。玛蒂厄不过是把任何一个凡人对此宗教神话都会有的质疑与推断公开说了出来而已，他值得谅解，他坦率得可爱。

他另一个小小的可恶之处，是对圣人像的态度"太不像话"了，这其实也是一个贩神贩圣活动中的"商业道德"问题。他所制作的那些木头小圣人，既然是农民们迷信膜拜的对象，而他也是把这些小木头人当作圣物出售的，那他总不该用来堵兔子房的窟窿眼吧？总不该把它们一个个弄得满身污泥吧？玛蒂厄偏偏这么干了，丝毫不讲贩神贩圣的"职业道德"。当读者看到农民在被他如此弄得脏兮兮的圣人像面前顶礼膜拜时，也许会觉得玛蒂厄有点"缺德"，至少是缺点"商业道德"，带有明显的愚弄性。但是，请注意，玛蒂厄是在 19 世纪的诺曼底乡村，他贩神贩圣的商业活动还很原始，他没有现代化的橱窗、现代化的精美包装，也没有光辉的旗帜与响亮的口号。这正是他身上的土气之所在。但他绝不至于比现代化的贩神贩圣业更加缺德。由此看来，他又一次可得到读者的谅解。

经过这一系列谅解，我们都会喜欢玛蒂厄这个狡猾的乡下佬的。

作为人性一种基因的"变色"

——〔俄国〕安·巴·契诃夫:《变色龙》

人惹了狗，狗咬了人，人要打狗，狗要逃命。该惩罚谁？警官先生在这个问题上，一反一复，一复一反，然后又反反复复，复复反反，短短的一二十分钟之内，立场与态度就来回变了好几次，而其立场态度的变化，始终都是以这样一个问题为转移的：这狗的主人是平民百姓，还是将军抑或是将军的哥哥。

对狗的态度，就是对主人的态度；对不同主人的狗，就要采取不同的态度；同一条狗的归属有了变化，对它的态度也就该有所变化；采取不同的态度，就得找到不同的根据与理由；根据与理由总是找得到的，"何患无辞"？这就是警官奥楚美洛夫的行为所体现出来的哲学与原则。这篇小说以不到3000字的短小篇幅，把这个警官变"态"的哲学与变"态"的艺术，特别是那种由一态向另一态转换变化的语言艺术，表现得淋漓尽致，令人叫绝。

世界短篇小说中的这篇名作，以写出了一个反复无常、逢迎多变的典型人物而著称，他被作者称为"变色龙"，在生活中，"变色龙"已经成为人们普遍用来概括与形容多变者的代名词，就像用蛇蝎代称恶毒者，用狐狸代称狡诈者一样，其贬义是显而易见的。然而，当人们用变色龙来称多变者、善变者的时候，往往却忽略了"变"其实是人普遍的常态。而多变者、变化无常的人，即使是在文学中，亦不少见，而其变色的原因，又是各式各样的。

在《哈姆雷特》中，丹麦王子问波洛涅斯："你看见那片像骆驼一样的云吗？"这个宫殿老臣立即附和："哎哟，它真的像一头骆驼。"王子故意说："我想它还是像一头鼬鼠。"波洛涅斯赶快变了腔调："它拱起了背，正像是一头鼬鼠。"王子又耍弄地问："还是像一条鲸鱼吧。"波洛涅斯又赶紧改口："很像一条鲸鱼。"波洛涅斯的一再改腔变调，与奥楚美洛夫警长的几度改腔变色颇为相像，都是顺风车似的，只不过一个是顺主子的腔调，一个是顺狗的归属问题。如果说奥楚美洛夫一再变色的原因是他的势利眼使然的话，那么，波洛涅斯一再变色的原因，就是对主子的畏惧与惮虑了。

在莎士比亚另两部剧作《温莎的风流娘儿们》与《亨利四世》里，有一个再现的著名人物福尔斯塔夫，他常见风使舵，改头换面，弄虚作假，装神弄鬼，也要算是一个变化多端的家伙了，他的变，显然是由于他厚颜无耻的流氓性格使然。

在法国 19 世纪有一个著名的文学家兼政治思想家本杰明·贡斯当，从他年轻的时候起，他就经常把自己变化无常、短暂即逝的热情倾注在不同的女性身上。而在政治上，他从热烈赞颂拿破仑到反拿破仑，从赞助波旁王朝复辟到再度支持拿破仑的百日政变，然后又从复辟王朝的持不同政见者到成为"七月革命"的参加者，他复杂多变的性格，在他著名的自传体小说《阿道尔夫》中有相当细致的反映，由于他的反复无常，复杂多变，他的名字上被人加上一个音节，成为了"Inconstant"（意为：好变之人）。他的好变，看来是由于另一种原因，即正如 17 世纪思想家拉罗什福科所指出的那样：有一种变化无常，它来自精神的轻率或软弱，使精神接纳所有其他人的意见。

拉罗什福科曾经还指出："另外还有一种变化无常，则是较可原谅的，它来自一种万物皆空之感。"这无疑也是变化无常的另一种根由，但这离奥楚美洛夫警长、离变色龙问题就比较远了，我们可以忽略不论。

以上只是与文学有关的变色、多变、善变的人类性态，至于这种性态在现实生活中的表现，似乎更是无所不在。种种的世态炎凉之中显然有变色的问题；万般人间冷暖，显然也有变色的问题；见风使舵的智者，随风表态的风派，哪一个不是以"变色"为本？翻手为云、覆手为雨的阴谋家，固然是变色龙，随机应变的行动家、革命家、搬演历史的大人物也何曾不也是"变"哲学的信奉者？这种哲学早就概括成为人所共知的名言了：一切以时间、地点、条件为转移，到什么山唱什么歌。如果这种"变"的哲学是从客观需要出发，是从追求合理的社会理想、达到有利于人群的社会效果出发，那是天经地义的。如果这种"变"的哲学是从一己私利出发，是从乖戾无常、为所欲为、作威作福、权欲心理出发，那么，这种哲学愈是在大的社会范围里奉行，在更高层的历史舞台中搬演，其结果愈是令人可怕。在中国近代史上，就有一个突然变色、后患极大的例子：袁世凯在百日维新中，被维新派所倚重，他信誓旦旦，表示效忠，然而，一夜之间，他为追求权势，突然就"变色"了，使维新运动淹没在血泊之中，给中国近代历史造成了一次大的曲折。而在我们自己所见证过的"文革"中，朝令夕改、反反复复、无法无天、为所欲为所带给世人的麻烦与后果，则是无须多言了。

也许是因为过去的警察经常是一种令人讨厌的对象，而这个奥楚美洛夫那势利眼又是那般下作，他倒成为反面的变色龙典型，但由上观之，平心而论，这个态度反反复复的多变者，只不过是世上千千万万个多变者中的一个，而且肯定不一定是最可恶的一个、最要不得的一个。

人最终时刻的反惯性性态

——〔俄国〕列夫·托尔斯泰:《伊凡·伊里奇的死》

俄苏文学的研究者认为,《伊凡·伊里奇的死》是托尔斯泰的杰作之一。对此论断,我们当然不能小视,这是我们在编选这个集子时,不能不加以考虑的。

毫无疑问,列夫·托尔斯泰是一位享誉世界的杰出的作家。不过,大师巨匠笔下的所出不见得都是杰作。在笔者看来,《伊凡·伊里奇的死》就是如此,它写得稍显琐碎,深度不够理想,思想内涵略显重复。但是,即使仅仅是出于对上述论断的礼貌,我们也不得不承认,《伊凡·伊里奇的死》毕竟是托尔斯泰的一个名篇,它在思想上略露出了《复活》的某些端倪,而且,更重要的是,在世界文学中,它可能要算是以最多的篇幅描写了人之将死的感受与变化的一个短篇小说,对我们说明人在生死关头的性态表现颇有用处。这就是我们选入它的主要理由。

伊凡·伊里奇一生的经历与际遇,按照他那个时代社会的世俗标准来说,可谓非常美满。如果说每个时代社会,都有自己的居于优越地位、享有种种权益的"上帝的选民"的话,他就是那个旧俄时代农奴制社会里的"上帝的选民",居于社会的上层。他受过良好的教育,得到了专业的深造,成绩优秀,毕业后少年得志,在仕途一帆风顺,在自己的权力领地与专业范围里,应付自如,如鱼得水,几乎从未陷于困顿,从未遇见险阻,即使小小的尴尬局面也与他无缘。他一辈子生活得轻松自由，既不乏风流韵事，也有体面的婚姻，到了晚年，膝下有儿有女，毫无孤寂，薪俸优厚，舒适悠闲，称心如意。当然，在他的生活中，也有与妻子的争吵，有时也得为功名利禄费点心思，但这相比于那些忙碌奔波、劳苦操作一生的人，相比于那些长期奋力拼搏的人，相比于终年饱尝忧患之苦的人，这点小小的不愉快与麻烦又算得了什么？托尔斯泰在叙述中，一开始就这样说："伊凡·伊里奇的身世极其普通，极其简单，而又极其可怕。"如此优越，如此贵族化，怎么说"极其普通"？如此滋润，谈何"极其可怕"？

这是作家托尔斯泰对人物一生的道德评判，而这一道德评判又正是托尔斯泰本人写小说时世界观的反映。

如果这篇小说写于托尔斯泰的青壮年时代，那肯定不会有这样的道德评判，那时期，他是一个生活放浪的人，并不以道德规范为重，伊凡·伊里奇这样轻松自在、不缺欢愉快乐的生活，在他看来绝非"极其可怕"。但这篇小说发表于 1886 年，是托尔斯泰晚期的作品，而这个时期的托尔斯泰，在世界观上已经发生了彻底的变化，"1881年这个时期，对我来说，乃是从内心上改变我的整个人生观的一段最为紧张炽热的时期"，"我弃绝了我那个阶段的生活"①。列宁曾经这样形容说，这时的他当众捶着自己的胸膛宣称："我坏极了，我龌龊极了，可是我在实行道德上的自我完成，我再也不吃肉了，我现在只吃米粉团子了。"②在这种精神状态下他写出了《伊凡·伊里奇的死》，当然就会对人物养尊处优、悠闲享受的一生，做出"极其可怕"的评判，还让这个人物不断做出"我的生活有一些地方不对头"的反省，同时，他在小说里安排了一个俄国庄稼汉形象，让他在伊凡·伊里奇最后生活的时日里，发出健康、强壮与善意的光辉，也就可以理解了。

不论伊凡·伊里奇最后时日所做出自省与反思在多大的程度是作

---

① 托尔斯泰：《忏悔录》。
② 列宁：《列夫·托尔斯泰是俄国革命的一面镜子》。

者附加在他头上的，但这毕竟很符合人性本身的规律以及文学中人性描绘的规律，因为自省反思往往是人在最后时日不无例外都有的一种"反惯性性态"。当然，最终的"反惯性性态"是否一定就是自省反思，那倒不见得，但自省反思在反惯性性态中占有相当大的比例是毫无疑问的。

何谓"反惯性性态"？

17 世纪大思想家巴斯喀在他的《随想录》里，曾经这样描绘了人生的图景："请设想一下，戴着锁链的一大批人，他们每个人都判处了死刑，每天，其中的一些人眼看着另一些人被处死，留下来的人，从他们同类的状况看到了自己的状况，痛苦而绝望地互相对视着……这就是人的状况的图景。"人生的悲怆性在这里表现无余。20 世纪著名的哲人作家加缪则在他的名著《西西弗神话》里，把人生概括为推石上山、反复永无止境的象征，人生的徒劳与乐趣、人生的无意义与有意义尽在此一象征中。曹雪芹的《红楼梦》里，也有著名的《好了歌》以及对它的精确注解，虽然可能会被人认为流于空幻，但却精辟地道出了在死之面前人人平等的真谛。所有这些，我们可以称之为对人生的彻悟意识，不管这些彻悟意识有何种程度的客观真理性，也不管你站在哪个主义的立场上认为哪种彻悟意识可取，哪种彻悟意识不可取，反正它们都是从生与死这个根本的问题出发，而且是在直面生与死这一根本问题、有时间咀嚼生与死这一根本问题的日子里的一种带有根本性的思维意识。如果人们在现实生活中，总带有某种程度的彻悟意识，或至少不时带有某种程度的彻悟意识，那么，很可能要省去好些麻烦、苦恼与痛苦，人与人之间也可能会少有一些麻烦。但实际上，人们在现实生活里总是不由自主地遗弃了一定程度的彻悟意识，总是离开了生与死这一个根本问题的背景，而在现实生活具体的情势、境况中，形成了某种惯性性态体系（由企图、欲望、谋略、计划、习惯的思维方法与行为模式等等因素所构组的惯性性态体系）。

就伊凡·伊里奇而言，他的惯性性态体系的构组成分就是：升官的欲望与计划，为此而采取的路线、策略以及所走的门路，掌握一定权力时如何用权、如何以权令人生畏、以权控制与决定他人命运，如何享受这种生活、从中得到乐趣、在悠然自得之中还加上些许刺激性欢乐等等。但是，在死亡这个可怕的现实横亘在人的眼前，人们已经在毫不留情地在谈论与安排他的后事、已经把他从世界上的消失当作一种客观现实来对待的时候，他原来那些愿望、企图、努力、方法与乐趣眼见都要成为泡影，他原来那一整套惯性性态体系自然也就成为丧失了目的、不为什么、毫无意义的东西，就像失衡的积木倒塌在地，散成一些碎片一样，而面对其实早已存在、只不过经常遗忘于脑后的生之荒诞性，也就不由自主地产生了反惯性性态的性态了，这种性态往往是以自省反思的形式出现的，伊凡·伊里奇的最后时日就是这样的。

中国的《论语》有曰："鸟之将死，其鸣也哀；人之将亡，其言也善。"这话在一定程度上具有很大的普遍概括性。"其言也善"其实往往就是指人最后自省反思性的心态与语言，这种自省反思的思绪与语言之所以"也善"，就是因为它们总或多或少一反人在世俗现实环境中的惯性性态，总或多或少地摆脱了在世俗环境里那些入世性的性态——计较、谋划、偏激、狭隘、纠缠、争斗与夺取等等，而在这些性态中，往往不可避免地带有非善的基因、恶的基因。

在外国文学作品里，这种对超越性的反惯性性态的描写并不少见。

在英国作家莎士比亚的戏剧里，我们就可以看到一个相当典型并颇有点诗意的例子。在莎翁好几个剧本中都出现过的福尔斯塔夫，是一个贪财、贪色、嗜酒的人物，嫖赌吃喝的恶习他无所不有，他不时还要拦路抢劫，被人认为是一个老流氓、老混蛋。但是他在《亨利五世》一剧中去世时，却喃喃说着："绿草地，绿草地。"完全达到返璞归真的境界。

同样，在法国著名小说《红与黑》里，主人公于连·索黑尔面对着死亡的逼视，也发生了根本性的变化。他本来野心勃勃，重视功名利禄，一心想往上爬，为此，他时刻处于一种较量与争斗状态，并采取了二重人格的处世方式。而这时的他，却放弃了上诉的权利与眼见还有得救的机会，而以一种超脱的、哲人式的态度，思考了自己的死亡，并以一种几乎是宁静的心情走向死亡。

在中国文学里，比较广为人知的一个实例大概要算是瞿秋白的《多余的话》了，这篇在死亡阴影下写出来的自述，不论是对自己原有的立场与原则有多少偏离以及人们对这种偏离可以做出何种评判，但它却毫无疑义地表现了作者主观上的反惯性性态。

当然，自省反思式的反惯性性态，毕竟只是人最后时日的一种性态而已，虽然它是一种常见的普通的性态。应该看到，最终时日仍在惯性性态的道路上义无反顾、绝无悔意、勇往直前、慷慨激烈的入世好汉是大有人在的：嗜财如命的葛朗台临终时，仍拼命去抓镀金的十字架；严监生咽气时仍放心不了两根灯芯；江湖大盗最后狂喊"20年后仍是一条好汉"。慷慨者激昂悲歌依旧，执着者终于无悔无改，等等，等等。人世就如一座大森林，什么鸟都有，不见得所有的鸟最后叫起来"其鸣也哀"。

这里，笔者既不是赞赏人最后时刻的惯性性态，也不是赞赏人最后时刻的反惯性性态，更不是力主某种彻悟意识，而只是想说明，所有这一切都是人最终时日的不同性态。

关键时刻的性格展露

——〔英国〕阿诺德·班奈特：《泼辣姑娘玛丽》

  不论是大人物还是小人物的生活历程，一般都有关键时刻，这是一个人一生中起决定作用或至少起重要作用的时刻，它往往构成一个转折点，不是好的转折点，就是坏的转折点。在这个时刻里，与此人有关的一切重要矛盾都或多或少要出现、碰撞、纠缠；此人生活中一切重要关系的线索都或多或少要露头、集结。这种时刻中紧迫的境况、切身的利益、息息相关的安危、尖锐的矛盾，都使得此人不能不拿出自己所可能有的意志力，使他不能不展示出自己主要的素质，无法不表露出其迫切的愿望，无法不任其内心深处的情感外泄。总而言之，这是一个人的性态呈现得最真实、最充分、最酣畅的时刻，至于关键时刻的结局与带给此人的效果，即作为转折点的好或坏，倒不一定就以此人性态的品位的好与坏、高与低为转移，两者不一定成正比例。

  人在关键时刻的性态表现，历史舞台上就曾有过一些极富戏剧性的事件。

  例如，英国 17 世纪资产阶级革命的领导人克伦威尔将军，他在英王查理一世被处决后，已经统治着英格兰、苏格兰与爱尔兰，并且还威震整个欧洲，眼看他即将自立为王，威斯敏斯特也已悬旗挂彩，搭起了高台，王冠已经交给金银匠去制作了，加冕大典的日子也已确定。然而，大典的那一天，克伦威尔面对议员、民团与人群，却在历时三个钟头的演说里拒绝了国王的尊号。正是在这个关键时刻，这个

· 518 ·

历史人物的欲望、野心与谨慎、克制相混合的性态，权位狂热与政治理智、个人主观意志与对现实境况的客观审视、决断与犹疑、渺小与高大等等两方面并存的复合性态，就呈现得很清楚了。

再如，1804 年 12 月 2 日，拿破仑在巴黎举行称帝的加冕典礼，这不仅是拿破仑登上权力顶点的关键一步，也是欧洲历史上的一个关键时刻，拿破仑从此将君临全欧。在这个典礼上，当教皇为拿破仑敷过圣油之后，拿破仑不等教皇为他将皇冠戴在头上，就直接从祭坛上端起了桂冠，像古代的恺撒大帝一样，当仁不让地把它戴到自己的头上，这更是一个充满了戏剧性的关键一瞬间。这关键的一瞬间，集中反映了拿破仑那种不可一世的打硬仗的经历与做派，拿破仑目空一切、自信自强、唯我独尊的性态在这里表露得可谓淋漓尽致。

文学艺术家在时空的选择上，无疑对关键时刻与关键时刻的场景特别感兴趣，上述两个历史事例，就曾是文学艺术家所选取的材料，前者被雨果写入了他著名的历史剧《克伦威尔》，后者成为浪漫主义绘画大师达维特的名作《拿破仑一世加冕图》的题材。至于巴尔扎克的《高老头》对伏脱冷被捕一刻的描写、吴敬梓的《儒林外史》中对严大育咽气一刻的描写，都是文学作品中很著名的篇章，既是故事情节中至关重要的部分，又是人物性格表现的有力手段。伏脱冷正由于突然发现自己被人卑劣地出卖而遭逮捕，他平日少见的那种狂暴、凶悍、愤怒以及在狂怒状态中出现的那种罕见的、令人惊叹的自制力，才在一瞬间全都突现出来；葛朗台老头在临终时刻的嘱咐与严大育咽气时举起了两根指头，最典型不过地表现了这两个人物嗜财如命的悭吝性格。

对人物关键时刻的描写，在长篇小说与在短篇小说里，其作用与重要性还略有差别。在长篇小说里，读者在看到人物在关键时刻的性态以前，其实已经对这个人物的身份、经历、社会关系、性态等等都有所了解了，因此，小说对这个人物在关键时刻性态的描写，就不是这个人物的性格塑造的唯一的全部的内容，它只是最重要的画龙点睛的内容。但在短篇小说里，情况则不一样，人物的关键时刻往往是小说唯一的时间，关键时刻的场景往往是小说唯一的空间，读者只可能在此时此地见识这个人物最内在、最核心的性格。由于这个原因，短篇小说对人物关键时刻的描写，其难度要比长篇小说难得多。

这个短篇小说所选取的，是三个人物共同的关键时刻。死亡、遗嘱把小说中的三个人物纠集在一起，造成了他们生活中重合的这一段关键轨迹。

起导因作用的，却是垂死的保守党小职员爱德华·比契诺，没有这个人物在临终这一关键时刻的性格运作，就谈不上有其他两个人物的关键时刻。这个人物的概况是通过作者幽默的笔调来介绍给读者的，这种笔调显示了英国人的幽默天性与才华，在这里，它把这个长期在文件堆、证书堆里打滚而显得狭隘、干瘪、狡诈、贫乏、庸俗、死气沉沉的公务员，称为"伟大英国坚实基础的组成部分"，真是绝妙之至。不过，这里并没有半点过分的刻薄，公务员这个缺乏生命活力、缺乏个性与光彩的阶层，何尝不就是那一个社会的中坚力量、国家的忠实成员、法制的驯服工具？这个爱德华·比契诺直到他临终之时，仍然要以自己最后一口气、残余的一点力量来保持自己这点本色、这份尊严、这种格调！他在自己的遗嘱上坚持"原则性的立场"，要么叫他那个工党小兄弟改变政治态度，站到保守党这边来，要么就取消他的继承权，而把自己以悭吝方式积攒起来的钱财与不动产捐给医院以设立一张以自己的名字命名的病床，好一种严格的政治界线！

这对那个工党小兄弟来说也是关键时刻，它将关系到他今后的经济状况，可是，他却甘居被动地位，无所作为。有所作为的角色，就落在了居于这两兄弟之间的姑娘玛丽的头上。恐怕这个角色也只能由她来充当，因为这个临终立遗嘱的兄长身边，这时只有这么一个长期与他生活在一起的姑娘，就像康熙皇帝临终时只有一个隆科多在身边一样。

这是危机四伏的时刻，也是危机四伏的情境，阴谋诡计与大胆妄为发生的可能性实在太大了。于是，我们在这里又看到在人类生活中不知演出过多少次的几乎具有永恒性的"病榻前的悲剧"。搬演这出戏的，就是这个玛丽。她伺机时阴沉，她伪装时巧妙，她撒谎时不动声色，她软磨时狡黠，她硬抗时泼辣，终于她完成了隆科多式的活动。正是在这病榻前关键的时刻，我们看见了一个厉害的女性。她的厉害，似乎不仅仅在于她的泼辣，而更在于她的心计。从病榻前关键时刻的表现来看，可见她早有考虑与打算，早有对生活的安排；她在病榻旁的活动，正是在这些考虑与打算的支配下随机应变、毅然决然而进行的。

看来，与其称她为泼辣的玛丽，不如称她为"有心计的玛丽"为好。

小姑娘向少女过渡的一种性态

——〔英国〕萨契:《敞开着的窗户》

在中国人的眼里，即兴赋诗作词而得佳章，乃是文才焕发、聪敏绝世的标志。

唐代十四岁的王勃，于咸亨二年（671）九月初九，适逢洪州牧阎伯玙宴宾客于滕王阁，对此胜地盛宴，即席命笔做出了广为传诵的《滕王阁序》，其中的"落霞与孤鹜齐飞，秋水共长天一色"被誉为"当垂不朽"的名句。

在三国故事中，曹丕欲杀其弟曹植，命他以殿上一水墨画上的二牛为题，七步吟诗一首，植行七步，其诗已成，才惊上下。曹丕又命他以兄弟为题应声作诗一首，曹植略一思索，即口出一首"煮豆燃豆萁，豆在釜中泣，本是同根生，相煎何太急"，曹丕闻之，也不免潜然泪下，此诗当然亦传诵千古。

在《红楼梦》第十九回里，宝玉在黛玉房里，因为闻见了香气，就即兴编了一个小耗子精变成香玉小姐偷香芋的故事来打趣黛玉。虽然这与即兴赋诗的韵文艺术颇不相同，但却也是一种即兴编排的叙述艺术，其黛玉——香玉——香芋的联想隐喻与打趣意蕴实在很是高妙，余味深长，宝玉的机敏聪慧、幽默才情由此可见。

不论是即兴赋诗还是即兴叙述，都是有一定的"题"，也都是为了达到一定的"的"。当然，既是即兴，才思敏捷就为首要条件，如果没有此种素质，那就只有发呆发愣的份了。

　　这篇小说的故事，看起来有点像《红楼梦》的第十九回，写的是一个少女在进行即兴叙述，所不同的是，她以面前敞开着的窗户为"题"，来编造故事，施展她的即兴叙述才能，而她的"的"则是要把眼前的那个使她生烦生厌的来访者打发走。她成功地做到了这点，叫那个来访者对她的胡诌信以为真，慌忙离去。更使人想不到的是，她为了掩饰自己把一个客人打发了事的这一行为，又在亲人的面前乱编了一个小故事，并居然又一次使人信以为真，把事情蒙混过去。王勃、曹丕、贾宝玉的即兴艺术中使人惊奇赞叹的，就是他们那份敏捷过人的聪明才智。这篇小说中的这个少女也不例外，"灵机一动，编造故事，是这位少女的拿手好戏"，作者最后这样告诉了我们，而他的这篇小说正是通过这个少女两次编造故事，来表现她即兴叙述的才能，以展示她那怀有灵性灵机的少女性格的。作者的叙述才能当然更是技高一筹，他做到了他所想做的，但却只用了不到3000字的篇幅。

　　至于作为一个性格形象，这个少女身上当然不止聪敏这一素质。看来，她相当狡黠，很会捉弄人，但却并不是不看对象。她首先对来客进行了一番观察，"她认为他俩之间不出声的思想交流进行得够久的了"，然后又套问他与自己家长的关系，当她搞清楚是个无关紧要的来访者后，她立即开始了胡编乱诌的捉弄，她这样做既不十分冒失，却又反映出她甚为调皮。请注意，她只有15岁，正和我们所熟悉的黛玉、晴雯同属于一个年龄层次，在这个年龄层次，身上还残存着几分小姑娘的顽性，这种小姑娘顽性与男孩子的顽性颇为不同，往往不是表现在形体动作上，而是表现在伶牙俐齿上，这位少女正是如此。但与此同时，在这个年龄层次，与身上残存的顽性共存的，是少女成熟的一种苗头，或者是一种追求成熟与老练的潜在意识，至少是要把自己过去的顽性掩饰起来的倾向，你看她代表婶母接待来访者那泰然的仪态，她胡诌编造故事时的不动声色的神情，她编完故事时那股子贤淑劲、通情达理劲！

　　一篇如此短小的作品，展现出了一个人物如此生动、如此丰满的性态，不能不令人赞叹！真不愧为世界短篇小说中的名作。

性态的层次与识人之道

——〔英国〕萨默塞特·毛姆：《无所不知先生》

"无所不知先生"，在这篇小说里是一个贬称。看起来它似乎带有一点客气、礼貌与恭维的成分，实际上却含着一种不以为然与嘲讽的意味，不过，这嘲讽又是温和而不辛辣的，具有些微善意而绝无敌意的。这一类表里不大如一、颇有反差的贬称，在现实生活里着实不少，如"三年早知道""摇羽毛扇的""大左派""左大爷""学术活动家""倒爷""神女""赛神仙""常有理"等等，所有这一类称谓给这个充满了各种不同的立场、态度、观点、角度与看法的现实世界，提供了人们所需要的某种渠道来表达、抒发与宣泄不满与恼火之情，来进行非难、责备、针砭与鞭挞而又不伤人际关系的和气，甚至还带来了一点幽默的亲和气氛，其作用颇妙！

"无所不知先生"这个贬称具有什么贬义？在这篇小说里，它至少是指夸夸其谈、咋咋呼呼、自以为是、争强好胜、不甘服输、虚荣心强等特点。这个称号加在了那个麦克斯·开拉达先生的头上，他爱聊天，从政治、戏剧、珍珠到如何玩戏法，他无不谈得头头是道；他能言善辩，也酷爱争辩，还非得争个输赢，不惜进入白热化，不占上风，决不罢口！其争高低的虚荣心与自以为是的自得感，同样溢于言表。因此，叙述者"我"、南塞先生以及其他人，都不以为然地认为他是个"无所不知先生"。而由于他大大咧咧，待人随和，是一个"自来熟"，且热心公益、喜爱张罗，人们也就毫不忌讳地把心底里那点包装起来了的不以为然流露了出来，而敢于直接称他为"无所不知先生"了。

在小说的人际关系格局里，这位"无所不知先生"显然居于劣势，他是众人暗地里指手画脚评论的对象，也尤其是叙述者"我"这位典型的英国绅士居高临下加以俯视、观察、鉴定、评判的对象。他身上的每一种性态、每一特点，几乎都被这位高雅的英国绅士看不顺眼，甚至引起了绅士先生的反感与愤怒。这位自认为完全合格的英国绅士把他视为一个不稳重、不成熟、不成器、品位不高的英国人，是乔治英王治下一个不怎么合格的英国臣民；即使是那个浅薄、武断、粗疏，可称得上是"傻大个"的美国佬南塞先生，在他面前也自视高人一等。

然而，南塞太太珍珠项链真伪的那个情节，客观上却成为了一块试金石，它检验出了这三位先生真正的、内在的品位。在它的检验之下，具有"真才实学"的却正是这位被贬称为"无所不知先生"的先生，而更重要的是，在它的检验之下，这位被认为是充满了低级虚荣心、争强好胜的"无所不知先生"，却正是一个富有同情心、与人为善、慷慨大度、能自我牺牲的高贵者，他为了不损害一个妇女的名声，为了顾全一个家庭（而且是自己对手的家庭）的面子，竟不惜主动放弃本来可以属于自己的胜局而公开表示服输，甚至不惜冤枉地输掉一大笔钱，还成为众人耻笑的对象。相形之下，那位处处事事都优越感十足的叙述者英国绅士，倒显得保守、狭隘、拘谨而见识浅薄。至于那个自以为是、武断、咄咄逼人的南塞，却原来是一个被妻子蒙在鼓里的傻瓜戴绿头巾者。

从人物性态的展示来说，这篇小说提出了一个性格层次的问题。前几年，有一位理论家提出了"性格组合论"，此论主要探讨的是性格的二重组合，也就是人物性格中的不同成分、不同因素的构成，这无疑有助于对性格的深入研究。但在实际生活中，人对人的互相观察与研究，往往不是从性格内在的成分着眼，而经常是从性格层次的展示来着眼的，往往是由表及里、层层深入，最后达到对性格有全面深刻的了解。因为，当一个人最初出现在你面前的时候，他所表现出来的，往往是他性格的最外在层次，随着时间、地点、条件、环境的变化，其性格也就层层外露，及至最后关键时刻的来到，其性格最内在的核心也就展示出来了。因此，不论在现实生活中还是在小说的人物描写中，性格层次的剥露更具有实际的意义。古今识人知人的哲学，往往就是在这个问题上做文章，大智者诸葛孔明就曾有过这样一段精辟的论述：

> 夫知人之性，莫难察焉。美恶既殊，情貌不一，有温良而为诈者，有外恭而内欺者，有外勇而内怯者，有尽力而不忠者。然知人之道有七焉：一曰问之以是非而观其志，二曰穷之以辞辩而观其变，三曰咨之以计谋而观其识，四曰先之以祸难而观其勇，五曰醉之以酒而观其性，六曰临之以利而观其廉，七曰期之以事而观其信。

用这番道理来看，如果作者不示之以南塞太太的珍珠项链，那么，何以知"无所不知先生"实不该得"无所不知先生"这一贬称？何以知其德、识其品？

奥林匹斯山上的神走火入魔

——〔德国〕托马斯·曼：《死于威尼斯》

　　作家为世人编述各种各样的故事，描写各式各样的人物，相对来说，却较少写作家自己的故事，较少写从事写作这一行当职业的人，当然，这一类作品也并不是没有，但像托马斯·曼的《死于威尼斯》这样有比较细致、比较深入描写的，为数却又不多。在这里，我们可以看到一个作家的日常生活、习惯脾性、创作责任心与自得感、理性与神秘情绪……托马斯·曼写得真周到，他甚至没有忘记午觉，这件小事对其他职业的人，也许是无关紧要的，可对殚思竭虑的精神劳动者来说，却不啻乃一"生命线"。记得大学毕业后，刚分配到文学研究所工作时，就听说本所令人尊敬的所长——诗人、学者、批评家何其芳先生每天必须睡一个大午觉，往往要到下午四时以后才起身，因为他有深夜达旦进行写作的习惯。于是，在那时我等这些仰慕名流的青年学子浅薄的观念里，每日一个大午觉似乎就成为了文化名流的标志，就像总以为叼烟斗、喷圆圈才是天才艺术家所应有的特征一样。

　　在我国现在拥有作家头衔的人实在多得很，写作的人，不论写多写少，不论有没有成书成集，只要是名字有几次见于报纸杂志上者，往往就有可能入作协，当作家，至于主持作家协会的，管作家的，负责做作家的思想政治工作的，不同程度掌握作品的编选、出版之权力的，当然亦多有作家头衔。如果按照中国方式，把作家的标志与范围延伸扩大到如此广泛的地步，我们就很难把与《死于威尼斯》这篇作品有关的问题谈下去，因为，这篇小说的主人公可没有我们这里作家这一行业的如此广泛、丰富、灵活、不封闭、不固定的职业内涵，而只有一个封闭的、固定的、狭隘的属性：他只是一个敲打字机的，用中国术语来说，就是爬格子的。

不过，他不是一个普通的简单的敲打字机的人，他已经敲出了广大的阅读他的作品、仰慕他的读者群，敲出了他的影响，敲出了他的成就，敲出了他的名声，用俗话来说，就是他已经功成名就了，也许，只有到了他这种份上，称之为作家才更为恰当。

英国小说家、批评家福斯特以其小说杰作《印度之行》《霍华德庄园》与他渊博的学识而著称于世，但他在自己见解精辟、风趣盎然的批评名著《小说面面观》里，却自己贬称为"伪学者"，他站在剑桥大学高级讲座的讲坛上这样宣称："今天，在听众之中，也有一些真正的学者，或具有学者潜能力的人，但为数甚少，当然，连我这个站在讲台上的人也不是，我们大都是伪学者。"真正的学者的标杆如此之高，何况真正的作家乎？

不论作家的标杆如何高，古斯塔夫·阿申巴赫先生是真正配得上作家这个称号的。托马斯·曼这样介绍他说："正是他，使世人对陷入深渊中的苦难人们寄予同情，而对堕落的灵魂加以谴责。是他跨越了知识的壁垒，攀登到智慧的高峰；是他傲然无视于世人的冷嘲热讽，终于博得了群众的信赖。他的声誉已由官方公认，他的名字已加上了贵族的头衔，他的文章已作为孩子们的范文。"可见，对于一个真正作家必不可少的种种素质，如同情心、正义感、学识、智慧、胆识、勇气，在他身上都应有尽有，而就其境况而言，他显然已经居于社会金字塔的上层，受万人景仰，在世人眼里，他似乎已高高居于云端，带有某种程度的非凡人性，对此，我们不妨说他犹如精神文明的奥林匹斯山上的神。

这篇小说写的不是阿申巴赫先生如何具有非凡人性，如何成为奥林匹斯山上的神，而只写他非凡人性中的凡人性、奥林匹斯山上的神身上的隐私与悲剧。作为一个作家，他并非十全十美，托马斯·曼告诉我们："随着时间的推移，阿申巴赫的文章中有一些官腔和教训人的味儿，他后几年的笔调失去了敢想敢说的犀利风格和微妙清新的色彩，变得一本正经，精雕细琢，循规蹈矩，甚至有些公式化，也就是在这个时候，学校当局把他的一些著作选载在规定的教科书中，当一个刚即位的德意志君主在腓特烈大帝史诗作者的 50 寿辰授以贵族头衔时，他认为受之无愧，并不拒绝。"这种倾向其实就是作家的庙堂化与官方化，从世俗荣名而言，这是一个作家最值得引以为荣的事，然而从创作活力与持久的艺术价值而言，这对作家则是一件不幸的可悲的事了。

也许正是局促在这种庙堂化的规范里，一旦放松下来，反倒容易闹出点出格的事来。他来到威尼斯后走火入魔，以致最后死于威尼斯，其实就是对自己庙堂化轨迹的一种逆反。

他的威尼斯故事读来令人有点尴尬，我们一看塔齐奥这个俊俏少年出场时托马斯·曼那一番描写，其实也就是阿申巴赫先生对这个少年的那种非同寻常的深刻印象与情不自禁的赞赏，就不免有点担心，怕这个"半人半神"式的人物头上的光圈会黯然失色，怕他会萌生某种不三不四的意念，怕他会做出点丢份降格的事来……我们的担心并非多余，果然，他头上的光圈黯淡了下来，他的行为举止中出现了一些反常的东西，比如他迷醉地紧盯住这个少年不放，在他身后跟梢、戴宝石、洒香水、盛装艳服、把白发染成黑色，以求取悦这个俊秀的少年。他身上开始散发出不干净的气味，他的"神性""非凡性"黯淡无光了，他陷入到了令人恶心的恋童癖。他的非凡人性向凡人性转化，甚至降格到了正常凡人以下的水平……他走火入魔到了这样的地步，当瘟疫逼近威尼斯时，他却因对少年的迷恋，而舍不得离开这个城市，最后染上了瘟疫身亡。

　　这是一个舍身迷恋的故事，不论他所迷恋的对象是什么。因迷恋而舍身的傻事，在人类生活中是不少见的，德国诗人海涅有这样一首闻名遐迩的诗《罗累莱》：

不知道什么缘故，
我是这样的悲哀；
一个古代的童话，
我总是不能忘怀。

天色晚，空气清冷，
莱茵河静静地流；
落日的光辉，
照耀着山头。

那最美丽的少女，
坐在上边，神采焕发，
金黄的首饰闪烁，
她梳理金黄的头发。

她用金黄的梳子梳，
还唱着一支歌曲；
这歌曲的声调，
有迷人的魔力。

小船里的船夫，
感到狂想的痛苦；
他不看水里的暗礁，

却只是仰望高处。

我知道，最后波浪，
吞没了船夫和小船；
罗累莱用她的歌唱，
造下了这场灾难。

  这首诗写的就是迷恋，不过是写得最优美的迷恋，中国诗中的"牡丹花下死，做鬼也风流"和它比较起来，就显得油俗多了。这不仅是写对美的迷恋，而且引起迷恋的也是美，引起迷恋的是"最美丽的少女"与她的"神采焕发"，以至"金黄的头发""金黄的首饰""金黄的梳子"，特别是她那迷人的歌！正是这些"美"，引发起舟子的狂想与仰慕，导致他舟覆人亡。由此可见，不论世界上的美能引发起多少真与善、多少高尚的东西，但可以肯定，它往往也引起欲，并导致毁灭性的后果。在《罗累莱》中是如此，在《死于威尼斯》中也是如此。

  开始，引起阿申巴赫先生注意的，就是波兰少年的美，"他像天使般的纯净可爱，令人想起希腊艺术极盛时代的雕塑品"，正是在这一活的艺术体面前，他那丰富的美感就滋生繁衍，铺开展呈起来了。他思考起美的根源与美有时所起的非正义性等这一类复杂的美学问题；他把自己欣赏的对象置于神话般的境界里加以想象；他面对如此美艳的人物，心里激荡起慈父般的深情；他从对象的形象美中发掘精神美；他为一股不可抗拒的力所驱使，渴望一下子用优美的文字来表现这个美的形象与他心目中有关美的理念；在这种美所唤起的灵感下，在自己对美的沉醉中，他的文学创作竟出现了奇迹，他留下的那篇小品文，大大超出了他在庙堂化规范中讨生活时的作品："他写的语句从来没有像现在那样温柔细腻，富于文采，从来没有像现在这样情意绵绵，闪耀着爱神的光辉……简洁高雅，热情奔放，定将使许多读者赞叹不已。"

至此，阿申巴赫的迷醉仍是美的迷醉，具有一定美学色彩的迷醉，还没有跨向变态心理的反常。如果说他来到威尼斯之后，就开始了非凡人性的凡人化过程的话，那么，在这个过程中，他又在自己的凡人化中表现出了一定程度的非凡人性。托马斯·曼努力把阿申巴赫先生的走火入魔写得富有美学心理深度，在作品中，这个过程也的确具有美学心理深度。这是因为：阿申巴赫先生毕竟是一个艺术家。

女性"二十四小时"模式的根由探

——〔奥地利〕茨威格:《一个女人一生中的二十四小时》

故事发生在一家大饭店。大饭店真是绝妙的场所、最佳的舞台，不少作家、影视编导都喜欢把自己的故事安排在饭店，以便于把各种各样的人物都集中在这个场合，搬演五光十色的人生话剧。

饭店的旅客中，有一个富有的工厂主，带着他秀丽的妻子与两个女儿。看来，这是一个稳定而和谐的家庭。一天，一个风流倜傥的法国青年也住进了这个饭店，并结识了这个家庭。过了一天，一个惊人的消息传开了，亨丽哀太太抛弃了自己的丈夫与两个女儿，跟那个法国青年私奔了，而事情发生在这个青年人住进饭店、认识了这个少妇仅仅二十四小时之后。一个女人一生中的二十四小时！

这个消息在饭店引起了纷纷议论，于是，又引发出一个年逾花甲的贵夫人讲起了自己的一段往事：她中年新寡之时，一天晚上在蒙特卡罗的赌场里，见到一个狂热的年轻赌徒，把自己所有的一切都输得精光。预料此人即将自杀，她不禁拼力相助，但就在这个风雨之夜，在她遇见这个素不相识的年轻人仅几个小时之后，她却失身于他了。第二天，她力图拯救这个沉沦不堪的灵魂，要根除他的恶习并安排他离开这个迷人心窍的赌城。在将要离别的时候，她却发现自己已经爱上了这个不知姓名的青年，只不过，这个不堪救药的赌徒又情不自禁回到赌场，并公开羞辱了这位女恩人。从在赌场相遇到这时刻赌场中的决裂，一共才二十四小时。又一个女人的二十四小时！

在这里，"一个女人一生中的二十四小时"意味着突如其来的邂逅、不期而至的外遇、心醉神迷、强烈冲动、不由自主地委身、置名节于不顾、无视严重的后果与影响、短短的一天之内竟平添了一股赴汤蹈火的力量……

我们要做的事不是对此做出道德评判，也不是做世故人情的利害分析，我们这本书的中心议题既然是性态，是人性，因此，我们就不妨把这两个女人的"二十四小时"作为人性的一种标本加以剖析，探究这短短的时间里，何以发生了常人不能不感到惊奇的故事。亨丽哀太太随着情夫私奔了，她没有时间向我们叙述她二十四小时之内的突变，我们只能隐约知其大概，但茨威格给英国贵妇人留下了足够的时间慢慢道来，这就使得我们得到了一个相当完整的心理标本。

女性初次与一男性相遇，在她身上先起作用的总是理智、习惯、规范、礼节、分寸等等这些最外层的东西，她的行为往往都是限定在这些东西的范围之内的，其心理、思绪当然也是在这个范围里来运作的，特别是对像亨丽哀太太与英国贵妇这种有身份的女性更是如此。亨丽哀太太迅速接近那个法国青年，看来首先是因为他很受其他旅客的欢迎，特别是很受她自己两个女儿的喜爱，与这样一个大家都有好感的青年多接近，并在花园里散步，这是理所应当的、合乎礼节的，没有任何不得体之处，就像安娜·卡列尼娜在火车上遇见了渥伦斯基之后，所有一切举止与应对都十分合乎规范、十分得体一样。同样，茨威格这篇小说的女主人公英国贵妇也是如此，她能眼见一个青年人因输得精光而精神崩溃并即将走上自我毁灭的绝路吗？她能眼见一个活生生的人很快就从地球上消失吗？她能袖手旁观、坐视不救吗？她是怀着同情、怜悯、慈善、救助的心情去接近这个青年、去把他拉扯到一个旅馆里去的，即使在后来客观地回忆这件事的时候，她也深信自己当时是带着自觉的慈善动机与意图的，而并未掺杂任何其他的杂念，总之，她当时的举止行为是合乎规范的，是充满自觉的道德意识与慈善热情的，甚至可以说，她那份道德感与慈善心颇有点"不平凡"的味道，用我们这里的话来比喻，可谓有点"雷锋精神"的味道。

在如此合理、如此合乎规范的行为模式里，在如此舍己为人的道德表层外壳中，怎么会壮大起一个那么违反规范与体统的情魔，令她突然一下就心醉神迷，不怕身败名裂，甚至宁愿赴汤蹈火？这就是人性的奇特、人心的微妙！让我们再回过头来检查一下她那个行为模式与表层外壳吧，嗯，她为什么不塞把钱在那个倒睡在椅子上的青年人的口袋里就离开，就像常人把钱扔给街上乞丐、完成了慈善施舍之后就走开那样？她为什么不设法叫一两个路人来帮她救助这个青年人，就像一个路人招呼另外的路人来共同搭救一个倒在街上的病人那样？她都没有那样做，而是自己单枪匹马一人来完成这个非凡的善举，而且是在夜晚，是对待一个异性男子。对于她这样一个身份、年龄的贵妇来说，她的善举是不是有那么一点"超常"的东西？她的热心是否有那么一点过头的味道？

在人性外壳中，如果你发现一点超常的东西，一点过头的味道，最好再往底层探索一下，那下面肯定会有某种更为内在、更为潜藏的成分。只要内在潜藏的某种成分滋生萌芽了出来，而这种成分又带有某种非规范、非冠冕堂皇的性质，那表层外壳往往会更为昂扬、更为超常，客观上起到掩盖那种潜藏成分的作用，我们不妨把这种性态现象称为自我精神翳障。这种自我精神翳障更严重一些，往往就会流于自我幻想、自我欺骗。这个英国贵妇在奋不顾身投身于善举之时，看来就是有了自我精神翳障，甚至在她几十年后回忆叙述这段往事时，还不免有些残余。于是，在小说的文本中，我们就难以找到那潜藏的成分了，要找到暗暗起推动作用的潜藏成分，看来还得加以分析，在这里，我们不妨用弗洛伊德学说的观点，干脆了当地指出，那潜藏的成分，恐怕就是性压抑下的性潜动。

在这个英国贵妇人身上，人们很容易就可以注意到可能造成性压抑的几个条件：第一，她寡居；第二，她年纪不大，才 40 岁出头，精力充沛，照中国通俗的说法，正当"虎狼之年"；第三，她富裕而有闲，需要刻意找点事做才能打发日子，她闲得无聊去逛赌场就是明证。这几个条件凑到一块，就足以造成某种"潜意念""潜意识"了，而这种"潜意念""潜意识"只要得不到通畅的泄口，也就自然构成了一种压抑，这种压抑愈是积蓄日久，那么，一旦泄出来，就愈加强劲、愈不可收拾，就像原油从钻通了的油井口以无比的强力喷发出来一样。

有了这内在的根由，从什么地方喷发出来，就带有偶然性了，也许是这个赌城，也许是另一个城市。至于为什么一个潦倒沉沦的赌徒能引发出她内在潜藏的要求、潜压力的脱缰而出？首先是他那双手。茨威格在这篇小说里对青年赌徒放在赌台上的那双手的描写，无疑是极为精彩的，就其繁详具体、生动传神的程度，堪称世界文学中人物描写的一绝。在这长达两三页的篇幅里，茨威格写出这双手的个性、意志与各种表情，也正是这双手最先引起了英国贵妇的注意，并深深震撼了她！这双手竟如此敏感、冲动、富于激情，其主人的气质、性情即可想而知了，既然从这双手上可以看出赌的狂热使他如此忘乎所以、心醉神迷、奋不顾身，那么，别的狂热不也会在他身上引出同样"浪漫"的后果？英国贵妇是否当时从这双手得到了这一启迪呢？不论是否得到了，反正，她还特别注意到了这个青年赌徒那张秀俊而富有表情的脸以及那种如痴如醉的孩子气……够了，这就够了，这就足以引起她这样一个中年少妇的同情与怜悯，足以使她鼓起慈善的热情、道德的责任感、助人的冲动而投入她的善举了。她的善举愈彻底，她就愈加需要把自己的热情、责任感推进到一个昂扬的水平；而她的善举愈是超常、愈是彻底，她也就不知不觉离爱河之上的斜坡愈近，只要稍有闪失，就马上会有落入河中的可能。既然已经拉拉扯扯到了旅馆的门口，某种可能性不是迫在眉睫了吗？

同样，在亨丽哀太太身上，我们也可以隐约测探出某些造成特定的"二十四小时"的潜藏根由。一个年轻秀丽的太太，虽然有了稳定而富裕的家庭与两个可爱的女儿，然而，丈夫却毕竟是一个矮胖俗气的男人。爱"美"之心人皆有之，如此文气、秀气、灵气三者皆有的这位太太是否会对自己身边缺少"美"而早有欠缺感？是否由于有这种欠缺感而往往把眼光投向自己家室之外？而她长期缺乏这种"对美的享受"，是否会自觉或不自觉感到一种欠缺之重压，以至稳定而富裕的生活对她只不过是一种索然寡味的东西？这种欠缺感与不满足感以及市民阶级程式化、灰色平庸的生活，实际上构成了一种欠缺型的压抑感，只要有机会，这种压抑感就会爆发出来，宣泄出来。于是，当一个"奶油小生"式的俊美男性出现在她身边的时候，她内蕴的渴望与激情就喷发而出，难免不产生对美的晕眩症而神迷心醉、委身相随了。

至此，我们对这两个女人特定的"二十四小时"的根由已经做出了相当程度的解释，但这解释对人性的真实来说还不够完全，不够彻底。要知道，亨丽哀太太抛弃了她的丈夫与她富裕的家境并不难，但要抛弃两个女儿却是一件很难的事，如果没有强大的动力，也就是说，使得她私奔的那个男子如果没有巨大的吸引力，她恐怕是不会下得了出走的决心的，看来这个男子还另有魅力。同样，英国贵妇在与那个青年赌徒过了一夜之后，第二天，也情愿抛弃名誉、地位、财富、身份、亲人等等一切，随这个男人到世界的任何一个角落去，这难道只是青年赌徒的一双敏感的手与孩子般的面孔就使得她再也离不开吗？茨威格像对亨丽哀太太委身的经过语焉不详一样，把英国贵妇这一夜里的感受都深深藏在幕后，只告诉我们这一夜的每一秒钟，她后来"从未忘记"，而且"永远也不会忘记"，在这一夜里，她"身上每根神经都有感觉"。茨威格如此含蓄的笔墨，到左拉或劳伦斯那里，肯定会铺染成《戴蕾斯·拉甘》与《查泰莱夫人的情人》那样明明白白的性爱篇章。不过，他的启示也是不言而喻的，那就是：不论在亨丽哀太太的"二十四小时"里，还是在英国贵妇的"二十四小时"里，那两个男人的男性魅力起了至关重要的作用。一个女人，如果在性爱中，没有强烈地被震撼，没有某种刻骨铭心的感受，又怎么会决心舍弃一切？在小说中，英国贵妇自我解脱的结局，我们是看到了，可是亨丽哀太太后来的遭遇，我们却未能得知。当然，在发生突变的"二十四小时之内"，她眼里只可能有那个男人的高大、英俊、风度与幽默，不过，即使日后这个男子的缺点日益在她面前暴露了出来，即使她发现他是一个"浪荡公子"，是"一只铁公鸡"，她也会无悔无恨、终生不渝的。

虽然，亨丽哀太太与英国贵妇人，各有各自不同的"二十四小时"，但都有相同或相似的运作状态与人性根由。无独有偶，在同一家饭店的范围里，就有两个"一个女人的二十四小时"的故事，可见"一个女人的二十四小时"在现实生活里的密度可谓不小，这是否堪称为女性人性中的一种常见的现象？

如果在 20 世纪上半期茨威格的时代，"一个女人的二十四小时"尚且有如此的密度，那么，在当今开放型的社会生活里，似乎密度就更大了。即使孤陋寡闻，但道听途说，亦可知此种"二十四小时"在现实中比比皆是。男女初次单独相处，以一顿晚餐、一场电影为起始，往往二十四小时之内即"成其好事"，有情人皆成眷属，有眷属亦可成情人。在当今社会，再也不时兴亨丽哀太太式的弃家私奔了，因为实在没有那么惊师动众的必要。即使是像亨丽哀太太与法国青年、英国贵妇人与青年赌徒那样萍水相逢，也不用像她们那样害怕与情夫天南地北，见不了面而非私奔不可了，当今交通很发达，公事出差，商务洽谈，观光旅行，回乡省亲，见面的机会实在不少，"风来去洒脱，水长流执着"，每一次重逢仍可"涛声依旧"，由特定的"二十四小时"所开始的篇章，可以不断地续写下去，直至白头偕老，有什么必要采取亨丽哀太太的方式？

很多女人都有自己特定的"二十四小时"，或许还不止一次有过特定的"二十四小时"。面向 21 世纪的现代派女性，读了茨威格这篇小说后，共鸣之余，定会庆幸自己晚生了半个世纪！时代毕竟进步了，大家活得不用像亨丽哀太太、英国贵妇人那般费劲，那样沉重！

其实，相辅相成，既然不少女性有自己特定的"二十四小时"，不少男性又怎么会没有呢？

母子亲情矛盾的一种标本

——〔法国〕弗朗索瓦·莫里亚克：《母亲大人》

    母子亲情，是人类天经地义的一种自然感情，母子亲情的深挚感人，母爱的慈祥、温暖、深厚、无私都是说不尽的，在文学艺术中也不知被歌颂过多少次了，从古代史诗与悲剧题材中安德洛玛克保护儿子的一片苦心，到高尔基的《母亲》中尼洛夫娜对革命者儿子的支持，从"慈母手中线，游子身上衣，临行密密缝，意恐迟迟归，谁言寸草心，报得三春晖"，到冰心的《寄小读者》中的散文……

    人类常态的感情与人类对常态的爱好，往往使得变态成为令人生厌甚至唯恐避之不及的东西，如果在很多问题上都是如此的话，那么，在母子亲情这个问题上更是如此。然而，很不幸，变态的东西却不以人的主观愿望为转移而严酷地存在着，即使在母子亲情这一人伦至理上也不例外，于是，一些敢于直面人生、深探人心的作家，也就常常将笔尖往这个人情伤口上戳。

    像尼禄杀母这样反常的例子就不值得多说了，因为他是历史上遗臭万年的暴君。值得注意的是，即使在经典性的文学艺术名作里，一反母子亲情常态的正面人物、悲剧人物亦并非罕见。希腊三大悲剧诗人之一埃斯库罗斯的名剧《俄瑞斯忒斯》三部曲中的英雄主人公，就杀死了自己的母亲；另一个悲剧诗人欧里庇德斯的著名悲剧《美狄亚》中，善良、勇敢的美狄亚，最后竟杀死了自己亲生的两个儿子；莎翁的不朽名剧《哈姆雷特》中的主人公丹麦王子不断用像利刃一样的语言，去伤自己母亲的心；劳伦斯的《美妇人》中，老实的儿子对自己的母亲充满了怨恨；奥尼尔的《悲悼》中的两姐弟又重演了古代希腊俄瑞斯忒斯的惨剧；法国当代著名作家巴赞的代表作《毒蛇在握》中，主人公把母亲视为一条与自己进行殊死较量的毒蛇；而在20世纪70年代的法国，竟有两部著名的影片采用了同一个儿子杀母的题材——《我是比埃尔·李维尔》与《我，比埃尔·李维尔》。从这些例子不难看到，在表现反常人性方面，文学艺术史上的确存在着上述这样一个可怕而惨烈的系列。莫里亚克的《母亲大人》，无疑也属于这个系列。

为什么冷酷、敌对、残忍、惨烈这些可怕的东西，竟侵入到母子关系这一最基本、最自然、最牢固的人伦感情的领域？

如果把文学中这些反常的人性表现再加以区分，不难看出有两种类型：一种是在政治经济的利害冲突或家族群体矛盾对立的作用下正常亲情的异化，俄瑞斯忒斯与哈姆雷特的狠心不仅有为父报仇的根由，而且，还涉及王位的得失，又如《悲悼》中的两姐弟的谋害、《毒蛇在握》《我是比埃尔·李维尔》等作品中少年主人公的仇恨，则与家族中现实利益的对立与父母双亲之间的矛盾冲突有关，而且基本上都是由于母亲一方品德上的阴暗与父亲一方的受损在儿女感情上造成的严重失衡所致的；另一种类型如《美妇人》《母亲大人》中的母子矛盾，则不能说是人类正常亲情的一种异化，只能说是人性在一定意义上自然而并非反常的表现，其根由与政治、经济、矛盾、家族利益、群体冲突这些外部原因完全无关或基本无关，而完全在于人性的内因，在于深层的心理根由。

这篇小说中的母子关系，可以说是属于一种最简单、最单纯不过的现实格局。在这里，没有掺入任何政治经济现实利益矛盾的沙子，甚至在这方面是"一尘不染"的，母亲为了儿子的利益尽心尽力经营着农庄土地的财富。这里也没有外界的干扰，母子二人生活在幽静的庄园深宅之中。这里也没有多元的家庭关系，父亲早已死去多年，儿子没有其他的兄弟姐妹，这个深宅之中，只有一个"多余的人"——儿媳，但她在小说开始后不久就死去了。于是，只剩下了母子二人，而感情上的裂痕与心理上的对立，偏偏在这个时候从一贯温情脉脉的母子关系中潜然而生，并发展到了撕心裂肺的程度。

这一变化的契机是儿媳的死。儿媳虽然已经死去，但她的阴魂犹在，而且现在这个阴魂比曾经存在过的活人的她，似乎更有力量，更有干预性，更有破坏性，竟然使得她生前未能影响分毫的母子关系开始动摇。

鬼魂客观上是不存在的，鬼魂只存在于人的主观世界之中、心理之中。问题就在于儿子自己的心理发生了变化，在于这个男人由于妻子的死而觉醒了，由对自己妻子之死的内疚而产生怀念，由怀念而产生了迟到的、永远也弥补不了的爱情。这是爱的觉醒，是男性的觉醒。说它迟到，是因为妻子生前从未感受过、享受过，是因为当她活着的时候，丈夫的这种感情完全被自己母亲大人母爱的罗网排挤掉了、窒息掉了，现今，在觉醒了的丈夫看来，他这种亏待是永远也弥补不了的。正因为是无可弥补的，这个儿子才生平第一次对自己的母亲产生了怨恨，而这个母亲，即使儿子已经好几十岁了，她仍把他当作小孩一样照顾、护卫、疼爱，她眼睁睁看着即使儿媳在世时儿子也从没有偏离过生活轨迹，而如今却静静地离她而去，不再像是她的儿子，倒是那已经不在人世的儿媳的阴影却不断地在儿子的心目中扩大，甚至潜入母子俩那传统的、数十年一贯的、从来都是牢不可破的关系之中。在最后的风烛残年，她也试图与这个不祥的阴影进行斗争，她既然在儿媳生前就成功地把她排挤到了生活中一个灰暗、狭小、透不过气来的角落中去，让她窒息而死，为什么她不能将这个死人的阴影从她与儿子的生活中完全驱走？她似乎还是蛮有信心的，然而，这次她却完全失败了，她在精疲力竭中死去。而她那个几十岁的宝贝儿子，在失去了数十年母爱的照顾之后，同时也失去了生活的轨迹与信心，又因为这种母爱的无微不至而造成的他生活上的依赖性与无能，也在庄园的深宅大院里奄奄一息。

这就是这篇小说的基本内容与戏剧性。如果正常人性也有悲剧的话，那么，这就是人性一种悲剧的样本。母与子的关系虽然是最古老、最简单、最单纯不过的关系，然而，《母亲大人》中这种悲剧却又是最深刻、最典型、最普遍不过的，用大白话来说，这就是婆媳矛盾派生出来的母子矛盾，这种矛盾几乎是普天下无处不有的，也是从古到今以至将来都会永久存在着的，可以说是人性的一种常态。

在中国古典文学中，有一个名篇《孔雀东南飞》，写的就是这种带有永恒性的矛盾。在那段故事里，媳妇又能干又贤惠又温柔又端丽，几乎够得上十全十美，但婆婆偏偏不能容她，刁难责备尚嫌不够，还硬逼儿子把她休了，最后，媳妇自尽身亡，儿子也"自挂东南枝"。这篇叙事诗写得很哀婉动人，可称千古佳作，但以今天的分析方法来看，它的不足在于很少触及人物的心态，如恶婆婆那种忌恨相逼的心态与儿子最后以死来抗议母亲的心态，因而未能将悲剧中人性的矛盾与根由揭示得比较清楚。比较起来，莫里亚克这篇小说则在相当的程度上触及了人性的内核与深层的心理。

在这个问题上，我们不妨做点弗洛伊德式的解释，因为这个心理学家的理论与学说虽然不能说是完全正确的，但也相当言之成理。

在我们以上所说的三元关系中，从母亲这一元来说，她在对儿子的亲情中除了有人性中最动人的关怀、护卫、慈爱、自我牺牲等等这些自觉的感情成分外，不可否认也有着垄断、控制、占有等等这些潜意识成分。既然不少母亲把自己的儿女简称为"自己身上掉下来的一块肉"，那么这种潜意识成分也就是再自然再正常不过的了，然而，也正是这些潜意识成分具有强烈的排他性，因而，又往往使为母者不由自主地对进入儿子生活中成为他最亲近最重要的伙伴，甚至对成为他的新主宰与控制占有者的那个儿媳，产生出本能的敌意与对立。焦仲卿之母对兰芝的无理刁难、冷酷逼迫，莫里亚克笔下这位母亲大人对儿媳的排挤、算计、防范、冷酷以及在她病危时见死不救等情节，都是这种心理的表现。

从儿子这一元来说，在童年时期，对母亲的亲情依恋无疑占有绝对的优势，而到成年，在身上占绝对优势的，却是对性伴侣的性依恋了，这种性依恋实际上是他经过青春发育期以后生理变化所决定了的一种正常的自然的需要。同样，这种性依恋也具有极强的排他性，在有的男儿身上，甚至发展到了排斥任何其他性质的依恋而达到独霸主宰的地步。即使不发展到这一地步，这种男儿的性依恋与母亲的垄断占有亲情相遇，也必然会发生深刻的冲突，这种性依恋必然会把母亲的垄断占有亲情视为一种束缚、干扰；如果男儿性依恋的对象特具魅力与吸引力，并且也具有强烈的排他性占有欲的话，那么就更会大大加强男儿的性依恋与母亲垄断占有亲情的冲突。于是，这就形成了男儿在两个女性之间永恒的两难境况，世上为数很多的男性的生活里，都存在着这种异性两极二元的拔河式的较量与争夺。

这种较量与争夺琐细而深刻、平庸而激烈、外表缓和而实际上很尖锐、看来微不足道然而却难以化解，它往往导致凄厉惨烈的家庭亲情悲剧，而这种家庭悲剧更多的则是以母亲垄断占有亲情受到惩罚为结局。在《孔雀东南飞》里，作为封建家庭孝子的焦仲卿，屈从母命将妻子休掉了。然而，他终归还是难断与妻子的情丝，最后紧随妻子同赴黄泉，以死背叛了自己的母亲，摆脱了她对自己的羁绊与控制，甚至可以说是以死对这种母性的强制束缚表示了抗议。在莫里亚克的小说里，即使母亲大人在媳妇活着的时候非常成功地排斥了她，也非常成功地把她儿子身上那种男人对异性的依恋压抑得沉睡不醒，然而，在媳妇死后，她却眼见这个鬼魂居然引诱她那个大男孩像吃了禁果似的产生了撒旦精神，这种精神使他把自己的怨恨竟倾泻在对自己爱护关怀无微不至的母亲大人身上。正因为莫里亚克把这一进程安排在两极二元中的一个身上，让她从世上消失并意外地产生这种影响，他笔下的这种人性亲情的矛盾与悲剧才显得更为不可抗拒、更为深刻、更为悲怆。

这是一篇相当典型的散文化的小说，这里只有基本事实的框架与不构成连续故事性的日常生活细节，这些细节都像不绝于缕的细丝一样，缭绕着、纠缠着人物的心绪：怨恨、不满、猜疑、嫉意等等。由此，读者可以看清楚人物那细致入微的日常心态以及这些心态中所潜藏的人性的深刻根由，而且似乎还可以得到这样的启示：

这种人性的深刻矛盾，是以在人物的内心中自行运作、演绎，并不以大起大落的生活进程与曲折复杂的故事情节为其必不可少的前提条件。莫里亚克正是准确地找到了他文学描绘的这个"泉眼"，这是他这篇小说成功的奥妙。

作为人性—基因的支配欲性态

——〔英国〕戴维·劳伦斯：《美妇人》

一个72岁的老妇人，仍然青春常驻，美貌不衰，像一个少妇，她在这个家庭里光彩夺目，在她的光华圈之内，她的儿子罗伯特与她的侄女西西利亚，黯然失色，活得窝窝囊囊、窘迫拘谨。

儿子仰视着母亲的青春美貌、财力权威，他被完美无缺的母亲吸走全部的注意力，而再也没有任何其他的生活意趣与生活欲求了。母亲是他生活中最红最红的红太阳，是他生活中最高最高的主宰。

他做任何一件事都得顾忌母亲的意见与想法，即使是去吻一个女孩！于是，除了上班以外，他也就不做任何的事，也没有任何的计划与行动。他就像骄阳下的一朵小花，被威力无比的霞光照射得奄奄一息，他就像一个匍匐在上帝面前的教徒，只敢把自己所有的一切都献给神明而不给自己留下任何东西，甚至自己的婚姻。他被这个红太阳、这个主宰压抑得喘不过气来，也不敢喘气。

这个老妇人的美貌掩盖着她自私、利己、淫荡的过去，掩盖着她只爱自己，不爱任何人，即使是自己的家人的冷酷！掩盖着她只崇拜某种力的狂热，崇拜控制别人、支配别人、"以别人的生命为粮食"的那种力的狂热，掩盖着她内心里对别人的恶意、尖刻与邪毒！直到侄女西西利亚开始对她的美的统治进行激烈的反抗时，她才不得不暴露出自己全部的虚伪与邪恶，而当自己的亲生儿子与西西利亚有了建立自己生活的要求而有违她那反常的心理时，她临死还进行了一次报复，把自己的大笔财产都用来建立以自己名字命名的博物院，而不留给自己的儿子与儿媳。

这就是劳伦斯在这篇小说里所描写出来的一种可怕的家庭关系与一个可怕的家庭之长，一个可怕的主宰权威！

这篇作品固然有弗洛伊德学说"俄狄浦斯情结"的意义，也具有社会生活中人性象征的意义。劳伦斯的作品有时是带有某种程度的象征意味的，众所周知，他的名著《查泰莱夫人的情人》，写的是一个婚外恋的故事，在小说里，丧失了性能力、再没有生命力的丈夫，是一个古老贵族之家的继承人，而具有性能力、能满足查泰莱夫人的自然要求并能使她生育后代的，却是一个无产者。劳伦斯正是以此来象征英国贵族阶级的衰朽与无产阶级的生命力的。

从上述第二个意义来说，在这篇小说中，特别值得注意的是美妇人的性格性态，这是一种以自我为中心的性格，她要求周围的人都适应她、以她为转移，跟随着她的意愿、欲求与目的而存在、而活动。强烈的支配欲，就是这种性格的主要内容；而支配欲正是人性的一个基因，它常存在于各种领域、各种地位的人的身上，只不过，随着具有支配欲的人所能支配、控制的范围之大小的不同而在人类社会生活中所搬演的悲剧具有大小的不同、惨烈程度的不同而已。

在家庭范围里的，这种支配欲所造成的悲剧，往往限于感情纠葛、精神痛苦与矛盾冲突中，虽然也相当尖锐激烈。在《雷雨》中，周朴园先强迫繁漪喝药，后又强迫周萍在繁漪面前下跪劝她喝药，他那种蛮横专制的支配欲就造成了一个使家人痛苦得极其锐利的难挨场面；在文学艺术史上，德国音乐家莫扎特因为从小就受到父亲的培养，也深受父亲的控制与支配，年深月久，这种支配在他的内心深处所种下的痛苦情结积久不解，因而，直到他的后期，他还不惜在自己的乐曲中把它宣泄出来；司汤达也因童年时代深遭其父专横、冷酷支配之害而毕生憎恨其父，以至谈父必骂，还把这种亲长支配欲的恶感，写进了《红与黑》的索里尔父子关系中。比较起来，这类亲长支配欲所造成的痛苦恶果，还不是最惊心动魄、最残酷惨烈的，如果在家庭家族的范围里，还充满了政治矛盾、权力之争，那么，支配欲所带来的往往就是像武则天杀子、慈禧逼害后人的刀光剑影、毒药绳子那般了。

正如任何人性基因在人类社会历史中都打上深深的烙印一样，支配欲也曾通过处于关键地位的历史人物而搬演出一些历史社会事件出来。在中外历史上，影响、左右着历史的进程的那种支配欲的影子，我们并不少见，美妇人只不过是一个数口之家的家长！认识了美妇人这个人物的性态表现，认识了这种以自我一己为中心、唯我独尊，要求他人完全从属于这个中心、仰视这个中心、崇拜这个中心，一切以这个中心为转移、一切受这个中心支配、一切都无条件地向这个中心奉献出来，作为它的粮食、它的肥料、它的基础、它的垫石的控制欲支配欲，也许有助于认识"一将功成万骨枯"的战争；有助于认识帝王将相逞独断的历史；有助于认识以千万人的精神为养液的个人迷信；有助于认识天才人物、牧师、先知以生灵与社会为代价的社会实验；有助于认识以愚民用民为手段的某些教义教派！

人性扭曲的微笑

—— 〔英国〕奥尔德斯·赫胥黎:《谜样的微笑》

　　如果以为斯彭斯小姐的"谜样的微笑"好像"娇康达的微笑"，也就是说，如同那已经取得了经典地位的"蒙娜丽莎的微笑"，那可就大错而特错了。

　　意大利繁花似锦的文艺复兴时期，达·芬奇也许是、也许不是以佛罗伦萨一个有钱市民的妻子娇康达为模特儿，绘制出了他那幅不朽的名画《蒙娜丽莎》。巴黎罗浮宫的一个展览厅里，我去看的时候，它罩在一个玻璃壁橱里，受到特别的保护，我每次在罗浮宫画廊里来回经过她身边时，总见有一大群参观者站在她面前仔细端视，其盛况仅有米洛的维纳斯可与之相比。

　　谁能把一个人物画到如此栩栩如生的地步呢？特别是她那谜一样的微笑！这笑，像即将开放但尚未完全开放的花一样，浅浅的、淡淡的，正在脸上绽开。说它是笑，似乎为时过早，说它非笑，但笑意已露。这表情多么微妙！而且，这笑的内容又是那么丰富复杂，它似乎是温情脉脉，又似乎带有一种诡秘；它似乎是亲切的讽嘲，又似乎含有某种冷酷！它吸引着你，把你钉在她面前端详、品味、猜度、揣摩，然而，最后你仍得不出结论，你只感到这表情本身就充满了无穷的韵味，它反映出一个女性内心深处种种纤细、敏感、复杂的感情活动，就像在一个幽深莫测的池潭面前，你可能看到的只是水面上一层轻淡的涟漪……

斯彭斯小姐的"谜样的微笑"可就大不一样了，其主要的特征，是噘出了小嘴，笑意愈浓，小嘴就愈像一个突出的焦点。至于她那脸上的表情，则经常是激昂的，说起话来就像子弹嗖嗖地从那窄窄的嘴筒子里飞出来一样。在旁观的读者看来，这"微笑"与蒙娜丽莎的微笑相差何止十万八千里！这里只有做作、卖弄、夸张、强烈、刺激、咄咄逼人，没有半点微妙、细腻、敏感、幽静、深沉……

当然，给这样一个微笑命名为"谜样的微笑"，赫顿先生心里完全明白是怎么回事，这本是他谐谑的称呼，明显地带有嘲弄的意味。

值得推敲的是，在赫顿先生的心目中，这位斯彭斯小姐究竟是否有魅力？如果完全没有，他为何与她眉目传情？但如果考虑到此公轻薄成性，他这样做不见得就是因为觉得斯彭斯小姐尚有几分魅力。不管小说里这位当事人的主观感受如何，反正我们旁观者看得很清楚，斯彭斯小姐并无魅力可言，她是一个充满了生活欲求与爱情渴望并急于求成、急于表演、急于获利，因而带有强卖强买做派的"老小姐""老姑娘"。"老小姐""老姑娘"，与其说是以其年龄而划分出来的一类人，不如说主要是以其婚姻状况而划分出来的。她们并不一定很老，但却都一定是未婚的，而未婚，与其说是法律意义上的未婚，还不如说是生活生理上与男性完全无缘更恰当。

"老小姐、老姑娘都有点儿怪"，这是现实生活中人们常有的一种议论，喜欢观察世态人心的作家，对这种人性的怪异难免不颇有一些关注与描写了。因此，这种人物在小说里着实不少见！当然，这种人物的"怪"，又有多种多样，而与斯彭斯小姐"怪"得比较相近的、最为著名的一个就是巴尔扎克小说名著《贝姨》中的同名女主人公。

贝姨那种乖僻阴鸷的性格、在男性面前的天真火爆的态度、对比她幸运的人的深刻嫉恨、对妨碍了自己的人的狠毒报复，都被巴尔扎克描写得淋漓尽致。而这篇小说中的斯彭斯小姐则比贝姨更为可怕，她与赫顿先生调情时的装腔作势、她大胆追求时的咄咄逼人、她谋杀赫顿太太时的阴险毒辣、她恼羞成怒时对赫顿先生进行陷害之卑劣，都令人不寒而栗，而这一切又都是从挂在她脸上那种滑稽的微笑所难以预见、难以猜度出来的，从这个意义上来说，作者有理由把她的微笑称为"谜样的微笑"。

至于这个人物的性态为何如此扭曲、如此险恶可怕，作者在小说的一个地方提到了弗洛伊德，提到了"性的压抑"和这样的一句话："压抑是最伤人的。"这也许就是他对这篇小说的注脚，也许就是他所要暗示出的斯彭斯小姐的人性为何如此扭曲、如此病态反常的原因。

对此，我们不能全信，也不能不信。

自我美化、自我幻想的性态

——〔美国〕詹姆斯·瑟伯:《华尔脱·密蒂的隐秘生活》

在我国出版的权威性的《英汉大词典》下卷第 2117 页上，Mitty 这个词条有如下的解释:来自 James Thurber 所作短篇小说 *The Secret Life of Walter Mitty* 中的主人公，意为"美好生活的狂想者，做白日梦的人，空想狂妄想当英雄的懦夫"。

一篇文学作品的主人公的名字，成为一个普通名词，进入了一个民族的日常用语，也进入了语言字典，这不能不说是一篇文学作品在描写人物形象所获得的最高成就的标志，由此，这种作品往往在文学史上也就获得了经典地位。法国文学中莫里哀的名剧《答尔丢夫》、中国鲁迅的《阿 Q 正传》就是最为有名的例子，Tartuffe 一词早已进入字典，成为一个普通名词，意为"伪善者"，而"阿 Q"一词，不仅在我们的日常生活中常见，而且也进入了汉语词典，成为"精神胜利法"的代名词。

比起那些文学名著，詹姆斯·瑟伯这篇小说的规模、深度、生活内容与艺术含量当然稍差一点，它毕竟只是一个短篇，而且短得出奇，只有 3000 多字。

在这里，我们只看见华尔脱·密蒂这个人物开车送他妻子去市镇上卷发，在开车、停车、倒车与等老婆的一段短短的时间里，他脑子里就进行了四次幻想。

一次是幻想自己成为了一个名气极大的外科医生，面对着别的医生束手无策的绝症，他却轻而易举地做了一次成功的手术，创造了医学的奇迹；一次是幻想自己在法庭上以大无畏的气概，不顾律师的保护，主动承认了自己用枪打死了人；一次是幻想自己视死如归，敢于冒难以逃脱密集的射杀，前去炸毁敌人的军火库；再一次是幻想自己傲然站在行刑队的面前，视死如归。

除了这四次幻想，还有一次战时的英雄主义行为回忆，同样，那段回忆似乎也带有相当程度的幻想色彩。

人物主观意识中所有这些幻想，与他眼前的现实情景在小说里前后交错出现，形成他光辉灿烂的主观世界与他的平庸、灰色、窝囊、死气沉沉的现实生活的对照。而主观世界里这些虚妄的一幕又一幕，几乎是接踵而至，把眼前现实生活情景排挤到了一边，不给它们留出多少空间，于是，我们就看到了一种耽于主观幻想的性态。

小说完成了这个任务，达到了这个效果，这就够了，这就足够成为一幅鲜明而集中的性态描绘了。虽然它的篇幅很短，虽然它在短短的篇幅中精简很多东西：主人公的历史、职业、居住地区、生活现状，等等。

作者可以进行最大限度的删节，我们也可以不去打听是什么环境与生活使密蒂成为目前这副样子，不去细究他为什么在自己老婆面前那么窝囊，但他作为一种性态标本，却不容分析者有半点含糊。

有评论者把密蒂评定为"一个喜欢做白日梦的人"，这不过是取了字典上 Mitty 一词多种含义中的一种，而且恰巧是最没有切中密蒂这个人物形象的内核之一种。"做白日梦"的确切含义是做不切实际的幻想，是想入非非，是纯粹主观主义的，它侧重在精神活动的虚妄性与臆想性上，而不论这种精神活动的具体内容。《堂·吉诃德》中可笑的骑士把风车当作魔鬼、把羊群当作敌人，这是在"做白日梦"；《乌鸦与麻雀》中的小市民梦想买彩票发财，也是在"做白日梦"；想象一夜之间世界革命成功、人类一步就进入共产主义的空想家，何尝又不是在"做白日梦"？但这几者的性质与内容都很有差别。可见"做白日梦"，只是对各种内容与性质不同而运动形态相同的精神活动的一种笼统的称谓。密蒂这个人物惯于进行虚妄的精神活动，其内容与性质恰巧是具体、单一而明确的，并非笼统简单的"做白日梦"一词所能概括。

密蒂的单一性、具体性、明确性就在于，他虚幻的精神活动从来都是以自我为中心，从来不偏离自我，完全致力于自我美化、自我拔高、自我升华、自我幻想、自我理想主义的想象与塑造。如果说，"做白日梦"有不正常的癔病倾向的话，那么，Mitty 式的对自己的幻想、对自己的美化，却可以说是人类一种普遍自然的性态。

少儿书里有这么一则图画故事：一个卖草帽的人头上戴着草帽在树下打瞌睡，一大群小猴趁他熟睡之际，把他的一大堆草帽都偷了去，卖草帽的人醒来时，发现小猴们一个个都戴着草帽坐在树枝上。这些装模学样的小猴头脑里有或者没有类似"自我幻想"之类的脑电波，看来只有新潮动物学家引证最复杂的检测数据才能说得清楚，但我们倒可以肯定地说，自我幻想这种性态是以自我欠缺与存在模式意识为基础的，而这两种高级精神活动的东西只有人才具有，而且也是人类普遍所具有的。只有具有这两种意识，人在其存在的状态中，才有从自我欠缺意识出发而往某种存在模式、存在理想作幻想的精神活动，这就是自我幻想之所以是人性的一种常态的原因。

自我欠缺感是内在的原动力，不论自我是否自觉意识到它，它都具有极大的、几乎是命定的推动作用。而且，愈是自我欠缺，往往就愈是不可遏制地趋向自我幻想，愈是需要以自我幻想来慰藉自己、来宣称自己存在的合理性及以此支撑自己的存在。正因为华尔脱·密蒂是个无能的、平庸的人，他才幻想自己成为创造奇迹的医生；正因为他自己过的是灰色无聊的生活，他才幻想生活焕发出光彩；正因为他是一个胆怯窝囊的小人物，他才幻想自己无畏无怯，一身豪气。

同样，在文学中，堂·吉诃德实际上是一个多余的、无用的破落贵族，他才会有"创立丰功伟业，传播于世"的自我幻想；司汤达其貌不扬、在情场中屡不得意，才使得他把俊美潇洒、广博妇女青睐的幻想，寄托在他笔下的于连·索黑尔这个形象身上。如果我们再回顾一下人类历史，人的这种自我幻想的性态几乎到处都打下了自己的烙印：明明是在历史长河中多此一举、并无充足的存在理由的王朝，偏偏要设想自己是永世长存的；明明是错误不断、谬误成堆的教会，偏偏要想象自己是绝对掌握了至理的；明明是愚昧无知、短见寡识的昏君，偏偏要充博识远见、无比英明；明明是褊狭自私、巧取豪夺、工于牟取私利的家族，偏偏要宣称自己胸怀广阔，是天下为公的代表；明明是嫉妒成性、狂热偏激、作威作福的教派，偏偏要自认为是忠于理念、捍卫教义、坚持真理的。

比起那些以这种那种可怕的功利为目的并带来了悲剧、祸害、浩劫的自我幻想者来说，密蒂在自己平庸的小日子里、灰色的环境中，从自我幻想中得点安慰、做点调剂，自得其乐一番，倒要显得单纯得多，值得同情得多。让我们且别那么居高临下嘲笑他这点自我幻想的习性吧！

如果因为自我幻想纯属一种虚妄的主观精神活动而对它不屑一顾、嗤之以鼻，那可错了。自我幻想有不少的确像密蒂这样仅仅可笑而无出息的，但也有不少是看来可笑而又很有一番轰动效应的。堂·吉诃德不论多么可笑，但毕竟以自我幻想的精神状态在世间干下了一些侠义之举。萨特在自己的自传里袒露了他之所以从事写作，是因为有"以天下为己任""20亿人都在沉睡，唯有我独自一人为他们站岗放哨"的自我幻想在支撑，不论他自己以多么严酷的自我解析精神指出了这种自我幻想的浮夸，但毕竟是它促使萨特留下了一份将与世长存的精神文化遗产。

自我幻想可以导向善举，创造出一番轰轰烈烈的业绩，同样，自我幻想也可以因失控运作而造成悲剧、祸害乃至浩劫！这里，我不是贬低历史上那些神圣的事物，仅仅是为了说明：人类性态中的自我幻想不容小视，它既虚幻又不虚幻。

性格描写中的"冰山"艺术与象征艺术

——〔美国〕欧内斯特·海明威:《老人与海》

　　毕加索要画牛。他先画下了一头，形象真切，细部精确，栩栩如生，这是一头很具体的牛，是这样的一头牛。

　　毕加索不满意。他又画下了第二头，形象仍然真切，但细部开始有了简化。他仍不满意，于是又画下了第三头、第四头、第五头……直到第八头。

　　牛的形象在他笔下不断发生变化，细部愈来愈被删去，线条愈来愈简约，最后的那头牛只有简单的几笔，形体却似乎更活脱，因为它给人以想象的巨大空间，而想象则更赋予这形象以生动性，它不是这样一头牛，而就是牛。正如一位诗人评价他时所说的："毕加索经过千百次的深思熟虑，从千变万化的外形中抽取一个永久不变的外形，使永恒的外形具有一种形象的总结，他总结了他的经验。"

　　在文学中，如果说有谁是像毕加索画牛那样去写人的话，我想，那就应该算是海明威了。

　　据说，海明威是站着写作的。为什么？为了写得尽可能简练。如果这个传闻确实，那么，海明威写人也有不同于毕加索画牛之处。毕加索是在一张又一张的画上进行简化删节，而海明威则肯定是在落笔之前，就已经在自己的脑子里进行了尽可能的简化与删节。于是，我们所看到的海明威的"人物画"，往往就像是毕加索的《和平鸽》式的白描速写。

不妨先以《弗朗西斯·麦康勃短促的快乐生活》为例。这篇小说写的是发生在非洲的一桩白人情杀案，故事大起大落，出人意料，人物关系复杂交织，性格心理深刻微妙。一个美国富翁偕自己美貌的妻子与一个白人猎师在几个土人的陪同下，在非洲原野上旅行打猎。紧张酷烈的狩猎使这个美国佬恢复了自己的朝气与天真，由一个胆小怯懦的人变成了一个大胆的、敢于冒险的人。他性感而又积习难改的妻子却按捺不住自己的肉欲，成了白人猎师的情妇。那白人猎师却由于这个美国人恢复了朝气、变得勇敢无畏而对他产生了好感。倒是那个淫荡成性、惯于使丈夫蒙羞的太太开始有点不安了，也许她预感到变得勇敢起来的丈夫将来不会再宽容她。正在这时，这个美国富翁被妻子一枪击中，当场毙命，看起来这一枪是狩猎中的误伤，但实际上却是那不贞而狠心的妻子的奸杀。令人意料不到的情节跌宕起伏、人物心理的复杂变化，所有这些内容都浓缩在 3 万来字的篇幅里。这一对夫妇的家庭历史、婚姻状况、性格特点、关系隐私、在非洲原野上妻子新的通奸以及由此双方在内心深处的意识活动，都是作者以言简意赅的方式描述出来的，都如蛛丝马迹一样只在非洲狩猎图景中时隐时现，就好像是浮在海中的冰山，其体积的大部分都深藏在水面之下，而露出水面、见于纸上的，仅仅是冰山的几个尖顶，但正是通过这些尖顶，人们可以测定出水面下庞大的体积。海明威这种写人物性格的艺术，我们不妨称之为"冰山"艺术。

《老人与海》是海明威的名篇，也是他写人画人的力作，虽然篇幅略长一点，但我们实在无法无视它的存在。

老人在小说中居于中心地位，居于压倒一切的地位，可以说，这个人物就是这篇小说的全部。然而，细看这个人物，我们在某些方面又只看到白描式的简约线条、笼统模糊的概貌。

关于他的经历与身世，作者只在一处指给我们看："他手里端着酒杯，正在想多年前的事。"然而，究竟是多年前的哪些事？下文没有了，作者早已把它们删除在他的笔端之外，没有让它们在自己的稿面留下一字痕迹。于是，你对这个老人的身世与经历也就一无所知了，他实际上也就成为一个没有经历与身世的形象。

关于和周围人的关系，"好些渔民拿老汉打趣，他也不生气"，"那些上了年纪的渔民瞅着他，觉得很难过"。至于打趣什么？有什么可打趣的？同样也不见具体内容，连那位以精练著称的鲁迅在一篇仅三千字的短篇小说里，写到咸亨酒店里的人打趣孔乙己时，还写了那些人具体的嘲笑："孔乙己，你当真认识字么？"站着写小说的海明威在一篇长达四五万字的巨型短篇小说里，似乎更惜墨如金。

关于老人的家庭与生活，作者只告诉了我们一句话："他墙上曾挂有一张他妻子的上了色的照片。"就这么一句话，仅有的一句话！他全部的家庭生活、家庭关系，都深深藏在这仅有的一句话的后面不露丝毫痕迹！

具体的东西愈少就愈抽象，愈是抽象就愈有可能带有象征的性质。在一篇专写人物近 5 万字的小说里，关于人物的社会限定性的表述竟如此不具体、如此语焉不详，那许多的篇幅用去干什么了？注意，这里面肯定有"名堂"！什么"名堂"？至少先可以说，作者是要把人物从具体的社会现实关系中超脱出来，使他身上尽可能少带有社会生活的属性、少带有社会现实关系的限定性，于是，他就在这样的"名堂"中把抽象意味、象征意味的种子种在了这个人物的身上。

现在来看，那许多的篇幅用来干什么了？除了用来稍许写写老人与小孩子那再平淡不过的交往、最日常化的简单交谈外，绝大部分篇幅就是写这个老人独自在海上捕鱼的两三天经历。于是，我们就看到了一个与社会、与人群、与国度完全隔绝的自然人，一个在开阔的天空与无垠的洋面之间孤零零地存在着的自然人。

这个自然人的自然属性几乎像被放大镜放大了一般展示在我们的面前：他枯瘦的形体、脸上深深的皱纹、黄褐色的皮肤斑、充满韧性的身躯、布满伤痕的双手与胳臂……所有这一切都是以精细入微的笔墨描绘出来的。

这是一个与大自然融合在一起的自然体。他曝晒在阳光中、露宿在夜空下，他以水维持生命，生吞海里的活鱼充饥，他本身就像是海洋上的一个生物，他在这个大自然的天地里存在着、活动着，向大自然索取，他在同大自然竞争，只有他驾驶的那条小船说明他属于一个已有几千年文明史的族类，只有他的喃喃自语才表明他是一个有智慧、有思想感情的生灵，然而，这喃喃自语又正表明他是多么孤独、多么隔绝于自己的同类之外。

这个人是与大自然激烈搏斗、向噩运进行顽强抗争的人。在海上，刮风、变天、灼热的太阳、海浪的颠簸、饥渴、疲劳、腰酸背胀、伤口疼痛以及一秒秒过去的两三天漫长的时间，所有这些都要求他付出代价，都带给他这种或那种困难与痛苦，他要在这一切面前咬紧牙，坚挺过去，他更要与他所捕捉的大鱼进行激烈的残酷的搏斗，他要抗击一群又一群紧追他不舍、不断向他袭击的凶残的鲨鱼。尽管他是一个20世纪的人，但只有对球赛的关心才是他作为本世纪人的唯一标志，他那只小船上，既没有现代化的生活条件，也没有现代的捕鱼设备与工具。在他与大自然的搏斗中，他丝毫没有助力与帮手，一切事情都完全在他与大自然双方之间进行，没有其他因素的参与起作用，仅仅是他以自己的勇气、意志、体能、技巧在进行着支撑着这一场严酷的较量。这是他一个人的战争！

这个人也是对厄运不低头的人，他在一个又一个接踵而来的困难与危险面前，始终以最大的毅力进行搏斗，即使眼见前途黯淡，也毫不气馁，并且，平静地准备承受一切困难与危险最后必然带给他的悲惨后果、最后必会造成的厄运。他在这场力量对比悬殊的战争里，最后终于彻底地败了，败得很惨，海上顽强拼搏的两三天完全白费，他丧失了一切，筋疲力尽地回到了陆上。然而，他虽然败，但却并没有垮，正如他自己所想的那样："人可不是造出来要给打垮的，可以消灭一个人，就是打不垮他。"

小说所要表现的，远远不仅是一个简单的老渔人，而是人的硬汉精神，是人的"打不垮精神"。这就是小说的象征意味，而人物身上若干限定性的简略与空旷寂寥的大海画面，正是这种象征意味的补佐。

一个展示了男性"好色"准共性的微笑

——〔法国〕玛格丽特·尤瑟纳尔：《马尔戈的微笑》

马尔戈的那个微笑，准确地说，是一个好色的微笑。

既然这么说，看来就得先为"好色"一词做点正名。

"好色"一词，见于中国文学的经典名篇，最早似乎是在《登徒子好色赋》里。

凡读过此赋的人，都会赞赏宋玉那巧妙的辩才。登徒子不是在楚王面前攻他"性好色"吗？他就反驳说，他邻居东家有一绝色佳人，"增之一分则太长，减之一分则太短，著粉则太白，施朱则太赤"，嫣然一笑足以使全乡的男人都神魂颠倒，而他，虽然得佳人的爱慕已达 3 年之久，却始终没有答应她的要求。登徒子呢？娶了一个丑得恶心的老婆，他却居然很宠爱她，还跟她生了 5 个儿子，两人相比较，究竟是谁好色呢？

反驳得的确振振有词，在封建礼教占统治地位、把"淫欲"视为"万恶之首"的时代社会里，宋玉显然是公认的胜利者。其实，在今天看来，登徒子并没有错：男人娶一个女人为老婆，对她恩爱宠幸，并跟她生了一群孩子，这是男人的自然本性，并无什么可耻的。如果有什么令人窃笑的话，那就只是登徒子似乎品位不高，不在乎美不美，有点"饥不择食"。不过，这可能只是男性中心主义的一种观点，而在女权主义眼里，也许登徒子对丑妻尚如此执着，正是他难能可贵的美德呢。不论怎样，登徒子要比宋玉自然一些。这位宋玉，有一个天下之最的美女登墙窥视他达 3 年之久而他仍未像后来的张生那样跳墙幽会，这可有点反常，简直就有"不爱红装爱武装"之嫌了。至于究竟是谁"好色"，如果"色"这个词该是指"美色""姿色"的话，那么，应该说登徒子并不"好色"，因为他根本不讲究"色"，他的问题比"好色"这个档次还要低一点；当然，宋玉也不"好色"，因为他干脆就是一个对"色"视而不见的"色"盲。

"好色"，应为"喜爱美色"之谓也。喜爱美的事物本是人的天性，因此，喜爱美色实在无可厚非。如果文学人物不足以说明问题，政治人物也许多少有些示范性，兹举二例：几年前，一家在全世界有广泛声誉的美国杂志上登载了一张勃列日涅夫在美国访问的照片，他与美国的领导人并排站在一起，却情不自禁扭过头去盯着在他面前走过的身材极美的妇女，其非意识形态性的"灵活性"一反他平时的标准像，颇有些人情味；不久前，报纸上也登载过一篇沙米尔访问记，这个举世闻名的以色列倔老头坦率地对记者承认，他"喜欢欣赏漂亮的女人"。当代东西方著名的政治家尚且如此，何况常人乎？看来，可以这么说了：好色是男人的普遍性倾向，如果不是所有男人的共性，至少也应是相当一部分男人的共性，我们不妨称之为"准共性"。

这篇小说中的英雄马尔戈就是这种男人准共性的一个标本，他比登徒子"好色"，表现在他是很在乎"色"、很讲究"色"的，非"美色"不爱，其美学趣味要比登徒子高，不像登徒子式的男人"饥不择食"，填饱了肚子就行，这从他如何对待那个官吏遗孀就可以看得很清楚。他嫌厌这个"半老徐娘"，就是因为她没有姿色，长得丑，尽管她对他逢迎备至。正是他的冷漠与粗暴得罪了这位官太太，她把他出卖给了他所对抗的土耳其人。

与此相对照的，是美色当前时他的那一个微笑，那一个被作者尤瑟纳尔安排在特定时刻、特定情势、特定境况中的特定微笑，那一个被小说家赋予了丰富意义的微笑：

　　这是一个不要命的微笑，"生命诚可贵，美色价更高"的微笑。当时，他被敌人捕获后躺在地上装死，以等待时机逃命，敌人正围着他，紧紧盯着他，他脸上只要有任何一丝表情，就会使他送命，但当美丽的少女出现在他眼前时，他就不顾一切后果、不顾生死地露出了一个微笑。这个微笑是勇敢的。

　　这是一个情不自禁、难以自持的微笑。敌人为了检验他是否真死，用铁钉穿透他的手心与脚心，用火烧他的皮肉，所有这一切他都忍受了下来，脸上没有纹丝的表情，就像一个坚不可摧的铁人，但美丽的少女的舞步却使他心潮起伏，难以自持，终于忍不住绽开了微笑。这个微笑又是软弱的。

　　这不是生活中真实的微笑，而是艺术中一个传奇的微笑，尤瑟纳尔以不少浪漫色彩烘托出它的传奇性，使它成为一个象征、一个涵括。它象征着世上男性对美色的雅趣、欣赏、偏爱与向往；象征着男性在美色面前能鼓起多大的勇气，能不在乎多少危险、困难、险阻与代价；能表现出多么大的坚毅精神；能发出多少惊人的能量；能具有多么悠然的丰采、超功利的风度！罗密欧敢于冒被仇家杀害之险前去与朱丽叶幽会、法布利斯为了能与监狱长的女儿见面而宁愿身陷囹圄……文学中千百例这类风流无畏之举无不涵括在这个微笑里。在人世上，温莎公爵为辛普森夫人放弃了王位、吴三桂因陈圆圆而开关倒戈，以致"牡丹花下死，做鬼也风流"等这类令人惋叹的糊涂事，又何尝没有这个马尔戈微笑的成分？

　　这个微笑实际上是男人性格一个永恒的基因，它几乎在所有男人的性格中都以不同的程度、不同的方式存在着，如果我们不说它表现了男性的绝对共性，至少也可说它是一种男性"准共性"的典型表现。

　　小说以短短的篇幅，把男人的一种共性或准共性浓缩在一个微笑里，堪称性格小说的佳品。它看似简单，但如果没有现代的性意识与现代的小说创作意识，是不可能写得出来的。请看，它最后如何把古典史诗数落了一顿：那些史诗从没有真正深入到个体人的性意识的层次，七情六欲的层次，更没有像这篇小说一样，在个体人的性意识中又找出了共同的基因，没有展示过一个马尔戈式的微笑，而只在群体人的群体精神与群众道德的层次上做文章。面对着尤瑟纳尔的数落与挑战，那些史诗是无能为力的，这是古代史诗愈来愈不拥有广大读者的一个原因。但愿我们的文学创作与文学批评，不要又复归于古代史诗的趣味。

不落俗套的暴发户性格

——〔美国〕艾·巴·辛格:《迈阿密海滩之宴》

　　这篇小说没有什么虚文，更没有什么废话，一切都实实在在、精练集中地服务于写一个人物，服务于写一件对于这个人物来说，很有表征意义的事情。

　　开始的一个电话，就让读者听出来，小说要写的人物是个暴发户，百万富翁，要写的事情是这个暴发户想找个人帮他写自传，而涉及此事的三个人物，除了那个百万富翁外，就是打电话来的幽默家与接电话的"我"了。"我"将是观察那个暴发户的"窗口"与"眼睛"，幽默家卡扎尔斯基也不可或缺，他不仅是引见者，而且有时还要起古代希腊悲剧中合唱队的作用，他对所引见的对象，不时旁加一点说明与解释。

　　小说作者虽并没有称迈克斯为"暴发户"，但也说得很明确，"十五年之内，竟然摇身一变，成了百万富翁"，这也就足够了。因为，构成"暴发户"，总是有两个最基本的条件，一是短期效应，二是巨大的发迹，而且，两者愈是成反比，则愈是典型的"暴发户"。

　　在一般人的心目中，"暴发户"都不招人喜爱，甚至使人反感。如果只是在短期里达到腰缠万贯的效应，而并不存在任何法律与道德、伦理的问题，倒不失为人生的一种奇迹，不应该招人反感。可是，就其形成与出现来说，在世人眼光中，短期里竟能如此得意者，不是有点不合常规？咱们大家在发展升迁的道上，谁不举步艰难？

他何德何能，竟能如此平步青云？这其中不会有点蹊跷？不会有点可疑？或者说，我等才是原装的正统，才是支撑着社稷人伦的中坚，你如何一下就窜到我等的上头？于是，不论是在什么社会，只要是"暴发户"，人们对他的发迹来路，总带有几分怀疑、几分警惕，总要侧目而视。故此，文学中也就几乎没出现过身上还有几分可肯定之处的暴发户了。

该暴发户咎由自取的，倒是世人对那种粗俗拙劣的"暴发户作风"常有的嫌厌与嘲笑。不论是经济上的暴发户，还是政治上的暴发户，他们几乎都具有特定的"暴发户作风"，而其心理根由，则不外这样两个方面：一是为了掩盖其过去低下身份与卑贱的地位、粉饰其粗俗不文、尽可能抹去腾达的现状与寒碜的老底之间的明显反差，由此，便有了种种暴发户性态作风，比如从炫耀其财富与地位、吹嘘其成功与才能，到标榜其文化修养、艺术爱好，甚至以文化艺术的扶植者、保护人自居等等；另一种暴发户的心理根由，则更是"心高志远"，不满足于发迹后的"高度"与"辉煌"，而企图赋予它们一种"万世流芳"的永恒形式，由此，就有了这般种种非比寻常的派头与作风：修"祠堂"、修"祖坟"、建庙堂、竖雕像、作回忆录、炮制传记……这些暴发性态之所以为世人所轻视，就因为它们远远夸大了实际的自我价值与存在意义。

在辛格的笔下，迈克斯也有世人常见的那种俗不可耐的"暴发户作风"，而且鲜明得使人永远也难以忘记，他一出现，那一身穿着一下就牢牢地刻印在读者的脑海里：黄衬衣、绿裤子，紫皮鞋上饰有金鞋扣，何等丰富多彩！何等鲜明醒目！何等富丽豪华！但又是何等的不协调、刺眼！何等的俗气不文！然后是那辆汽车上的半自动窗门、家里安着宝石与音乐装置的便桶，真是典型的拜占庭式的炫耀！他的附庸风雅、标榜文化修养、自命不凡，则在汽车上那短短一席引经据典的话里已展现无遗。至于他恃财狂妄的铜臭，从他对毕加索绘画嗤之以鼻的态度里，即可见一斑。作家所选取的这些细节为数不多，但却极为传神。功力深厚的漫画家往往只需几笔，就可以勾画出一幅讽刺画像，我们在这篇小说里所看到的，就是类似这种功力的文学描绘技巧了。

如果辛格只写到这个层次上，那就不免有点肤浅了，谈不上是刻画，刻画总得深入一些才行。为了这个目的，他安排了以写自传为中心话题的迈阿密海滩上的一次"宴会"。当然，这里必然要涉及他的身世与经历，不过，这毕竟是一个短篇小说中的"宴会"，我们不能期望从这里了解得更多，我们只知道，他身世很惨，吃过苦，受过罪，"我经过的不是一个地狱，而是十个"，这就足以使人们对这个暴发户刮目相看，并产生一些同情了。特别值得注意的是，他对写自传的态度与见解。世人写自传大都是为了宣传自我、美化自我、粉饰自我，这构成了古往今来自传写作中的一个通俗的浩浩荡荡的传统，只有卢梭、萨特等少数大智大勇、有不平凡的精神力量的人物，才敢于在自己的自传中直率地袒露自我，无情地揭示自我。令读者有点惊奇的是，这个充满铜臭的暴发户，却有点接近这种意境与勇气，他不满足"至今还没有任何人把灵魂裸露、描写得淋漓尽致"，他对"我们的文学必须集中于圣洁与殉难""只能写好的一面"之说嗤之以鼻，他敢于直言不讳自己：他这个犹太人在殉难的时期，也有过"人类的一切丑态都暴露得无遗"的很堕落的生活，并且还要把这一切都在自传中写出来，如果不能写出来，他就宁可不写自传，甚至，他还敢于承认自己是个黑手，再加上他对人欲横流的现实生活中的那一番愤世嫉俗、嬉笑怒骂的抨击，就活蹦出了他狂妄自大、桀骜不驯、不同凡俗的性态。

这就是作者在短短的篇幅里，完成的一幅颇有深度、不落俗套的性格描绘的艺术。

人性中不容忽视的那个"小自然"

——〔美国〕艾·巴·辛格：《市场街上的斯宾诺莎》

贝多芬的《田园交响曲》第一乐章：如果你在尘嚣中、在俗务中、在劳役中闷了不少时日，一旦摆脱了出来，走向田野森林、投入了大自然清新的绿色世界中，你那时的轻快洒脱的心情、欢腾雀跃的步伐何所似？那就会像这第一乐章那优美欢快的主旋律一样。这个标题为《到达乡村的愉快感受》的乐章，简直可以说是赋予了人阔别大自然之后又与大自然重逢时的那种欣喜之情，以一种永恒的、经典的音乐雕像。

只要你也曾有过《田园交响曲》中第一乐章的那种感受，也曾有过在灰色混凝土的环境里憋得难受之后沐浴在空阔大自然之中的愉悦，你就不会忽视这篇小说开始不久后的两个细节，那都是在菲谢尔森博士苦读的夜晚里：一次，当他离开书本登上窗口把头探到窗外凉爽的晚风里，他就愉快得"双膝颤抖起来"；另一次，他放下书本，抬头仰望夜空，又觉得自己变得轻快飘飘然了，以至于"双手握紧窗框，似乎唯恐自己会从窗口飞出去，飞向永恒"。一次"双膝颤抖起来"，一次"飘飘然唯恐从窗口飞出去"，这就是菲谢尔森博士的《田园交响曲》第一乐章。他这样两个实在不成样子的可怜的"乐章"，说明了这位学究阔别自然、脱离大自然到了何等地步，说明了他已经被书本压得多么透不过气来的程度。

更为可怜的是，书斋生活不仅使菲谢尔森博士脱离了身外的那个大自然，而且也脱离了他自己身上的一部分"小自然"，如果我们可以斗胆地把"那回事"称为一部分"小自然"的话：他上了年纪却还没有结过婚，还没有与女人有过性关系。

菲谢尔森博士此种存在状态似属禁欲主义之列。世界上有形形色色的禁欲主义，中世纪基督教的禁欲主义、19 世纪清教徒的禁欲主义、×××教的禁欲主义以及××主义的禁欲主义等等，所有这些都曾堂堂正正一时的禁欲主义彻底到什么程度、表里如一到什么程度，不在我们这里所妄加评说的范围之内，我们只想说，菲谢尔森博士的学究式的禁欲主义倒还是相当彻底、相当表里如一的，虽然他并不是自觉地在奉行一种意识形态意义上的禁欲主义，但他的生活方式却实际上杜绝了他的"欲"。请想一想，一个波兰犹太人，除了自己的母语意第绪语、波兰语之外，要把俄语、德语、希伯来语、拉丁语都学得精通娴熟，还要把斯宾诺莎的《伦理学》研读得背诵如流，宇宙间的能量不灭，人自身中的能量亦守衡，这位博士如此皓首穷经为学问而竭其心力，恐怕就没有多少心思去照顾自己身内的那个"小自然"了，即使他有欲不禁，恐怕也没有多少精力与时间去为"欲"做安排、找出路了。何况他跟我等一样有不少"家务劳动"，比我等还不如，他既没有洗衣机，也没有煤气灶，他得在煤油炉子上烧饭吃。于是，几十年过去了，他生活中竟没有一个异性，他仍是老光棍一条，他实际上自绝其欲，绝了自己身内的那一部分"小自然"。

浮士德博士在"哲理呀、法律呀、医典，甚至于神学的一切简篇，我如今啊都已努力钻研遍"之后，痛感"一切欢娱从此去远"，在书斋里"烦恼齐天"，由此，才与靡菲斯特订立了契约，把灵魂出卖给魔鬼，换取青春与作乐。比起来，菲谢尔森博士远不如他的这位德国兄长来得自觉，直到那个又黑又丑的多比找到他头上之前，他还一门心思在啃斯宾诺莎的大部头学术著作。

　　意识形态性的禁欲主义，对禁欲、绝欲以及寡欲之必要与好处，从来都是没有少宣传的，其幅度从精神道德上的干净纯洁到生理上的养生长寿。而对禁欲绝欲之害、禁欲绝欲之反人性之常，当然是绝口不提的，即使是世人提到老处女、老单身汉性格怪僻之类的话，也是"言不及义"、讳莫如深的。既然欲总是不能登大雅之堂的话题，那么，禁欲绝欲之副作用也就忌讳为宜了。

　　作者辛格是现代美国人，他当然不会信奉禁欲主义。在他看来，人身上的小自然是大自然中的一部分；人应顺乎自然规律的这类道理，对他来说恐怕也只是普通常识。而且，他还在他的小说《泰贝利和魔鬼》中，叙述了波兰犹太人的宗教禁欲主义是如何使一个男子只能通过装神弄鬼才能占有自己的情人的故事，而在《短暂的礼拜五》里，又写出了宗教禁欲主义如何酿成了一对犹太人青年夫妇双双身亡的惨剧，都表露出了反禁欲主义倾向。也许，他正是对加重了波兰犹太人悲惨处境的这种精神桎梏深有痛感，才在《市场街上的斯宾诺莎》这篇别具一格的小说里直言不讳而又幽默巧妙地触及了人性中这个微妙的问题：人身上的那个"小自然"实在不该被忽略杜绝，否则就会像菲谢尔森博士那样百病丛生，不是这儿胀，就是那儿疼；而这"小自然"一旦得到关照，得到疏导，得到满足，菲谢尔森博士身上长期沉睡的力量就苏醒了，他第一次感到自己像年轻人一样又能"奔啊，翻滚啊，飞啊"。最后，小说妙不可言的尾声是，博士先生在新婚之夜的第二天黎明，面对着广阔无垠的天空，参悟出自己顺应了身内的小自然，终于真正成为身处大自然中的一个组成部分的妙境，总算才掌握了斯宾诺莎哲学的精髓。

　　这是美国人艾·巴·辛格的"小自然"观，是否能在中华文化体系里得到认同？华夏古国医理中倒有一些唯物精神的妙论，关于"小自然"不顺畅之害的如下：

　　"人不可以阴阳不交，坐致疾患""人复不可都绝阴阳，阴阳不

交，则坐致壅阏之病，故幽闭怨旷，多病而不寿也"；[1]

"天地在开阖，阴阳有施化，人法阴阳，随四时，令欲不交接，神气不宣布，阴阳闭隔"；[2]

"阴阳不交伤人"；[3]

"人气莫如阴精，精气宛闭，百脉生疾"。[4]

关于"小自然"顺畅之益的则有：

"吾精以养女精，前脉皆动，皮肤气血皆作，故能发闭通塞，中府受输而盈"；[5]

"令之复壮有道，去七损以振其病，用八益以贰其气。是故老者复壮，壮者不衰"；[6]

"交接之道，男不致衰，女除百病，心意娱乐气力强"；[7]

"阴阳之合也而取其精，待彼合气，而微动其形，能动其形，以致五声，乃入其精。虚者可使充盈，壮者可使久荣，老者可使长生"。[8]

没有想到，中国关于人性的医论与斯宾诺莎的自然哲理竟如此相通！如果庙堂华章中也有这种相通，古国正统文化则会有另一番风光。

---

[1] 《抱朴子内篇·微旨》。

[2] 《素女经》。

[3] 《养性延命录》。

[4] 《十问》。

[5] 《合阴阳》。

[6] 《天下至道谈》。

[7] 《素女经》。

[8] 《十问》。

推销自己的艺术

——〔美国〕伯纳德·马拉默德：《魔桶》

如果我们把出于某种自觉的利己目的，通过一定的方式与手段，使人接受了自己所推出的东西，并由此确实获了益的活动，都统称之为推销自己的话，那么，未尝不可以说，这篇小说所写的就是推销自己的艺术。当然，严格说来主人公不是推销他自己，而是推销他女儿，但女儿毕竟是他自己的，因此，也未尝不可以说，推销女儿，也属于推销自己这个范畴。

推销自己作为一门正正经经、堂而皇之、令人尊敬的"艺术"，作为一种人人享用的方便，在现今被称为"发达国家"的那些国家里，已经很有一些年代了。

就原义来讲，推销自己，就是推销自己的商品，正如我们在《包法利夫人》中所看到的，爱玛迁到永镇后，精明无比的商店老板勒乐嗅出了她身上爱慕虚荣、渴求爱情的气味，就提着一个装满了漂亮的绣花衣领、艳丽的围巾的绿色箱子上门来了，推销他的商品。不论勒乐这个人物在小说里被描写得多么可厌，但他完全是在按现代社会商品经济的法则行事，这种简单的、基本的推销自己的行为方式，可以说是现代社会中一切复杂的、高级的活动，包括文化艺术活动的基因细胞，即使是一些杰出的人物，往往也都是按这个规则行事的。

1827 年雨果创作出了他的第一个剧本《克伦威尔》，此剧篇幅冗长，人物多达近百人，如何把自己这部"没有什么东西可引起读者的注意或同情"的作品推出来？深知"穿着奇装异服，就会显得突出"之理的雨果，决定"用一篇序言来触犯报纸副刊的众怒"，果然，他的《〈克伦威尔〉序》轰动一时，成为批评史上的名篇，时至今日，如果不是因为这篇序言，大概很少有人会翻阅这部根本无法上演、也从来没有上演过的剧本作品。撇开文学史上这个意义那个意义不谈，雨果此举真可谓推销自己的高招。

同样，巴尔扎克对此道也颇为重视，他曾两次授意他的朋友达文，写了两大篇专捧自己的《哲学研究》与《十九世纪风俗研究》的文章，并亲自做了很多修改与补充，此二文几乎无异于出自他本人的手笔而又避自我吹嘘之嫌，亦可谓自我推销的一大妙法。过了几年，他又亲自为自己的巨著《人间喜剧》写了指出其划时代意义的著名的前言。不论这篇前言与上述两篇文章具有多么深刻的文学主张与精彩的现实主义文艺思想，它们从本质上，其实是作者为推出自己的作品而做的文学广告。

经济领域里的出售商品如此，文学领域里的撰写序言如此，神圣不可侵犯的政治领域里，不论是何种政治，制造舆论、自我颂扬、舆论导向、宣扬主义、高举大旗、拉票竞选等等，何尝又不是如此？所有这些，就其最核心、最实在的意图与目的而言，恐怕都是：推销自己。

推销自己的基因在社会生活中如此普遍地存在，我们由此似乎可以说它是人的一种基本的性态。如果说，存在是人生存的第一要义，那么，推销自己则是与这要义俱来的另一要义，因为，自我生存就必然要自我发展，而推销自己正是自我发展的一种形式。如果不推销自己，就不可顺利地流通，就不可能获得利润，即使是在自然经济的时代，这也不可能达到"以物易物"的目的；如果不推出自己，就不可获取机遇，不论是哪个领域里的机遇；如果不推出自己，就不可占领有利的位置、垄断的地位，就不可攫取发号施令的权力；如果不推出自己，就不能显示其才能、风度与价值，就不可能进而施展其才能，实现其价值……

虽然推销自己是人存在的一种需要，但在人类历史的进程中，它要成为一种堂皇的艺术，一种普及化的方便法门，它要蔚然成风，毕竟还是在自由资本主义时代到来之后，才是可能的事。而对于泱泱古国来说，那还得迟上两个世纪再说，还得对这种时髦风气静观、审视一个时期再说，不到不得已的时候，对此是不能放行的，于是，自我推销在我们这里曾成为了一种十分要不得的、往往受到谴责的方式与作风，当然，这并不妨碍居于特殊地位的人通用无阻，不仅是自我推销，甚至是强买强卖，只不过披了一件漂亮的大氅罢了。

终于，在北京的书摊上，有《自我推销的艺术》这样的书公开出售了，20 世纪 80 年代以后，这种街头书摊，已经成为中国社会思潮与人性需求的橱窗，此书在书摊上的出现，标志着自我推销在中国也终于成为一种可以公开研习、可以公开追求的技艺，成为一种人人都有权来一点的大众化、普及化的方便法门，我们终于跟上了世界的步伐。

在人类推销自己的活动中，不知发生过多少悲剧、喜剧与闹剧，也不知产生过多少种各式各样的心态情态，《魔桶》要算是颇为别致的一个。这个贫穷寒酸的以做媒为生的沙兹曼老头，进行着双重的推销活动：在层面上，他向求偶的大学生列奥推销他卡片上的那些待嫁的姑娘；在层面下，他在寻机把自己那难以嫁出的女儿推销出去，或者说，他开始时是在进行第一重的推销活动，后来他逐渐地就愈来愈转向第二重推销活动。小说的情趣就建立在他双重推销活动的重叠与间隙上，建立在第一阶段推销活动与第二阶段推销活动的转换与变化上，因而也就产生了引人入胜的效果，而随着这种转换与变化，沙兹曼老头身上那种媒人的油滑、超脱与冷眼旁观，就愈来愈被为父者那种心机、投入、不安、忧虑、期待所取代，这样，这个人物复杂、多面、真实、立体的性格，就凸现在我们面前了。至于他所推销出去的女儿，其实是个失过足的女孩，这的确很容易使人联想起推销伪劣产品的商业骗子，但他毕竟负责地向列奥明确地道出了真相，真诚地让对方做出抉择，由此，我们不能说他是个行骗的老滑头。最后，大学生选择了这个失过足的女孩，他们双方从这奇迹般的结合中，都将获得新生，而沙兹曼老头也在衷心祈祷。故事如此结束，由此，我们不能不有感于作者对人物命运的宽厚与仁慈。

"不合时宜的人"种种

——〔美国〕阿瑟·米勒:《不合时宜的人》

"不合时宜的人",这是一个很好的标题,它标出了一种极有普遍性、概括性、典型性的性格范畴,仅仅以采取这样一个角度来观察人、来区分人、来描绘人而言,作者就显示出了他对人生、对人的独特创见。

"不合时宜",这在现实生活里常常是一种贬语,一种保留,一种含蓄的否定,一种客气的批评。冬天穿单薄的漂亮衣服,是为"不合时宜",夏天戴高级的呢帽,同样也是不合时宜;在刮"左"风的年月操务实的语言,是为"不合时宜",在务实的时代仍背老皇历,仍讲老套话,仍大弹"左"调,当然也是"不合时宜"。今天,1992年12月30日,又见报上有一例:伊拉克两架飞机深入南部禁飞区,被美机击落一架,与伊拉克关系甚好的邻国约旦有观察家对此事件发表评论说:"如果是伊拉克一些决策者想试探联合国实施'禁飞区'计划的决心,这是不合时宜的。"

至于何谓"不合时宜的人",我想,至少是指那种与自己时代脱节、与自己的社会不合拍、与自己的环境格格不入的人了,而这种人,是任何时代、任何社会里都不会少有的。

这篇小说里的三个人物,都是被作者明确当作"不合时宜的人"加以描写的,主人公盖伊·郎格称佩尔斯与基多为"真正不合时宜的人",而佩尔斯则称盖伊为"最最不合时宜的人",他们的"不合时宜”何在？他们“不合时宜”的状态是怎么样的？

小说让我们看到的，是他们所选择的特别的生活环境以及在这种环境里的特殊生活方式：偏僻的高原、荒无人烟的沙漠、朔风野火，像无家可归的流浪汉，露宿在夜空之下，靠火堆取暖，随地撒尿，不用工具而用手指头去拨火……在荒漠野地过如此原始的生活，仅仅是为了要实施一个颇有点古怪的计划，那就是驾一架老掉牙的旧飞机，将山里仅有的几匹野马驱赶出来，然后驶一辆破破烂烂的卡车去追捕，而每捕捉一匹马只能挣为数少得可怜的钱，但在这个过程中，却要冒生命危险，时时有跌打损伤而致残的可能，且不用说疲劳、困顿、炎热、肮脏与饥渴了……

他们是 20 世纪高度物质享受的美国生活方式中的人，但他们却过着 19 世纪西部牛仔的粗野、艰苦、原始的生活；他们所在的社会里充满了种种功利的考虑、谋算、筹划与获取、占有的欲望，但他们却一无所求，“什么都不要”“没有任何东西离开了就无法生活”“对任何东西的存有或丢失从不特别关心”；他们所处的社会现实中，人们无不进行种种急功近利的活动、奋斗、进取、争夺，他们却经常无所事事地到处游荡，“一天又一天，一个星期又一个星期地混下去”“从不想在生活里有所作为”。把他们放在那个时代的社会背景上，他们“不合时宜”的存在状态是显而易见的。那么，他们身上的“不合时宜”性的根由是什么呢？

凡“不合时宜”都只是一种外在的状态、层面的表象，其内在的根由是大可分析的。有的人不合时宜，是因为对自己周围已经发生了变化的环境与现实，缺乏起码的了解与清醒的认识，阿 Q 在革命党来到之际，并没有把辫子铰掉，而是依样画葫芦，照心怀鬼胎的乡绅那样做，用一根筷子把辫子盘在头上，就是因为太愚昧无知了，周围的变化均在他那满是糨糊的脑子以外。有的人不合时宜，是因为思想顽固、心怀叵测，在暗中作祟捣鬼，清朝完蛋，民国初建，张勋仍留着辫子，当属此类；不食周粟的伯夷叔齐，恐怕也是因为失掉了一些什么东西而恼怒赌气，不光是要成全自己的节操。有的人不合时宜，是由于自身适应能力的欠缺、自我调整机能的疲乏，只具有最简单机械的惯性作为自己面对世界潮流的一点可怜的生存能力。20 世纪 90 年代初，在面向世界开放了的中国，犹有人在大声疾呼，"建筑钢铁长城""把资本主义拒于国门之外"，看来是因为只知晓与偏爱从秦始皇到义和团的历史，而对世界近代历史的发展潮流缺少适应能力，就像《子夜》中那个抱着《太上感应篇》的吴老太爷一来到上海就再也活不下去一样。至于那些仍高弹"防止资本主义复辟""以阶级斗争为纲"等此类过时"左"调的人，如果不是因为怕失去自己身上的"阶级斗争"之"能"而不再拥有对他人的威慑打击之"力"，不再享有唯我独尊的种种便利，那就是因为他们脑子里只有那么几个陈词老调，那么一套思维逻辑，除了会弹此种老调、唱此种高腔外，实在别无丰采，别无为这个丰富的世界所需要的、能给人类带来些益处的任何其他精神财富。

以上种种"不合时宜"的人，基本上都是由于自身在认识、本领、品格等方面的欠缺而"不合时宜"的，实际上就是因为"无能"而"不合时宜"的。但也有另外一大类，那就是"非不能也"而实"不愿也"所造成的"不合时宜"，这篇小说中的三个人物，就属于这一类。

他们的力量、能干、坚毅、勇气与技术，在现代社会中无疑都是第一流的。美国很多电影与文艺作品中，老式的西部牛仔显示他们的力与英气，往往都是通过驯服劣马的惊心动魄的场面来表现的。在这篇小说里，传统的驯马场面不仅有，而且其紧张的程度可谓登峰造极，这三个人物身上那种传统的牛仔之力是显而易见的。当然，他们作为 20 世纪的人，其本领绝不止于这一点，他们还是驾飞机、开汽车以及干种种技术活的好手，作者饶有兴味地将他们的这些能耐与技能一一展示出来，似乎唯恐我们不知道他们都是那个社会里的能干人，唯恐我们不知道他们并不是找不到职业的落魄者。作者告诉我们，他们面前都有薪水优厚的职位供他们就任，可他们偏偏不屑一顾，他们的口头禅就是，"什么都比拿工资强""不去做拿工资的差事"。正是这个共同的"行动纲领"使他们走到一起来，采取了与自己时代社会格格不入的"不合时宜"的生活方式。"不去做拿工资的差事"，这句话真可谓言简意赅，其内蕴似乎相当有分量，他们可没有浪漫主义小说里主人公那种喋喋不休剖析自己人生哲理的习气，我们仅仅从他们的豪爽、离舍世俗、不求功利、重友情、讲义气这些特点来感受到那内蕴的闪光的性质，感到其中有某些对世俗社会现实的不满与轻鄙。

正如因自我的缺陷而"不合时宜"的人在任何时代、任何社会都为数不少一样，因自我的坚挺而"不合时宜"的人，在不同的时代、不同的社会里也屡见不鲜，他们系自我坚挺而非自我欠缺，是因为他们所持的价值标准要高于自己时代社会中的一般人，他们以自己的价值标准而与现实社会格格不入，与时髦趋向不相合拍，对陈规陋俗，他们保持某种程度的独立性、超脱性、飘逸性以至对抗性，对凡夫俗子，他们则多有了几分"俊秀灵气"与反潮流的勇气。在中国历史上，一反当时虚伪的礼教风尚而清高愤世、桀骜不驯、"见礼俗之士以白眼对之"又不走一般读书人立身上进、仕途求荣的正道的嵇康与阮籍，"忍把浮名，换了浅斟低唱"的柳永，老跟本阶级的纲常名教、道学正统唱反调、"行为偏僻性乖张"的贾宝玉，何尝又不是这种"不合时宜的人"？

这一种"不合时宜的人"，值得赞美！

自我选择中的无可奈何性态

——〔英国〕艾里斯·默多克：《特别的东西》

把这篇小说当作一篇性态小说，合适吗？我们已经将就了你生造的"性态小说"这个特别的文学术语，好，悉听尊便，权且再把那些以主要的笔墨来展示、描写、刻画、塑造人物性格的小说，就称之为"性态小说"好了，不过，这篇小说也有点离谱吧？它写的是一个姑娘找对象下决心的故事，就再将就你一次，用合乎你口味的术语来说吧，是一个姑娘在一定的境况之下，进行自我选择、对自己的婚姻大事做出决断的故事，但与你所谓的性态有多少关系？

君言之有理，这个故事的内容，确实如你所概括的，是一个爱尔兰姑娘迁就现实、决定嫁给一个犹太青年裁缝的故事。

作者艾里斯·默多克是学哲学出身的，在这个学科上还获得过学位资格，而她这方面的学术生涯又正是在第二次世界大战刚刚结束之后那个以存在主义的流行为标志的时期里进行的，其所受到的影响是不言而喻的。故而，我们也可以用存在主义的术语来概括说，她的这篇作品写的是一个人在一定境况下进行自我选择的故事。

自我选择的故事，不一定与自我的性态有必然的因果关系，存在主义大师萨特的一篇代表作《墙》似乎能说明这点。那篇小说写的是20世纪30年代西班牙战争中的一件事，一个革命者被法西斯军队逮捕，敌人要他供出一个领导者的下落以饶他一命，他知道那个领导人藏在一个朋友家里，但他并未向敌人供出而决心选择一死，并为了揶揄与捉弄敌人，他谎称那位领导人藏身在某个墓地，法西斯军队按此假供去搜捕。没想到那位领导人为了不连累朋友而转移到墓地，故此正好落进了去搜捕的法西斯军队的手里。小说的主人公本来在主观上是要做英雄主义自我选择的，事实上他也是这样做了，但其结果却阴差阳错，事与愿违，他英雄主义的自我选择却导致了革命同志的被牺牲，这对他来说，是自我选择的失败，也是自我选择的悲剧。这个失败，这个悲剧的根由，在于自我选择与结局的脱节，在于现实不可预料的逆变，在于现实本身的荒诞性，而不在于这个人物自我，不在于他的心态、性态如何运作，不在于他的思想与决断如何做出，因为那个最后的结果不是他自我的种种素质自为地发生作用而选择的，而是他自我的全部成分与条件处于自在状态，并未参与、并未投入、完全由现实强加给他的。这篇小说中女主人公伊冯的情况与此有些不同，她进行了自我选择，现实没有跟她开玩笑，尊重了她的选择，她与那个犹太青年裁缝的婚姻是她自己选择的结果。在这里，自我选择的结果直接与自我有关，直接来源于自我的选择，因此，自我选择与自我选择的结果，也就形成了一种因果的关系。在这样一个故事里，人物自我选择的故事怎么能与人物自我心态、性态无关？谈这个人物的自我选择，就要谈这个人物的心态、性态，这就是我把这篇小说划入"性态小说"之列的原因。

自我选择，是处于存在状态并具有自觉意识的个人，在生活方式、立场表态、价值取向、规范标准、言论行为、谋略筹划等等方面的选择、取舍与决断。一个人，不论属于何种精神层次，也不论是否自觉，他都是在做这种或那种自我选择的。毫无疑问，自我选择在任何个体人的生存中，都是一个占压倒优势的重要内容。大而言之，它在一个人的生活历程的重大时刻要起作用，几乎可以决定一个人的命运。小而言之，它在日常生活中也几乎无处不在，它不仅构成一个人的精神状态，而且也影响着氛围情境。就自我选择的重要性而言，时代的潮流、历史发展的方向、社会的基调与主旋律，不过是千万个人自我选择的汇集而已；就自我选择的限定性而言，个人的自我选择往往都是只能在既定的现实框架、既定的历史范围里进行的，并不可避免地要受这范围与框架的制约。

但是，不论自我选择所受的限定性如何，自我选择作为主体人的一种自觉意识的决断，总是主体人的思想、意志、感情、愿望、价值标准、行为规范、历史经验、个性习惯起作用的结果，是主体人的自我素质起作用的结果。因此，在文学作品里，写人物的自我选择，必然就要展示人物的心态、性态，人物的自我选择的行动往往就是人物内在本质的一个窗口，而那些写自然选择的名著，经常就是描写人物性态、塑造人物性格的杰作。如莎士比亚在《哈姆雷特》中写丹麦王子在"生与死"上、在改变黑暗环境的现状上以及用什么方式去改变上的自我选择，塑造出了一个犹疑的性格典型；司汤达的《红与黑》写于连在实现、进取、争夺自我价值上，在对待充满了敌意的贵族上流社会的态度上、方式上与道路上的自我选择，为世界文学人物画廊提供了一幅才华横溢、野心勃勃、人格复合的小资产阶级青年的生动画像；萨特的《苍蝇》写古希腊人物俄瑞斯忒斯在是否要弑自己的母亲及其情夫、为父报仇上的自我选择，成功地表现出了一个勇敢承担责任、不畏难险的英雄形象；冈察洛夫的《奥勃洛摩夫》的第一部对主人公早上醒来时在起床还是不起床上的"自我选择"的描写，精彩地绘出了一个俄罗斯地主怠惰空想的个性。

在这篇小说里，女主人公在婚姻上的自我选择，当然也是她心态、性态的一个窗口，而且这是一个怎么的自我选择啊！它发生在伊冯与其男友的一个多么平凡、多么无聊、多么难堪、多么尴尬的约会之后，看了他们约会的那一段过程与情景，谁都会预测伊冯将跟那个犹太青年裁缝彻底告吹。但正是在这约会之后，她声称自己将嫁给这么一个庸人，她闷在被窝里哭得很伤心，我们由此可以感受到她内心苦涩凄酸的程度，由此，可以看到她那痛苦的心态，也可以看出她那原先在婚姻问题上嘴硬逞强而内心柔弱的性态。

不过，小说的确有点特别。作者几乎没有去写主人公做出自我选择的过程以及这个过程中的性态，而她的聚光灯却投射向那个爱尔兰城市荒凉空洞的街道、污秽发臭的河流、嘈杂低级下流的酒吧、粗俗猥琐的人群。在读者眼里比较起来，似乎那个犹太青年裁缝在这个背景上还算老实正派，也正是在这个比较中，我们看到了伊冯这个爱尔兰少女在婚姻问题自我选择上的无可奈何的性态，一种陷于灰黑现实的泥沼中无可奈何的性态。这就足够了，在这个被英国作家们描写成一片停滞、狭隘、落后、保守、猥琐、压抑的图景的爱尔兰现实环境里，无可奈何不正是英国文学中爱尔兰人性格的典型特征之一？请注意，在乔伊斯的经典性现代名著《尤利西斯》里，主人公勃鲁姆就正是爱尔兰现代人无可奈何性态的一个典型，他明知道自己的妻子正在家里跟情夫做爱，却只能在外面流连不归！

童稚的力量，人生的一块绿洲

——〔美国〕杰·台·塞林格：《给艾斯美写的故事——既有爱情又有凄楚》

微弱童稚具有多大的力量？

在狄更斯的著名小说《远大前程》里，囚犯马格韦契曾两度出现在故事发展中。一次是他刚逃出监狱在沼地上遇见了小匹普的时候，那时的他是一个亡命之徒，一个凶狠可怕的恶汉，像一头陷于穷途末路的猛兽，时刻要伤人，要把人撕成碎片，他得到了小匹普的帮助，渡过了出逃后的难关；另一次，则是匹普长大成人并成为绅士的十几年后，一个风雨交加的夜晚，这时的马格韦契已经是一个慈祥的老人，他在流放地澳大利亚艰苦奋斗，惨淡经营，积攒了一大笔财富，他多年来暗地里资助供养了匹普，使他进入了上流社会。从凶恶的逃犯到慷慨的善人，马格韦契前后判若两人，他精神转变的契机是什么？他精神向善的动力是什么？那就是这个乡村孩子匹普。是他心目中的匹普使他在流放地含辛茹苦、下定决心要创业行善，使他从孤零零住在一个小棚里替人放羊做起，把钱一个个积攒下来到最后成为一个富有的农场主、慈祥的大善人。在这个人物的故事里，童稚的力量竟发生了类似 17 世纪戏剧中那种机关神道带来奇迹的作用。

在雨果不朽的巨著《悲惨世界》里，主人公冉·阿让，因为饥寒偷了一块面包就在狱里蹲了 19 年，不公正的冷酷的判决与长期受虐待的囚禁生活使他沉沦为一个剽悍不驯、凶顽成性、冷酷无情、敌视社会的恶汉。但他后来却变成为一个仁爱慈祥、乐善好施、品德

· 586 ·

高尚、富有自我牺牲精神与人道主义胸怀的完人。使他人性复归的契机是什么？使他忏悔自己沉沦的动力是什么？是 10 岁左右的穷孩子小瑞尔威。这次惊心动魄的灵魂大震荡，这次感人至深的人性善的复归，在《悲惨世界》第一部第一卷第十三章中写得甚为深刻精彩：冉·阿让凶狠地抢了这个小流浪儿仅有的一个钱币，那孩子"混合着蒙昧与天真的赤子之心"，那孩子对他的信任、对他的哀求以及哀求无效时的恐惧、绝望与痛苦，终于使他从长期沉沦的噩梦中猛醒了过来，第一次为自己的凶顽而失声痛哭，这就成为他新的人生旅程的起点。

现在，我们在眼前塞林格这篇小说的故事里，又一次看到了童稚的力量。这位美国青年军官在第二次世界大战残酷可怕的战争磨难中，身体与精神都受到了严重的损害，当战争结束的时候，他已经患上了——从小说的描写来看——甚为可怕的神经官能症，说不定他将终身成为一个废人，因此，虽然面临着战后的新生活，他却完全垮了，一蹶不振。这时奇迹突然出现，他收到了一个小女孩在战争尚未结束时寄给他的一封信与送给他当"护身符"的一块手表，这小女孩是他在即将投入严酷的战争之前，在接受军训时偶然认识的。他们只见过一次面，会晤也很短暂，但对那次见面中她天真无邪、清纯秀美的回忆与她这封信所带来的纯洁友谊、善良关怀与温馨情愫，都像是一股清新的圣水涤荡了他充满了战争积淀的精神，泽润了他那濒于枯萎的心灵，补养了他那一蹶不振的元气，他身上奇迹般地出现了康复的兆头。后来，他果然完全康复了，并写了这篇《给艾斯美写的故事》。

三点成一面。这三个不同国度的作家笔下的小说故事，看来足以证明孩童构成了文学中的一片绿洲、一块净地的事实。来到这里，在人生道路上疲于艰难跋涉与紧张拼搏的人可以休息解乏；在人生战场上遭到打击、受到伤害的人，可以得到精神上的调养与康复；在人间染缸中浸染日深、泯灭了真朴面目的人，可以恢复一点真情，甚至在险恶世道中变得猛烈凶暴、冥顽不化的人，也可能有些微人性的复归。而所有这一切，都不是童稚自觉施加影响、主动发生作用的结果，它们都是成人面对着它时精神与心灵发生微妙变化的结果。这虽然不是人性绝对不移的铁律，但却是屡见不鲜的人性常情。

马克思在他著名的《〈政治经济学批判〉导言》中，谈到人类社会幼年时期的希腊神话与希腊艺术时这样说："一个大人是不能再变成一个小孩的，但是，难道小孩的天真不令他高兴吗，难道他自己不应当努力在更高的阶段上把小孩的真实本性再现出来吗？不是每个时代在儿童天性中都有它的特性，在它的自然真实性中复活着吗？"这是马克思政治经济学论著中难得见到的有关抽象人性的论述，它既能触及我在上面所说的成人的人性常情，也能触及童稚本性的魅力，而成人的人性常情的根由又正在于孩童自然真实、天真纯净的本性所具有的魅力：

她尚处于朦胧混沌的自在状态中，只品尝着生之欢快，还不知成人对生存荒诞、对死亡难以摆脱的焦虑为何物，这种无忧无虑的心灵之态，岂不是为生存、为逃离死亡阴影而终日劳顿的成人所羡望的？她纯净无瑕，还没有沾上人世大染缸中的任何色点，不论是黑色的、灰色的、黄色的，还是红色的，这正能给痛感社会污染腐蚀力之害的成人以清新涤净之感。她天真无邪，人性恶的萌芽在她身上还没有露头，世道中的种种险恶、卑劣门道、鬼蜮伎俩，人心里的世故恶意、褊狭忌刻、鸡零狗碎全都与她绝缘，面对这种全善的精灵，在社会现实中疲于警戒、防范、招架、应付的成人就能感到一种慰藉，一种千金难买的绝对安全感。她脆弱娇嫩、柔弱无力，只能在照顾与保护之下才能维持其生存，她对你充满信赖，期待着你的抚育和爱护，并以自发的亲近与投向作为回报，就像向日葵朝着太阳，面对着她，悯爱怜惜的情愫与充任承担的责任感，会在你心底油然而生，并由此而充满一种给予、施舍、为善的冲动。她对普通平常的物件、色彩、逗引往往也那么充满好奇、充满兴趣，甚至好像不无向往、不无憧憬，这种对外在世界、对眼前事物的天真热情，有时不免使你受到感染，得到启迪，并重新燃起你对生活的兴趣及入世的执着！

童稚之中，就这么充满了自然真实的人性，它们对于成人来说，都是一去不复返的、可望而不可即的，因而也是充满了魅力的！难怪在古典名画中，天使几乎都是一个个活泼天真、光着屁股的小孩！

要在文学作品里表现童稚的奇特力量与巨大作用，当然首先就得有出色的孩童个性描写，如果所描写的童稚形象不能给读者以清新之感，不能使读者获得深刻难忘的印象，不能使读者有感于心，那又如何能润透作品中那一枯涩的灵魂？如何能撼动作品中那一凶顽的个性？塞林格这篇小说，就是这样一篇成功的杰作，它描写出孩子的可爱，从而表现出了童稚在现实生活中的奇特作用。

这篇小说的孩子是两个，一个是将要从孩童时代脱颖而出变成一个少女的姐姐，一个是还处于幼童懵懂状态的弟弟。姐姐艾斯美站在步出孩童期的门槛上，好奇地注视着人生，观察着成人的世界，她自以为是个非常懂事、相当成熟的小大人了，但却处处流露出她的稚气与纯洁。弟弟查尔斯则更是对周围的一切兴趣浓厚，他把能收入眼帘的、能触摸到的物件与东西，都当作他顽皮的对象，他所有的动作、行动、反应都是一个"玩"字，也许，他是在那严酷的战争岁月里最无忧无虑的人了。正是这两姐弟对现实、对生活的那种天真的纯朴的兴趣，给那个美国大兵以深刻的印象，成为他以后精神康复的源泉与动力，虽然他只见过这两姐弟一面。而就艾斯美来说，她毕竟是一个快成为少女的孩子，她对这个美国大兵的关怀、善意与友情，又使他感受到一种"既有爱情"的温馨情愫，这对他当然又别具一种造成契机，"扭转乾坤"的作用。塞林格的成功就在于，他不仅在这为时不长的会见场面中，把这两姐弟的可爱的外貌写得十分动人，而且写出了他们那童稚的神态、他们那童稚的感情，姐弟二人各异其趣而又相映成趣，在艺术描写上构成了"双剑合璧"（请允许借用一下中国剑侠小说中的这个说法）而更具动人的效果。

坏孩子的对立情绪

—— 〔英国〕阿兰·西利托：《长跑运动员的孤独》

有兴趣读这本书的人，恐怕都是有过正常的青少年时代的，即从小时候入学、念书、毕业、深造一直到成年就业，因此，对这篇小说中在少年教养院里桀骜不驯、顽固不化的斯密士，一定会感到陌生，甚至不解。

当然，这种陌生感、不解感，我们不是第一次体验到，当我们过去读到西方文学中被称为"现代经典"的名著《麦田里的守望者》时，对那个明明有条件成为一个好学生但偏偏不好好学习而四次被中学开除，甚至离家出走只身跑到纽约去闲荡、逛夜总会、找妓女、酗酒的少年霍尔顿，就感到特别出格；而当我们读到当代另一部赫赫有名的小说《洛丽塔》时，对那个 12 岁就与其义父做爱、同居、流浪的主人公就更感到惊骇了。愈是在青少年时代循规蹈矩的读者，愈加会觉得 20 世纪西方文学中这一族青少年似乎像外星人一样古怪、奇特、异己、不可理解，甚至在读这些作品的时候，会有某种轻微的腻味、反胃、难受的感觉，似乎对这一族人多瞧了两眼，就会玷污自己那已经早已逝去的洁白方正的青少年时代一样。

偏偏这种惊世骇俗的青少年还为数不少，在文学中构成了"垮掉的一代"，与它"血缘相近"的，还有"愤怒的青年"，如果再加上电影中出现的一大批这种类型的青少年，那就简直有点浩浩荡荡了。当然，每个人不规范与出格的程度不一样，不见得所有的人都进过教养院。

如果说西方现当代文学中有不少青少年是坏孩子的话，那么，在古典文学中的青少年则基本上都是好孩子、乖孩子、"懂事的"孩子、上进的孩子，仅以狄更斯的小说为例，这种类型的少年儿童就有一"群"：《大卫·科波菲尔》中的大卫、《老古玩店》中的小耐儿、《小多丽特》中的小多丽特、《远大前程》中的匹普都是。他们多数生长在悲惨的环境里，但他们身上都有一种与厄运、与恶势力抗争的素质，一种竭力避免自己沉沦堕落的积极向上的倾向，并且往往与自己周围同命运或有善意的人保持着亲和、协调、互助的关系。古典文学中那些青少年，即使有的陷入了肮脏可怕的社会角落，如《奥利佛尔·特维斯特》中落进了贼窝与犯罪团伙的小奥利佛尔；即使有的青年在街头浪荡，还不时进行小偷小摸，如《悲惨世界》里的巴黎流浪儿伽弗洛什；即使有的没有正常的青少年时期，过着非规范的生活，到处流浪，如《哈克贝利·费恩历险记》中的哈克，但他们都并不因生活环境的严酷与反常而丢失了自己的纯洁与真朴，反倒一个个乐观、幽默、坚强、勇敢、善良，富有同情心，那个满脸污垢、歪戴破帽、嘴吐粗话的巴黎流浪儿，甚至参加了革命，成为街垒战中的英雄烈士。

为什么西方现当代文学中的坏孩子多了？坏青少年多了？以致英美文学中出现了"垮掉的一代"与"愤怒的青年"，而古典文学中却是好孩子多呢？其原因显然不在于古时候只有好孩子，而当代只有坏孩子，原因当然是多方面的，其中一个较重要的原因，看来，要算是20世纪与物质文明并存的精神危机了。正是在这个世纪，在社会理想的取向上，不论是自由资本主义、空想社会主义，还是空想共产主义，在世界人类的面前都暴露出了各自令人触目惊心的弊端；上帝又已在人心中死去，人的精神还有什么支撑点？人的心目中还有什么神圣的事物、神圣的行为准则？有时难免不处于这种精神状态中的作家，又如何能把追求理想的精神放在他的青少年人物形象中？何况，成人有精神危机，青少年就没有？当作家环顾周围，见到出走、私奔、逃学、流浪、行窃、吸毒、卖淫在青少年群中屡见不鲜时，又如何不会跃跃欲试，要去揭示这种青少年令人特别感到奇异、感到惊骇的生活状态与精神世界呢？人们之所以感到奇异、惊骇，是因为就年龄与经历而言，青少年正像"早晨七八点钟时的太阳"，在社会染缸里还没有浸濡多久，本不该如此这么染成一团灰黑，于是，他们的"灰黑"也就很容易地成为了文学表现、文学感叹的对象。

这篇小说就是致力于揭示这种不规范的青少年的内心世界，它几乎没有描写这个惯窃少年的生活，而仅仅集中地写他在长跑训练中与长跑比赛中的内心独白，而他内心独白的主要内容，又仅仅是他的长跑训练与长跑比赛。读者从他内心独白这个窗口，只能隐约了解到他生活状态的大致轮廓：出身工人家庭，父亲因患癌症去世，家教不好，母亲过着有点放荡淫乱的生活，从小调皮捣乱，因偷窃而进了教养院。对于这些生活的基本情况，作者可谓惜墨如金，往往只用三言两语，甚至只用片言只语，而对人物的主观精神中的"长跑情结"，却几乎倾尽了全部笔墨。是的，长跑问题既是这个人物与现实社会关系的焦点，更是这个人物情绪思考的焦点，因此，我们且称之为他的"情结"。

长跑问题，我们之所以说是他与现实社会关系的焦点，是因为教养院院长特别重视他的长跑才能，给了他特殊优待的条件来培养与训练他这种体能，希望他在运动大会上夺标，以为本院争光，并准备帮助他迅速回到社会中去，做一个以长跑运动为职业的正常人。于是，长跑问题显然就集中了他与院长、与教养院制度、与从院长到教养院制度所代表的正派人社会以及他的不规范的过去与规范化的前途等等的全部关系。

长跑问题作为这个少年犯的"一个情结"，实际上就是他将来如何生活、如何选择自己的前途，将来会有怎样的命运的大问题。在这个问题上，与其说他有冷静的、多方面的分析、思考、抉择，与其说他对自己所面临的社会、对自己所处身的环境与制度、对自己面前的各种人，从警察、教养院院长到议员以及上流社会的观众有认真的观察、审视、解剖，与其说他对人生、社会、制度、国家等等问题有明确的观点与立场，还不如说他只有满腔的情绪，盲目的、非理性的、对抗的、报复的情绪。不管是什么警察，不管其追究的是否确有其事，在他眼里都是"希特勒脸"；不管是上层社会的什么人，在他眼里都一律是"暴眼鼓肚"的可厌家伙；不管教养院院长对他是怎么样的善意，为他做出的安排如何有利于他的前途，他都反感、厌弃、对抗，以致他故意输掉了比赛，求得自己报复心理的平衡。这是一个盲目、紧系、牢固、不可化解的死结，它造成了一个冥顽不化、看来似乎无可救药的少年。

应该说，这种盲目对抗的情绪，带有阶级色彩，也可以说就是一种阶级情绪。在我们这里，过去由于以阶级斗争为纲，日常生活也阶级斗争化，结果弄得人们在阶级斗争中伤痕累累，到现如今，人群似乎对"阶级"二字唯恐避之不及了。应该说，阶级的确是存在的。人群因在生产过程与分配过程中处于不同地位，所获有多有少、有优有劣，切身利益有得有失，因而也就自然形成了不同的集团，这就是阶级。有了阶级，社会就有差异，有矛盾，有看待问题、处理问题的差异与矛盾。其实，阶级论与阶级分析的发明权并不属于马克思、恩格斯，而是属于法国19世纪的历史学家，只不过，把阶级矛盾提高到阶级斗争，把阶级斗争论加以普及化并凝固为无产阶级专政，这倒的确是马克思、恩格斯的继承者列宁的一大贡献，而在斯大林手里，阶级斗争则发扬光大到使人成为微不足道的蝼蚁的地步。因此，虽然阶级斗争为纲至今仍叫人惊魂未定，但我们大可不必无视阶级与阶级矛盾的存在，更不要说不同阶级的存在、特权阶级与少权阶级的存在以及由此而必然产生的阶级矛盾、阶级统治，只在世界的一边有，而在世界的另一边则没有。

这篇小说，我们不能不说它与阶级问题有关，这个少年长跑运动员的盲目对抗的情绪明显带有阶级色彩，也可以说是一种阶级情绪，而这种情绪只可能产生自他的阶级地位。情绪所反映出来的对抗性与所能产生的破坏性无疑是相当可怕的，何况还有点阶级根源？过去对情绪的这种性质与作用的重视，其特别充分的程度曾经是人所共知的，如果那时有人向你严正指出，"你情绪不对头""情绪是最为尖锐的东西"，那么就意味着你被认为是带有对抗性的，是一种阶级异己的力量了，这也就意味着你可能被当作敌对分子，或准敌对分子而加以对待。这篇小说里的教养院院长缺少这种察微知著的本领，他似乎该从东方的艺术中学点东西，但他却太相信他自己的善良愿望，太相信自己确实要改善这个少年在生活中的地位的善良愿望，他完全落空了，失败了。不过，他似乎也可以成为一个值得吸取经验的对象，如果他那种善良的愿望，还无济于化解对立者的逆反情绪，那么，仅仅靠训斥，靠动人的宣教、漂亮的言辞，又怎能从根本上化解深深根源于客观社会现实之中的对立情绪、对立精神、对立的理论观点、对立的意识形态？从这个意义上来说，这篇小说对世界上那些掌握着权力、居于治人地位、进行道德立法、维持精神秩序与管束教化的"院长"们，应该是具有启迪作用的。

"输得起"性态之美

——〔美国〕伊丽莎白·卡利南：《输得起的人》

《输得起的人》，好一个标题！

好就好在它从一个独特的角度发掘出了一种性态，标出了一种性态！

故事很简单，一个年轻的女画家得到一个朋友的邀请到爱尔兰去做客，与对方的许诺和自己的预料完全相反，她只得到了一个狭小而又糟糕的栖身之地，换一个人，也许会拂袖而去，然而她竟安顿了下来，居然还自得其乐。

在这个不称心的城市，她又遇见了过去和自己相当情投意合的男朋友，这时他已经结婚并有了两个孩子。虽然她不情愿，却被主人热情地引进了这个家庭；虽然她平静自然、谨慎克己地相处，但却有时成为女主人防范生妒的对象，有时又被这一对夫妇把她那不称心的、有几分潦倒的处境，拿来映衬他们心满意足的家庭生活，弥合他们之间的摩擦矛盾。换一个人，就该对飞到自己头上的这一切感到恼怒、愤慨与反感，然而，她却置之一笑，超然物外。

她如此"受着"，并非迟钝，她可敏感得很，她由此总结出她是个"输得起的人"。她总结得对，看来，她准备继续"输"下去，而且准备还要"输得起"。

当然，与其说是她的总结，不如说是作者的发现与标明；与其说是她奉行的一种人生态度，不如说是作者的一种表彰，是对"输得起”这种性态的发掘、标明与表彰。

这种发掘与标明是从一个独特的角度来进行的，是把人生视为一场场竞争、一场场较量、一场场赌博、一场场使用，才得以发掘出这种性态的。现实中、人生中任何事情都有得失、有输赢，其结果不外是有的赢，有的输，于是，也就存在着一个输得起或输不起的问题，存在着输得起的人与输不起的人，存在着输得起的性态与输不起的性态。如果说在现实生活中谁绝对输得起、谁绝对输不起往往还难以截然做结论的话（因为有的人在这时输得起，在那时就输不起，在这个问题上输得起，在那个问题上就输不起），那么，输得起的性态与输不起的性态，还是在现实生活中普遍存在、随处可见，而且是截然分明的。

什么是“输得起”？这是一种度量，它对小人的算计与取闹可以宽容、包涵；这是一种谦和，它对恃强狂傲的挑衅可以避其锋芒；这是一种豁达，它对攀比与嫉妒可以不予计较；这是一种潇洒，它对卑劣猥琐的用心可以不屑一顾；这是一种清高，它对名位与利禄的得失可以满不在乎；这是一种明智，它在天灾人祸前可以处之泰然；这是一种坚忍，它对困顿厄运的折磨可以挺抗；这是一种自信，它对自我价值的埋没从不沮丧，在失意的时刻仍我行我素。如果要解析它的构成，它是由承受忍耐与洒脱超越两种基本成分的组合。在现实生活里，它是鼠肚鸡肠、耿耿于怀、狭隘偏激、妒刻刁难、权威势利、老羞成怒、逼压迫害、“顺我者昌、逆我者亡”等等性态的对立面，而且往往是这些性态的受害者、牺牲品。它是被亏待、被主宰、被控制、被误解、被挤压、被逼迫、被打击、失意潦倒境况的产物。它是输家的哲学，也是输家的美德，它在精神上大大超越了那些赢家。

是的，我们称之为一种美德，是因为它为持有者的人生免除很多烦恼，因为它使现实生活多一些平和化解的局面，而少一些剑拔弩张、矛盾对抗、冲突激化的争斗。更为值得赞赏的是它绝不意味着自我价值的匮缺、不足、贫乏、低劣，而恰巧相反，它往往意味着自我价值的富足，如果没有自我高远的精神境界、广阔的胸怀、显著的优势、不可磨灭的劳绩，又如何能够"输得起"？如何在输了以后仍能显示出其存在的意义与价值？

拿破仑既已创立了不朽的历史伟绩，他被囚于圣赫勒拿岛后，口述回忆录时，对带给他覆灭之灾的滑铁卢战役，就能够完全采取"超脱而冷漠"的态度（奥克塔夫·奥布里：《拿破仑的私人生活》）；司汤达对自己的价值充满信心，深知自己的作品将得到未来时代读者的欣赏，因而虽眼见一些同行名噪一时而自己仍甘于在生前默默无闻。与这种输得起的性态相反，现实中那种咄咄逼人、不择手段、非赢不可的"输不起"的性态，倒往往是因为自我价值贫乏、匮缺、渺小、低劣的一种必然的表现。因为他们不拥有任何价值，也就没有任何输得起的东西，也就经不起一输；没有任何可输得起的东西，经不起一输，其存在的意义（不论是向他人证明还是向自己证明）也就只能靠死乞白赖地赢一次来显示了。

我不是说，这篇小说说明的意义与道理有这么多，应该说，它所写出来的事实内容简直是少得可怜，人物在故事里的那种输赢感受也微细得使人不易察觉，作者表述的语言又随意轻淡得不引人注意，一切都融化在一种恬淡、素朴、超脱的风格中，就像"输得起"一样不在意、无所谓。尽管这篇小说的内容、题旨并不鲜明、透辟、充分，但它的确着重而有力地提出了一个人生观察、性态研究的独特角度，一个富有启发性的角度，一个能引发出丰富意义的角度。这，对于一篇小说来说，就足够了！

在两种对立的社会制度的夹缝中的性态

——〔美国〕乔伊斯·卡罗尔·欧茨:《翻译》

这篇小说所写的，是两个分别附着于两极层面之上而在它们的夹缝中互相接触的人物的不同性态。这两极层面就是两种对峙的社会制度。

我们所见到的小说，一般都是描写同一个国度、同一种社会制度下的人的生活，不论他们的关系是如何错综复杂，但毕竟有同种同文这一最大的共同基础。而这篇小说的人物则是分属于不同的国度与制度，他们不仅没有共同的文化背景、共同的意识形态、共同的道德规范，而且也没有共同的语言，这在题材上构成了其独特性。

说他们分属于不同的社会制度还不够，应该说，他们是分别自觉地附着于不同的社会制度的。如果他们只是来自不同的国家、不同的社会制度的普通人，以私人身份相遇在一种非社会制度化的背景中、一种私人性的场合下，例如作为旅游者相遇在旅途中或在旅游胜地，那么，情况肯定会有所不同。而在这篇小说里，相遇的双方，既不是以私人身份出现的，也不是在私交的场合下。他们都十分清楚自己所代表的、所体现的是什么，都十分自觉地意识到自己是附着于什么层面之上。

一方是美国著名杂志的编辑与发行人。尽管这个美国编辑所在的那家杂志是以评介各国文化而尽可能回避政治问题而闻名的，但他代表着一定的价值观念、一定的意识形态，他来到这个国家参观旅行，事实上是公务性质的工作访问，他的身份也就具有"文化大使"的意义了，正如他自己的政府所说的那样。

另一方则是欧洲某一前社会主义国家的翻译。翻译往往都不是只有私人身份的普通人。社会主义国家翻译人员的功能，谁都知道更是多方面的，何止语言上的沟通交流而已！迎来送往、生活照顾、日程安排、陪同出入以及掌握对方的思想动态、了解"敌情"、宣传党与国家的政策、介绍社会主义建设成就、进行"思想工作"，等等，等等，哪一项任务不是由翻译来承担？在这种"涉外"场合，他显然就是纯粹的官方人员，是这个国家、这种社会制度所信赖的"忠实成员"，甚至可以说是这种社会制度的代言人与利益代表者，虽然他在这个国家、这种社会制度的权力结构中往往处于低层！

因此，来访者与翻译在这种境况中相遇，双方的背后都紧贴着两个巨大的对峙的层面，他们的接触在一定意义上，也就可以说是这两个层面、两种社会制度的相撞了，这是就双方相遇的性质而言。而就相遇的双方作为个人而言，他们由于各自不同的机遇而被抛进两种制度相对立的格局之后，不论这位来访者的访问期限有多长、访问的空间范围有多大，他们双方都只能在两个对峙层面的夹缝中讨生活。夹缝是不可能很大的，所能讨出来的生活肯定也是很有限的。在这样的夹缝中，人的个性、私人性、独立人格与深层意识也都是难以得到充分展示的。用这样一个题材来写小说，而且写得像这篇小说这样富有戏剧性，我们不能不欣赏作者所选取的角度之巧妙与描述艺术的出色。以这种难得有自己个性表现的人物作为主人公，而且把他们写得如此有心理深度，我们不能不赞叹作者刻画人物的功力。

当然，这篇小说的人物在他们所处的格局境况中来说，毕竟都要比在外交谈判桌上有稍多一点间隙与夹缝来舒展一下自我。这里，固然也有意识形态色彩浓厚的讨论会，有免不了不同程度的唇枪舌剑的招待会，然而，也还有正式访问活动以外的一些个别接触与私人交谈的活动，正是在这些间隙里，萌生出人物深层意识中一些细微隐秘的活动，展示出他们真实的自我性态，发生了谈判桌上、招待会上所不可能发生的故事。

如果只是一个现实、清醒、谨慎、世故的外国来访者，譬如说，是一个拘谨的日本人或者是一个头脑冷静的德国人，便不会出现小说中这样的故事。但是，这个来访者偏偏是一个感情冲动、行事冒失鲁莽的美国佬。虽然他已到了完全成熟的年龄，而且也具有比较高级的身份，却仍免不了一般美国人通常有的那种轻率、主观、莽撞的脾性，他认识一个女性交谈者仅仅只有 15 分钟，而且还是通过翻译，就爱上了这个异国少妇，想入非非，没有搞清这个妇女的个人情况，就想跟她谱写一支爱情浪漫曲。他似乎还相当认真，不只是为了追求一段露水之情、旅途之爱，而是严肃地要与她建立共同的生活，还产生了一种勇敢的骑士精神的冲动，准备向她提供帮助，来"拯救"她脱离这个他认为"不自由""充满了拘捕与监禁"的火坑，甚至做了最坏的打算：即使自己不回国，即使"祖国被毁灭""被从历史上抹去"，他也会毫不在乎。

在两种社会制度、两个层面对立如此严酷的夹缝中，在冷战气氛甚为浓烈的境况下，这个美国佬居然有这种"个性要求"并采取了行动，我们不能不说他是异想天开、头脑简单、行事幼稚，但从他面对如此严峻的现实却有如此认真、如此强烈的冲动而言，我们又不能不说他有几分天真；如果再考虑他的确对自己过去在美国郁郁寡欢、了无旨趣、空洞虚妄、无所作为的生活不堪回首的话，那么，我们对他的这种冲动便不免会产生几分同情了。幸亏他碰见了两个懂事而求实的翻译，他们只骗取了他一笔钱，只把他要弄教训了一场、让他哑巴吃黄连有苦说不出了事而外，并没有容他的冲动酿成一次策反公民或引诱妇女的外交纠纷，使大家避免了一桩国际事件的麻烦。

这个中欧某社会主义国家的翻译，要比这个美国人更忠实、更无保留、更自觉地依附在自己所属的社会制度、所属的层面之上。他显然是经过这种制度精心调教、精心培养出来的忠诚分子。这是一类人、一种人。仅仅从他们都出身贫苦、来自农村却受到了高等教育、成为外语翻译、能自由出入外交场合并在外交工作中独当一面这一事实而言，就可以想见他们的家庭社会背景是多么纯洁可靠，他们自己也是多次合格地通过了政治风浪的考验、思想意识形态的检测与领导机构的审查的。在被选拔的过程中，他们为了显示出自己的忠诚、自己的品德、自己的能力，该经历过多少次与同道同事的较量与"竞争"！于是，当这个美国人遇见了这种翻译同志的时候，很容易就会感到他那苦行僧式的外表下显示出了与他小小的年龄不大相称的成熟，"反应敏捷，行动诡秘，悄然无声"，好像一头"昼伏夜出的野兽"。请看，他在接待工作中周到的服务、机智的应对、暗藏锋芒的表态、完全符合其社会制度规范的立场与语言，所有这些，多值得人们赞叹！

至于他最后骗取老外一举在道德上是否有点问题？也许，他向自己的组织汇报过这个美国人的不良意图并进行过请示？但至少他是与自己的同事与同志，即接替他的另一个翻译以及同他一道接待来访者的那个少妇三人互相配合完成此举的。可以肯定，他们自认为是站在革命道德的制高点上这样做的，对一个口袋里满是绿美钞的资产阶级分子难道不可以剥夺他一点什么？难道不可以给他一点教训、一点颜色，叫他在社会主义国家不敢再有非分之想？这样做难道不是以最巧妙的方式、非政治外交的方式解决了一个外事矛盾？于是，我们就看到了那个接替任务、打发后事的翻译与那个叫美国佬心醉神迷的少妇最后那一场愚弄性的嘲笑。这一棍可把这个傻头傻脑的来访者打得晕头转向，看来，这次"阴沟里翻船"将使他在相当长一个时期里一蹶不振，即使不会像他自己所悲叹的"这后半辈子我该怎么办呀"那么严重的话。

　　这篇小说所表现出来的，不仅是两极层面的夹缝中不同的人物相触时的性态，而且也是不同人物如何按着自己所属于的层面的必然性与命定性而运作的性态，这个来访者身上有着美国生活方式明显的积淀。美国生活方式中高度的物质生活享受与民主做派，使他像很多美国人那样，一面对着其他国家、其他民族的生活状况，就优越感十足，就自觉或不自觉地以拯救者、施舍者自命，而这种生活方式中自我个性至上、为所欲为以及性自由的习气，又使他完全陷于自我的主观之中，一厢情愿地要谋求实现自己的非分之想。他这次"阴沟里翻船"，实际上是他美国生活方式富贵病的一次发作。而引发起他这种富贵病又整治掉他这种富贵病的对方，则完全是铁的纪律与功利原则相统一的生活方式的产儿，是一种贫穷拮据、必须讲求功利策略、自我保护、自我克制的生活方式的产儿。两者相遇，都按照各自的根底规律运作，其结果远远不仅仅是那一方替这一方一次又一次地付酒饭钱，而是那一方一败涂地，输得精光。

　　在古希腊时代，文明富裕的雅典人，就经常不是剽悍贫穷的斯巴达人的对手。

可与母爱比美的收养人之爱

——〔英国〕苏姗·希尔:《收养人》

母爱，是世界上被歌颂得最多的一种感情，在文学中，它居于崇高的地位是无可置疑的。

似乎还有一种感情，可与母爱相比，我不妨称之为收养人之爱。之所以把这两种感情联系在一起加以比较，是因为它们都是长者对孩子的爱，属于同一个类别，只不过母爱是对自己亲生孩子的爱，而收养人之爱则是对与自己毫无血缘亲属关系的孩子的爱。

这篇小说，对这种爱的形态提供了一幅形象的写生，老农民主人公自愿收养了一个生活无着的小男孩，且看他是如何将温暖深挚的爱施予这个孩子的：

多年来，他生活的主要内容，就是抚养这个孩子，把他从一个刚满9个月的婴孩抚养成一个小学生；从教他学会在地板上爬一直到每日送他上学，接他回家；从照顾这孩子的一日三餐到给他缝补洗涤衣物，培养他餐前洗手等爱清洁的良好习惯；从日常生活为伴到经常带孩子散步遛弯……凡此一切，看起来是再平凡普遍不过，但是对于一个家境清寒、独身一人、年近70的老农夫来说，在10来年中，含辛茹苦坚持这样做，其可歌可泣实不亚于一个英雄创建一份功勋。

这个农夫使我们不难想起文学中早已有的一个著名的收养人，那就是19世纪法国作家雨果《悲惨世界》中的主人公冉·阿让。这个人一辈子的善行义举实在太多了，这里难以一一列全，其中的一项就是他对孤女珂赛特的收养。珂赛特的母亲原来是一个善良漂亮的青年女工，被欺骗、被抛弃、被逼迫而沦为风尘女，历尽欺侮、打击、贫病、痛苦，死得很惨，留下了珂赛特这个孤苦伶仃的小女孩，无依无靠，小小年纪就在悲惨人世受苦遭难。冉·阿让冒了巨大的风险把她从人间地狱里救了出来，又冒生命危险把她带到巴黎，隐姓埋名抚养她，教育她，直到使她从一个小女孩成为一个体面的少女。后来，他又为了珂赛特的幸福，在枪林弹雨中九死一生地救出了她的情人马吕斯。冉·阿让早已作为以道德高尚、富有自我牺牲精神与人道主义胸怀的理想化人物而著称于世，与他做个比较，我们不难看出这篇小说中这个老农夫也同样具有收养人之爱，尽管其气魄、能力、浪漫化理想化的色彩远远不如冉·阿让。

收养人之爱，也许要算是人世间一种最值得称道的东西了。它最初看来是出于对对象的同情与怜悯；而后，肯定有一种慈悲为怀、舍己助人的冲动，它与任何利己的权宜的考虑完全绝缘而显示出了一种超凡纯净的风致；也许其间并非没有产生过某些犹疑、考虑与矛盾，这是现实生活的境况、情势与客观条件的制约必然造成的，不足为怪，但它们很快就被自我牺牲、自我奉献的意境所化解，而所有这些又只能是在一个本性善良、宽厚、慷慨、大度、充满了温情而又经受过忧患的心灵里发生并完成的；而后，就是这种精神与这种爱长期在日常生活的磨损中、在现实利害的冰水中、在严重困难的压迫中、在各种不幸的冲击中经受考验了；结果，它又显示出了它的勇敢、顽强、坚毅、有恒、无私、挺立与闪光，造成人间不可多见的动人故事，写出世上令人洒泪的篇章。我们可以把收养人的爱称之为无私的人道主义精神，可以把收养人的性态称之为人性人道的光辉焕发。

请不要以主观色彩浓厚的浪漫抒情来代替对作品的切实鉴赏与对人物的具体分析。

的确，收养者并非完全那么高大。谁都会注意到，不论是这个老农夫还是冉·阿让，他们都是孤独者，在人间都已经举目无亲，他们需要亲情，需要温暖，当他无可挽回地已失去了这些的时候，就尝试着营造出一片由自己居于主宰、居于施舍地位的温暖亲情的小天地，正如想用自己的体温去捂暖这个小窝、这个对象，从而从其反射出来的温热感受到些许温暖一样。于是，收养人所收养的对象倒成为收养人开辟的人生绿洲的泉源；被收养者、被施恩者就成为收养者、施恩者的生活支点。一旦这个泉源消失，这个支点抽走，收养人的生活绿洲也就枯萎，收养人的立足点也就塌陷，收养人的生命也很快就真正到了尽头了，正如我们在这篇小说中所看到的，这个老人一旦失去了这个孩子，他整个的生命的发条也就断了，他只能奄奄待毙。即使是冉·阿让那样一个有顶天立地气概的硬汉，当他的生活中失去了珂赛特之后，他也就极快地衰老了，不久就离开了人世。这就是施恩者、奉献者、收养者致命的软弱，就是人世间这种精神高大者、精神充实者的可怜的局限性。

这种既高尚、充实、坚强、值得仰慕，而同时又软弱、贫乏、值得怜悯的人性状态，其实只不过体现出了人性的一种规律。人不仅有攫取、占有、享用、支撑的人性本能，而且也有施舍、奉献、寄寓、依存的人性本能；不仅有接受温情、希求善待、渴望爱心的被爱需要，而且也有出示善意、传达温情、舍己为他的施爱的需要。如果无此，那么在人类的性态中，哪会有爱国家、爱人民、爱恋人、爱父母、爱子女竟常常爱到"衣带渐宽终不悔"的程度，爱到"春蚕到死丝方尽"的地步？如果不承认这种人性本能，这种人性需要，那么上述那种如醉如痴的爱岂不都成了走火入魔？

易陷误区的年龄段上的性态

——〔英国〕维·索·普里契特：《行为美，才是真美》

"三十岁的盛年，是女人一生中诗意最浓的岁月，她们能统观整个一生，既能看到过去，也能展望未来。这时候，女人们懂得爱情的全部价值，享受着爱情的欢乐，而又唯恐失去爱情，因为尽管她们的心灵还保留着青春的美，青春却已将她们抛弃，她们的激情因惧怕未来而与日俱增。"[1]

这是巴尔扎克在他的长篇小说《三十岁的女人》中的一段话。

对 30 岁女人的描写，既是巴尔扎克特别感兴趣、乐于从事的，也是他人物性格描写中的"强项"，他笔下具有魅力的女性形象中，这个年龄层次的女人，就构成了几乎可以说是最光辉的一组。这一批女人，在形体上无不风姿绰约，体态丰美，肌肤腴润，容光焕发；在气质品位上，又都超凡脱俗，神韵妩媚，特具魅力，风华正茂。她们已经脱离了少女时代的纯洁天真，却并没有丧失那个年龄段的青春活力，又增添了少妇的成熟与性感，善解风情，因而，她们往往是小说中男性追求爱慕、谈情说爱的对象，不仅是情爱的对象，而且也是欲爱的对象！而她们的柔情与浪漫，则往往玉成其事而构成了小说中的罗曼史。在这些 30 岁的女人中，《高老头》中巴黎上流社会的中心人物鲍赛昂子爵夫人与《幽谷百合》中外省的贤淑女子德·莫尔索伯爵夫人，就是两个著名的形象。巴尔扎克在描写她们的时候，自己那

---

[1] 《巴尔扎克全集》第四卷，第 506 页。

种赞赏爱慕、心醉神迷之情也不能自持而在笔端畅泄无余。请看，他在描写此类女子时，因强烈向往而产生的一种遗憾："多么精妙的笔触，多么温暖的设色，也不能表现其万一。"①

文学艺术家在选择人物对象上的"30 岁女人"情结，其实也是屡见不鲜的，蒙娜丽莎何尝不是 30 岁的女人？达·芬奇选取、描绘这个人物时，何尝不也是充满了某种倾慕与激情？

文学艺术中的这种"30 岁女人"情结，显然在现实生活中、在人自然发展阶段中，都是有其根由的。孔夫子说过"三十而立"，这是指男人，不论从生理上的精力与体能、智力上的发展阶段而言，还是从文化、知识掌握与运用的程度与经验阅历的多少而言，都有其根据与必然性的。既然男人是三十而立，为什么女人不会像一朵朵怒放的花？如果说，男人的"三十而立"还涉及一些客观社会条件与自我价值在某种境况中能否实现的话，那么，女性之花的"三十而立"仅只涉及其自然发展，即形体、容貌、气质、性感的自然发展，也就是自然而然的了。

这篇小说写的不是 30 岁的女人，而是写 40 岁的女人。10 岁之差，这对女人来说，可不是小事。如果一个女人是一个事业家、科学家、学者的话，也许，40 岁的"她"一般总要优于、高于 30 岁的"她"，但当事情不是涉及"她"的知识水平、事业成就，而只是涉及"她"作为女性的形体容貌以及是否具有魅力、是否足以引起男性的激情的时候，那可就会有些相形见绌了；原因很简单，原因也很可怕——衰老的阴影开始往她身上侵袭。

如果这里要对女人 40 岁的自然生理做些议论，那就有些出格了，但文学描写却是冷酷无情的。正如我们在这篇小说里所看到的，柯兰太太脸上开始有了皱纹，她的头发开始花白了，她的身材倒偶尔还显得有点秀美，有点魅力，但那也不过像庞贝城的遗迹一样，只呈

---

① 《巴尔扎克全集》第十九卷，第288页。

现出昔日青春年少的一点影子。

不妙的是形体、容颜的变化，更不妙的是心里深处的变化，我们这里不宜自充精神分析医生，对这个年龄段的深层心理进行分析与综合，只需对文学艺术中已经存活的若干人物形象加以说明就够了。

如果到了40岁这个门槛上，能顺应规律，安之若素，"乐乎天命复奚疑"，就像巴尔扎克长篇小说《贝姨》中的于洛男爵夫人那样，虽风韵犹存，却已然是"一片冰心在玉壶"，这样反倒保持了王后般的尊严与动人的魅力。这个40岁出头的美妇，面对着腰缠万贯、春风得意的花粉商人克勒韦尔先生的追求，无动于衷，端庄严肃，她说得很理智，"在我的年纪，一个女人再要胡闹，必须有些特殊的理由"①，这颇能代表世间很大一部分40岁女人的良知型的心态。这种冰清的意境，却正好画出了黄昏美景图，以至"喜欢夕阳晚照的鉴赏家，还是觉得男爵夫人比她的女儿更可爱"②。

到了40岁这个年龄，如果面对着青春活力的消退与衰老阴影的进逼，对韶华已逝深有感伤，对深秋晚景甚感恐惧，于是，就在自己身上去搜寻若干青春与风韵的残余，几乎是在慌乱急切之中，孤注一掷，力求造成人生中浪漫风流的一景，再品尝一次人生的欢乐与痛快，或者再做一次青春祭，为自己残存的青春碎片竖一块碑，留一次影，举行一次神圣的风光的告别仪式，让自己的生命再一次浪漫地熠熠生光……就像拼命要挤上最后一班公共汽车一样，那么，这就很有可能要闹出一些力不从心、身不由己、自己也难以预料的尴尬故事来。同样，以上这一段话，也并非笔者对女性人生的妄评，而只不过是对文学艺术作品中好些形象描写的复述与概括。如果说，在文学艺术中，的确存在着"30岁女人"情结的话，那么，在文学艺术中，同样也存在着对"40岁女人"的"感叹调"，例如，最著名的例子大概

① 《巴尔扎克全集》第十三卷，第13页。
② 同上书，第40页。

要算莫泊桑的长篇小说名著《漂亮朋友》了。

在《漂亮朋友》中，有一个报馆大老板的太太、美貌的瓦尔特夫人，她早已是两个女儿的母亲，在巴黎的人欲横流之中，一直贤淑自持，守身如玉，但偏偏到了女儿已经成人、自己已徐娘半老之时，却情不自禁地对年少俊男动了春心，一经对方的引诱，就委身于人，成为"漂亮朋友"杜洛华死心塌地、棒打不去的情妇，其进入误区的可叹的性态，在莫泊桑的笔下被描写得活灵活现——六个星期以来，他一直试图和她断绝关系，但对方却拼命缠住不放。

她当初失足以后，心里懊恼万分，接连三次幽会，她都不断地责备和咒骂她的情人。这种场面终于惹恼了杜洛华，何况，他对这个已经不年轻而富有戏剧性的女人已经感到腻烦。于是，他干脆疏远她，希望这种风流艳事就此结束。但她却死缠不放，像脖子上拴了块石头跳进河里一样，完全沉溺在爱情之中。杜洛华心软了，对她产生了爱怜，重又投进了她的怀抱。她的情欲达到了疯狂的程度，使杜洛华穷于应付。她的爱情简直是一种折磨。

她想天天都见到他，给他发电报，约他在街角、商店或者公园里作短暂的会面。

她总对他说，她爱他，崇拜他，翻来覆去都是这几句话，然后，离开的时候，总要向他发誓说："见到你，我感到幸福极了。"

杜洛华做梦也没想到她会这样。为了取悦杜洛华，她竭力做出与她年龄极不相称的、天真烂漫而又幼稚可笑的爱情动作。在这以前，她生活严肃，心地纯洁，而且胸无杂念，不知情欲为何物。可现在，这个贤良文静的女人突然变了，她那 40 岁的年华仿佛是寒冷的夏天过后出现的淡淡秋光，又像残春中荏弱的小花和夭折的蓓蕾。她心里忽然产生一种异乎寻常的、少女般的爱情。这种爱情虽然姗姗来迟，但却热烈而天真。她会突如其来地冲动，像 16 岁的少女那样轻声叫喊，或者柔声曼语，使人有肉麻之感。有时又故作妩媚之态，但只能给人以老来俏的印象。她可以一天写 10 封信，每封都是憨气十足，怪诞离奇，时而充满诗意，时而又令人忍俊不禁，还仿照印第安人的格调，涂满种种飞禽走兽的名字。

当他们两人单独在一起的时候，她会像一个淘气的胖女孩子那样，温柔而笨拙地亲吻杜洛华，有点粗野地努努嘴唇，一面跳跳蹦蹦，使得沉甸甸的胸脯在衬衣下不住地来回颤动。杜洛华感到恶心的是听见她喊自己"我的小耗子""我的小狗""我的小猫""我的小宝贝""我的小青鸟""我的小心肝"。同样使他作呕的是看到她每次委身给自己时，总是装出天真无邪的样子，假装害怕，自以为妩媚，像行为放荡的喜剧院女演员那样忸怩作态，半推半就。

她会问："这嘴是谁的？"如果杜洛华不立即回答："是我的。"她就会没完没了地问下去，直到杜洛华的脸被气白了为止。

杜洛华心想，她一定以为在谈爱情的时候，必须非常有分寸，要灵活谨慎，一举一动都要恰到好处。她深知自己并非青春妙龄，已经当上了母亲，又是上流社会的贵妇，即使委身于人，也不应该鲁莽从事，必须按捺住内心的冲动，装出严肃的样子，也许还要噙着眼泪，当然是狄东①的眼泪，而不是朱丽叶②的眼泪。

她一个劲地对杜洛华说："我多么爱你啊！我的小乖乖。你也同样爱我吗？说呀，小宝贝。"

听见她喊自己"小乖乖""小宝贝"的时候，杜洛华真忍不住想叫她一声："我的老太婆。"

她还对杜洛华说："我简直是疯了，居然顺从了你。不过我并不后悔。爱情真叫人陶醉！"

这一切从她那张嘴说出来，使杜洛华大为恼火。她低声说"爱情

---

① 狄东（Didon），古代腓尼基城邦蒂尔城的公主，因丈夫被皇兄庇格马利翁杀害，逃亡非洲，建立迦太基城邦。罗马诗人维吉尔的史诗《伊尼德》中，描写女王狄东因被特洛伊王子伊尼亚斯抛弃，悲痛而自杀。

② 朱丽叶，莎士比亚戏剧《罗密欧与朱丽叶》中的女主角。

真叫人陶醉"这句话的时候，就像话剧里天真无邪的少女在装腔作势背诵台词。

她那些爱抚的动作也生硬得叫人生气。往往当杜洛华这位美男子吻她的时候，她突然会血脉贲张，欲火如炽，拼命抱着对方，那种紧张而又笨手笨脚的样子，使杜洛华不禁大笑起来，想起了那些上了年纪还企图学识字的老头子。

她把杜洛华搂得全身发疼，同时用燃烧着欲火的眼睛紧盯着他，深沉的目光非常可怕，这是青春已过而越老越风流的女人所特有的目光。她那沉默而微微颤动的双唇似乎要把人一口吞下去。她一面用丰腴、温暖、疲倦但永不满足的肉体使劲地贴着杜洛华，一面顽皮地扭动着身躯，嗲声嗲气地对他说："我多么爱你啊，小宝贝。我这么爱你，你就让你心爱的女人舒服舒服吧。"

每逢这个时候，杜洛华真想咒骂一句，拿起帽子，甩门就走。

这个进入误区的 40 岁女人怎么才能清醒过来？直到杜洛华这个流氓拐走了她自己的女儿后，她才断了这份孽缘，自己落得大病一场，精神深受刺激，一夜之间，变成了一个老妇。

在当代西方著名的影片《豺狼的日子》里，也有一个对进入误区的 40 岁女人感叹的故事，其惊心动魄的程度令人不寒而栗：一个家境豪富、生活悠闲的主妇，急切、焦躁地看着自己将很快开始衰老，为了在身上还残留一抹青春光影的时候，抓住每一个投身欢乐的机遇，她极其冒失地接待了一个前来叩门的青年不速之客，并几乎是在同时，投入了这个心怀叵测的来客的怀里，成为一个身份不明的男人的情妇，把自己的家变成了他的安乐窝，而当她偶然一次发现他原来是一个身负可怕使命的间谍杀手时，大祸就临头了，这个男人用一个恶吻，把她活活闷死在自己的怀里，以杀人灭口。

文学艺术中，这类对"四十岁女人"的感叹调，经常就是这么冷酷，这能责怪作者太无情了吗？这有什么办法呢？谁要这类人物自己闯入误区？

比较起来，普里契特这篇《行为美，才是真美》在某些方面，没有以上两个例子那么富有戏剧性，也没有那么惊心动魄，那么狠心，但在这里，作者对这个40岁女人的感叹是双重的，既感叹她到了"头发开始花白"的年龄还居然在一个20多岁的犹太青年面前春心大发，有失身份地主动去挑逗引诱，结果碰了一鼻子灰，尴尬得很，又感叹她过去整整几十年的生活本来就过得平庸、灰暗、寒碜、毫无光彩，而在调情不成、碰了一鼻子灰之后，又编选谎话来报复那个犹太青年，简直就更是丑陋不堪了。

在这篇小说里，作者的观察敏锐，着笔轻淡，态度温和，语调幽默，将一桩难堪、尴尬的故事，表现得略带讽刺意味而又不甚谴伤。如果说他要强调什么、启示什么的话，那就是"行为美才是真正的美"，副题则应是"不要进入年龄误区"。但似乎又不仅仅是不要在年龄问题上进入误区。